nom	JaD	et	Leg	Kaohmar

XOXOXO

Ce livre contient :

© Creations for Children International, Belgique.
www.c4ci.com • Design : Meme Ltd, UK
Les Éditions PoP jeunesse pour la présente édition
Tous droits réservés. Imprimé en Chine.

Questions / Réponses

L'espace

Une galaxie de faits et de personnages fascinants.

Diane Stephens

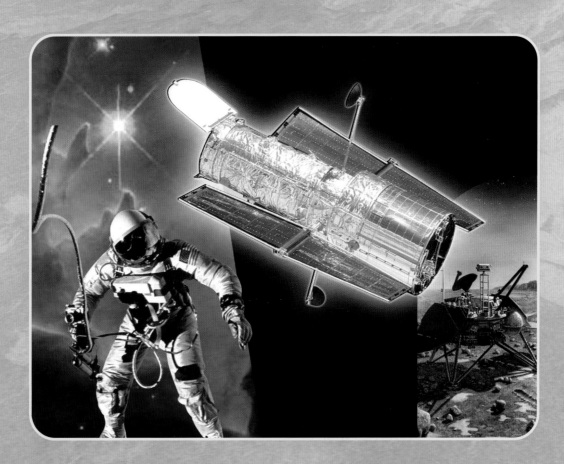

Introduction

A quelle distance l'espace se situe-t-il ? En fait, il n'est pas si loin que ça. L'atmosphère de la Terre n'a qu'une épaisseur de 900 km et l'espace commence juste après. Si nous pouvions y aller tout droit avec notre voiture, nous pourrions atteindre l'espace en une seule journée.

Au-delà de cette courte distance, les choses deviennent immenses, de plus en plus immenses. Dans l'espace, les distances peuvent être tellement importantes qu'il est souvent difficile de les imaginer. La **Lune** est distante de 386 000 km et il nous faudrait 268 jours pour y arriver en voiture (sans jamais s'arrêter pour dormir ou manger), mais Proxima Centauri, l'étoile la plus proche de nous, est à une distance de 40 millions de millions de km, ce qui représenterait un voyage long de 76 millions d'années en voiture. Pour gérer ces chiffres astronomiques, les **scientifiques** comptent en années lumière. Une année lumière représente la distance que la lumière (qui a la plus grande vitesse que nous connaissions) parcourt en un an. Avec cette mesure, Proxima Centauri n'est plus qu'à 4,2 années lumière. Malheureusement, l'espace est tellement gigantesque que l'élément observable le plus lointain est distant de nous de plus de 10 **billions** d'années lumière.

Tout ce qui fait partie de l'Univers observable obéit aux lois de la gravité. La gravité est ce qui maintient nos pieds sur le sol. Elle permet à la Lune de tourner autour de la Terre et à la Terre de tourner autour du Soleil. Elle maintient toutes les **planètes** en place, jusqu'à Pluton, et même encore plus loin. Curieusement, cette force est très faible.

A chaque fois que nous saisissons un objet, nous dépassons la force de gravité de toute une planète ! Cependant, lorsque les objets sont gros, la gravité devient beaucoup plus puissante. Lorsque la gravité devient folle, il se produit un trou noir. La gravité dans ces étoiles effondrées est tellement puissante que même la lumière ne peut pas échapper à sa force, d'où leur apparence de trou noir. Ces monstres cosmiques dévorent tout ce qu'ils trouvent sur leur chemin. Heureusement pour nous, le trou noir le plus proche de nous est éloigné de plus de 1 600 années lumière.

La gravité pourrait éventuellement décider du destin de tout l'Univers. L'Univers a commencé avec le **Big Bang** (il y a 10 billions d'années) et s'est développé continuellement depuis ce moment. Les scientifiques peuvent mesurer cette croissance et cherchent à vérifier si l'Univers va continuer à croître éternellement ou si la gravité va finir par tout réunir de nouveau un jour.

A l'ultime frontière de l'Univers existe une zone de radiations cosmiques. Cela provient de la chaleur laissée par le big bang qui ne s'est pas encore totalement éliminée. Les scientifiques savent mesurer ces radiations et s'en servent pour étudier les premiers jours de l'Univers, voire même ses premières minutes. Même si cette radiation est distante de dix billions d'années lumière, vous pouvez en apercevoir une minuscule partie en réglant votre télévision (ou votre radio) sur une fréquence inoccupée. Un faible pourcentage des parasites sur l'écran vient de la radiation cosmique, une petite partie de la naissance de l'Univers directement chez nous.

Plus de 30 ans dans l'espace. Depuis l'alunissage d'Apollo jusqu'aux essais les plus récents du programme « Nouveaux Horizons ».

La photo (à gauche) montre l'astronaute Eugène Cernan, de la mission Apollo 17, saluant le drapeau américain sur la Lune au cours de la dernière mission Apollo en 1973.
(En bas, à gauche) La navette Atlantis décolle de Cap Canaveral avant la suspension des missions spatiales habitées du programme Columbia.
(En bas) Représentation imaginaire des essais « Nouveaux Horizons » aux frontières du système solaire, parmi les comètes de la très lointaine Ceinture de Kuiper.

La terre

Manteau
Manteau supérieur
Croûte
Noyau intérieur

Qu'est-ce qui rend la Terre différente des autres planètes ?

La planète sur laquelle nous vivons s'appelle la Terre et c'est la seule planète connue à avoir des plantes, des animaux et des hommes. Ceci est dû au fait qu'il y a de l'eau **liquide** sur la Terre (c'est la seule planète avec des mers et des océans) et que l'atmosphère Terrestre possède de **l'oxygène**. Ces deux éléments sont indispensables à la vie des plantes, des animaux et des hommes.

Qu'y a-t-il à l'intérieur de la Terre ?

Les scientifiques pensent que la Terre s'est formée il y a environ 4,5 billions d'années. Si nous pouvions couper la Terre en deux nous constaterions l'existence de plusieurs couches. La croûte Terrestre est à l'extérieur et couvre une couche épaisse de roches brûlantes, le manteau. En dessous, il y a une couche de métal en fusion et au centre de la Terre se situe le **noyau**, qui est solide et principalement composé de métal.

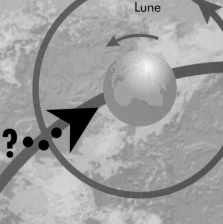

Lune

Pourquoi avons-nous des calendriers ?

La Terre tourne autour du Soleil en suivant un large cercle appelé orbite. Elle met un an pour parcourir son orbite autour du Soleil en se déplaçant à la vitesse très rapide de 106 000 km/h. La Terre tourne également sur elle-même, exécutant une rotation complète par 24 heures. Si la Terre tournait plus vite, nos jours seraient plus courts. Et si elle tournait plus lentement, ils seraient plus longs. Notre calendrier se base sur ces mouvements.

Soleil

Pourquoi appelle-t-on la Terre la planète bleue ?

L'atmosphère est la couche d'air qui entoure la Terre. Vu de l'espace, l'atmosphère ressemble à une fine couche bleutée recouvrant la planète. Bien que l'atmosphère s'étende sur 900 km de large dans l'espace, elle est relativement fine comparée à la taille de la Terre. Si la Terre avait la taille d'une pomme, l'atmosphère aurait environ l'épaisseur de la peau de la pomme.

LE SAVIEZ-VOUS ?

La Terre tourne à une vitesse de 0,5 km par seconde et se déplace autour du Soleil à la vitesse de 30 km par seconde.

Quel est le seul organisme vivant sur Terre visible depuis l'espace ?

La Grande **Barrière de Corail** est un gigantesque récif corallien situé sur la côte nord-est de l'Australie et est le seul organisme vivant qui est visible depuis l'espace. Il est plus étendu que le Royaume Uni et plus long que la côte ouest des États-Unis.

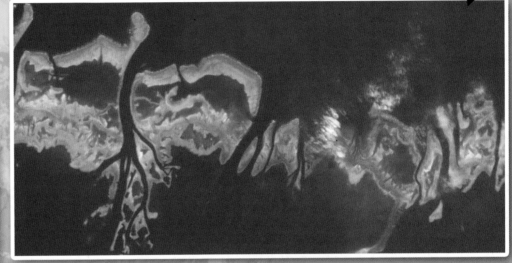

Partie de la Grande Barrière de Corail photographiée depuis la navette spatiale « Endeavour ».

Pourquoi ne flottons-nous pas au-dessus de la Terre ?

Toutes les choses qui sont sur Terre sont retenues par une force invisible appelée gravité. C'est ce qui empêche les hommes, les animaux, les constructions et même les océans de flotter dans l'espace. Loin de la Terre, dans l'espace, sur les Lunes et les étoiles, il n'y a presque pas de gravité. C'est pourquoi les astronautes flottent.

L'astronaute Ed White flotte au-dessus de la Terre.

Notre lune

D'où vient la Lune ?

Personne ne peut l'assurer, mais on pense que la Lune doit s'être formée il y a des millions d'années lorsque la Terre fut touchée par une énorme planète. De gigantesques morceaux de roches éclatèrent sur la Terre et furent projetés dans l'espace. Ces roches y restèrent, retenues par la gravité Terrestre. Petit à petit, elles se rejoignirent, formant une Lune très étendue.

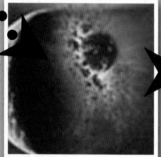

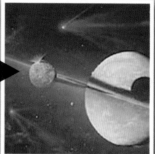

Un élément de la taille de Mars explose sur la Terre.

Des billions de billions de tonnes de roches sont projetées dans l'espace.

Lentement, la gravité à réunis ces roches pour former la lune.

Pourquoi la Lune prend des formes différentes ?

La Lune ne prend pas réellement des formes différentes, nous avons seulement cette impression depuis la Terre. Ceci provient du fait que, comme la Lune tourne autour de la Terre (sur son orbite), le Soleil éclaire chaque nuit des parties différentes de la Lune. Les formes changeantes que nous pouvons voir sont appelées les phases de la Lune. La Lune met 27 jours à parcourir son orbite autour de la Terre et 27 jours pour faire un tour sur elle-même.

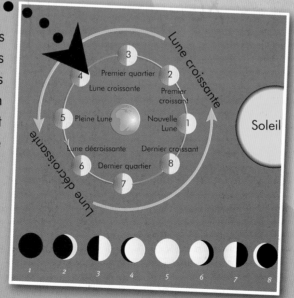

A quoi ressemble la Lune ?

La Lune est extrêmement différente de la Terre. Elle n'a ni air, ni eau, ni de vie. Il n'y a pas de vent ou de pluie, ce qui fait que les empreintes de pas faites par le premier homme qui a marché sur la Lune, Neil Armstrong, resteront durant des millions d'années. Sur la surface de la Lune, il y a d'énormes cratères. Les scientifiques pensent qu'ils proviennent de la chute d'énormes roches. On peut distinguer ces cratères depuis la Terre en regardant la Lune par une nuit claire.

Qu'appelle-t-on Lune bleue ?

Lorsque nous disons « une fois, quand la Lune était bleue », nous voulons dire « pas très souvent ». Il n'y a en principe qu'une seule pleine Lune par mois, mais quelquefois il apparaît une seconde « Lune bleue ». Du fait de la durée dont la Lune a besoin pour passer de la nouvelle Lune à la pleine Lune, ce phénomène ne se produit que tous les deux ans et demi. La Lune bleue n'est pas véritablement bleue, quoique la Lune puisse apparaître sous différentes couleurs après des **éruptions volcaniques**, du fait de la poussière en suspension dans l'air.

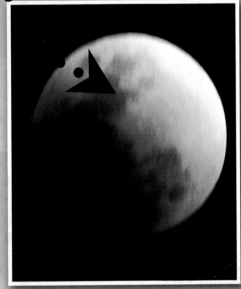

Les poussières volcaniques en suspension dans l'air donnent à la Lune une couleur rouge profond, comme le montre ce cliché de l'Observatoire de Mount Kitt.

LE SAVIEZ-VOUS ?

Comme il n'y a pas d'atmosphère sur la Lune, les ondes des sons ne peuvent pas se transmettre. Donc, aussi fort que nous puissions crier, personne ne nous entendra !

Combien de personnes sont allées sur la Lune ?

L'astronaute Buzz Aldrin suit Neil Armstrong sur le sol lunaire.

En tout, 12 personnes sont allées sur la Lune. Il y a eu six missions sur la Lune de 1969 à 1972. Le premier homme sur la Lune fut Neil Armstrong qui prononça alors la fameuse phrase « Un petit pas pour l'homme, un pas de géant pour l'humanité ».

A chacune de leurs visites, les **astronautes** ont rapporté des morceaux de roches lunaires, d'un poids total de 380 kg, et ont parcouru environ 90 km sur la surface de la Lune.

Quelle est la cause des éclipses de Lune ?

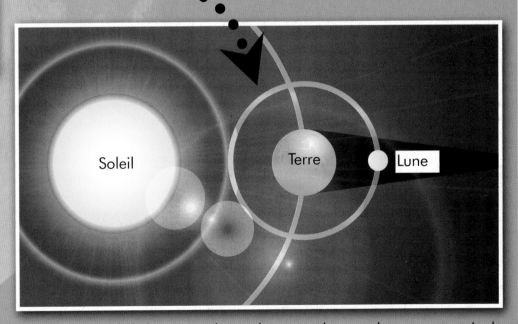

Soleil — Terre — Lune

La lumière du Soleil projette des ombres sur chaque chose, y compris de la Terre. Une éclipse de Lune se produit lorsque la Lune passe dans l'ombre de la Terre. Très rarement, lorsque le Soleil, la Terre et la Lune sont alignés, la Lune paraît disparaître totalement dans l'ombre de la Terre.

Mars

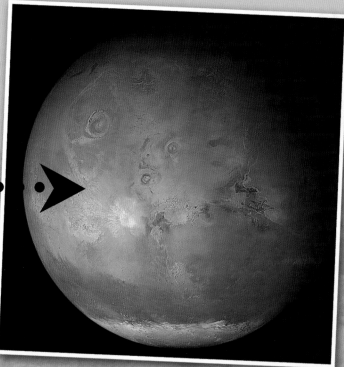

A quoi ressemble Mars ?

La planète Mars ressemble à la Terre sur bien des plans. Elle a une atmosphère, des climats et des saisons. La couche atmosphérique est très mince et essentiellement composée d'un **gaz** toxique, le **dioxyde de carbone**. La gravité est beaucoup moins forte que sur Terre, donc nous pesons beaucoup moins sur Mars. Du fait que Mars soit beaucoup plus éloignée du Soleil que la Terre, elle est beaucoup plus froide, sa température n'étant pas inférieure à -28 degrés, ce qui est aussi froid que le Pôle Nord.

Photo en gros plan de Mars, montrant la couverture glaciaire du côté sud. On peut remarquer une tempête martienne de poussière vers le centre de la planète, ce qui prouve que Mars possède à la fois des climats et des vents.

Y a-t-il une vie sur Mars ?

En 1976, deux **sondes spatiales** Viking se posèrent sur Mars pour faire et transmettre des **expériences**. Elles prirent des échantillons du sol et les testèrent, mais on n'y trouva aucun signe de vie. On a, de nos jours, trouvé de la glace au pôle sud de Mars. Il est donc possible qu'il existe une certaine forme de vie, très reservée au demeurant. De nouvelles missions devraient avoir lieu sur Mars pour découvrir s'il y a eu de la vie sur la planète il y a très longtemps, ou si une vie ayant la forme d'une bactérie continue à exister sous sa surface.

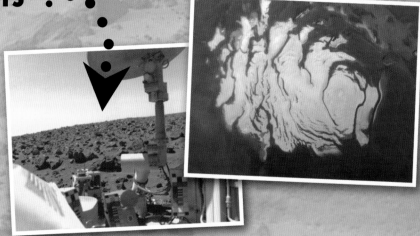

Combien de Lunes Mars possède-t-elle ?

Mars possède deux Lunes. Toutes deux sont minuscules et très sombres et n'ont, de ce fait, pas été découvertes avant 1877. La plus étendue s'appelle Phobos et mesure environ 25 km. La plus petite s'appelle Deimos et ne mesure que 15 km. En comparaison, notre Lune a un diamètre d'environ 3 500 km. Les deux Lunes de Mars ont des orbites très basses et se déplacent très rapidement.

Phobos (en haut) est plus près de sa planète que toute autre Lune. La petite Deimos (en bas) est la Lune la plus petite du système solaire.

LE SAVIEZ-VOUS ?

Cela prendrait 66,5 années d'aller de la Terre à Mars à une vitesse de 100 km/heure, mais seulement 5 minutes en voyageant à la vitesse de la lumière.

Pourquoi •••••••• appelle-t-on Mars la "Planète Rouge" ?

Lorsque l'on observe Mars durant la nuit, elle paraît avoir une couleur rouge pâle. Le sol de Mars est recouvert de roches, de grosses pierres et de sable qui ont tous une couleur rouge de rouille. Même le ciel est rougi par les masses de poussières emportées par le vent. Toutes ces roches contiennent une grande quantité de fer. Ce fer a rouillé au cours des siècles, ce qui a donné cette couleur rouge si particulière à la planète.

Vue de la surface de Mars prise par le robot Spirit qui a atterri sur Mars au début de 2004.

Quelqu'un est-il allé sur Mars ?
•••••••••••••••••••••

Personne n'est encore allé sur Mars, mais les scientifiques y ont envoyé plusieurs sondes spatiales. Les deux premières, appelées Viking 1 et 2 étaient trop grosses pour pouvoir se déplacer. Elles avaient des caméras de télévision ce qui a permis aux scientifiques de voir à quoi ressemblait la surface de Mars.

Le robot Mars Pathfinder a été le premier robot mobile envoyé sur Mars.

Est-ce que des gens pourraient vivre sur Mars ?

Au sein du système solaire, Mars est probablement l'endroit le plus indiqué pour que l'homme puisse construire des bases, encore que la vie y serait très difficile. Le froid et la mauvaise qualité de l'air obligeraient à sortir vêtu d'une combinaison spatiale. Il y a énormément de glaciers sur Mars et il faudrait donc construire les bases non loin d'eux, près des pôles. Au bout de milliers d'années, les hommes pourraient modifier l'atmosphère afin qu'elle soit plus proche de l'atmosphère terrestre, afin de pouvoir faire pousser des plantes. Faire ainsi évoluer une planète est appelé « **terraformation** ».

Représentation imaginaire d'une éventuelle première installation sur Mars.

Petits objets
Comètes, astéroïdes et météorites

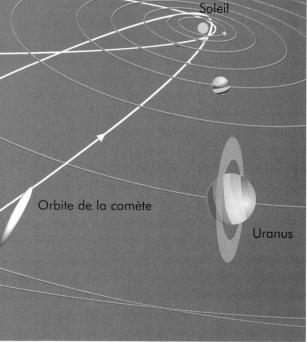

L'astéroïde Eros 433 mesure 20 km de long et 8 de large. Eros est un astéroïde proche de la terre (NEA).

Que sont les comètes ?

Les comètes sont de grosses boules de glace et de poussière, ressemblant à une boule de neige sale. Elles gravitent autour du Soleil et portent en général le nom de la personne qui les a découvertes. Il y a très longtemps, les hommes étaient effrayés en les voyant car ils croyaient qu'elles étaient un avertissement que quelque chose de mauvais allait se passer.

La comète Hale-Bopp photographiée depuis Merrit Island en Floride

Qu'appelle-t-on astéroïde ?

Les astéroïdes sont des morceaux de roche et de métal qui gravitent autour du Soleil et sont trop petits pour porter le nom de planète. On pense qu'elles proviennent de matières abandonnées lors de la formation du système solaire. Il existe des millions d'astéroïdes dont la taille varie de celle d'un petit caillou au gigantisme de Cérès qui mesure près de 1 000 kilomètres de diamètre. Quelques astéroïdes ont même leur propre Lune, ainsi le petit astéroïde Ida dont la Lune s'appelle Dactyle.

Pourquoi les comètes ont-elles des queues ?

Très loin du Soleil, une comète n'est qu'un bloc solide de glace sale, sans queue. En se rapprochant du Soleil, elle se réchauffe et sa couche supérieure fond. Ceci provoque la formation d'une longue traînée de gaz et de poussières qui forme un nuage appelé queue de la comète. Une des comètes les plus connues est la **Comète de Halley** que l'on peut observer depuis la Terre à peu près tous les 76 ans. Elle a été vue pour la dernière fois en 1986 et redeviendra donc visible en 2062.

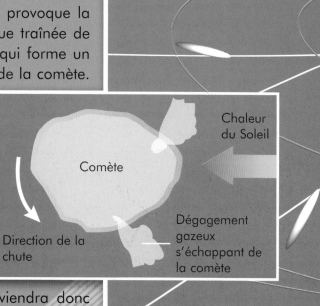

Comète
Chaleur du Soleil
Direction de la chute
Dégagement gazeux s'échappant de la comète

Soleil
Orbite de la comète
Uranus

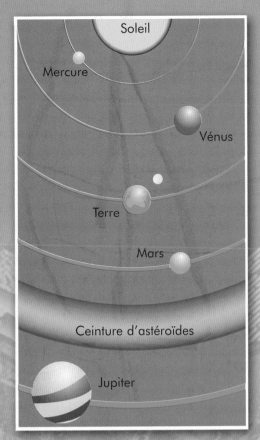

Que sont les « Étoiles Filantes » ?

Les météorites sont de petits morceaux de roche qui pourraient entrer en collision avec la Terre. Lorsqu'une météorite pénètre dans l'atmosphère terrestre à une vitesse très élevée, il se produit une **friction** dont la chaleur transforme la météorite en un trait de lumière appelé météore ou étoile filante. Des morceaux plus importants de roche peuvent ne pas brûler complètement et s'écraser sur la Terre. C'est ce qu'on appelle des météorites. La taille des météorites va de celle d'un petit caillou à celle d'une grosse pierre. Il y a en Arizona (USA) un cratère de 1,2 km de diamètre qui a probablement été formé par la chute d'une météorite il y a environ 24 000 ans.

Qu'est-ce que la Ceinture d'Astéroïdes ?

Presque tous les astéroïdes se trouvent sur une orbite située entre Jupiter et Mars. La gravité de ces deux planètes fixe les astéroïdes dans ce que l'on appelle la Ceinture d'Astéroïdes. Les illustrations représentant la Ceinture d'Astéroïdes montrent très souvent un tas d'astéroïdes très proches les uns des autres, mais en fait l'espace qui les sépare est énorme, faisant de la ceinture un espace plutôt vide.

LE SAVIEZ-VOUS ?

Les comètes n'émettent pas de lumière. Ce que nous voyons est en fait le reflet de la lumière du Soleil sur la glace de la comète.

Un astéroïde pourrait-il atteindre la Terre ?

Ce n'est pas qu'une possibilité. Cela est déjà arrivé plusieurs fois. Le dernier impact important s'est produit au-dessus de la Tunguska, en Russie, en 1917. L'astéroïde était petit en comparaison avec celui qui est entré en collision avec la Terre il y a 65 millions d'années, éliminant les dinosaures. Les scientifiques cherchent de grands astéroïdes, mais ils sont difficiles à localiser et nous ne sommes actuellement pas capables d'éviter une entrée en collision avec la Terre.

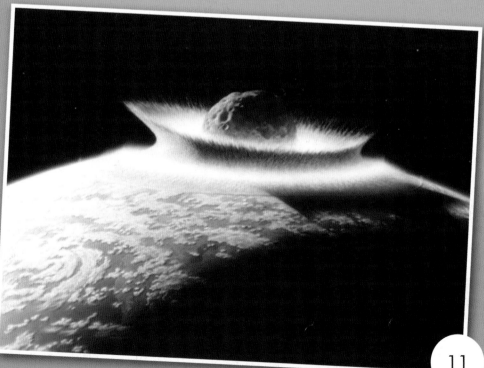

Le soleil
et autres étoiles...

Que sont les étoiles ?

Les étoiles sont des boules massives de gaz en combustion. Elles sont extrêmement chaudes et produisent énormément de lumière et de chaleur. Les étoiles ont des grosseurs très différentes et même si elles semblent être toutes situées à la même distance de la Terre, ce n'est pas vraiment le cas. Il y a plus d'étoiles que de toute autre chose dans l'Univers. Elles sont tellement nombreuses que nous pourrions passer une vie entière à les compter sans y arriver complètement.

Chacun de ces spectres lumineux est une galaxie. Chaque galaxie contient 100 billions d'étoiles. Il y a des billions de galaxies dans l'Univers visible.

La couleur des étoiles dépend de leur niveau de température. Les étoiles fonctionnent de la même façon qu'un brûleur. La partie la plus fraîche d'un brûleur est son sommet, là où les flammes sont rouges. Il est plus chaud au milieu, où les flammes sont jaunes, tandis que la partie la plus chaude, à l'arrivée du combustible, a une teinte bleue. C'est pour la même raison que certaines étoiles ont une couleur bleue et sont appelées « Géantes bleues ». Les plus grosses étoiles connues sont appelées « Supergéantes ». L'étoile nommée Rigel est une supergéante bleue, cent fois plus grosse que le Soleil. Les étoiles jaunes telles que le Soleil sont un peu plus fraîches et ont les appelle « naines jaunes ». Les « naines rouges » sont plus petites et moins chaudes que le Soleil.

A quoi ressemble le Soleil ?

Le Soleil est une étoile d'une taille moyenne, mais il pourrait contenir plus d'un million de planètes Terre. Il a un diamètre de 1,4 million de km et il est le centre du système solaire, autour duquel gravitent la Terre et huit autres planètes. Le Soleil produit sa lumière en brûlant 4 millions tonnes de combustible à chaque seconde. La température du centre du Soleil a une valeur inimaginable de 15 000 000 de degrés **Celsius.**

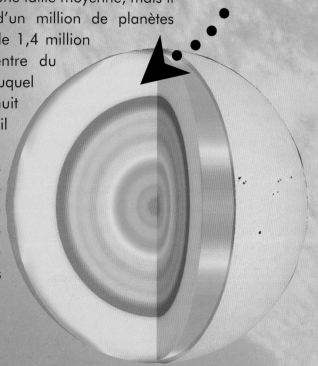

LE SAVIEZ-VOUS ?

Nous ne pouvons pas voir les étoiles pendant le jour car la lumière du Soleil est trop brillante pour que nous puissions percevoir celle des étoiles. Mais elles sont toujours là !

Qu'appelle-t-on supernovas ?

Un ruban de poussière et de gaz. C'est tout ce qui subsiste d'une ancienne supernova qui a explosé il y a plus de 15 000 ans. La vague gazeuse se déplace à plus de 5 millions de km/h. Ce qui reste de la supernova est distant de la Terre de plus de 2 600 années lumière, bien loin de notre galaxie.

Les étoiles meurent lorsqu'elles n'ont plus de combustible à brûler. De très grosses étoiles, comme les « Géantes Bleues » meurent dans une gigantesque explosion que l'on appelle supernova. On peut observer ce phénomène en regardant des étoiles très brillantes durant la nuit. Parfois, l'explosion réduit l'étoile en morceaux, mais parfois le centre survit sous forme d'**étoile à neutrons** ou de trou noir. Le Soleil est trop petit pour disparaître en supernova.

Quelle est la cause des éclipses de Soleil ?

L'éclipse de Soleil a lieu lorsque la Terre et la Lune forment une ligne par rapport au Soleil. Lorsque la Lune passe entre la Terre et le Soleil, elle arrête une partie de la lumière du Soleil et le ciel devient lentement noir lorsque la Lune passe devant le Soleil. Une éclipse totale a lieu lorsque le **disque** lunaire cache complètement le Soleil. Ceci peut arriver, même si la Lune est 400 fois plus petite que le Soleil, car elle est aussi 400 fois plus proche de la Terre. Cette étrange coïncidence fait que le Soleil et la Lune donnent l'impression d'avoir la même taille dans le ciel. Lors d'une éclipse totale, tout devient totalement sombre. Une éclipse totale est cependant un phénomène rare et la plupart des personnes n'en voient qu'une seule dans le cours de leur vie.

Comment étudier le Soleil ?

Le Soleil brille avec une telle intensité qu'il serait très dangereux de le regarder directement. Il serait encore plus dangereux de le regarder avec un télescope, ce qui rendrait immédiatement aveugle. Les scientifiques étudient le Soleil en utilisant toute une série de moyens d'observation sans danger, par exemple en projetant l'image du Soleil sur un écran. Les satellites du Soleil permettent d'étudier le champ magnétique solaire et utilisent fréquemment des **lumières ultraviolettes** pour faire éventuellement des photos. Afin de protéger les instruments fragiles du satellite, on le recouvre d'un bouclier éliminant la trop grande lumière solaire.

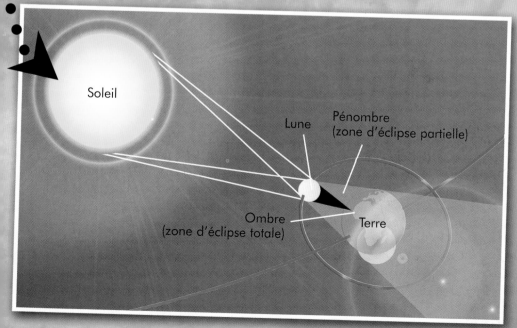

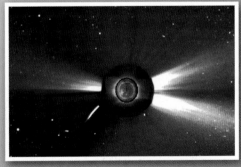

Photo du rayonnement solaire prise par SOHO, un satellite de la NASA. le cercle du centre de l'image est en fait le disque qui protège la caméra de la pleine lumière du Soleil et permet à l'image d'être nette.

Mercure et Vénus

A quoi ressemble la surface de Mercure ?

Mercure ressemble à notre Lune. Elle est couverte de cratères provoqués par des impacts de chutes de roches survenues il y a des millions d'années. Le plus important de ces cratères s'appelle le Bassin Caloris et mesure plus de 1 250 km de diamètre. Le sol est desséché par l'extrême chaleur du Soleil. Il fait plus de 400 degrés Celsius durant la journée, mais étant donné la quasi-absence d'atmosphère qui pourrait conserver la chaleur, les nuits sont absolument glaciales, la température descendant alors à -200 degrés.

Quelle est la planète la plus proche du Soleil ?

Si l'on voyageait de la Terre au Soleil, la première planète rencontrée serait Vénus, dont l'orbite se situe à plus de 108 millions de km du Soleil. Puis on trouverait Mercure, dont l'orbite située à 58 millions de km est la plus proche du Soleil. Mercure est très petite, c'est la seconde plus petite planète du système solaire.

Combien dure une année sur Mercure ?

La longueur d'une journée et d'une année sur une planète dépend de sa distance par rapport au Soleil et de la rapidité de sa rotation orbitale. L'année d'une planète est le nombre de jours terrestres qu'elle prend pour faire une fois le tour du Soleil. Le jour d'une planète est la durée qu'elle prend pour effectuer une rotation sur elle-même. Du fait que Mercure est la planète la plus proche du Soleil, son année ne dure que 88 jours, mais sa rotation sur elle-même est très lente – chaque journée sur Mercure représente 59 journées terrestres !

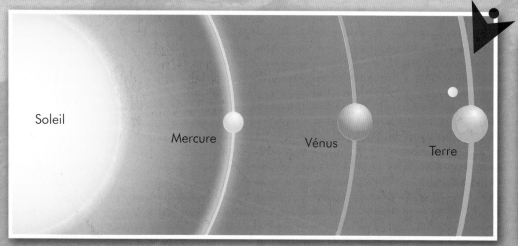

Soleil — Mercure — Vénus — Terre

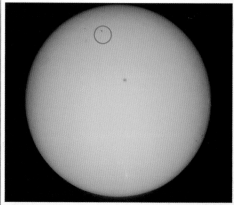

La petite marque est la planète Mercure qui passe devant le Soleil. Ceci s'appelle un transit et le dernier transit de Mercure s'est produit en mai 2003.

14

De quoi sont faits les nuages de Vénus ?

Vénus est cachée par des nuages tellement épais que même le plus puissant des télescopes ne permet pas de voir sa surface depuis la Terre. Ces nuages sont essentiellement composés **d'acide sulfurique** et ils sont tellement denses que la pression atmosphérique est 90 fois plus élevée que sur la Terre. Il y a encore des volcans en activité sur Vénus et leurs éruptions ne cessent d'envoyer encore plus de poisons chimiques dans son atmosphère.

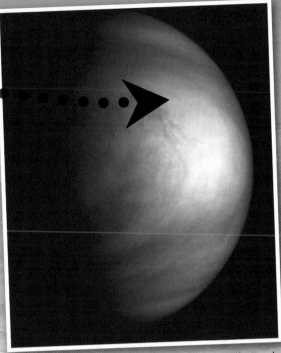

Les nuages entourant Vénus vus à 2,7 millions de km par la sonde Galileo, lancée par la NASA.

Pourquoi Vénus tourne-t-elle dans le sens opposé à celui des autres planètes ?

Sur Vénus, le Soleil se lève à l'ouest et se couche à l'est, tandis que sur la Terre, le Soleil se lève à l'est et se couche à l'ouest. Ceci vient du fait que Vénus tourne dans le sens opposé à celui de toutes les autres planètes. Personne ne connaît exactement la raison de ce fait, mais les scientifiques pensent que Vénus aurait pu, au moment de sa formation, entrer en collision avec une autre planète et que cela aurait pu la faire tourner dans l'autre sens. Vénus est la planète qui a la révolution la plus lente du système solaire. Une journée sur Vénus dure 243 journées terrestres mais une année n'a que 225 jours terrestres. Une journée sur Vénus est donc plus longue qu'une année !

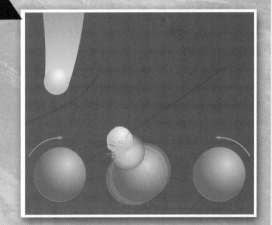

Quelle est la planète la plus chaude ?

Bien qu'elle soit beaucoup plus éloignée du Soleil que Mercure, Vénus emprisonne la chaleur du Soleil par sa couche de nuages qui l'empêche de repartir dans l'atmosphère. Ceci en fait la planète la plus chaude du système solaire. La température sur Vénus atteint 465 degrés Celsius, température suffisante à la fusion du **plomb.**

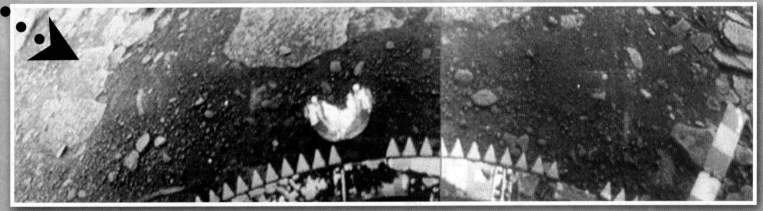

Le 1er mars 1982, le vaisseau spatial de la Nasa appelé Venera se posa sur la planète Vénus. La sonde ne vécut que deux heures et envoya 14 photos en couleur du sol avant que l'intense chaleur ne la fasse fondre. Les triangles métalliques visibles en bas de la photo représentent le vaisseau lui-même.

Jupiter et Saturne

Quelle est la plus grosse planète du système solaire ?

Jupiter est de loin la plus grosse planète du système solaire. Si la planète Jupiter était creuse, elle pourrait contenir toutes les autres planètes du système solaire. Et Jupiter n'est pas seulement la plus grosse planète, elle est aussi la plus lourde, puisqu'elle pèse plus de deux fois le poids total des autres planètes du système solaire.

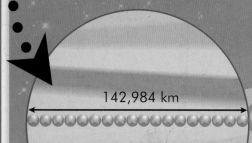

142,984 km

Jupiter a un diamètre de 142 984 km et la Terre un diamètre de 7 926 km. Ceci signifie que Jupiter est un peu plus de huit fois plus grosse que la Terre. Et si Jupiter était vide, on pourrait y faire entrer le volume de 1 400 Terres.

Combien de Lunes possède Jupiter ?

Jupiter possède environ 61 Lunes mais on en découvre sans cesse de nouvelles. Certaines ne sont que de minuscules Lunes de quelques kilomètres de diamètre. Ganymède n'est pas seulement la plus grande Lune de Jupiter, mais également la plus grande Lune de tout le système solaire. Io est également une grande Lune à laquelle de constantes éruptions volcaniques donnent des couleurs très marquées.

Liste des lunes de Jupiter établie en février 2004

1. Metis	11. Himalia	29. Callirrhoe	47. S/2003 J7
2. Adrastea	12. Lysithea	30. Euporie	48. S/2003 J8
3. Amalthea	13. Elara	31. Kale	49. S/2003 J9
4. Thebe	14. S/2000 J11	32. Orthosie	50. S/2003 J10
5. Io	15. Iocaste	33. Thyone	51. S/2003 J11
6. Europa	16. Praxidike	34. Euanthe	52. S/2003 J12
7. Ganymede	17. Harpalyke	35. Hermippe	53. S/2003 J13
8. Callisto	18. Ananke	36. Pasithee	54. S/2003 J14
9. Themisto	19. Isonoe	37. Eurydome	55. S/2003 J15
10. Leda	20. Erinome	38. Aitne	56. S/2003 J16
	21. Taygete	39. Sponde	57. S/2003 J17
	22. Chaldene	40. Autonoe	58. S/2003 J18
	23. Carme	41. S/2003 J1	59. S/2003 J19
	24. Pasiphae	42. S/2003 J2	60. S/2003 J20
	25. S/2002 J1	43. S/2003 J3	61. S/2003 J21
	26. Kalyke	44. S/2003 J4	62. S/2003 J22
	27. Magaclite	45. S/2003 J5	
	28. Sinope	46. S/2003 J6	

De quoi sont constitués les anneaux de Saturne ?

Les anneaux qui entourent Saturne sont facilement visibles, même avec un télescope de faible puissance. Ils sont constitués de billions de particules de glace et de roche. Certaines de ces particules sont aussi petites qu'un grain de poussière, d'autres sont grandes comme une maison. Les scientifiques pensent que ce sont des restes d'une Lune ou d'une comète disparue. Et, même si ces anneaux ont un diamètre supérieur à 250 000 km, ils n'ont qu'une épaisseur de moins d'un kilomètre

Pourquoi Saturne pourrait flotter ?

Bien que Saturne soit la seconde plus importante planète du système solaire, elle est en grande partie composée de gaz, **l'hydrogène** et **l'hélium**, qui sont extrêmement légers. Ceci fait que la planète entière est moins dense que l'eau. Si l'on pouvait plonger Saturne dans un bain suffisamment grand, la planète flotterait ! Toutes les autres planètes sont plus denses que l'eau et couleraient.

Quelle est la seule Lune ayant des nuages dans le système solaire ?

Titan, la plus grande des Lunes de Saturne, et l'une des plus importantes du système solaire, est aussi la seule Lune possédant une atmosphère et des nuages. Des nuages denses et épais entourent toute la planète Titan. En réalité, son atmosphère est plus dense que celle de la Terre, mais elle est uniquement composée de gaz **toxiques** irrespirables.

Qu'est-ce que la Grande Tache Rouge ?

La Grande Tache Rouge est une gigantesque tempête qui a plus de deux fois la taille de la Terre. Elle a sévi durant des milliers d'années dans l'atmosphère de Jupiter. Les scientifiques ne savent pas pourquoi elle peut durer aussi longtemps et si elle ne disparaîtra pas soudainement.

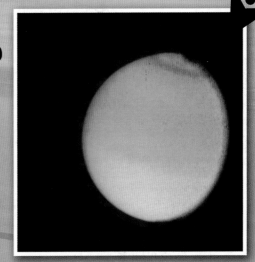

Mystérieuse planète Titan, perdue dans des nuages de gaz méthane orangés.

Les planètes lointaines
Neptune, Uranus et Pluton

Pourquoi Uranus a-t-elle une couleur bleu-vert?

Comme Jupiter et Saturne, Uranus est intégralement composée de gaz et d'éléments liquides. Les couches extérieures sont faites d'hydrogène, d'hélium et de méthane. C'est le méthane qui donne à Uranus sa couleur bleu-vert. Uranus est située dans la partie la plus éloignée du système solaire et ressemble à un pâle disque bleu-vert lorsqu'on la regarde au télescope.

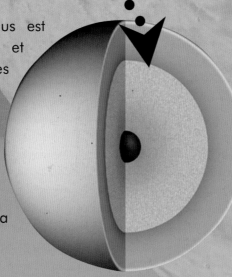

Pourquoi Uranus tourne-t-elle horizontalement ?

Uranus est unique dans le système solaire car, contrairement aux autres planètes et Lunes, elle tourne autour d'un axe horizontal. Les scientifiques pensent qu'Uranus a dû entrer en collision avec une comète il y a des millions d'années, ce qui aurait déplacé son axe. De ce fait, Uranus a des saisons très inhabituelles.

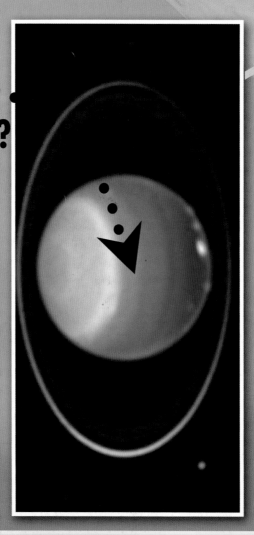

Uranus et son anneau photographiés par le télescope d'Hubble. Les bandes dans les nuages sont parfaitement visibles

Qu'y a-t-il de remarquable dans Triton, la Lune de Neptune ?

Triton est la plus grande Lune de Neptune et la seule Lune du système solaire qui évolue dans le sens contraire à celui de sa planète. Sa surface est composée de glace sèche et c'est la surface connue la plus froide du système, puisque sa température est de -235 degrés Celsius.

LE SAVIEZ-VOUS ?

Une année sur Neptune représente 164,8 années terrestres. Si tu y habitais, cela te prendrait près de 1 500 ans pour atteindre ton neuvième anniversaire !

Quelles sont les planètes les plus éloignées du Soleil ?

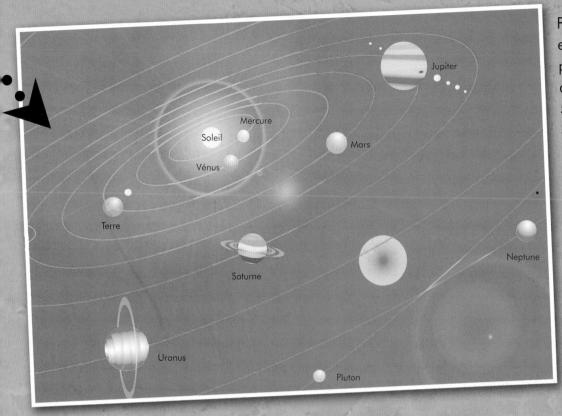

Pluton est la planète la plus excentrée du système solaire, puisque la plus grande part de son orbite est à plus de 5,9 billions de km du Soleil. Son diamètre mesure 320 km, ce qui fait d'elle la planète la plus petite du système, représentant seulement 1 % du volume de la Terre. Du fait de sa toute petite taille, certains scientifiques pensent qu'elle n'est peut-être même pas une planète, mais plutôt une comète. L'orbite de Pluton est totalement **elliptique** et, de ce fait, il lui arrive de croiser l'orbite de Neptune, faisant alors de cette planète la plus lointaine du système solaire.

Qu'y a-t-il derrière Pluton ?

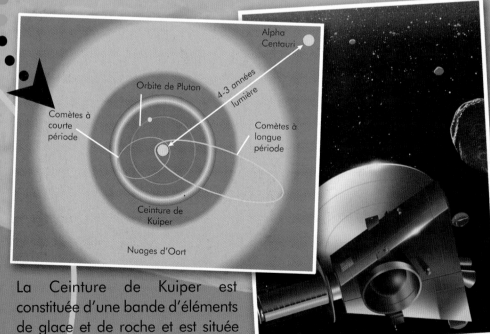

La Ceinture de Kuiper est constituée d'une bande d'éléments de glace et de roche et est située de 12 à 15 billions de km du Soleil (deux fois plus loin que Pluton) Quaoar est l'un des plus gros objets connus dans la Ceinture de Kuiper et n'a que 1,290 km de diamètre. La **NASA** est en train de construire un vaisseau spatial appelé « Nouveaux Horizons » afin d'aller explorer cette vaste région de l'espace. Après la Ceinture de Kuiper, on trouve l'énorme Nuage d'Oort qui est le réservoir de billions de comètes. Le nuage d'Oort a une étendue de près de 3 années lumière, soit deux tiers du chemin jusqu'à l'étoile la plus proche.

Existe-t-il une dixième planète ?

Il y a des millions d'objets qui sont en orbite au-delà de Pluton dans la ceinture de Kuiper. Les scientifiques pensent qu'ils y ont découvert une nouvelle planète. Ils l'ont appelée Sedna du nom de la déesse de la mer des Esquimaux.

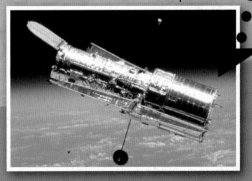

La NASA utilise le télescope de Hubble pour chercher les planètes au milieu d'autres étoiles.

Le vaisseau spatial

Comment un vaisseau spatial décolle-t-il ?

Tout ce qui bouge à la surface de la Terre est attiré par la gravité terrestre. C'est exactement le cas lorsque l'on lance une balle en l'air et qu'elle retombe au sol. Pour échapper à la gravité terrestre, un vaisseau spatial doit aller extrêmement vite, soit à 40 000 km/h, ce qui représente cinquante fois la vitesse d'un avion à réaction. Seules les fusées peuvent faire cela. Les fusées doivent emporter de l'oxygène puisqu'il n'y en a pas dans l'espace et que le combustible a besoin d'oxygène pour brûler.

Lancement à Cap Canaveral de la navette Columbia STS 75. Les trois moteurs principaux de la navette développent une poussée de plus de 0.6 million de kg. Une poussée additionnelle de 1,3 million de kg est produite par les deux boosters à poudre de la fusée.

Comment dirige-t-on un vaisseau dans l'espace ?

Le vaisseau spatial utilise la plus grande partie de son énergie et de son combustible au décollage. Une fois qu'il a atteint l'espace, il n'y a plus d'air, et le vaisseau continue son parcours en utilisant de courtes poussées de petites fusées dont on se sert pour le gouverner.

La navette Discovery atterrit sur la base d'Edwards, Air Force.

Quel fut le premier vaisseau réutilisable ?

Les premières fusées spatiales ne pouvaient servir qu'une seule fois. Ceci revenait extrêmement cher et c'est pour cela que les ingénieurs construisirent des navettes spatiales réutilisables. Les navettes spatiales se servent de fusées pour les porter dans l'espace. Ces fusées retombent au sol où elles sont récupérées. La navette traverse l'atmosphère terrestre en planant et atterrit sur des roues comme un avion.

Tous les vaisseaux sont-ils habités ?

Non. Tous les vaisseaux ne transportent pas des gens. Satellites et sondes spatiales sont des vaisseaux non habités. Certains satellites servent à étudier l'espace, d'autres servent à transmettre dans le monde entier des communications téléphoniques et des images de télévision. Les sondes spatiales sont des **robots** contrôlés depuis la Terre par des ordinateurs. Ils sont allés sur toutes les planètes du système solaire, à l'exception de Pluton.

Voyager 1 a été lancé en 1977 pour aller à la fois sur Jupiter et Saturne. Il porte une plaque indiquant d'où il vient et un enregistrement des bruits de la Terre au cas où il serait découvert par des extra-terrestres.

A quoi ressemblera le vaisseau du futur ?

On est en train de mettre au point un nouveau vaisseau du nom de X33 pour remplacer la navette spatiale. Le X33 est un avion qui devrait voler au sommet de l'atmosphère terrestre et être ensuite propulsé dans l'espace par une petite fusée. Ceci reviendrait beaucoup moins cher que la navette car l'engin ne devrait pas avoir besoin d'autant de combustible très onéreux pour gagner l'espace. Des vols moins chers pourraient être le début du **tourisme** spatial.

Combien de temps faudrait-il pour rejoindre les étoiles ?

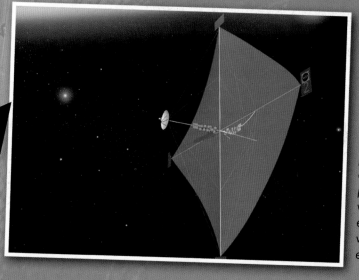

Avec une accélération lente sur une longue période, une voile à énergie solaire pourrait atteindre la moitié de la vitesse de la lumière, ou plus encore. Les astronautes pourraient alors voyager jusqu'aux étoiles mais les voyages dureraient encore des années.

L'étoile la plus proche de la Terre en est cependant très éloignée, à plus de 33 900 000 000 000 km de notre planète. Il faudrait des milliers d'années pour que notre fusée la plus rapide puisse l'atteindre. Un jour peut-être, la technologie du futur pourra fabriquer des **fusées** capables de voyager beaucoup plus rapidement, ce qui permettra alors de rejoindre les étoiles en un temps plus court.

A la recherche de la vie

Qu'est-ce que la vie ?• • • • ▶

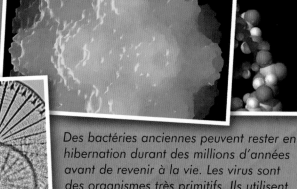

La vie est partout autour de nous, mais définir exactement ce qui est vivant et ce qui ne l'est pas est beaucoup plus difficile. Des choses inanimées peuvent agir comme si elles vivaient, alors que des créatures vivantes peuvent sembler mortes depuis des milliers d'années. Personne ne sait si les virus sont vivants ou morts ? Toute la vie sur Terre est basée sur la molécule de l'ADN. Les virus ne possèdent pas d'ADN mais utilisent l'ADN de l'hôte qu'ils infectent.

*Des bactéries anciennes peuvent rester en hibernation durant des millions d'années avant de revenir à la vie. Les virus sont des organismes très primitifs. Ils utilisent l'**ADN** de leurs hôtes pour se reproduire et peuvent rendre êtres humains, plantes et animaux malades lors de ce processus.*

Sommes-nous tout seuls ?• • • •

Dans l'état actuel de nos connaissances, nous pensons que la vie n'existe que sur notre planète. La plupart des scientifiques pensent que la vie peut exister dans l'Univers, mais n'en n'ont encore découvert aucun signe, ni dans le système solaire, ni au-delà. Si nous sommes tout seuls, cela prouve que la vie est quelque chose de tout à fait extraordinaire et nous devons la protéger avec énormément de soin.

La Terre vue de l'espace

Qu'est-ce que les • • • • programmes SETI ?

Le mot SETI signifie Recherche d'une Intelligence Extra-terrestre. Ce projet a commencé en 1959 pour aller à la recherche de signaux radio provenant d'une forme de vie extra-terrestre intelligente. Les programmes SETI ont établi une ceinture de **radio-télescopes** tout autour du monde pour capter des émissions d'ondes radio dans le ciel. Ils utilisent également des ordinateurs connectés au réseau internet pour la recherche d'une vie extra-terrestre intelligente.

Où les scientifiques recherchent-ils la vie ? • • • • • •

Durant de très nombreuses années, les scientifiques ont pensé que la vie pourrait exister sur des planètes similaires à la Terre. Ils pensent maintenant que la vie pourrait se produire dans un tas d'endroits différents, du moment qu'il y aurait de l'eau. L'endroit actuellement le plus prometteur du système solaire serait Europa. Cette Lune de Jupiter aurait un gigantesque océan sous sa surface de glace. On a mis en **évidence** l'existence d'une vie disparue sur Mars, planète sur laquelle il y a aussi de l'eau.

Sous la surface gelée d'Europa, les scientifiques pensent qu'il existe un gigantesque océan d'eau liquide (ici en bleu). Cette eau est maintenue à l'état liquide par la chaleur dégagée par la gravitation due à la proximité de l'orbite d'Europa par rapport à Jupiter. Contrairement à la Terre, il semble qu'Europa possède un noyau central de métal glacé (ici en gris).

Y a-t-il des canaux sur Mars ? • • • • • • • • • • • • • •

A la fin des années 1800, deux Italiens découvrirent sur Mars des lignes droites qu'ils appelèrent « canaux » et non pas chenaux. Des gens ont pensé que ces canaux avaient été créés par une vie intelligente sur Mars. On sait maintenant qu'il y a sur Mars des chenaux qui ressemblent aux rivières terrestres. La plupart des scientifiques pensent qu'il y a eu de l'eau sur Mars. Mais les canaux sont des éléments naturels et non pas des constructions d'**Extra-terrestres.**

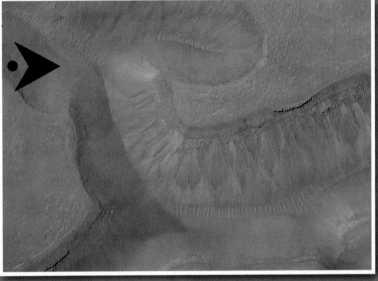

Traces d'érosion dues à l'eau sur Mars, photographiées par le vaisseau orbital « Mars Global Surveyor » © NASA/PL/Malin Space Science Systems.

Les Extra-terrestres nous ressemblent-ils ?

Les êtres humains sont le produit d'une **évolution** spécifique à notre planète. Les chances de trouver des extra-terrestres nous ressemblant sont donc quasiment nulles. L'apparence des extra-terrestres dépendrait de leurs conditions de vie. S'ils existent vraiment, ils doivent avoir un air beaucoup plus étrange que celui que nous voyons à la télévision ou dans les films. En fait, ils doivent être encore plus étrange que tout ce que nous pouvons imaginer.

L'espace profond

Qu'est-ce que la Voie Lactée ?

La Voie Lactée est une galaxie en forme de spirale dont nous faisons partie. Il y a 200 billions d'étoiles, y compris le Soleil, dans la Voie Lactée et la Terre est positionnée à l'extérieur, sur un des bras de la spirale. Notre galaxie a un diamètre de 100 000 années lumière. Lorsque nous regardons le ciel en l'absence de **pollution lumineuse** (lumière fabriquée par l'homme masquant la lumière des étoiles) nous pouvons parfois y voir une bande de faible luminosité qui est en fait le centre brillant de la Voie Lactée.

La Voie Lactée vue de la Terre par une nuit Claire.

Que sont les galaxies ?

Les galaxies sont d'énormes rassemblements d'étoiles liées entre elles par la gravité. Elles peuvent contenir n'importe quelle quantité d'étoiles, de quelques millions à 400 billions, et apparaître sous des formes variées allant de la lentille, à la spirale et à la galaxie elliptique. Les galaxies sont regroupées en amas. Notre Voie Lactée fait partie de ce que l'on appelle Le Groupe Local. La galaxie la plus proche de la nôtre s'appelle Andromède. Elle est à environ 2 à 3 millions d'années lumière de nous et est l'objet le plus lointain visible à l'œil nu.

Qu'est-ce qu'une année lumière ?

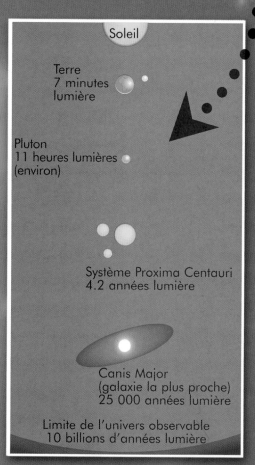

Soleil

Terre
7 minutes
lumière

Pluton
11 heures lumières
(environ)

Système Proxima Centauri
4.2 années lumière

Canis Major
(galaxie la plus proche)
25 000 années lumière

Limite de l'univers observable
10 billions d'années lumière

L'année lumière est la mesure utilisée par les astronomes pour mesurer les distances dans l'espace. La lumière est plus rapide que n'importe quel autre élément. Elle voyage à une vitesse supérieure à 300 000 km par seconde, ce qui correspond à faire sept fois le tour de la Terre en une seule seconde. Une année lumière représente la distance que la lumière peut parcourir en une année. Elle équivaut à environ 9 460 millions de km.

Le télescope spatial d'Hubble photographie le profil d'une galaxie presque elliptique (comme la Voie Lactée).

Quel est le volume de l'Univers ?

L'Univers observable est une **sphère** d'un diamètre de 10 billions d'années lumière, dont le centre est la Terre. La totalité de l'Univers est beaucoup plus importante que cela, mais il ne s'est pas encore écoulé assez de temps depuis le Big Bang pour que sa lumière puisse nous atteindre et il reste donc invisible pour toujours.

Ensemble de l'Univers

Distance inconnue

Terre

10 billions d'années lumière

Univers observable

Existe-t-il des planètes autour d'autres étoiles ?

Un grand nombre d'étoiles que nous pouvons voir ont des planètes en orbite autour d'elles. Mais les étoiles sont tellement éloignées qu'il n'est pas possible de reconnaître les planètes. Mais les scientifiques ont trouvé différents moyens pour les trouver. L'une des méthodes établie par les scientifiques est de voir si l'étoile a une lumière vacillante. Ce tremblement a pour cause la gravité de toute planète qui pourrait être en orbite. Une autre méthode consiste à regarder si une étoile s'éteint brutalement avant de briller de nouveau. Ceci pourrait provenir du passage d'une planète devant l'étoile qui arrêterait en partie sa lumière. En 2004, des scientifiques ont découvert 104 systèmes planétaires totalisant 119 planètes. Et on en découvre encore d'autres chaque année.

Quel est l'objet visible le plus lointain ?

Aux limites les plus extrêmes de l'Univers observable, il y a des objets extrêmement brillants et puissants appelés des **quasars.** Ce sont probablement des trous noirs géants qui absorbent les étoiles. Du fait de leur très longue distance par rapport à la Terre, leur lumière prend des billions d'années pour venir jusqu'à nous. Au-delà d'elles existe la radiation micro-onde de l'espace profond qui est un reste de chaleur subsistant du Big Bang qui a eu lieu lorsque l'Univers n'était alors âgé que de 300 000 ans.

Les quasars émettent de puissantes vagues de radiations qui font d'eux les objets parmi les plus brillants de l'Univers. Ceci signifie qu'on peut encore les voir, même s'ils sont extrêmement petits et très éloignés.

LE SAVIEZ-VOUS ?

La planète la plus lointaine a été découverte en 2003 dans la Voie Lactée et est nommée OGLE-TR-56B. Il nous faudrait 5 000 ans pour y arriver en voyageant à la vitesse de la lumière.

…➤ L'étude de l'espace

Quel est le plus gros télescope du monde ? ….

Le plus gros télescope du monde est le radio-télescope d'Arecibo. Sa parabole a un diamètre de 305 mètres et les astronomes l'utilisent pour étudier l'Univers. Il peut également envoyer des ondes radio et des messages enregistrés qui pourraient être entendus par d'éventuels extra-terrestres.

La parabole d'Arecibo est construite sur une montagne de Puerto Rico. Cette parabole fonctionne par l'intermédiaire de la Cornell University aux USA.

Pourquoi les télescopes sont-ils construits au sommet des montagnes ?

Ce n'est pas pour être plus près de l'espace, mais pour être aussi haut que possible dans l'atmosphère. C'est l'atmosphère qui fait scintiller les étoiles et voile les photos que les astronomes désirent prendre. L'air que l'on trouve au sommet des montagnes, plus parti-culièrement près de **l'équateur**, est plus limpide et plus calme, ce qui fait que les télé-scopes peuvent bénéficier de vues plus claires.

Le télescope de Cerro Pachon, au Chili.

Que sont les satellites ?

Les satellites sont des objets qui suivent une orbite, ou tournent, autour d'autres objets. Les satellites construits par l'homme sont des vaisseaux spatiaux contrôlés à partir de la Terre, dont on se sert pour explorer l'Univers. On les utilise aussi pour faire les prévisions météo, pour envoyer des images télévisées, des messages téléphoniques, des e-mails et des pages web dans le monde entier.

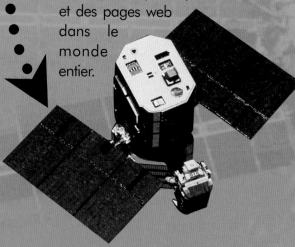

Qu'appelle-t-on la radio astronomie ? ●●●●●●●●●●▶

Qu'ils soient normaux ou optiques, les télescopes utilisent la lumière pour voir les étoiles. Ce n'est pas toujours la meilleure façon de distinguer certains éléments. Les scientifiques utilisent des radio-télescopes pour voir les galaxies lointaines, parce qu'il est plus facile de construire de grandes antennes paraboliques que d'énormes miroirs. Les radio-télescopes peuvent être très grands, la plupart d'entre eux ont des antennes paraboliques orientables pour permettre aux astronomes d'observer différentes parties du ciel.

En Angleterre, Jodrell Bank est une antenne radio parabolique orientable parmi les plus grandes du monde. Le télescope a plus de 40 ans.

Quel télescope porte des "lunettes" ?

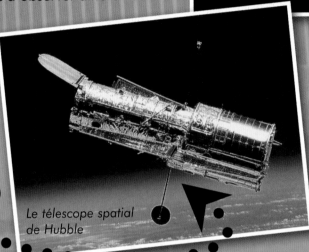

Le télescope spatial de Hubble

Lors du premier lancement du Télescope Spatial de Hublle, son miroir avait une tache floue et l'image n'était pas tout à fait au point. La NASA y envoya une navette et les astronautes fixèrent un miroir correcteur au télescope, exactement comme un opticien adapte des lunettes. Maintenant Hubble a une **mise au point** parfaite et fournit les prises de vue les plus précises des objets de l'espace profond.

A quel endroit fait-on des ●●●●●●▶ expériences dans l'espace ?

Pour procéder à leurs expériences, les scientifiques ont besoin d'un laboratoire. Les premiers laboratoires de l'espace étaient le Skylab américain et la **station orbitale** russe Mir. Tous deux sont rentrés dans l'atmosphère et ont été détruits. Onze nations construisent actuellement une station orbitale internationale, mais déjà de nombreux astronautes l'appellent « maison ». Mais il faudra encore des années pour la terminer.

Des hommes
dans l'espace

Qui composait l'équipage lors du premier alunissage ?

Buzz Aldrin
Neil Armstrong
Michael Collins

Lors du premier voyage de l'histoire sur la Lune, en juillet 1969, l'équipage était composé de trois membres. L'un d'entre eux, Michael Collins, resta dans le **module de commande** « Columbia », tandis que les deux autres hommes se posèrent sur la Lune à bord du module lunaire « Eagle ». Le premier homme qui marcha sur la Lune fut Neil Armstrong. Il fut suivi par Buzz Aldrin. Les deux hommes passèrent 21 heures sur la Lune, ramassant des roches et procédant à des expériences.

Alunissage du module lunaire

Buzz Aldrin marchant sur la Lune

Le reflet de Neil Armstrong sur la visière du casque de Buzz Aldrin.

Qui a inventé le télescope ?

C'est un opticien hollandais, Hans Lippershey, qui inventa le télescope en 1608. Il en eut l'idée en voyant deux enfants qui jouaient avec des lentilles dans sa boutique. Ils remarquèrent que la girouette de l'église voisine devenait plus grande lorsqu'ils la regardaient à travers deux lentilles. Lippershey essaya ce système en interposant un tube entre les deux lentilles, et c'est ainsi qu'il inventa le télescope.

Qui découvrit Pluton, la dernière planète ?

C'est un astronome américain du nom de Clyde William Tombaugh qui découvrit Pluton en 1930, alors qu'il recherchait, mais au mauvais endroit, la mystérieuse neuvième planète. Pluton est à une telle distance que même le télescope de Hubble ne peut en renvoyer qu'une petite image de faible **résolution.** Pluton est la seule planète du système solaire à n'avoir jamais reçu la visite d'une sonde spatiale. Ceci devrait changer en 2016 puisque la NASA espère alors faire atterrir une petite sonde sur son sol.

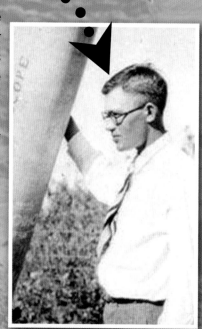

Qui fut le premier homme dans l'espace ?

Qui fut le dernier homme sur la Lune ?

La dernière personne à avoir posé le pied sur la Lune fut Eugene Cernan qui fit partie du voyage d'Apollo 17 en décembre 1972. Depuis lors, personne n'a plus dépassé une orbite basse de la Terre. En 2004 le Président américain George W. Bush a annoncé que les Américains allaient retourner sur la Lune et aller sur Mars. Ainsi garde-t-on l'espoir de retourner sur la Lune.

Qui était Laïka ?

Laïka fut la première créature vivante à aller dans l'espace. C'était une chienne bâtarde âgée de trois ans, dont le nom signifie « aboyeur » en russe. Le véritable nom de Laïka était à l'origine Kudryavka (« Petite Frisée »), mais il fut modifié par les chargés du programme spatial russe. Elle fut envoyée dans l'espace le 3 novembre 1957, à bord de Spoutnik 2, par **l'Union Soviétique.** Mais on n'avait à l'époque aucun moyen de la faire revenir sur Terre et elle mourut donc dans l'espace au bout de quelques jours.

Le premier homme dans l'espace était un Russe qui portait le nom de Youri Gagarine. Le 12 avril 1961, il parcourut une révolution autour de la Terre à une vitesse de 27 400 km/h, à bord du vaisseau Vostok 1. Au bout de 108 minutes, il s'éjecta du vaisseau et atterrit en parachute. Il devint alors un héros national et mondial. Il disparut dans un accident d'avion en 1968.

LE SAVIEZ-VOUS ?

Un stylo spécial, contenant une encre ressemblant à du caoutchouc a été mis au point pour les astronautes, afin qu'ils puissent écrire dans l'espace. Ce stylo peut également être utilisé sous l'eau.

Laïka dans sa capsule pressurisée, juste avant son envol.

Glossaire

Acide sulfurique
Acide très puissant et corrosif. Son symbole chimique est H2SO4.

ADN
Acide désoxyribonucléique. L'ADN est la célèbre molécule en double hélice qui contient toute l'information génétique nécessaire à la création d'un nouvel organisme.

Astronaute
Le mot américain qui désigne une personne entraînée pour voyager dans l'espace. Les Astronautes russes sont appelés des Cosmonautes, les européens des Spationautes.

Barrière de corail
Organisme géant constitué de billions de polypes séparés dont le solide squelette extérieur constitue le noyau de la ceinture. La ceinture de corail est un organisme fragile qui craint la pollution et le réchauffement de la planète.

Big Bang
Nom de la plus célèbre théorie de la formation de l'Univers. On suppose que toute matière contenue dans l'Univers était éparpillée en petits morceaux plus petits qu'un atome. La formation de l'Univers que nous connaissons aujourd'hui eut lieu lors de l'explosion de ces éléments.

Billion
En Amérique, un billion représente mille millions. En Europe un billion représente un million de millions. Ce livre utilise les billions américains.

Celsius (degré)
Mesure de température inventée par Anders Celsius en 1742. Les Américains utilisent la graduation Farenheit. La température à laquelle l'eau se transforme en glace est de 0° Celsius, et le point d'ébullition se situe à 100°.

Comète de Halley
La comète de Halley, la plus célèbre des comètes, était déjà connue des anciens chinois et apparaît dans la Tapisserie de Bayeux. C'est une comète à courte période qui revient tous les 76 ans.

Dioxyde de carbone
Gaz toxique responsable de l'effet de serre sur Vénus et aussi sur la Terre. Il est constitué par la combinaison de deux atomes d'oxygène et d'un atome de carbone. Le dioxyde de carbone rentre pour 0,003 pour cent dans la composition de l'atmosphère terrestre.

Disque
Le contour circulaire d'une Lune ou d'une planète s'appelle un disque. Pour observer les disques planétaires, on a besoin d'un télescope.

Elliptique
Type d'orbite qui n'est pas totalement circulaire mais légèrement aplatie. Les planètes suivent des orbites légèrement elliptiques. L'orbite de Pluton est très elliptique, de même que celle des comètes, ce qui fait que certaines personnes pensent que Pluton est en réalité une énorme comète.

Équateur
Grand cercle imaginaire entourant la Terre, à égale distance des pôles et perpendiculaire à l'axe de rotation terrestre. L'équateur divise la Terre entre l'Hémisphère Nord et l'Hémisphère Sud.

Éruptions volcaniques
Gigantesques explosions de gaz et de lave éjectées par un volcan en activité. La plus grande partie des planètes rocheuses ne sont pas actives sur le plan volcanique, mais la NASA a découvert le plus grand volcan du système solaire sur la planète Io.

Étoile à neutrons
C'est une étoile morte. Les étoiles à neutrons sont composées d'une matière très dense appelée Neutronium. Des étoiles ayant entre 15 à 30 fois la taille du Soleil meurent en devenant des étoiles à neutrons. Les étoiles plus importantes deviennent des trous noirs.

Évidence
Les scientifiques recherchent des preuves évidentes à l'appui de leurs théories. Sans ces preuves, ils ne peuvent pas confirmer l'exactitude de leurs idées ni même plus simplement de leurs hypothèses.

Évolution
Processus d'adaptation des espèces à un nouvel environnement. Les mutations génétiques aléatoires aboutissent à des résultats permettant une adaptation plus importante aux conditions environnementales. Ces caractéristiques sont ensuite transmises aux générations suivantes.

Expériences
Les scientifiques imaginent et mettent au point des expériences pour leur apporter les preuves évidentes confirmant leurs théories. Les expériences doivent être facilement reproductibles par d'autres scientifiques afin d'en vérifier les résultats.

Extra-terrestre
Qui ne fait pas partie de notre monde. Terme souvent utilisé pour décrire la forme de vie des extra-terrestres, mais se référant à tout élément d'une autre planète, comme par exemple les glaces atmosphériques.

Friction
Force qui provoque un échauffement des objets lors de leur entrée dans l'atmosphère terrestre. Cette friction est provoquée par la résistance de l'air atmosphérique. Les objets lisses provoquent moins de frictions et c'est pour cette raison que la glace est glissante.

Fusées
Types d'engins particuliers très puissants. Contrairement aux moteurs à réaction, les fusées emportent leur oxygène, souvent sous la forme d'un gaz liquéfié.

Gaz
Un des états de la matière. Les atomes sont enfermés de façon lâche et évoluent librement dans l'enveloppe.

Hélium
L'hélium est un élément et un gaz. C'est le second élément en légèreté. L'hélium est ininflammable.

Hydrogène
L'hydrogène est l'élément le plus léger de tous et c'est un gaz. Il a souvent été utilisé dans les vaisseaux spatiaux, mais il est extrêmement inflammable ce qui le rend terriblement dangereux.

Liquide
La forme liquide est un des états de base de la matière. Les atomes sont comprimés dans un atome de liquide. Du fait qu'ils peuvent encore bouger librement, on ne peut pas les comprimer plus avec facilité. C'est la raison pour laquelle les fluides hydrauliques sont efficaces.

Lumière ultraviolette

L'ultraviolet, invisible pour l'œil humain, vient juste après le violet et juste avant les rayons X dans le spectre lumineux. A l'autre extrémité du spectre, l'infrarouge, également connu comme radiation de chaleur, se situe après le rouge.

Lune

Une Lune est un petit corps en orbite autour d'une planète. Une planète est un corps plus important en orbite autour d'une étoile.

Mise au point

Tout comme les appareils photos, les télescopes ont besoin d'une mise au point. Lorsque la mise au point est bonne, l'image est nette et les détails sont clairs. Le télescope spatial d'Hubble utilise un miroir correcteur supplémentaire pour lui permettre de faire une mise au point optimale.

Module de commande

Élément de la mission Apollo sur la Lune qui est restée en orbite lunaire faisant le lien entre le sol de la Lune et le poste de contrôle de la mission sur la Terre. Le module d'alunissage (LEM) était fixé au sommet du module de commande.

NASA

Agence Spatiale de l'Amérique du Nord. La NASA est une organisation mise en place par le gouvernement des USA qui est responsable de toute la recherche et de toute l'activité spatiale américaine. C'est la seule organisation autorisée à envoyer des fusées spatiales depuis les USA.

Noyau

Le centre d'une planète est appelé noyau. Les planètes dont le centre est rocheux ont des noyaux en combustion, riches en fer, alors que les supergéantes gazeuses ont des noyaux métalliques gelés.

Orbite

Trajet parcouru par une planète ou une étoile.

Oxygène

L'oxygène est un élément gazeux essentiel à la vie sur Terre. Les scientifiques pensaient autrefois que l'oxygène était d'une importance primordiale en tous lieux pour toute vie, mais ils pensent maintenant que l'eau est un élément encore plus vital.

Planer

Les avions sans moteur planent. Les ailes des planeurs sont conçues afin d'être très efficaces pour profiter des courants ascendants. La navette spatiale est un piètre planeur, mais elle vole tellement rapidement qu'elle peut rester suffisamment en l'air pour atterrir en toute sécurité.

Planète

Une planète est un corps sphérique en orbite autour d'une étoile. Contrairement aux astéroïdes, les planètes ont une atmosphère. L'atmosphère de Pluton est glaciale et tombe sur son sol sous forme de gel durant le long hiver de Pluton, avant d'entrer de nouveau en ébullition durant l'été.

Plomb

Le plomb est un métal mou et lourd et il est également un élément. Le plomb à la température de fusion la plus basse de tous les éléments métalliques solides. Le mercure est liquide car sa température de fusion est inférieure à la température ambiante.

Pollution lumineuse

Les éclairages urbains, les phares des voitures et l'éclairage domestique projettent de la lumière dans le ciel. On peut observer cette pollution lumineuse qui forme un rayonnement rouge au-dessus des grandes villes, ce qui fait que seules les étoiles les plus brillantes sont visibles en ville.

Quasars

Objets quasi-stellaires. Ces objets extrêmement brillants ne sont pas des étoiles. Leur rayonnement est provoqué par la chute de matières dans de gigantesques trous noirs au centre des galaxies, très loin dans l'espace.

Radio-télescopes

Paraboles géantes qui reçoivent les ondes radio de l'espace. Les objets lointains ont tendance à émettre fréquemment des ondes radio, ce qui fait qu'on a du mal à les voir avec des télescopes optiques. Les radio-télescopes peuvent aussi envoyer des messages dans l'espace et ceux qui font partie du programme SETI sont utilisés pour envoyer des signaux vers les étoiles.

Résolution

Qualité du renvoi d'une photo dans le miroir d'un télescope. Plus le miroir est grand, plus la résolution de l'image est faible. Étant en orbite au-dessus de l'atmosphère, le télescope spatial d'Hubble peut transmettre des photos d'une résolution beaucoup plus haute qu'un télescope installé sur la Terre.

Robots

Engins mécaniques qui peuvent fonctionner sans opérateur humain. La NASA utilise des sondes robots pour aller sur des planètes où il serait impossible d'envoyer des hommes.

S'éjecter

Les pilotes s'éjectent de leur avion en cas d'accident. Ils utilisent pour cela un siège éjectable spécial qui utilise des fusées pour pousser le pilote en dehors de l'avion.

Scientifiques

Personnes ayant des connaissances approfondies en une matière, le plus souvent dans le domaine des sciences naturelles ou physiques.

Sondes spatiales

Les sondes spatiales sont des instruments scientifiques envoyés pour explorer d'autres planètes et l'espace profond. Certaines sondes sont conçues pour pouvoir atterrir sur les planètes, d'autres pour rester en orbite au-dessus des planètes ou encore pour voyager à leur surface. Toutes les sondes doivent avoir des moyens leur permettant de renvoyer leurs découvertes à la Terre, essentiellement par radio.

Sphère

Version tri-dimensionnelle du cercle. C'est la forme qui comprend le plus grand volume pour une surface donnée, ce qui est la raison pour laquelle les planètes sont naturellement de forme sphérique.

Station orbitale

Grand satellite artificiel mis en orbite pour héberger des astronautes et des scientifiques. Les premières stations orbitales étaient Skylab et Mir. Actuellement, la seule station orbitale est la Station Orbitale Internationale qui n'est encore qu'à moitié construite.

Terraformation

Fait de transformer l'atmosphère d'autres planètes pour pouvoir y introduire la vie humaine. La terraformation d'une planète pourrait prendre des milliers d'années.

Tourisme

Action de voyager d'un endroit à l'autre pour des vacances. Beaucoup de gens pensent que le tourisme spatial pourrait permettre de développer les futurs voyages dans l'espace.

Toxique

Toute substance pouvant nuire à un organisme est appelée toxique. Certaines substances sont plus toxiques que d'autres. Le plutonium est une des substances les plus toxiques, mais l'oxygène en très grandes quantités l'est également. Autre mot pour toxique : « poison ».

Union Soviétique

L'ancienne Union Soviétique était un regroupement de pays communistes, gouverné par le Politburo installé à Moscou. Également connue sous le nom d'URSS, elle était composée de la Russie et de quatorze autres pays. Créée en 1922, elle fut dissoute en 1991.

Questions / Réponses

Notre Planète

Les grandes énigmes de notre monde

Nick Gibbs

Introduction

Autrefois, les gens passaient leur vie au même endroit. L'existence des habitants des petites villes et des villages se déroulait dans leur lieu de naissance. Un déplacement jusqu'à la grande ville voisine prenait des allures d'aventure, et exigeait des jours, voire des mois de voyage. Les premiers explorateurs entreprenaient des expéditions longues et périlleuses : lorsque Christophe Colomb est parti à la recherche d'une route vers les Indes par l'ouest, il n'avait pas la moindre idée de la durée de son périple. En réalité, il est arrivé en Amérique par hasard !

Le monde est longtemps resté inconnu, même chez les gens instruits. Les explorateurs naviguaient à la voile dans le Pacifique durant des dizaines d'années. Leurs amis ou leurs familles mouraient souvent avant qu'ils ne reviennent pour leur rapporter des récits de terres lointaines où vivaient des animaux et des peuples étranges.

Peu à peu, ces explorations ont fourni des renseignements sur notre monde. D'abord, on a établi que la Terre est sphérique, et non plate. Même si de nombreux aborigènes vivaient sur des terres inaccessibles aux Européens, désireux d'en savoir davantage sur le monde, les premières cartes restaient imprécises. De nos jours, la technologie a permis aux satellites de photographier les régions les plus reculées ! Cependant, il y a toujours des endroits où l'homme n'a jamais posé le pied.

Les géologues se sont concentrés sur l'étude de la composition de la Terre. Ils ont ainsi découvert que les continents se déplacent, de même que l'origine des volcans et des tremblements de terre. Ce long processus de découvertes a fourni des renseignements sur notre planète. L'homme a pu également prévoir le temps qu'il va faire, ce qui est précieux pour les agriculteurs. Grâce à l'avion, toutes les régions du monde sont désormais accessibles en quelques heures.

Mais il reste encore beaucoup à découvrir. Plus de 70% de la surface de la Terre est occupée par les océans : elle reste donc pratiquement inconnue au-delà de quelques centaines de mètres de profondeur. Les scientifiques commencent à comprendre comment les différents environnements (**écosystème**) fonctionnent ensemble, et à s'apercevoir de la fragilité de notre monde. Cela nous permet de savoir comment agir pour préserver au mieux notre environnement, afin de transmettre aux générations futures un monde dans lequel il fait bon vivre.

Le rocher d'Uluru était mystérieux et sacré pour les Anangu, **aborigènes** d'Australie qui vivaient dans la région il y a 22 000 ans. Uluru est constitué d'arkose, un grés à grains grossiers, riche en feldspath, et peut rougeoyer ou prendre une couleur bleue sous la lumière du soleil.

Paysans éthiopiens occupés à la moisson, à l'extrémité de l'immense désert de sable du Sahara. Ces peuples semi-nomades se déplacent sans cesse afin de trouver de nouvelles terres pour cultiver des céréales.

Lave jaillissant lors d'une éruption volcanique. Les forces qui ont donné sa forme à la Terre sont toujours en action, causant tremblements de terre, ouragans et tsunamis.

Notre planète

Où se trouve notre planète ?

La Terre est l'une des neuf planètes qui tournent autour du Soleil, formant le système solaire, une part infime de l'**Univers.** Les autres planètes sont : Mercure, Vénus, Mars, Jupiter, Saturne, Uranus, Neptune et Pluton. Le Soleil est une étoile comme celles que tu vois la nuit. Mais il se trouve beaucoup plus proche de la Terre que les autres. Il existe d'autres étoiles au-delà du système solaire. Le Soleil en est la plus grosse planète. Jupiter est la plus volumineuse, la Terre, l'une des plus petites. Un satellite naturel, la Lune tourne autour de la Terre. Saturne a 18 satellites, tandis que Mercure et Vénus n'en possédent aucun.

Etant donné que la Terre tourne, le Soleil semble se cacher derrière l'horizon et le ciel s'assombrir. Sans la rotation de la Terre sur elle-même, il n'y aurait pas de coucher de soleil.

Comme les autres planètes du système solaire, la Terre tourne autour du Soleil en tournant sur elle-même comme une toupie. Les planètes tournent à des vitesses différentes. La Terre effectue une rotation complète, dans le sens inverse des aiguilles d'une montre, en 24 heures. En réalité, le Soleil ne se lève et ne se couche pas. Nous tournons vers le Soleil à l'aube, et dans la direction inverse le soir.

Qu'est-ce qu'un continent ?

Un **continent** est une vaste surface de la Terre non immergée. On compte sept continents : L'Afrique, l'Europe, l'Antarctique, l'Amérique du Sud, l'Amérique du Nord, l'Australie et l'Asie. Á l'origine, toutes les terres étaient réunies en un vaste ensemble appelé Pangée. La surface terrestre, appelée croûte, recouvre une couche de roches à demi **fondues**, en constant mouvement, le manteau. Ces mouvements fracturent la croûte en immenses blocs ou plaques **tectoniques**. Sur le manteau, ces plaques se sont séparées pour former les continents, les océans et les mers. Les continents sont encore en mouvement.

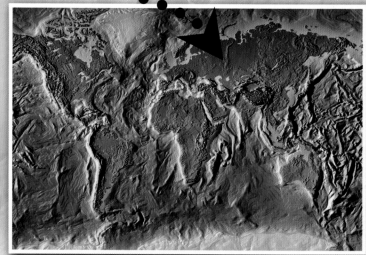

Cette carte montre que les continents pourraient presque s'emboîter pour n'en former qu'un seul, comme il y a des millions d'années.

Qu'est-ce que l'atmosphère ?

L'atmosphère est une enveloppe remplie d'air qui entoure le globe terrestre. Près de la surface de la Terre, l'air, composé d'un mélange de gaz : l'oxygène indispensable pour vivre, et l'azote, élément plus dense, constituent la troposphère, d'une épaisseur de 8 à 10 km. L'atmosphère est retenue par la pesanteur terrestre ; l'air a un poids. Quand tu te trouves en haute montagne ou en avion, l'air est moins dense, et l'oxygène se raréfie, ce qui rend la respiration plus difficile. C'est pourquoi les alpinistes se munissent de bouteilles d'oxygène pour faire l'ascension du Mont Everest (voir montagnes).

Qu'y a-t-il au centre de la Terre ?

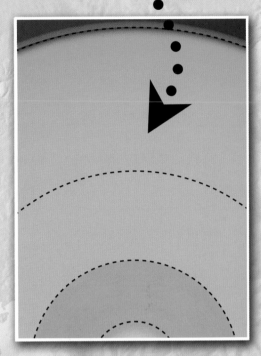

Les quatre plus grosses planètes du système solaire (Jupiter, Saturne, Uranus et Neptune) sont d'énormes boules de liquide et de **gaz**. En revanche, la Terre est formée d'une croûte rocheuse vieille de 4 millions d'années, comptant 80 km d'épaisseur. Cela te paraît énorme, mais en réalité, la croûte est aussi fine qu'une coquille d'œuf. Sous la croûte se trouvent des couches de roches en fusion appelées le manteau (voir continents), et le noyau (au centre de la Terre).

Pourquoi y a-t-il des saisons ?

La Terre fait le tour du Soleil en un an. Cela te semblera peut-être lent, mais c'est que le voyage est long ! Tout en décrivant une **orbite** autour du Soleil, la Terre tourne sur elle-même sur un **axe** légèrement incliné par rapport au plan de cette orbite. Elle présente donc pendant un certain temps l'**hémisphère** nord plus directement au Soleil : c'est l'été dans cet hémisphère. Il fait chaud, et les jours sont longs car il se trouve plus près du Soleil. En revanche, c'est l'hiver dans l'hémisphère sud. Entre les deux, c'est le printemps et l'automne quand ni l'hémisphère nord, ni l'hémisphère sud ne sont inclinés vers le Soleil.

INCROYABLE mais vrai !

D'après nos connaissances actuelles de l'**univers**, la Terre semble la seule planète sur laquelle la vie est présente. Les astronomes ont découvert plus de 70 planètes orbitant autour d'autres étoiles, mais rien ne prouve qu'elles hébergent une quelconque forme de vie du moins jusqu'à présent !

5

Les volcans

Qu'est-ce qu'un volcan ?

Lorsque les roches en fusion et les gaz originaires des zones profondes de la Terre s'échappent par un orifice, ils forment un volcan. La majorité des volcans sont coniques, avec des flancs escarpés et un cratère au sommet. Les autres sont plus plats, en forme de soucoupe renversée.

Les éruptions volcaniques sont dramatiques car elles peuvent tout détruire à des kilomètres à la ronde.

Pourquoi y a-t-il des éruptions volcaniques ?

Le magma est tellement chaud qu'il s'élève, à la façon d'un ballon d'air chaud, et s'accumule près de la surface, où il se mélange à des gaz et de l'eau. Si ces gaz chauds ne peuvent s'échapper rapidement, la pression grandit. Lave en fusion, gaz, cendres, et vapeur montent alors dans une **cheminée**, qui se termine par un cratère au sommet de la montagne. Ils jaillissent par des cheminées secondaires, sur les flancs du volcan.

Qu'est-ce que le magma et la lave ?

Le magma est un mélange pâteux de roches en fusion provenant des profondeurs de la Terre. Lorsque le magma atteint le cratère, on le désigne sous le nom de lave. La lave incandescente s'écoule lentement sur les flancs du volcan, à une température pouvant atteindre 1 000°C. (soit 10 fois plus élevée que celle de l'eau bouillante). Une grande coulée de lave recouvre parfois villes et villages, brûlant tout sur son passage.

Le magma s'accumule dans des chambres jusqu'au moment où la pression est trop forte : le volcan entre alors en éruption.

Un flot de lave incandescente s'écoule d'un volcan.

Où les volcans se forment-ils ?

Les volcans se forment dans les zones fragiles de la couche externe de la Terre, qui présentent davantage de fissures. On trouve des volcans aussi bien sous la mer que sur la Terre. Certains volcans des **fonds sous-marins** sont si vastes qu'ils surgissent de l'eau, formant des îles volcaniques. Il existe des volcans qui sont toujours en activité, éjectant pierres et cendres. D'autres sont éteints. Mais certains volcans peuvent rester inactifs pendant de nombreuses années et se réveiller un jour : l'éruption est alors d'une extrême violence.

Les îles Hawaii sont d'immenses volcans éteints dont le sommet dépasse du niveau de la mer.

Où a eu lieu la plus importante éruption volcanique de l'histoire ?

L'éruption volcanique la plus importante est survenue en 1883, sur l'île de Krakatoa, en **Indonésie**. L'île a été détruite, et l'explosion a été entendue jusqu'en Australie, à 5 000 km de là ! En 1980, l'éruption du Mont St Hélène, aux Etats-Unis, a été la plus violente pour la période contemporaine. Elle a duré quatre jours, et tué 57 personnes. Dans l'Antiquité, le Vésuve a **englouti** la ville de Pompéi, en Italie, en l'an 79. Des nuages de poussières et des coulées de boues ont ainsi fait plus de 20 000 victimes.

La fumée sort du cratère du Mont St Hélène dans l'Etat de Washington (Etats-Unis).

INCROYABLE mais vrai !

Le plus haut volcan connu ne se trouve pas sur Terre, mais sur Mars. En effet, le volcan martien Olympus Mons est trois fois plus haut que le Mauna Loa, à Hawaii, le plus haut volcan terrestre.

Quels sont les autres désastres causés par une éruption volcanique ?

Les régions volcaniques subissent fréquemment des tremblements de terre, qui s'accompagnent de coulées de boues, d'avalanches, d'inondations, et même d'immenses vagues appelées tsunamis. À peine sensibles en haute mer, les tsunamis créent une vague géante pouvant atteindre 40 m de hauteur, qui détruit tout sur son passage en arrivant sur les côtes. Les grandes éruptions entraînent dans l'atmosphère des gaz qui forment des pluies **acides.** Ces pluies tuent les arbres et détériorent les constructions. Il arrive souvent que les conséquences des tremblements de terre fassent plus de victimes que le séisme lui-même.

Dommages résultant du tsunami de 1997 à Hawaii.

Mers et océans

Comment les océans se sont-ils constitués ?

Au début de la formation de la Terre régnait une intense activité volcanique. Or une éruption libère de la vapeur d'eau. Quand la planète s'est refroidie, la vapeur d'eau a formé des nuages de gouttelettes d'eau qui sont retombées sur la Terre sous forme de pluie. Les cuvettes de la surface terrestre se sont remplies : les lacs et les océans étaient nés. De nos jours, près des trois quarts de la surface de la Terre sont recouverts d'eau.

Qu'y a-t-il sous la surface de la mer ?

Les océans abritent une vie encore plus étonnante que celle qui existe sur la terre. Sur le fond des océans s'étendent des chaînes de montagnes, avec des sommets parfois plus hauts que l'Everest (voir montagnes). Lorsqu'ils dépassent la surface de la mer, ces sommets forment des îles. Dans l'**Océan Pacifique**, la fosse des Mariannes est l'endroit le plus profond du globe (10 911 m de profondeur). Lancée depuis la surface, une bille d'acier n'atteindra le fond qu'une heure après.

À quoi ressemble le fond de l'océan ?

Sur le littoral, la profondeur des océans et des mers atteint rarement plus de 200 mètres : c'est le plateau continental. Ensuite, le fond marin descend assez rapidement jusqu'à la plaine abyssale, à plus de 4 000 mètres au-dessous du niveau de la mer. Cette zone quasiment plongée dans l'obscurité, est très froide. L'énorme pression de l'eau et le manque de lumière y rendent la vie sous-marine difficile. Quelques êtres vivants en forme de limace survivent en se nourrissant des restes des animaux tombés au fond de l'océan.

Le bathyscaphe Trieste a atteint la profondeur record, dans la fosse des Mariannes, de 10 911 mètres. L'équipage se trouvait dans la capsule fixée au-dessous du submersible.

Les poissons des profondeurs ont une apparence peu sympathique !

Qu'est-ce que la marée ?

Le Soleil et la Lune exercent une attraction sur l'eau des mers et les océans, à la façon d'un aimant géant. Tandis que la Terre tourne, la masse d'eau située sur le côté le plus proche de la Lune est attirée vers elle : la mer monte, c'est la marée haute. Six heures plus tard, c'est la marée basse. On compte deux marées hautes et deux marées basses par vingt-quatre heures. Dans certains endroits, la marée est si forte qu'une longue vague, ou **mascaret**, remonte l'**estuaire** des fleuves. Pour le grand bonheur des surfeurs qui se laissent porter par une vague de plus d'un kilomètre !

Quel est l'océan le plus vaste ?

La Terre possède cinq océans : l'océan Arctique, Atlantique, Indien, Pacifique, et Austral. Ils représentent les plus importantes étendues d'eau du globe terrestre, et sont tous interconnectés. Plus près des terres, les eaux moins profondes sont appelées mers, comme la mer Méditerranée. L'océan Pacifique est le plus vaste, sa surface étant supérieure à celle de tous les continents réunis. Il s'étend entre l'Asie, l'Australie et l'Amérique.

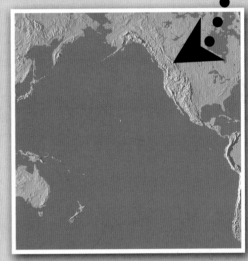

Le Pacifique compte 155 millions de kilomètres carrés, soit 35 % de la surface du globe.

Pourquoi l'eau de mer est-elle salée ?

L'eau renferme des sels minéraux dissous. Sous l'action de la chaleur du soleil, une petite quantité d'eau s'**évapore**, et les sels minéraux se concentrent. Lorsqu'une mer est peu profonde et très chaude, le niveau de concentration en sel s'élève. L'eau de la Mer Morte est tellement salée (280 g de sel par litre, soit six fois plus que celle d'un océan) qu'aucune vie n'est possible dans un tel milieu, d'où le nom de Mer Morte. Sa forte concentration empêche le sel de se dissoudre : il tombe au fond de la mer.

La Mer Morte fait le bonheur des baigneurs ! Son eau est tellement salée qu'ils flottent comme un bouchon de liège.

INCROYABLE mais vrai !

Si toute la glace des pôles fondait, le niveau des mers monterait d'environ soixante-dix mètres, entraînant de terribles inondations et la disparition de la plupart des villes côtières.

Les fleuves

Une source donne naissance à un petit ruisseau dans la montagne.

Où commencent-ils ?

La plupart des fleuves commencent par une source, en haute montagne. De plus, l'eau de pluie qui se rassemble sur les collines dévale les pentes, et forme des ruisseaux. Si le terrain est **perméable**, la pluie s'enfonce dans le sol pour surgir plus bas sous la forme d'une source ou d'un lac. Peu à peu survient l'**érosion** du sol par l'eau de pluie, qui creuse des ravines et des vallons dans lesquels elle coule. Les torrents se déversent dans d'autres torrents, constituant des rivières qui s'écoulent au fond de larges vallées. Vu d'avion, un bassin fluvial ressemble aux racines d'un arbre. La frontière entre deux bassins fluviaux est appelée la ligne de partage des eaux. Les eaux provenant d'un versant d'une colline coulent vers une rivière, et celles qui viennent d'un autre versant se dirigent vers la rivière opposée.

Pourquoi les rivières ne coulent-elles pas tout droit ?

La présence d'obstacles (rochers) a obligé le petit ruisseau initial à modifier sans cesse son cours, décrivant ainsi des méandres. Les méandres sont presque toujours sept ou huit fois plus longs que la largeur de la rivière ou du fleuve. Si le courant est très fort, il arrive qu'ils disparaissent. Comme une voiture de course prenant ses virages à la corde, l'eau a tendance à aller tout droit, créant un nouveau chenal qui supprimera le méandre.

Ce fleuve a des méandres très prononcés.

Que se passe-t-il dans le lit d'un fleuve ?

Les roches et la terre qui forment le lit et les berges d'un fleuve sont lentement et constamment arrachées par l'eau, selon un processus appelé **érosion**. Transportés par le courant, ces débris forment le limon. Les fleuves à débit important sont souvent chargés de **limon** : le Fleuve Jaune, en Chine, doit son nom à la grande quantité de limon jaune qu'il transporte. Lorsque les fleuves ont un débit trop important, l'eau passe par-dessus les berges et provoque des inondations. Quand l'eau se retire, elle dépose un limon fertile sur les champs.

Qui est le plus rapide ?

On pense généralement que les torrents bouillonnants qui descendent des montagnes sont les plus rapides. En effet, ils paraissent plus impétueux que les fleuves coulant tranquillement dans les plaines. Il n'en est rien ! Les fleuves sont plus profonds, plus réguliers, ce qui signifie qu'il y a moins de **frottement** : l'eau coule donc plus rapidement.

Où les fleuves finissent-ils ?

Les fleuves rejoignent la mer ou un lac, formant parfois un large **estuaire** en forme d'entonnoir. Lorsqu'ils se divisent en plusieurs bras, on parle de delta. Ces bras peuvent être permanents ou changer d'emplacement au cours d'une inondation. Les deltas les plus vastes sont le delta du Nil, du Gange et de l'Amazone. Les habitations et les terres des gens qui vivent à proximité des deltas sont souvent inondées.

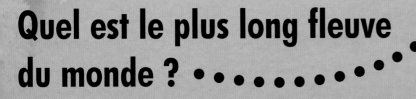

Le delta d'un fleuve s'ouvrant sur la mer.

Quel est le plus long fleuve du monde ?

Le Nil est le plus long fleuve du monde (6 695 km), soit la distance qui sépare l'Angleterre de l'Amérique. Il prend sa source dans le lac Victoria, au centre de l'Afrique, et coule jusqu'à la mer Méditerranée. Le Nil contient le cinquième de l'eau douce du globe. L'Amazone, en Amérique du Sud, est le deuxième fleuve du monde pour sa longueur.

Carte du Nil montrant les différents pays qu'il traverse.

Les déserts

Qu'est ce qu'un désert ?

Un désert est une étendue de terre très sèche, aride, qui limite la croissance des plantes. On les rencontre dans les régions du monde à climat sec, très chaud ou très froid. Peu de plantes s'accommodent de la rareté des pluies. Le sol du désert n'est pas uniquement constitué de sable, mais il contient trop de sel pour assurer la survie de la végétation. L'eau chargée de sel monte à la surface du sol. Comme il fait très chaud, elle s'évapore, abandonnant le sel qui forme parfois une croûte.

Les dunes constituent l'image traditionnelle du désert. Cependant, de nombreux déserts présentent des bouquets de végétation rabougrie.

Les déserts se déplacent-ils ?

À cause de l'évolution des déserts, des régions autrefois recouvertes de végétation sont complétement dénudées.

Les frontières des déserts évoluent sans cesse. Le sol des régions désertiques est généralement constitué de sable, exposé à l'**érosion**, et de sel. Si les rares plantes qui y poussent sont victimes de la **sécheresse**, le sol subit une érosion plus intense. Il en est de même dans les régions où sévit la déforestation : la terre meuble disparaît. C'est la désertification. Ce phénomène s'observe également lorsque les paysans pratiquent une agriculture trop importante, la terre perdant ainsi ses **substances nutritives**. L'**irrigation** et la plantation de forêts permettent de faire reculer les déserts.

Quel est le plus grand désert du monde ?

C'est le Sahara, qui s'étend au nord de l'Afrique sur 4 800 km, de l'Atlantique à la mer Rouge. Sa superficie est presque égale à celle des Etats-Unis. Environ 15 % seulement de sa surface est recouverte de dunes de sable, le reste étant constitué de roches et de cailloux. Quelques plantes y survivent, sauf dans les dunes. Le Sahara comprend également les déserts de Nubie et d'Arabie.

Cette carte de l'Afrique montre l'étendue du Sahara. La totalité de l'Australie pourrait y rentrer largement !

Qui vit dans le désert ?

Paysans éthiopiens vivant en bordure du Sahara.

Le désert n'est pas un lieu accueillant. Les quelques villes et villages qui s'y trouvent sont généralement situés à proximité des **oasis.** Les habitants du désert sont des nomades, vivant dans des tentes, et se déplaçant d'une oasis à une autre. Ils élèvent des moutons, des chèvres, ou des bovins. D'autres essayent de cultiver des petites parcelles de terrain, mais leurs récoltes sont souvent compromises par la sécheresse, ce qui entraîne la famine. En 1985, le concert pop Live Aid a permis de collecter de l'argent pour l'Ethiopie, victime d'une famine particulièrement meurtrière.

Combien de temps un chameau peut-il vivre sans eau ?••••••

Chameaux et dromadaires vivent en Afrique du Nord et en Asie. Le chameau a deux bosses, le dromadaire, une seule. Contrairement à une vieille croyance, la bosse est une réserve de graisse, et non d'eau. Mais un chameau transpire peu : il est capable de survivre une semaine sans boire. Le suc des rares plantes poussant dans le désert lui permet de résister au manque d'eau. Le chameau est adapté au désert : ses larges sabots ne s'enfoncent pas dans le sable, et ses narines peuvent se fermer complètement afin de le protéger des vents de sable. Robuste, il est capable de transporter des charges de 450 kg, soit le poids d'une petite voiture.

Qu'est-ce qu'une oasis ?•

Au milieu d'un désert, une source naturelle forme parfois un petit lac. L'image classique de l'oasis est celle d'un lieu planté de palmiers. Lorsque la **nappe phréatique** est proche de la surface, la végétation peut pousser. Dans le désert d'Arabie, des villes se sont installées autour des oasis.

*Une **oasis** typique. Les petites oasis permettent aux nomades de s'arrêter pour la nuit et de refaire leurs réserves d'eau.*

13

La neige et la glace

Que sont les régions polaires ?

La Terre tourne autour d'un axe passant par les pôles nord et sud. Les rayons du Soleil étant perpendiculaires au sol au niveau de l'**équateur**, ils frappent les régions polaires de façon très inclinée : elles sont donc très froides. Pour le vérifier, dirige le faisceau d'une torche électrique sur un ballon. La lumière se concentre davantage sur le centre. Au pôle Nord, une épaisse couche de glace flotte sur l'océan Arctique, bordé par l'Amérique du Nord, l'Asie et l'Europe. En revanche, le pôle Sud est constitué de terre : c'est le continent Antarctique. Dans certaines régions, la glace atteint 4 km d'épaisseur.

Quelle est la température des pôles ?

Qu'est-ce qu'un iceberg ?

Comme tous les icebergs, celui-ci est en grande partie immergé. On aperçoit en transparence la masse recouverte d'eau.

Dans l'Arctique et l'Antarctique, des blocs de glace se détachent et forment des icebergs qui flottent dans la mer. Au fur et à mesure qu'ils fondent, ils prennent une forme déchiquetée. Certains icebergs sont si étendus qu'ils ressemblent à des îles. Ils ne laissent apparaître que le dixième environ de leur masse, le reste étant immergé. Pour le vérifier, plonge un morceau de glace dans un verre d'eau. Le Titanic a sombré dans l'Atlantique après avoir heurté un iceberg en provenance de l'Arctique, qui avait dérivé vers le sud.

Au pôle Nord comme au pôle Sud, la température dépasse rarement 0°C. En Antarctique, la température moyenne oscille autour de -17°C. La température la plus basse enregistrée est de - 89,4°C., en 1983. Une personne qui tomberait dans la mer des régions polaires mourrait en quelques minutes sous l'effet du choc thermique.

Les pôles sont-ils habités ?

Un chasseur chargeant son traîneau dans l'Arctique. Le traîneau est tiré par trois chiens Husky.

A l'exception de quelques explorateurs et scientifiques, personne ne vit à proximité des pôles. La totalité du continent Antarctique est actuellement inhabité. Les Esquimaux vivent près du Cercle polaire Arctique. Le mot " esquimau " signifie " mangeur de viande crue " : c'est le nom que leur ont donné les Européens. Ils se nomment eux-mêmes " Inuits ", c'est-à-dire êtres humains (les hommes). Ils construisent des **igloos** en neige gelée, dans lesquels ils s'abritent. Habiles chasseurs, ils se nourrissent de poissons, de phoques, et autres créatures marines.

Quels sont les animaux vivant dans les régions polaires ?

Bien que des manchots, des phoques et des baleines peuplent la mer qui entoure l'Antarctique, peu d'animaux et de plantes vivent au pôle Sud. Le manchot Royal est le plus grand animal du continent. L'ours polaire règne sur les glaces du **cercle arctique.** On y rencontre aussi des rennes, des caribous et des lemmings, ainsi que des hermines, des renards et des zibelines, dont les fourrures sont très prisées.

Qu'est-ce qu'un glacier ?

Sur les hautes montagnes, la glace et la neige ne fondent jamais : elles s'amassent et deviennent dures et épaisses. La pression fait fondre la glace près du sol, et la masse de glace qui se trouve au-dessus glisse, formant un glacier. Très lourde, la glace se déplace lentement, mais avec une telle puissance qu'elle creuse le sol et la roche. Ainsi, depuis des millions d'années, des tertres et des **saillies rocheuses** ont été concassés par l'avancée des glaciers, formant de larges vallées en forme de U. Les roches que le glacier ne parvient pas à broyer s'amassent sur les bords, créant des moraines. Avec 400 km de long, le Lambert Glacier, en Antarctique, est le plus long du monde.

INCROYABLE mais vrai !

Le Lambert Glacier est également le plus grand glacier du monde, avec une superficie de 1 million de kilomètres carrés. Tous les ans, environ 35 kilomètres carrés de glace fondent dans la mer.

Le temps

Comment naît le vent ?

Les vents constants proviennent du mouvement circulaire de l'air descendant des régions froides vers les zones chaudes. Par ailleurs, il y a également des zones de perturbations locales. Au contact du sol, l'air se réchauffe et monte en formant une **spirale** géante, ce qui donne naissance au vent. Ce mouvement en spirale chasse l'air sur les bords, comme une bille qui tourne dans une assiette et qui gagne rapidement le rebord. De l'air s'échappe de la **spirale**, comme la bille tombe de l'assiette. L'air se déplace d'un côté à l'autre de la Terre sous forme de vent, et le processus se répéte.

L'air chaud est plus léger que l'air froid. Dans les régions du globe réchauffées par le Soleil, l'air chaud s'élève, comme un ballon gonflé à l'air chaud. L'équateur est la région la plus chaude de la Terre : l'air monte donc. Cet air se dirige vers les régions polaires,

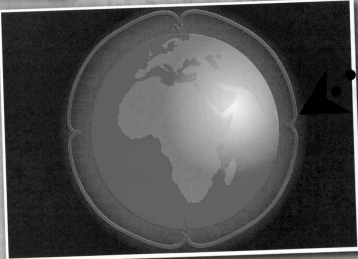

Ce croquis montre l'air chaud qui s'élève (rouge) de l'équateur, se déplace vers les pôles où il se refroidit, puis redescend (bleu). C'est le mécanisme de base expliquant le temps qu'il fait sur la Terre.

où il se refroidit, et redescend vers la Terre. Une fois sur le sol, l'air froid retourne vers l'équateur. C'est un peu comme si tu jonglais avec d'énormes boules d'air qui montent et descendent sans arrêt. Les masses d'air froid frappent continuellement les masses d'air chaud. De la rencontre de l'air chaud et de l'air froid naît le temps qu'il fait.

Image satellite de l'ouragan Fran, à proximité de la Floride (1996).

Qu'est-ce qu'un arc-en-ciel ?

L'arc-en-ciel est dû à la réflexion des rayons du Soleil à travers les gouttes de pluie. Un peu comme si tu regardais dans un miroir, le soleil se trouvant derrière toi. Ainsi, après une averse, tu peux voir un arc-en-ciel en tournant le dos au Soleil. Tu vois la courbe du Soleil dans la pluie qui s'éloigne. Chaque goutte d'eau décompose les rayons solaires en couleurs, en fonction de l'angle que fait la lumière en frappant la goutte. Les couleurs du **spectre** solaire sont : rouge, orange, jaune, vert, bleu, indigo et violet. D'un avion, il est possible de voir que l'arc-en-ciel forme un cercle complet.

Qu'est ce qu'un front climatique ?

Lorsque l'air chaud rencontre de l'air froid, ils s'affrontent, à la manière de deux armées ennemies : ce phénomène porte le nom de front climatique. Il arrive parfois qu'une masse d'air chaud en forme de triangle, comme une immense tranche de gâteau, heurte une masse d'air froid. Plus léger que l'air froid, l'air chaud essaie de passer par-dessus l'air froid. Il y a alors formation de nuages. Lorsque les nuages s'élèvent, il pleut. Un front climatique survient à la tête et le long des bords du triangle.

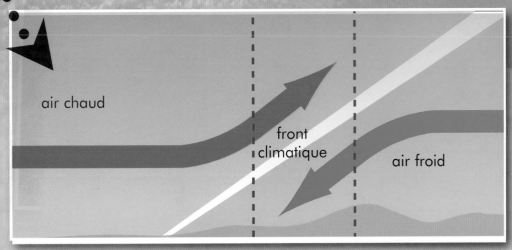

air chaud

front climatique

air froid

La rencontre de l'air froid et de l'air chaud constitue un front climatique.

Pourquoi pleut-il ?

La chaleur du Soleil fait s'évaporer de l'eau de la mer, qui se transforme en vapeur. L'air humide et chaud, contenant de minuscules particules d'eau, s'élève. En s'élevant, la vapeur refroidit et se condense en gouttelettes d'eau ou en cristaux de glace. C'est ce qui forme les nuages. Ils sont sombres parce qu'ils arrêtent les rayons du soleil. Tandis que les nuages continuent de monter, ils se refroidissent, et les gouttelettes ou les cristaux grossissent et deviennent si lourds qu'ils tombent sur le sol. Ce phénomène survient lorsqu'un nuage s'élève sur une colline ou une montagne. Il pleut également le long d'un front lorsqu'une masse d'air chaud s'élève au-dessus d'une masse d'air froid.

Comment prévoir le temps ?

Les différentes parties du monde ont des conditions météorologiques qui définissent leur climat. Des stations météorologiques situées partout sur la Terre surveillent les changements de ces conditions météorologiques. À partir de leurs observations, des **ordinateurs** peuvent prévoir les déplacements des masses d'air et leur évolution. Un déplacement depuis l'équateur en direction de l'Europe est plus propice à un réchauffement qu'une descente de masse d'air en provenance de l'Arctique. Une baisse de pression annonce l'arrivée de pluie ou de neige, tandis qu'une **haute pression** stable est synonyme de beau temps.

L'ordinateur le plus performant au monde est le " NEC Earth Simulator ", au Japon. Cet énorme ordinateur modélise les situations météorologiques de toute la Terre afin de fournir des prévisions plus exactes.

INCROYABLE mais vrai !

Un ouragan est une tempête dont les vents atteignent ou dépassent la vitesse de 118 km/h. La vitesse-record du vent au sol est de 370 km/h.

Les forêts tropicales

Qu'est-ce qu'une forêt tropicale ?

La forêt tropicale s'étend au voisinage de l'équateur. Ces régions connaissent une température élevée et **constante** toute l'année, et des pluies abondantes. Les feuilles et le bois morts se décomposent et fournissent au sol les éléments nutritifs indispensables à la vie des plantes et des arbres. Mais les pluies abondantes emportent souvent ces engrais naturels. Les parcelles défrichées pour l'exploitation du bois ou la culture de céréales perdent rapidement leur fertilité. En retenant la terre, les racines des arbres ralentissent l'érosion.

La forêt tropicale est constituée de plusieurs couches de végétation qui abritent une importante vie sauvage.

Où se trouve la plus grande forêt tropicale ?

On rencontre des forêts tropicales en Amérique du Sud, en Afrique, en Asie, et en Australie. La forêt amazonienne, en Amérique du Sud, est la plus grande forêt tropicale du monde. Elle couvre six millions de kilomètres carrés, sur neuf pays différents. L'Amazone coule au cœur de cette forêt. Le deuxième fleuve du monde pour sa longueur a plus de 1 000 **affluents**. Le débit journalier de l'Amazone est l'équivalent du débit annuel de la Tamise (Angleterre).

Qui vit dans la forêt tropicale ?

La forêt tropicale est essentiellement habitée par des tribus regroupées en villages ou petites communautés. Certains sont des chasseurs-cueilleurs qui se nourrissent en chassant des animaux sauvages et en cueillant fruits et racines. Ils utilisent des flèches empoisonnées pour chasser dans les arbres, et récoltent des noisettes, des fruits et du miel. Pour se procurer le miel, ils doivent grimper dans les arbres, et éloignent les abeilles avec de la fumée, en essayant d'éviter de se faire piquer. D'autres tribus se consacrent à la culture, pratiquant l'agriculture itinérante sur brûlis, qui consiste à défricher une parcelle, puis à faire brûler les végétaux arrachés. Ils fournissent ainsi des éléments nutritifs au sol, qui peut être ensemencé deux ou trois ans de suite. La terre est ensuite laissée en friche pendant une vingtaine d'années afin de permettre à la végétation de repousser.

Pourquoi avons-nous besoin des forêts tropicales ?

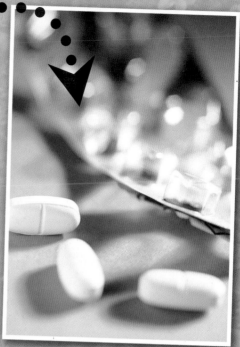

Les forêts tropicales sont vitales pour assurer la santé de la planète. Les arbres et les plantes absorbent le gaz carbonique (gaz de l'effet de serre), et produisent de l'oxygène. De plus, la forêt tropicale est une vaste réserve d'animaux et de plantes qui contribuent à la biodiversité de la planète. De nombreux médicaments sont tirés de plantes qui ne poussent que dans cet environnement. Si ce type de forêt disparaissait, nous en serions donc privés. Et nous perdrions également une grande partie de la vie sauvage.

Qu'est ce que la canopée ?

Dans la forêt tropicale, la majeure partie de la vie sauvage se concentre non pas sur le sol, mais en hauteur, dans la **canopée.** Cette forêt est plantée de très grands arbres dont la cime est garnie de nombreuses branches couvertes de feuilles, souvent à environ 45 mètres au-dessus du sol, soit la hauteur d'un clocher. C'est là que vivent oiseaux, serpents, grenouilles, souris, singes et autres animaux. Certains lézards peuvent même voler. La canopée protège le sol des fortes pluies, et son ombre conserve l'humidité de la terre.

Quels sont les animaux qui vivent dans la forêt tropicale ?

La forêt tropicale abrite une incroyable variété de plantes et d'animaux, en particulier d'insectes. Cet important mélange de différentes espèces est appelé biodiversité. La vie sur la Terre a besoin de la biodiversité. De nombreuses espèces de la forêt tropicale sont typiques d'un certain habitat : ainsi, le Capybaru, le plus gros rongeur du monde, vit en Amérique du Sud. Le casoar est l'hôte de la forêt australienne, et l'orang-outan, de celle de l'Asie du Sud Est. Les oiseaux les plus étranges et les plus beaux peuplent également la forêt tropicale. On y trouve également des papillons, des chauve-souris et des lézards rares.

La forêt tropicale héberge des oiseaux aussi différents que le gros perroquet ara et le minuscule oiseau-mouche.

19

Les montagnes

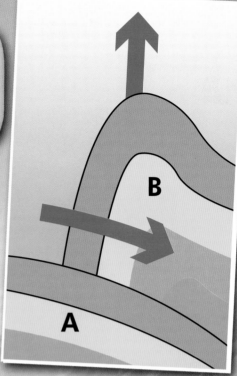

En se déplaçant, la plaque A oblige la plaque B à s'élever. Le bord de la plaque supérieure se plie verticalement pour former une chaîne de montagne.

Comment naissent les montagnes ?

La plupart des montagnes se sont formées par plissement des roches, lors des déplacements des continents. La croûte terrestre est toujours en mouvement, à cause des courants qui agitent le magma. Lorsque les masses continentales se rencontrent, les couches rocheuses se déforment et se chevauchent, à la manière du capot de deux voitures qui entrent en collision. C'est ainsi que se sont formées l'Himalaya et les Alpes. Pendant des millions d'années, les plissements ont subi l'érosion par la glace et l'eau pour donner les formes déchiquetées des montagnes. Certaines montagnes, généralement de taille inférieure, sont nées à la suite d'une éruption volcanique.

Une vue insolite de l'Everest à partir du camp de base. En dépit de son nom, le camp de base se situe à 5 500 mètres d'altitude.
(Image ©Ella Towers)

Quelle est la plus haute montagne du monde ?

Avec ses 8 880 mètres, le mont Everest, dans la chaîne de l'Himalaya, est le plus haut sommet du monde. Il doit son nom à un **géomètre** anglais qui le prononça " Eve-Rest ". Dans la région, on le nomme Chomulungma ou Sagarmatha. La frontière entre le Népal et le Tibet passe par le sommet de l'Everest. La première ascension a été réalisée en 1953 par Edmund Hillary et Tensing Norgay. De nombreux alpinistes s'y sont essayés, mais seulement 1500 d'entre eux ont atteint le sommet. On estime qu'une personne sur dix meurt pendant l'ascension. L'Everest grandit encore : il a gagné 3 métres au siècle dernier.

Pourquoi fait-il plus froid au sommet des montagnes ?

Ce n'est pas parce que l'on se trouve plus près de l'espace ! Quand tu grimpes sur un sommet, l'air se raréfie de plus en plus car la pression de l'atmosphère est moins forte. Comme tous les gaz, l'air se dilate. Cette action d'expansion produit un refroidissement de l'air. Fais l'expérience suivante : ouvre une canette de boisson gazeuse. À l'ouverture, la boîte se refroidit brusquement, et un peu de **condensation** se dépose sur le métal froid. Au sommet d'une montagne, la pression légèrement plus faible qu'en plaine diminue la température d'ébullition de l'eau. Il est donc impossible d'y préparer une tasse de thé brûlante !

Les sommets des montagnes sont froids, isolés, et dépourvus de vie.

Qui fait l'ascension des montagnes ?

L'alpinisme est un sport populaire qui met à l'épreuve la résistance et le courage de ceux qui le pratiquent. Les alpinistes cherchent à atteindre le sommet de montagnes que personne n'a gravi à ce jour. Mais toutes les hautes montagnes ont été gravies, si bien que l'objectif est d'arriver au sommet par des voies plus difficiles, voire nouvelles. Certains alpinistes escaladent les barres montagneuses à mains nues, sans cordes de sécurité. C'est l'escalade libre.

Un alpiniste bien équipé pour une course en haute altitude.

INCROYABLE mais vrai !

L'Aconcagua (ce qui signifie " sentinelle de pierre ") est la plus haute montagne de l'Amérique du Sud, dans l'hémisphère Sud. Il est situé à 16 500 km de la plus proche montagne de hauteur voisine.

Peut-on respirer au sommet des montagnes ?

Au-delà de 8 000 mètres d'altitude, l'air renferme peu d'oxygène. Les alpinistes qui gravissent des hautes montagnes doivent progresser lentement car leur vue peut se troubler, et ils sont essoufflés. Parfois, ils sont tellement fatigués qu'ils s'assoient, s'endorment, et meurent. Le froid conserve leur corps reste intact durant des décennies, comme le constatent les expéditions qui les retrouvent un jour. Les alpinistes en partance pour les plus hauts sommets du monde se munissent de bouteilles d'oxygène, et respirent à l'aide d'un masque.

Susan et Phil Ershler, le premier couple qui a gravi les " sept sommets du monde ".

Y a-t-il de la neige en Afrique ?

L'Afrique est un continent relativement plat, et très chaud. Cependant, on y trouve des montagnes aux neiges éternelles. Le Kilimandjaro, un ancien volcan éteint de forme conique, culmine à 5 860 mètres. Il a deux sommets, et se trouve en Tanzanie. C'est la plus haute montagne d'Afrique, la température au sommet peut descendre à - 20°C.

Le Kilimandjaro domine la savane africaine.

Tempêtes et inondations

Comment nait un orage ? •••••••

Les variations du temps, tout autour du monde, sont liées aux vents dominants (voir le temps), et se déplacent généralement des zones froides vers les zones plus chaudes. Les temps les plus perturbés surviennent dans les systèmes de basses pressions. L'air chaud humide s'élève alors en une immense spirale. Lorsque cet air chaud monte, la pression, ou poids de l'air sur le sol, diminue. On parle alors de systèmes de

Image satellite d'un ouragan, vu de l'espace.

basse pression ou dépression. Les vents peuvent tourner en spirale à l'intérieur de la dépression plus rapidement qu'elle ne se déplace. La dépression aspire de plus en plus d'air chaud, puis le vent se renforce. Un orage commence alors à se former.

Qu'est-ce qu'un ouragan ?

Les ouragans sont de violentes tempêtes tropicales qui se produisent lorsque la température de la mer est très chaude. Plusieurs dépressions se combinent et absorbent de vastes quantités d'air chaud humide, ce qui entraîne pluies et orages. Plus la dépression grossit, et plus les vents sont forts. L'ouragan prend le nom de typhon en **Asie**, et de cyclone en Australie. La tornade est un tourbillon de vent en forme d'entonnoir qui frappe une zone assez réduite. Elle naît à l'intérieur d'un nuage d'orage, avec des vents qui tournent si fort que la spirale descend jusqu'au sol.

La tornade se forme quand un important courant d'air chaud aspire les poussières. Elle deviendra rapidement un tourbillon dévastateur.

Qu'est-ce que l'éclair et le tonnerre ?

Quand il fait chaud, l'air humide s'élève rapidement pour former de gros nuages. À l'intérieur de ces nuages, des **turbulences** font se frotter les particules d'eau les unes contre les autres. Leur friction crée de l'électricité statique, exactement comme lorsque tu frottes un ballon de caoutchouc sur un vêtement de laine. Cependant, l'énergie électrique emmagasinée dans les nuages est beaucoup plus importante : elle pourrait alimenter une petite ville ! L'éclair est l'étincelle électrique qui survient entre deux nuages. Le tonnerre est le bruit de l'explosion de l'air chauffé par l'éclair. À cause de la rapidité de la **vitesse de la lumière** par rapport à celle du son, on voit l'éclair avant d'entendre le tonnerre.

Un éclair libère des milliards de volts, et ne dure qu'une demi-seconde.

Qu'est-ce que la mousson ?
Comment survient une inondation ?

Les moussons surviennent essentiellement en Asie et en Australie. Le mot dérive de l'arabe, et signifie " saison ". Dans ces régions, l'été est généralement chaud et humide, l'hiver, froid et sec. Les pluies de mousson sont si importantes qu'elles peuvent entraîner de sérieuses inondations en un temps record. En règle générale, une inondation survient après des pluies violentes ou la fonte des neiges, lorsque le sol est saturé d'eau. Les rivières sont en crues et elles débordent. L'eau détruit les berges, les ponts, les digues et même les maisons. Des villes et des villages peuvent être emportés.

Comment mesure-t-on la force d'un orage ?

La force d'un orage peut être évaluée de différentes façons, mais la plus significative est la force des vents qu'il génère. Car c'est le vent qui cause le plus de dégâts. Cette force est mesurée sur l'échelle de Beaufort qui associe à la vitesse du vent un état de la mer, mesuré de 0 (mer calme), à 12 (ouragan), en passant par 8 (vent fort). On utilise également une échelle pour classer les ouragans, en fonction des dégâts qu'ils occasionnent. Un ouragan de niveau 5 génère des vagues de plus de 6 mètres, causant d'énormes dommages. Depuis 1900, trois ouragans de niveau 5 sont survenus. Celui de 1935 a été particulièrement meurtrier, faisant 423 victimes en Floride. Pendant un orage, la pluie et la foudre peuvent provoquer de nombreux dommages matériels ainsi que des accidents graves.

Un ouragan peut détruire des maisons et même un quartier entier, causant d'immenses dégâts.

Où se situe la " Tornado Alley " ?

La Tornado Alley est le nom qui a été donné à une région du centre ouest des Etats-Unis exposée à de fréquentes tornades durant les mois d'été. Une douzaine de tornades meurtrières peuvent surgir en même temps. Des scientifiques venus du monde entier étudient et photographient les tornades.

La flèche noire t'indique l'emplacement de la La Tornado Alley.

INCROYABLE mais vrai !

Le National Weather Service, un service météorologique, rassemble les élèments annonçant une tornade. Les habitants de Tornado Alley écoutent la radio pour savoir si une tornade se dirige vers la région.

23

Roches et fossiles

Qu'est ce qu'un fossile ?

La vie existe sur la Terre depuis des millions d'années. On le sait car les parties dures de certains animaux se sont conservées dans de la boue ou du limon : il y a eu fossilisation. Il est possible de déterminer l'âge d'un fossile en fonction des roches dans lesquelles il a été retrouvé. Un fossile se forme lorsque de la boue recouvre un animal mort, des plantes ou même des empreintes de pas. Cette boue est ensuite recouverte par de nombreuses couches de boue fraîche, qui se compressent au fil du temps, formant des rochers dans lesquels se conservent les fossiles. Les fossiles les plus courants sont des invertébrés, des sortes de crevettes qui vivaient déjà dans la vase. Les animaux terrestres sont rarement recouverts de boue avec assez de rapidité pour être fossilisés avant la décomposition des parties molles de leur organisme.

*Fossile de **dinosaure** trouvé dans le Wyoming.*

Qui étudie les roches et les fossiles ?

Les géologues étudient les roches. Ils examinent les différentes couches rocheuses qui se trouvent au-dessous de la surface du sol. En creusant des trous ou en observant des falaises, ils peuvent déterminer l'âge des roches, et leur processus de formation. La comparaison entre plusieurs couches rocheuses d'une zone déterminée leur permet de comprendre la création des différents types de paysages. Les paléontologues étudient les fossiles afin de découvrir comment la vie s'est installée sur Terre. Les fossiles aident à préciser l'âge des roches, aussi paléontologues et géologues font-ils souvent équipe.

Les géologues passent la majeure partie de leur temps dans les montagnes, effectuant un travail de terrain.

Comment se forme les roches ?

Il existe trois types principaux de roches. Les roches sédimentaires se sont formées par la superposition de couches de limon apporté par les fleuves, qui se sont solidifiées. Les roches volcaniques ont été produites par le magma qui s'est échappé du centre de la Terre par des failles de la croûte. Enfin, les roches métamorphiques sont des roches transformées sous l'action de températures et de pressions très élevées. Ces phénomènes sont survenus il y a des millions et des millions d'années.

Qu'est ce qu'un minéral ?

Les roches sont constituées de minéraux, dont il existe des milliers de types différents. Les caractéristiques d'une roche dépendent des minéraux qui la constituent et de la façon dont elle s'est formée. Certaines roches renferment une quantité de minéraux différents, ce qui explique qu'elles ne sont pas d'une seule couleur, ni d'une seule texture. Le **diamant** est le plus dur des minéraux, mais il n'est présent que dans quelques roches. Les principaux minéraux sont formés de silicium et d'oxygène : on les appelle des silicates. Par contre, le marbre qui sert à réaliser des sculptures ou des revêtements de sol, est un carbonate, c'est-à-dire une combinaison de carbone et d'oxygène.

Quels sont les plus anciens fossiles trouvés ?

Les paléontologues ont découvert au Canada des empreintes de pas fossilisées datant de 530 millions d'années. Ces pas sont ceux d'une sorte de mille-pattes qui vivait sur les dunes de sable de l'océan. On a découvert récemment un fossile de poisson, sensible-ment aussi ancien, datant de l'époque où les êtres vivants ont rapidement évolué afin de s'adapter à leur environnement. Il mesure environ 25 mm de long. Le plus vieux fossile de vertébré a été trouvé par un fermier australien. On estime qu'il date de 560 millions d'années.

Les fossiles de poissons sont plus nombreux que les fossiles d'animaux terrestres car les conditions de la fossilisation sont meilleures sous la mer.

Qu'est ce que l'Uluru ?

Appelé Ayers Rock, par l'explorateur britannique William Gosse, d'après le nom de sir Henry Ayers, gouverneur de l'Australie méridionale, cet imposant rocher porte désormais le nom aborigène d'Uluru (" caillou géant "). Uluru est le plus grand monolithe du monde - un monolithe est constitué d'un seul bloc de pierre - . Il se trouvait autrefois au fond de l'océan. On pense qu'il s'étend sur des kilomètres dans le sous-sol et à plus de 100 millions d'années. Il mesure 9,4 km de circonférence pour une hauteur de 300 m. Les Anangu (une tribu aborigène) le considèrent comme une montagne sacrée, et sont hostiles à sa visite par les touristes. Ce rocher change de couleur selon les heures de la journée, passant du rouge au bleu sous les rayons du soleil.

Du lever et au coucher du soleil, l'Uluru change sans cesse de couleur. Ce qui explique que les Aborigènes le considèrent comme sacré.

Les tremblements de terre

Qu'est ce qu'un tremblement de terre ?

Depuis des millions d'années, la croûte terrestre est divisée en plaques tectoniques qui correspondent sensiblement aux continents que nous connaissons aujourd'hui. Ces plaques bougent les unes par rapport aux autres et entrent en collision à certains endroits, appelés failles, ce qui entraîne au niveau du sol des vibrations qui créent les tremblements de terre. Les ondes de chocs créées par un tremblement de terre peuvent se propager dans différentes directions à travers les roches comme en surface, occasionnant de terribles dégâts. La majorité des tremblements de terre a lieu le long des côtes ouest de l'Amérique du Nord et du Sud (la Ceinture de Feu) et des frontières Est de l'Asie. Ils sont également fréquents au centre de l'Asie.

Comment mesure-t-on la puissance des tremblements de terre ?

Il existe deux façons d'évaluer la puissance (magnitude) des tremblements de terre. La plus utilisée est l'échelle de Richter, qui enregistre l'énergie libérée par le séisme. L'échelle de Mercalli classe les tremblements de terre en fonction de leurs effets à la surface. Au degré 1 de l'échelle de Mercalli, la secousse est imperceptible, enregistrée seulement par les appareils de mesure. Au degré 12 (le plus élevé), elle provoque des dégâts destructeurs sur des centaines de kilomètres. La terre se fend, le sol se plisse, et des quantités de roches peuvent se déplacer.

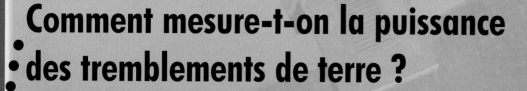

*Le **sismographe** enregistre la fréquence et la magnitude des tremblements de terre en un point donné du globe et fournit des renseignements précieux aux scientifiques.*

Qu'est ce que l'épicentre ?

Les tremblements de terre surviennent à des centaines de kilomètres de profondeur. L'épicentre est le point de la surface terrestre situé à l'aplomb de l'endroit où le séisme a eu lieu. C'est là que les dégâts sont les plus importants. Les sismologues ont filmé les ondes de choc, visibles sur le sol, elles ressemblent aux vagues sur la mer. On les appelle ondes de surface.

Que se passe-t-il lorsqu'un tremblement de terre •••• survient sous la mer ?

L'onde de choc d'un tremblement sous-marin crée un immense raz-de-marée appelé tsunami. En 1992, un tsunami a détruit les deux tiers d'une île de l'Indonésie. Ces tsunamis dévastent parfois une côte située à des milliers de kilomètres de l'épicentre du séisme.

Les tremblements de terre sont-ils fréquents ? •••••

Des millions de minuscules tremblements secouent la planète chaque jour, mais ils sont en général à peine perceptibles. On compte une vingtaine de tremblements de terre importants par an (magnitude minimum de 6,5 sur l'échelle de Richter). Un séisme de faible magnitude peut provoquer des dégâts et faire des victimes. L'un des tremblements de terre les plus meurtriers a eu lieu en 1906, à San Francisco (Californie). Cette ville se trouve sur la **faille de San Andréas.** De magnitude 8,3 sur l'échelle de Richter, il a fait plus de 700 victimes. En mai 1970, un tremblement de terre de magnitude 7,7 a fait 70 000 morts au Pérou. Le séisme le plus meurtrier a eu lieu en l'an 1556, en Chine : on estime sa magnitude à 9 sur l'échelle de Richter. Il aurait fait environ 850 000 victimes.

En octobre 1994, un tsunami a causé d'importants dégâts dans les îles Kuril (en haut). La vague gigantesque a entraîné un navire de 70 mètres de long sur le rivage.

Le séisme de 1906 à San Francisco(au-dessous) a endommagé sérieusement de solides constructions.

INCROYABLE mais vrai !

Chaque degré de l'échelle de Richter représente un double de la puissance du séisme. Ce qui signifie que la différence entre des **tremblements de terre** de magnitude 6 et 7 est énorme. Des graduations intermédiaires figurent sur l'échelle de Richter.

Où se réfugier en cas de tremblement de terre ? •••••

Lors d'un séisme, les blessures sont souvent provoquées par la chute des matériaux constituant un édifice. Si tu te trouves à l'intérieur, accroupis-toi sous une table, loin des fenêtres et des vitres. L'idéal est de sortir et de s'éloigner des immeubles, des arbres et des lignes électriques. En voiture, il faut essayer d'éviter les ponts. Actuellement, de nombreux immeubles bâtis dans les zones à risque respectent les régles de constructions parasismiques : les murs sont légèrement flexibles et absorbent l'onde de choc sans s'effondrer.

→ Notre environnement

Qu'est-ce que la pollution ? ••

La pollution est la dégradation de l'environnement par l'homme, ce qui revient à le rendre dangereux pour les êtres vivants, à l'empoisonner, en quelque sorte. Son origine est multiple : fumées qui altèrent la qualité de l'air, bruits nocifs dans le ciel et dans les océans, procédés de fabrication dégageant des gaz toxiques, sacs plastiques et déchets divers. Le plastique, les métaux, et le verre ne sont pas biodégradables : ils ne peuvent pas être réduits en composés chimiques non dangereux par des organismes vivants. La plupart des substances organiques comme le bois, les fruits ainsi que certains papiers sont biodégradables.

Qu'est-ce qui peut être recyclé ? •••••••

Certains déchets peuvent être plus facilement **recyclés** que d'autres. Les bouteilles en verre sont broyées et mélangées de façon à obtenir des produits à base de verre. Les journaux et magazines recyclés sont utilisés comme papier d'emballage ou pour la fabrication d'autres papiers. Une entreprise est parvenue à transformer des gobelets jetables en crayons. Les canettes en métal peuvent également être recyclées. Il ne faut pas jeter les vieux vêtements car ils peuvent toujours servir à quelqu'un. Le but est de jeter le moins possible.

Comment économiser de l'électricité ? •

L'électricité est produite par des **centrales électriques** qui utilisent le charbon, le gaz ou l'énergie nucléaire. Leurs fumées polluent l'atmosphère : utiliser moins d'électricité revient à réduire la pollution. Mais le risque, c'est de faire appel à d'autres sources d'énergie tout aussi polluantes. La solution la plus simple, pour économiser de l'électricité, c'est d'éteindre les lampes lorsque tu ne les utilises pas. On trouve dans le commerce des ampoules qui usent moins d'électricité. Isoler les murs d'une maison et garnir les fenêtres avec des doubles vitrages réduit la déperdition de chaleur, le chauffage des pièces exigeant ainsi moins d'énergie.

Comment venir en aide aux espèces menacées ?

Les modifications de l'environnement et la pollution croissante mettent de nombreuses espèces d'animaux en danger. Une espèce disparue ne peut être remplacée, et elle entraîne la disparition des animaux dont la survie dépend d'elle. Certaines espèces rares sont chassées pour leur peau, leurs défenses, leurs os, et pour les médecines alternatives. Pour aider les animaux en danger, il faut donc refuser d'acheter les produits qui menacent leur survie, chaussures en peau de serpent, bijoux en **ivoire**, et potions aux dents de tigre. Nous devons aussi nous assurer de la provenance du bois dont nos meubles sont fabriqués afin de ne pas compromettre la survie de certains habitats.

Le réchauffement de la planète.

On estime que l'atmosphère de la Terre se réchauffe peu à peu. Deux théories expliquent ce phénomène : la première soutient que le soleil frappe davantage la Terre car la **couche d'ozone** de l'atmosphère a été endommagée par la pollution. Lorsqu'elle atteint la Terre, la lumière du soleil rebondit contre sa surface. Plus faible qu'à l'arrivée, cette lumière ne peut traverser les gaz pollués de l'atmosphère : elle est réfléchie vers la Terre. C'est l'effet de serre. La deuxième théorie prétend que ce réchauffement fait partie d'un cycle alternant naturellement périodes de réchauffement et de refroidissement.

L'énergie renouvelable.

Le charbon, le pétrole et le gaz sont des combustibles fossiles, constitués à partir d'arbres en décomposition dans le sous-sol depuis des millions d'années. Leur usage intensif empêche leur renouvellement. Aussi devons-nous rechercher une énergie pouvant être utilisée sans discontinuer. Il est possible de transformer l'énergie du soleil, des vagues, du vent et de l'eau en électricité ou en chaleur. Nous pouvons également cultiver des plantes pour leur énergie. L'huile de tournesol est déjà utilisée comme carburant à la place de l'essence.

Les éoliennes produisent de l'énergie électrique sans polluer l'environnement.

Glossaire

Aborigène :
Personne originaire du pays où elle vit (uniquement en parlant des populations dites "primitives"). On parle des aborigènes d'Australie.

Acide :
Composé corrosif capable de dissoudre d'autres substances. L'opposé d'acide est alcalin.

Affluent :
Cour d'eau qui se jette dans un autre.

Asie :
L'un des sept continents. L'Asie est bordée par l'Europe et l'Arctique, l'océan Indien et l'océan Pacifique.

Axe :
Pièce allongée qui sert à faire tourner un objet sur lui-même, ou ligne imaginaire traversant une sphère (planète) autour de laquelle s'effectue une rotation.

Canopée :
Voûte compacte formée par le feuillage de la cime des arbres de grande taille, dans la forêt tropicale.

Centrale électrique :
Usine productrice d'électricité à partir du gaz, du charbon ou de l'énergie nucléaire. Les centrales électriques sont directement reliées au réseau électrique afin d'alimenter un pays.

Cercle arctique :
Cercle imaginaire situé à 65,5° de latitude nord. Il marque la frontière nord de la zone où le soleil peut être vu lors du solstice d'hiver.

Cheminée :
Dans un volcan, c'est un canal par lequel se fait l'ascension des gaz, des fumées et de la lave.

Condensation :
Procédé par lequel la vapeur d'eau se transforme en liquide à la suite d'une baisse de pression de l'air ou de la température, ou des deux à la fois.

Continent :
Grande étendue de terre limitée par un ou plusieurs océans. On distingue 7 continents : l'Afrique, l'Antarctique, l'Asie, l'Australie, l'Europe, l'Amérique du Nord, et l'Amérique du Sud.

Constante :
Température qui ne varie pas.

Couche d'ozone :
Fine couche d'un gaz, l'ozone, située dans la haute atmosphère, renvoie dans l'espace les radiations solaires dangereuses.

Diamant :
Variété de carbone d'une dureté exceptionnelle. Les diamants se forment dans les couches profondes du sol, sous l'effet d'une chaleur et d'une pression extrêmes. On peut fabriquer des petits diamants en laboratoire.

Dinosaures :
Enormes reptiles qui constituaient l'essentiel de la vie animale avant l'apparition des mammifères. Ils se sont éteints il y a 65 millions d'années lorsqu'un astéroïde géant s'est écrasé sur la Terre dans la région du Mexique actuel.

Ecosystème :
Ensemble constitué par un milieu (sol, eau, etc.) et des êtres vivants (plantes, animaux) dont la stabilité dépend du juste équilibre de chaque élément.

Englouti :
Complètement recouvert par un liquide ou des décombres.

Equateur :
Grand cercle imaginaire du globe terrestre perpendiculaire à son axe de rotation. Situé à égale distance des pôles.

Erosion :
Usure et modification que les eaux et le vent font subir à l'écorce terrestre. Ainsi, de hautes montagnes deviennent des plateaux, et les fleuves créent des vallées.

Estuaire :
Endroit où un cours d'eau se jette dans la mer en formant un golfe profond et étroit.

Evaporation :
Procédé par lequel un liquide passe à l'état gazeux sous l'action de la chaleur. C'est l'opposé de la condensation.

Faille de San Andréas :
Faille située à l'intersection de deux plaques tectoniques, à 300 km au nord - ouest de San Francisco, en Californie. Elle fait l'objet d'une surveillance sismique particulière.

Fond sous-marin :
Le sol du fond de l'océan est le lit. Près du littoral, il héberge une abondante vie animale et végétale. Dans les profondeurs, il est couvert de boues.

Fondu :
Matière rendue liquide sous l'effet de la chaleur. Le métal et la pierre fondent à très haute température

Frottement :
Force agissant comme un frein entre deux objets en mouvement.

Gaz :
L'un des états de la matière, les autres étant l'état liquide et l'état solide. Un gaz comprimé passe à l'état liquide.

Géomètre :
Personne chargée de relever les dimensions d'une région ou d'un immeuble afin d'établir des cartes ou des plans.

Haute pression :
Zone où la pression de l'air est élevée. Elle est souvent associée à un ciel clair et au beau temps, ou des nuits froides légèrement nuageuses.

Hémisphère :
Moitié d'une sphère. La Terre est divisée en deux hémisphères : l'hémisphère nord, et l'hémisphère sud, limités par l'équateur.

Igloo :
Abri des Esquimaux construit avec des blocs de glace. L'intérieur d'un igloo est chaud car la glace est un bon isolateur de la chaleur.

Indonésie :
Etat d'Asie constitué de plus de 3 000 îles de superficie variable. Sa population atteint 250 millions d'habitants, soit celle des Etats-Unis.

Irrigation :
Système de canaux creusés par l'homme, destinés à fournir en eau des régions sèches et arides afin de les cultiver.

Ivoire :
Matière résistante ressemblant à l'émail des dents, qui constitue les défenses des éléphants. La vente de l'ivoire est interdite dans le monde entier car les éléphants sont menacés d'extinction.

Limon :
Boue fertile charriée par les cours d'eau, qui se dépose sur le lit et le long des berges.

Mascaret :
Longue vague produite par la rencontre du flux et du reflux, dans certains estuaires.

Nappe phréatique :
Nappe d'eau souterraine alimentée par les eaux d'infiltration.

Oasis :
Endroit d'un désert qui présente de la végétation autour d'un point d'eau.

Océan Pacifique :
Le plus vaste des océans du monde. Les autres océans sont l'océan Atlantique, l'océan Indien, l'océan Antarctique et l'océan Austral.

Orbite :
Trajectoire presque circulaire d'une planète tournant autour d'une étoile.

Ordinateurs :
Appareil électronique utilisé pour résoudre des opérations mathématiques complexes et jouer à certains jeux.

Perméable :
Capable de laisser passer l'eau. De nombreuses roches, comme le calcaire, sont perméables. Le granit n'est pas perméable.

Plaques tectoniques :
Grands fragments de l'écorce terrestre flottant sur le manteau, et qui se déplacent les uns par rapports aux autres. Leur collision est à l'origine de la formation des montagnes et des tremblements de terre. Le mouvement de ces plaques est appelé dérive des continents.

Recycler :
Action de récupérer des déchets, de les traiter et les réintroduire dans le cycle de production.

Saillies rocheuses :
Roches d'une extrême dureté résistant à l'érosion, qui obligent un cours d'eau à les contourner, formant ainsi des méandres.

Sécheresse :
Temps sec, absence ou insuffisance de pluie durant une longue période, pouvant entraîner la destruction des cultures et la famine.

Sismographe :
Appareil d'enregistrement inventé dans l'Ancienne Chine. Il enregistre l'heure, la durée, et l'amplitude d'un tremblement de terre.

Spectre :
Les différentes couleurs contenues dans la lumière portent le nom de spectre visible. Les couleurs du spectre sont le rouge, l'orange, le jaune, le vert, le bleu, l'indigo et le violet.

Spirale :
Courbe qui s'éloigne de plus en plus d'un point central à mesure qu'elle tourne autour de lui. Egalement, courbe en forme d'hélice.

Substances nutritives :
Eléments indispensables à la survie des créatures vivantes. Les animaux tirent les substances nutritives des aliments qu'ils consomment : des plantes et du sol.

Tremblement de terre :
Ebranlement plus ou moins violent d'une portion de la croûte terrestre.

Turbulences :
Agitation de l'atmosphère due aux variations de température, aux courants, au relief du sol, etc.

Vitesse de la lumière :
La vitesse de la lumière est de 300 000 kms/seconde dans le vide. La lumière se déplace à une vitesse aussi élevée car les photons qui la composent (particules d'énergie) n'ont pas de masse.

Univers :
Ensemble de tout ce qui existe dans l'espace. L'univers a été créé par le Big Bang. Il est toujours en expansion.

Les océans

Un monde de faits et de personnages fascinants

Diane Stephens

Introduction

Plus des deux-tiers de notre planète sont recouverts d'eau. De l'eau qui s'étend des couches claires et chaudes des zones ensoleillées (ou euphotiques) descendant jusqu'à 180 mètres, au noir d'encre des profondeurs sans lumière des abysses de l'océan dont les plus profondes descendent à plus de 11 km de profondeur.

A ce jour, moins de 1 % du volume des océans a été exploré par l'homme. Il faut dire que les scientifiques en savent beaucoup plus sur la surface de la lune que sur les profondeurs de l'océan. Presque tout ce qui grouille de vie dans les océans est concentré dans la zone euphotique (qui permet la **photosynthèse**), là où la lumière du soleil permet aux **algues** et au **plancton** de pousser. Ces éléments constituent à leur tour la nourriture des plus grands poissons, souvent chassés par de grands prédateurs marins. Plus bas, dans les sombres profondeurs, d'étranges poissons et d'autres créatures se nourrissent des restes morts qui flottent dans ces eaux. Au plus profond des océans vivent d'autres créatures qui se nourrissent des composés organiques provenant d'évents de la croûte terrestre. Vivant dans le noir le plus complet, ces créatures n'ont pas besoin d'yeux et sont totalement incolores.

L'homme explore ce monde dans des sous-marins en utilisant des caméras télé-commandées qui sont fixées solidement à des robots subaquatiques. Les connaissances acquises nous aident à mieux comprendre l'équilibre des écosystèmes de la planète, car les océans contrôlent toute vie sur la terre. Les courants sous-marins profonds contrôlent le temps sur toute la surface de la Terre, et on pense que le changement climatique pourrait prochainement altérer ces courants, provoquant d'énormes changements dans la météorologie. Ces courants permettent également à toute forme de vie marine de subsister et en dernier ressort, toute vie sur terre dépend de la vie dans les mers.

Actuellement, déjà, les changements des conditions de vie marine commencent à tuer les populations animales les plus fragiles. Le **corail** qui constitue la Grande Barrière de Corail en Australie dépend du maintien à une certaine échelle des écarts de température, or ces températures ont tendance à s'élever. Et ce récif ne constitue pas seulement l'habitat de nombreuses espèces de poissons, il est également le gagne-pain d'une population qui dépend du tourisme sur la Grande Barrière.

L'étendue des mers et l'importance des populations de poissons peuvent faire que l'homme les considère comme une **source** inépuisable de nourriture. Cependant, nous savons maintenant que les réserves de poissons sont tout aussi fragiles que celles de toutes les autres populations d'animaux sauvages, et que certains types de poissons deviennent de plus en plus rares. Le même problème se pose concernant les grands mammifères marins, baleines et dauphins. La chasse et la **pollution** rendent tout à fait incertaine la survie de nombreuses espèces, malgré des lois internationales interdisant de tuer de nombreux types de baleines.

Les océans sont une source de mystères sans fin, mais pour continuer à en profiter, nous devons les traiter avec respect et attention puisque notre mode de vie dépend finalement de la santé des océans.

Les dauphins sont des mammifères marins qui font partie de la famille des cétacés. Comme nous, ils ont un sang chaud, une respiration aérienne et donnent naissance à des bébés dauphins vivants. Les dauphins sont les créatures les plus intelligentes de la planète après l'homme.

Neptune était le dieu romain de la mer. Il était également connu chez les Grecs anciens sous le nom de Poséidon. La plupart des anciennes civilisations ont cherché à personnifier la mer qui leur paraissait être un royaume mystérieux et plein de dangers. Et les marins devaient pouvoir bénéficier de la protection de dieux très puissants pour pouvoir survivre à de longs voyages.

Un plongeur sous-marin évolue gracieusement dans les ruines d'une épave. La plongée sous-marine est un loisir populaire, mais c'est surtout la seule manière pour les scientifiques de connaître l'environnement sous-marin.

L'eau

Pourquoi la mer est-elle bleue ?

Lorsque l'on observe une petite quantité d'eau (par exemple, un verre d'eau), elle semble incolore. Mais elle paraît bleue lorsqu'il y en a une grande quantité, comme dans la mer. La lumière du Soleil contient tout le spectre de l'arc-en-ciel. Certaines de ses couleurs, comme le rouge, le jaune et l'orange sont absorbées par l'eau qui, en revanche, réfléchit la couleur bleue, ce qui fait paraître la mer de cette couleur. Certaines mers peuvent sembler avoir des couleurs différentes. Les nuages leur donnent une couleur grise. La Mer Rouge a souvent une teinte rougeoyante due aux algues rouges qui y poussent et la Mer Noire contient une concentration élevée de **sulfure d'hydrogène**, ce qui lui donne son aspect noirâtre.

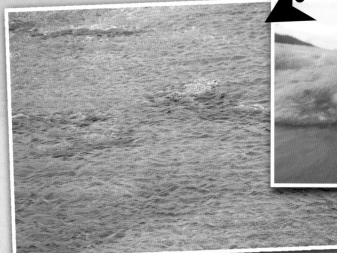

Qu'y a-t-il sous les mers ?

Il y a plusieurs milliers de plantes et d'animaux qui vivent sous la surface des mers. On trouve cette vie la plupart du temps dans des eaux peu profondes et juste sous la surface de l'eau, là où la lumière solaire peut encore s'infiltrer. Plus l'eau est profonde, plus tout s'assombrit. A 200 mètres de profondeur, il n'y a plus assez de lumière pour permettre la croissance de plantes. Des poissons à l'allure bizarre, des vers et des méduses vivent en eaux profondes. Tout comme sur la terre, les paysages sous-marins sont extrêmement variés. Il y a des plaines, des montagnes, des vallées et des volcans.

Poisson d'aspect bizarre vivant dans les profondeurs sans lumière des océans.

Pourquoi y a-t-il des marées et des vagues ?

Les vagues sont formées par les vents qui soufflent à la surface de la mer. Elles peuvent faire des milliers de kilomètres avant d'éclater sur les rivages et de disparaître en écume. La taille d'une vague dépend de la vitesse du vent, de la durée du coup de vent et de la distance qu'il parcourt. On trouve les plus grandes vagues au large des océans.

La mer monte et descend deux fois par jour, ce qui provoque des marées hautes ou basses. Les marées proviennent de la force de gravité du soleil et de la lune. La lune est cent fois plus proche de la Terre que le Soleil et a donc une influence plus grande sur les marées. La lune attire vers elle les eaux en passant au-dessus d'elles, ce qui les fait se gonfler. Les eaux se gonflent également sur la partie opposée de la Terre, du fait de la rotation terrestre. Ce sont ces deux renflements qui se déplacent dans les océans et provoquent chaque jour deux marées hautes et deux marées basses.

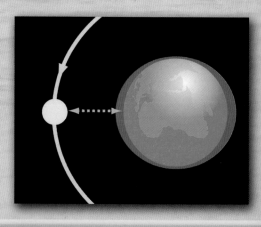

Pourquoi l'eau de mer est-elle salée ?

L'eau des rivières et des fleuves accumule dans son voyage vers les mers de petites quantités d'éléments chimiques ou de sels minéraux. Ces sels sont dissous dans l'eau et voyagent avec elle jusqu'à la mer. Il y a d'autres sels qui viennent des sources et **volcans** sous-marins. L'eau des mers s'évapore, mais les sels restent dans les océans. Les scientifiques estiment qu'il y a environ 50 quadrillions de tonnes (50 millions de billions de tonnes) de sel dans tous les océans et mers du globe. Ceci suffirait à couvrir toute la surface terrestre de 166 mètres de sel (environ la hauteur d'un immeuble de 40 étages) ! Même si du sel est apporté de façon constante dans la mer, elle n'en devient pas pour autant plus salée, car les sels dissous forment de nouveaux minéraux au fond des océans, ce qui fait que la salinité des mers reste constante depuis des millions d'années.

Des minéraux et des nutriments s'échappent d'un évent sous-marin. On suppose que la vie sur terre a commencé autour d'évents de ce type.

Peut-on entendre sous l'eau ?

Le son voyage parfaitement bien sous l'eau. En fait, il va environ cinq fois plus vite que sur terre, soit environ à 4 828 km/h.

De nombreux animaux marins utilisent les sons sous-marins pour chasser et communiquer. Comme

les chauves-souris, les dauphins se servent de l'écholocalisation pour trouver leur nourriture, tandis que les baleines peuvent entendre leurs chants sur des milliers de kilomètres à travers les océans. Le son voyage en réalité tellement bien sous l'eau que le bruit des moteurs des bateaux peut même être un problème pour certains animaux.

Quel est l'océan le plus profond ?

La profondeur moyenne des océans est de 3 795 mètres. L'Océan Pacifique n'est pas seulement l'océan le plus étendu, mais celui qui a la plus grande profondeur moyenne - 3 938 mètres. Le point le plus profond s'appelle la Fosse Challenger et est situé dans une zone de l'Océan Pacifique au sud-est du Japon, appelée Fosse des Mariannes. Elle atteint 11 035 mètres de profondeur. Si on pouvait y mettre le Mont Everest, la montagne la plus haute de la Terre, il serait recouvert de 2 187 mètres d'eau !

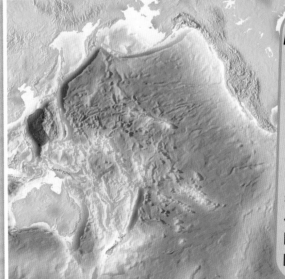

LE SAVIEZ-VOUS ?

71 % de la surface de la Terre est constituée d'eau et 97 % de cette eau se trouvent dans les océans. La profondeur moyenne d'un océan est de 3,8 km - ceci suffirait à empiler dix « Empire State Buildings » l'un au-dessus de l'autre.

Le littoral

Comment les plages se forment-elles ?

Les plages se forment sous l'influence du vent, de la mer et de la pluie qui y déposent des pierres, des galets, des coquillages et du corail. Le sable des plages est sans cesse déplacé par le vent et les vagues. Au cours d'une tempête, les vagues remportent dans l'eau du sable des plages et le déposent au fond de l'océan. Au cours des périodes plus calmes, le mouvement plus tranquille des vagues ramène du sable sur les plages. Les particules les plus légères de sable sont déposées en haut des plages par le vent et l'eau, tandis que les particules les plus lourdes restent au bord du rivage. La couleur du sable dépend de l'endroit dont il provient. Le corail forme un sable blanc, tandis que le **quartz** lui donne une teinte jaune. Le sable noir vient des volcans.

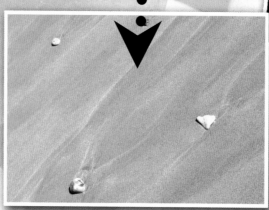

Quel est l'effet du réchauffement sur le niveau des mers ?

Au cours des 100 dernières années, le niveau des mers s'est élevé de 10 à 25 cm et les scientifiques pensent que ce chiffre va augmenter. Le réchauffement de la planète devrait provoquer une fonte des glaciers, ce qui apporterait plus d'eau aux océans. Et des températures plus élevées devraient également provoquer un réchauffement, et donc une expansion des mers qui occuperaient alors encore plus d'espace. Cette élévation du niveau des mers pourrait non seulement engloutir de nombreuses villes, mais, compte-tenu se sa salinité, elle serait également nuisible pour beaucoup de plantes et d'animaux. Les scientifiques estiment que si tout l'Antarctique fondait, le niveau des mers monterait d'environ 61 mètres.

Qu'est-ce qu'un estuaire ?

Un estuaire est la partie en forme d'éventail la plus large d'un fleuve ou d'un courant, là où il rencontre la mer et où l'eau douce et l'eau salée se mélangent. Bien qu'ils subissent l'influence des marées, les estuaires sont protégés de la plus grande force des vagues et des vents. Ils sont souvent qualifiés du terme de « zones humides » puisqu'ils sont fréquemment très humides et marécageux. Beaucoup d'oiseaux, de mammifères, de poisons, de reptiles et de plantes vivent dans les estuaires. Certains poissons, comme les saumons, les anguilles ou les bars passent un moment de leur vie dans des estuaires et d'autres animaux, comme les crabes en fer à cheval, les escargots de vase et certaines huîtres y passent leur vie entière. Beaucoup de poissons pondent leurs œufs dans les eaux calmes et tranquilles des estuaires, ce qui permet ensuite aux alevins de se cacher durant leur croissance.

LE SAVIEZ-VOUS ?

60 % de toute la population humaine du monde vit dans les 100 km qui bordent les mers.

Comment vivent les berniques ?

Les berniques sont des animaux semblables à des limaces qui vivent sur les rochers des rivages. Elles n'ont pas de colonne vertébrale, d'où leur nom d'invertébrés. Leur corps est protégé par une coquille dure et rayée, en forme de chapeau chinois. Sous leur coquille, les berniques possèdent une solide patte musclée qui les fixe solidement à la roche, leur évitant d'être emportées par les vagues. Durant la journée, elles se déplacent par des mouvements ondulatoires des muscles de leurs pattes, cherchant de la nourriture comme des algues qu'elles arrachent des rochers avec un organe râpeux sem- blable à une langue appelé radula. Chaque nuit, les berniques retournent à la même place sur leur rocher.

Comment se forment les coquillages ?

Les coquilles sont des exosquelettes, ou squelettes externes, de créatures marines appelées mollusques. Le mot mollusque vient du latin « mollis » qui signifie mou. Parmi les mollusques figurent des animaux comme les huîtres, les pétoncles et les escargots de mer. Les coquilles soutiennent les corps mous des mollusques et les protègent de leurs prédateurs et de leur environnement. Cependant le fait d'avoir une coquille peut être pesant et entraîner une chute de l'animal. Les coquilles sont généralement formées de **cristaux** de calcium qui en constituent les différentes couches. Certaines coquilles ont des épines, des côtes ou des rainures, qui peuvent aider les animaux à creuser le sol et rendre la coquille plus solide. D'autres coquilles ont des compartiments séparés qui peuvent se remplir d'air ou d'eau, ce qui permet à leur propriétaire de plonger ou de flotter selon ses besoins.

Qu'appelle-t-on zone d'estran ?

On appelle zone d'estran la partie du littoral comprise entre marées basses et marées hautes. Puisque les marées montent et descendent, ces zones sont tantôt à sec, tantôt recouvertes d'eau. Les organismes qui vivent dans ces zones doivent s'adapter à ces conditions variables - à marée haute, ils sont recouverts d'eau salée, et, à marée basse, ils sont exposés à l'air et à la lumière du soleil. Parfois, ils peuvent êtes battus par les vagues qui les emportent ou les délogent de leur place. Certains animaux, comme les clams, se défendent en s'enterrant dans le sable, d'autres en s'installant sous des rochers ou en s'y fixant, comme les berniques ou les **bernacles.** Beaucoup d'organismes vivent également dans des cuvettes de marées (ou bâches) qui se forment dans les zones d'estran. Ces bâches peuvent avoir des températures et des niveaux d'eau variés, parfois d'eau plus ou moins saline en fonction de la pluviosité.

Petites créatures marines

Qu'appelle-t-on échinodermes ?

Les échinodermes sont des animaux invertébrés (sans colonne vertébrale) qui vivent au fond de la mer. En font partie les étoiles de mer, le concombre de mer, les oursins ou les clypeasters. Leur peau est dure et couverte d'épines - en fait leur nom latin signifie « peau épineuse ». Les échinodermes n'ont ni cœur, ni cerveau, ni yeux et possèdent généralement cinq bras ou plus, ou tentacules, à l'extérieur de leur corps. Ils sont totalement symétriques, ce qui signifie que des parties de leurs corps font saillie comme les rayons d'une roue. Leurs corps peuvent être séparés à partir du centre pour former deux parties en miroir. Les échinodermes possèdent la possibilité extraordinaire de faire pousser de nouveaux tentacules ou piquants si l'un d'entre eux est abîmé ou cassé.

Comment le poisson-globe se fait-il plus gros ?

Les poissons-globe utilisent l'air ou l'eau pour se transformer en ballon lorsqu'ils sont attaqués ou effrayés. Ils peuvent faire cela parce qu'ils n'ont pas d'arête dorsale et que leur peau est très élastique. Certains poissons-globe possèdent également des épines pointues qui se dressent tout droit lorsqu'ils se gonflent, leur apportant une protection supplémentaire. Il existe 120 espèces connues de poisons-globe. Leur tailles peut aller de quelques centimètres à 50 cm de long. Certains poissons-globe sont extrêmement toxiques si on les mange. Au Japon, on les tient pour un **délice** et ces poissons sont préparés par des chefs spécialement entraînés qui retirent les parties toxiques. Cependant de nombreux japonais meurent après avoir mangé un tel poisson.

Les hippocampes sont-ils des poissons ?

Les hippocampes sont un type inhabituel de poison. Il existe 35 espèces connues d'hippocampes vivant dans les récifs coralliens, la **mangrove** ou les herbiers marins. Les hippocampes n'ont pas d'estomac, ce qui signifie que la nourriture ne fait que passer rapidement par leur organisme et donc qu'ils ne cessent de manger toute la journée. Ils utilisent leurs narines comme des pailles pour aspirer leur nourriture, consistant en de petits animaux. Ils nagent debout, roulant et déroulant leur queue pour monter ou descendre. La femelle pond ses œufs dans la poche du mâle où il les fertilise. Le mâle s'occupe des œufs jusqu'à leur éclosion. Les hippocampes peuvent changer de couleur pour se confondre avec leur environnement, exactement comme les caméléons.

Que sont les bivalves ?

Les bivalves sont des mollusques qui possèdent deux coquilles reliées par une charnière. Leur corps très mou est dans la coquille. Les clams, les huîtres, les moules, les coques et les pétoncles sont des bivalves. En général, les bivalves s'attachent fermement à un objet solide, tel qu'un rocher, ou bien ils s'enterrent dans le sable ou la vase. Ils possèdent deux tubes qui dépassent juste la surface de la coquille. L'un de ces tubes leur sert à aspirer de l'eau et de l'oxygène et le plancton est ensuite filtré et absorbé. L'eau qui reste est renvoyée par l'autre tube. Certains bivalves comme les pétoncles et les limas peuvent nager en frappant leurs coquilles l'une contre l'autre. D'autres, comme les coques peuvent faire de petits sauts de 20 cm en se projetant par leurs pattes. Le plus grand bivalve jamais retrouvé mesurait 1,4 m de long et pesait 330 kg

Les pétoncles font partie des membres les plus gros de la famille bivalve. Ils se nourrissent en filtrant l'eau.

Qu'est ce que le corail ?

Bien que le corail ait l'apparence d'une plante, c'est en réalité un minuscule animal appelé polype du corail. Cette créature absorbe le calcium de l'eau de mer pour fabriquer son squelette calcaire. A sa mort, chaque polype laisse son squelette sur lequel se construisent de nouveaux polypes de corail. Le corail a une croissance d'environ 1 cm par an et former un récif corallien demande des milliers d'années. Chaque polype de corail ressemble à une très petite fleur, avec des **tentacules** ondulants et une bouche en son centre. Les tentacules ont des cellules gluantes pour attraper leurs proies. Plus d'un quart des espèces de poissons connues logent dans des récifs coralliens où l'on trouve également d'autres créatures marines comme des méduses, des tortues, des mollusques, des anguilles et des éponges. Bien des récifs coralliens sont menacés par la pollution de l'eau, son réchauffement et les dommages occasionnés par les hommes ou les bateaux.

Quel est le plus petit poisson de mer ?

Les scientifiques ont récemment découvert un poisson qui bat tous les records de petite taille. Le gros « schindleria brevipinguis »a été découvert dans la Grande Barrière de Corail en Australie. Les mâles atteignent une taille minuscule de 7 mm de long et les femelles, un peu plus grandes, arrivent à 8,4 mm. Chaque individu ne pèse qu'1 mg et c'est donc le plus petit et le plus léger animal vertébré jamais découvert. On l'appelle « schindleria brevipinguis » car il est anormalement gros pour sa taille et ressemble à une larve, même lorsqu'il a atteint sa taille adulte. On n'a retrouvé que six exemplaires de ce poisson.

LE SAVIEZ-VOUS ?

On a récemment découvert le plus petit hippocampe du monde. On l'appelle « hippocampus denise » et il ne mesure que 16 mm de long du bout de ses narines à sa queue.

Les créatures des profondeurs

Comment les poissons voient-ils dans le noir ?

Bien que la lumière solaire n'atteigne jamais les profondeurs des océans, beaucoup de créatures vivant dans ces abysses sont capables de produire leur propre lumière. C'est cette capacité que l'on appelle bioluminescence ce qui signifie littéralement « lumière vivante ». La lumière est produite par des organes spécifiques appelés photophores et est généralement d'une couleur verte bleutée. Ceci provient du fait que la lumière bleue est celle qui pénètre le plus profondément dans l'eau et que ces créatures ne peuvent pas voir d'autres spectres lumineux. La lumière est produite pour des raisons différentes - certaines créatures l'utilisent pour voir, d'autres pour leur défense ou dans un but de camouflage, pour attirer un compagnon ou pour piéger leur proie.

Quelle créature des abysses peut remonter à la surface de l'océan ?

L'énorme calmar géant est l'un des rares animaux vivant dans les mers profondes qui puisse également remonter à la surface. Les plus grands calmars géants sont les femelles dont la taille peut atteindre jusqu'à vingt

mètres et le poids aller jusqu'à 900 kg.
Le calmar utilise deux tentacules très longs pour saisir sa nourriture et en possède également huit autres plus petits recouverts de puissantes ventouses. Il fait tellement sombre dans les profondeurs océanes que le calmar géant a les yeux les plus grands de tous les animaux. Ces yeux peuvent en effet avoir un diamètre de plus de 45 cm. Le calmar géant n'a qu'un seul prédateur naturel, le cachalot, capable de plonger pour l'attraper, mis qui ne sort pas toujours vainqueur de ces luttes titanesques.

Quel est le poisson le plus rapide ?

Le poisson qui nage le plus rapidement est le marlin qui peut atteindre une vitesse supérieure à 110 km/h. Le marlin possède un très long aileron dorsal, ressemblant à une voile, qui peut être deux fois plus haut que son corps. Il a une couleur bleu argenté, son aileron est bleu foncé avec des tâches bleues pâles. Son corps allongé, lisse, **profilé**, sa mâchoire supérieure en forme d'épée, sa queue en fourche, tout cela l'aide à vaincre la résistance de l'eau et lui permet de nager à des vitesses élevées.

Quelle anguille peut avaler des poissons plus gros qu'elle ?

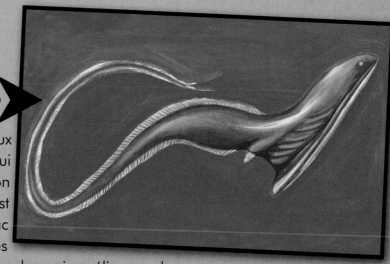

Le grand-gousier pélican est un long poisson osseux avec une bouche qui atteint le quart de sa taille, ce qui lui permet d'avaler des poissons plus gros que lui. Son nom de pélican vient du fait que sa bouche est semblable à celle du pélican. Il possède un estomac très long qui peut s'allonger pour contenir les énormes quantités de nourriture qu'il ingère. Le grand-gousier pélican a de petites lumières rougeoyantes au bout de sa longue queue en forme de fouet et il s'en sert pour attirer sa proie. Puis il nage vers elle avec sa grande bouche grand ouverte et l'avale en entier. Le grand-gousier pélican mesure de 60 à 180 cm de long. Certains d'entre eux capturés par des pêcheurs avaient la queue nouée.

Quel est le poisson qui a une « canne à pêche » ?

La lotte de mer femelle possède un organe allongé en forme de canne à pêche qui pousse sur l'avant de son crâne et brille pour attirer ses proies. Seules les femelles possèdent cette « canne à pêche ». Elles sont beaucoup plus grosses que les mâles et peuvent atteindre une longueur de 20 cm. Elles dégagent des produits chimiques spécifiques appelés **phéromones.** Les mâles possèdent des narines bien développées et un excellent odorat qu'ils utilisent pour détecter les phéromones de la femelle. Les mâles de certaines espèces s'attachent alors à la femelle par leurs dents et vivent ainsi en **parasites**, accrochés à elle. Les femelles ont des mâchoires très puissantes et des estomacs élastiques, ce qui leur permet d'ingérer des proies très grosses par rapport à leur taille.

Quel est l'escargot qui possède des écailles ?

Un escargot qui vit près d'évents hydrothermaux (sources sous-marines chaudes) dans l'Océan Indien possède des écailles de fer sur ses pattes ! Il y a 4 000 autres espèces de limaces et d'escargots, mais aucune n'a d'écailles. Elles peuvent atteindre 8 mm de long et s'emboîtent comme les tuiles d'un toit. Les scientifiques ne savent pas pourquoi ces escargots ont des écailles mais ils supposent qu'elles leur servent de protection contre les prédateurs. Ces escargots on une autre particularité : ils ne mangent pas ! Ils ont une **bactérie** qui vit dans une glande de leur gorge et dont ils tirent toute leur énergie.

LE SAVIEZ-VOUS ?

Certains concombres de mer vivent au fond de l'océan. Ils n'ont ni yeux, ni nez et se nourrissent de sédiments venus de plus haut, comme les excréments de poisson. Il ne faut donc pas s'étonner qu'on les appelle les poubelles de la mer !

11

Les prédateurs

Quelle est la créature marine la plus dangereuse ?

Il y a de nombreuses créatures dangereuses dans les océans. Les baleines tueuses sont beaucoup plus agressives que les requins et aussi beaucoup plus grosses. Parmi les requins, le plus agressif est le requin-tigre et la taille elle-même du grand requin blanc rend sa morsure mortelle. La plupart des autres créatures marines dangereuses sont beaucoup plus petites, mais leurs venins divers les rendent tout aussi redoutables. Parmi les plus venimeux, on peut citer la méduse-boîte, le poisson-pierre et le poulpe à anneaux bleus. Tout contact avec l'un de ces animaux peut avoir pour résultat une mort rapide et douloureuse, parfois dans les minutes qui suivent.

Photo: John Liddiard

Quel est le requin le plus dangereux ?

Il existe plus de 350 types de requins et le grand requin blanc est considéré comme le plus dangereux de tous. Environ 100 personnes sont attaquées chaque année par des requins et la moitié de ces attaques sont le fait du grand blanc. Environ le tiers de ces personnes meurent. Le grand requin blanc peut atteindre une taille de 7 mètres de long et un poids de 3200 kg. Il possède un corps en forme de torpille et un nez pointu et peut nager à une vitesse de 20 km/h et même bondir hors de l'eau.

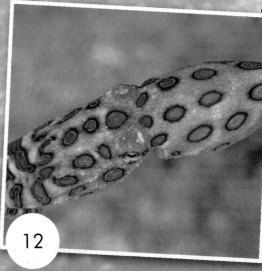

Que sont les baleines tueuses ?

Les baleines tueuses, ou orques, sont la plus grande espèce de dauphins. Ces animaux mesurent de 2,1 à 2,5 mètres de long et pèsent 180 kg à la naissance. Puis, adultes, ils peuvent atteindre 5,5 à 9,8 mètres de long et peser de 2 600 kg à 9 000 kg. Ces animaux vivent en troupeaux et les membres d'un troupeau restent ensemble tout au long de leur vie. Parfois, des troupeaux se réunissent pour former des « super troupeaux » pouvant regrouper jusqu'à 150 individus. Les orques ont le dos noir, des ventres blancs et des marques blanches sur les flancs et sous les yeux. Ils communiquent entre eux par des bruits de claquements. Chaque troupeau a un langage légèrement différent de celui des autres. Ils peuvent émettre des ondes sonores réfléchies par des obstacles, phénomène appelé écholocalisation et qui leur permet de chasser leurs proies. Ils font partie des nageurs les plus rapides parmi les animaux marins, pouvant atteindre des vitesses de 48 km/h.

L'orque a une apparence amicale et on peut le dresser pour faire des numéros complexes, mais à l'état sauvage c'est un prédateur redoutable.

Quel est le prédateur qui ressemble à une plante ?

Bien qu'elle ressemble à une plante, l'anémone de mer est en fait un animal prédateur. Elle n'a pas de squelette, seulement un corps creux semblable à un tube, surmonté d'une bouche et entouré de tentacules. Ces tentacules sont recouvertes de petites cellules urticantes qui protègent cet animal et injectent du venin dans leurs proies. Ce venin paralyse la proie et l'anémone se sert alors de ses tentacules pour l'attraper et la porter à sa bouche. La nourriture de l'anémone de mer se compose de poissons, moules, vers, larves et crustacés. Elle peut avoir des couleurs et des formes variées et on la retrouve dans tous les océans. En général, l'anémone se fixe à un objet solide comme un rocher ou un corail, cependant elle peut se déplacer très lentement.

Pourquoi le squaletet féroce a-t-il reçu ce nom ?

Le squaletet féroce (en anglais coupeur de biscuit) porte ce nom qui vient du morceau coupé arrondi en forme de biscuit qu'il arrache à sa proie. On le connaît également sous l'appellation de requin « cigare » car son corps est allongé et brun et ressemble à un cigare. Ce petit requin marron atteint une taille de 50 cm de long, mais, même s'il attaque souvent des animaux beaucoup plus gros que lui, il est inoffensif pour les humains. Il attaque ses proies (poisson, baleine, dauphin, calmars ou autres requins), utilisant ses lèvres pour les aspirer, puis les faisant tourner pour leur enlever un morceau de chair avec ses dents. Sa mâchoire inférieure a de grandes dents de forme triangulaire, tandis que sa mâchoire supérieure possède de petites dents en forme de crochets. Le squaletet féroce a même la réputation de s'attaquer à des sous-marins, probablement parce qu'il les confond avec de la nourriture !

Quel est le poisson qui a des canines ?

Le poisson vipère possède de longues dents semblables à des canines, tellement longues qu'elles ne rentrent même pas dans sa bouche. Il se sert de ses dents pour attraper sa proie durant la journée, on trouve le poisson vipère dans les eaux profondes de 500 m à 2 500 m, mais le soir il remonte pour retrouver des eaux plus riches en nourriture. Sa taille atteint 30 cm et il est bleu foncé ou noir, avec des organes lumineux, ou photophores, répartis sur ses flancs. Il possède également une longue épine sur son dos comportant à son extrémité un photophore qu'il fait miroiter au-dessus de sa tête, en faisant des éclairs pour attirer ses proies.

LE SAVIEZ-VOUS ?

Le poulpe a une très bonne vue, même en eaux sombres. Cela lui permet de chasser la nuit venue. Il trompe sa proie en agitant le bout d'un tentacule, donnant ainsi l'impression qu'il s'agit d'un ver.

13

Les mammifères

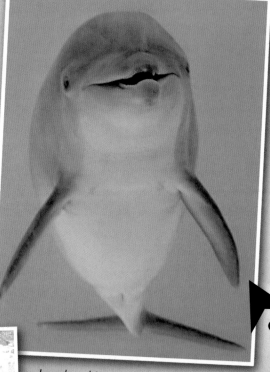

Qu'appelle-t-on pinnipède ?

Les pinnipèdes sont les mammifères marins comme les phoques, les lions de mer et les morses. Il y a 33 espèces de pinnipèdes, ce mot signifiant « aux pieds fins » en latin. Ces animaux possèdent deux paires d'ailerons à la place des pieds et des bras. Ils passent la plupart du temps dans l'eau. Ils viennent sur terre ou sur la glace pour se reposer, faire leur **mue**, engendrer et donner naissance à leurs petits. Les pinnipèdes peuvent plonger en profondeur et rester sous l'eau plus de deux heures. Ils se nourrissent de poissons, de calmars, et même de pingouins.

L'éléphant de mer est le plus grand de tous les pinnipèdes. Les mâles ont une taille de 4 à 5 mètres et pèsent jusqu'à 2 300 kg.

Le pinnipède le plus petit est le phoque du lac Baïkal qui mesure

1,8 mètres de long.

Que sont les dugongs ?•••

Le dugong, ou vache de mer, est un mammifère marin, apparenté au lamantin, qui vit dans les eaux chaudes de l'Océan Indien et du Pacifique. Il a une tête arrondie, de petit yeux et un gros mufle. Le dugong est de couleur gris-brun, possède des ailerons antérieurs et une queue plate à deux pointes semblable à celle de la baleine. Le dugong se repose durant la journée, passant la plus grande partie à se nourrir d'herbes marines qui poussent dans les eaux de surface le long des côtes. Il respire de l'air, mais contrairement à d'autres mammifères marins, il ne peut rester sous l'eau que quelques minutes avant d'être obligé de remonter à la surface.

Les dauphins sont curieux de nature et adorent être photographiés par les plongeurs.

Qu'appelle-t-on cétacés ?•••••

Baleines, dauphins et marsouins sont rassemblés sous le nom de cétacés. Il existe 79 espèces connues de cétacés dont la taille varie de 1 m de long pour le plus petit des dauphins à l'énorme baleine bleue. Pour repérer la différence entre un poisson et un cétacé, il suffit d'observer sa queue. Les cétacés ont des queues plates, en ligne avec **l'horizon**, qu'ils font bouger vers le haut ou le bas, tandis que les queues des poissons sont **verticales** et remuent d'un côté à l'autre. Il existe deux types de cétacés. Les baleines dentées, qui ont des dents, utilisent l'écholocalisation. Les baleines à fanons qui n'ont pas de dents sont plus grandes que les baleines dentées. En font partie les baleines bleues et grises, les baleines à bosse et les baleines minke. Elles chantent, mais ne disposent pas d'écholocalisation.

Quelle est la différence entre les phoques et les lions de mer ?

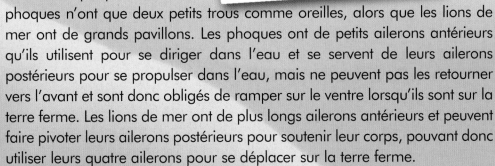

Même si les phoques et les lions de mer sont tous deux des pinnipèdes, de nombreuses différences permettent de les distinguer.

Les lions de mer sont généralement plus gros que les phoques, ont de plus longs cous et des corps plus lisses. Les phoques n'ont que deux petits trous comme oreilles, alors que les lions de mer ont de grands pavillons. Les phoques ont de petits ailerons antérieurs qu'ils utilisent pour se diriger dans l'eau et se servent de leurs ailerons postérieurs pour se propulser dans l'eau, mais ne peuvent pas les retourner vers l'avant et sont donc obligés de ramper sur le ventre lorsqu'ils sont sur la terre ferme. Les lions de mer ont de plus longs ailerons antérieurs et peuvent faire pivoter leurs ailerons postérieurs pour soutenir leur corps, pouvant donc utiliser leurs quatre ailerons pour se déplacer sur la terre ferme.

Comment les baleines et les dauphins communiquent-ils ?

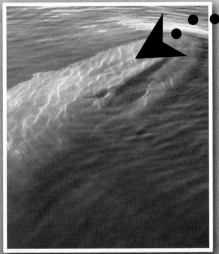

On considère les dauphins et les baleines comme étant les plus intelligentes créatures du monde marin. On pense qu'ils ont leurs propres « langages ». Les dauphins sifflent, émettent des bruits de claquements ou des bruits rauques. Certains troupeaux d'orques ont des langages différents. Les baleines à bosse que l'on connaît sous l'expression de « baleines chanteuses » communiquent par chants dont chacun peut durer jusqu'à 10 minutes. Le bruit émis par les baleines à fanons est probablement le plus sonore de tous ceux produits par un animal et peut parcourir des milliers de kilomètres. Elles utilisent ces sons pour se dire bonjour, pour appeler leur partenaire et communiquer entre elles sur de longues distances.

Comment les loutres de mer conservent-elles leur chaleur ?

Les loutres de mer possèdent une fourrure plus épaisse que celle des autres mammifères. Les humains ont entre 20 000 et 100 000 cheveux sur la tête, les loutres ont de 850 000 à 1 million de poils pour 2,5 cm² de peau. Leur fourrure est répartie en deux couches, la couche inférieure plus courte, et de plus longs poils protecteurs au-dessus. L'air retenu entre les poils permet à la loutre de mer de conserver sa chaleur, même dans des eaux glacées. Les loutres de mer passent la plus grande partie de leur temps à se faire mutuellement leur toilette, car elles perdent **l'isolation** de leur fourrure si celle-ci est sale. Les loutres de mer mangent beaucoup. Elles transforment cette nourriture en énergie calorifique. Elles mangent chaque jour une quantité de nourriture représentant le quart de leur poids corporel.

LE SAVIEZ-VOUS ?

Les dugongs et leurs parents, les lamantins, sont plus près des éléphants que des dauphins, baleines ou hippopotames.

15

Les géants des mers

Quel est le plus grand animal marin ?

La baleine bleue n'est pas seulement le plus grand animal marin, elle est le plus grand animal du monde. Malgré sa taille gigantesque, elle est tout à fait inoffensive. La plus grande baleine bleue jamais découverte mesurait 32 mètres de long et pesait 174 tonnes, mais habituellement elle mesure environ 25 mètres pour un poids de 120 tonnes (ce qui représente le poids de 30 éléphants). Les femelles sont plus grandes que les mâles. Le cœur d'une baleine bleue est du volume d'une petite automobile et 6 400 kg de sang circulent dans son corps. Les baleines bleues filtrent leur nourriture, se nourrissant de plancton, de krills (minuscules crustacés) et de poissons. Elles ingurgitent d'énormes quantités d'eau, cette eau contient leur nourriture, puis elles la filtrent, avalant les poissons et rejetant l'eau. Elles peuvent avaler jusqu'à 4 100 kg de nourriture par jour.

Que sont les « requins-baleine » ?

Les requins-baleine sont de la famille des requins. Ce sont les plus grands poissons de l'océan.

Ils mesurent environ 15 mètres pour un poids de plus de 10 tonnes et les femelles sont plus grandes que les mâles. Le plus grand requin-baleine jamais retrouvé mesurait 18,5 m de long. Ils filtrent, en ouvrant leur immense bouche, leur nourriture. Ils se nourrissent de plancton, de krills (minuscules crustacés) et de poissons. Bien que possédant des centaines de dents, ils avalent leur proie entière. Les requins-baleine sont gris foncé, rayés et constellés de pois crème.

Qu'appelle-t-on « ver tubicole géant » ?

Le ver tubicole géant est un gros ver qui vit dans les évents hydrothermaux (ouverture dans le fond de l'océan laissant échapper de l'eau et des minéraux) des profondeurs de l'océan. Ce ver peut atteindre 2,5 m de long et 10 cm de large. Il vit à l'intérieur d'un tube attaché à une surface dure comme un rocher. Le tube est composé d'une substance solide appelée chitine qui le protège de ses prédateurs et des poisons chimiques émis par l'évent. Le ver a des **plumes** rouge flamboyant qu'il peut rentrer dans son tube à l'approche d'un prédateur.

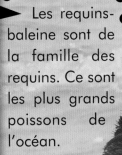

Quel est le plus long poisson de mer ? •••••••••••••

Le poisson-ruban est le poisson osseux le plus long des poissons de mer (les requins ont des cartilages et non des arêtes). Le plus long poisson-ruban connu mesurait 11 m de long. Ce poisson d'allure étrange est de couleur gris argent avec des marques ondulées plus sombres. Il possède des nageoires épineuses roses ou rouges sur tout le dos et de longues arêtes pointues qui sortent de ses nageoires pelviennes dont il se sert pour se diriger. On croit que le poisson-ruban peut survivre même s'il perd la moitié de son corps.

On pense généralement que le poisson-ruban est à l'origine des anciennes histoires de pêcheurs parlant de serpents de mer géants.

Quelle est la baleine qui a une dent très particulière ?

Le narval est une baleine qui vit dans les eaux de l'Arctique, autour des côtes du Groenland, de la Russie et du Canada. Le narval mâle possède deux dents. La dent de gauche pousse et sort sous la forme d'un grand cône qui peut avoir de 2 à 3 m de long. L'intérieur de la dent est creux et personne ne connaît réellement sa fonction, mais elle peut lui servir dans des **joutes** avec d'autres baleines. On pense que le narval est à l'origine des contes parlant de licornes. L'adulte est d'une couleur gris-crème, avec des taches semblables à celles du léopard, alors que les petits sont bruns et sans taches. Ils ont des corps arrondis en forme de barriques, avec une petite tête ronde et sans aileron dorsal (aileron que possèdent sur leur dos la plupart des baleines).

Quel est le plus grand reptile marin ? •
•
•
•
•
•
•
•
•
•
•
•
•
•

La tortue luth est à la fois la plus grande des tortues et le plus grand reptile du monde. Elle tient son nom anglais « leatherback » (dos de cuir) de sa carapace constituée de plaques cartilagineuses **entremêlées** recouvertes d'une peau coriace ayant l'aspect du cuir. Les adultes peuvent atteindre la taille d'une petite voiture, leur carapace allant jusqu'à 2 m de long et leur poids dépassant 600 kg. Les tortues luth ont toutes une tache rose sur la tête, **unique** pour chaque animal, un peu comme les empreintes digitales humaines. Les scientifiques ne savent pas trop ce que représente cette tache rose, mais elle aide peut-être la tortue à se repérer dans l'océan ou à trouver la lumière. Après leur éclosion sur la terre ferme, les bébés tortues passent la plus grande partie de leur vie dans l'eau. Les femelles ne reviennent à terre que tous les 2 ou 3 ans pour pondre leurs œufs.

Le narval est une des créatures d'aspect le plus étrange de la nature. Cet étrange animal est-il à l'origine des légendes des licornes ?

Les plantes

·····>

Faisant partie des organismes les plus petits vivant dans les mers, les planctons sont cependant vitaux pour la chaîne alimentaire de tous les océans.

Qu'appelle-t-on diatomées ?

Les diatomées sont de minuscules plantes unicellulaires. Elles sont trop petites pour qu'on puisse les observer à l'œil nu, on pourrait introduire quatre diatomées dans le diamètre d'un cheveu humain. En dépit de leur petite taille, elles composent près de 90 % des organismes vivant dans les océans et on en connaît environ 10 000 espèces. La plupart des diatomées vivent seules mais certaines d'entre elles forment des colonies. Elles ont une couleur jaunâtre ou brunâtre, et on les retrouve également en eau douce, dans les sols humides et même sur les surfaces humides de certaines plantes.

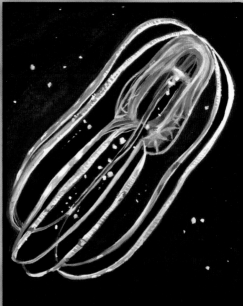

Les diatomées ont des formes très diverses. Les photos prises au microscope montrent leur délicatesse et leur beauté.

Qu'est-ce que le phytoplancton ?

Le phytoplancton est un ensemble d'algues microscopiques qui flottent près de la surface des océans. Il y a de nombreux types variés de phytoplanctons, chacun d'entre eux possédant sa forme particulière. Les petits poissons et certaines espèces de baleines, comme la baleine bleue et le requin-baleine, se nourrissent de phytoplanctons. Ils constituent la base de la chaîne alimentaire des mers. De gros poissons mangent les plus petits, avant d'être à leur tour mangés par des humains. Lorsqu'il y a beaucoup de phytoplancton, cela peut modifier la couleur de la surface de l'eau. Ceci s'appelle une « floraison » et peut faire passer la couleur de l'eau du rouge au vert suivant le type de plancton présent.

Quelle forêt pousse sous la mer ?

Certaines algues appelé varech forme des forêts dans des zones de l'océan. Ces plantes peuvent atteindre 60 m de hauteur. Les varechs n'ont pas de racines mais se fixent au fond de l'océan, par un système d'ancres appelées crampons. Les varechs tirent leur énergie de la lumière solaire : la photosynthèse. Certains varechs ont une croissance très rapide et peuvent grandir de 45 m en l'espace d'un an. Des groupes de varechs peuvent pousser très près les uns des autres, constituant alors une « forêt » tout comme les arbres sur la terre ferme. Les forêts apportent nourriture et protection à de nombreux organismes marins, comme les poissons, les oursins, les étoiles de mer, les anémones et escargots de mer.

Y-a-t-il des plantes au fond des océans ?

La plus grande partie des abysses de l'océan est trop sombre pour permettre aux plantes d'y subsister. La lumière ne peut pas **pénétrer** au fond de l'eau plus loin qu'à 180 m et la plupart des plantes se nourrissent en transformant la lumière solaire en énergie, ce que l'on appelle la photosynthèse. Il y a cependant de nombreuses algues qui vivent au fond des océans, autour des évents hydrothermaux. Au lieu de la lumière solaire, elles utilisent pour se nourrir les produits chimiques issus des évents. Ces algues servent de nourriture à de nombreuses créatures vivant au fond des océans.

Qu'apporte le phytoplancton à la planète ?

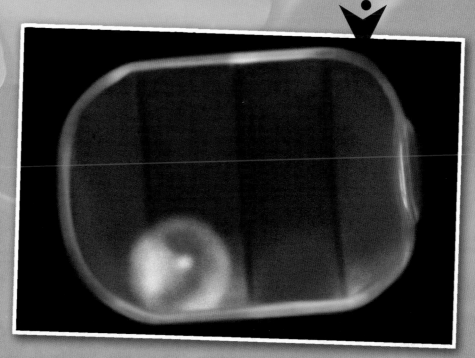

Le phytoplancton constitue l'essentiel de la nourriture de nombreux organismes marins. Un mètre cube d'eau de mer peut contenir jusqu'à 200 000 phyto-planctons, et, comme ils forment la base de la **chaîne alimentaire**, ils entretiennent toute la vie des océans. Comme toutes les autres plantes, les phytoplanctons font la photosynthèse de la lumière solaire, transformant le dioxyde de carbone en oxygène lors de ce processus. Il y a tellement de phytoplanctons que les scientifiques pensent qu'ils produisent plus de la moitié de l'oxygène de la planète.

LE SAVIEZ-VOUS ?

La nourriture japonaise comprend 25 % d'algues.

A quoi utilise-t-on les algues ?

L'homme utilise les algues depuis des milliers d'années dans des buts extrêmement variés. On les a utilisées en médecine dans le traitement de maladies comme la tuberculose, l'arthrite, les refroidissements ou la grippe. Des recherches plus récentes indiquent qu'elles pourraient avoir une efficacité dans le traitement du sida ou du cancer du poumon. On les utilise comme **engrais** et nourriture pour les animaux. Nous ne savons pas toujours que nous mangeons des algues, mais de nombreux aliments que nous consommons, comme les glaces, les gelées, les confitures et les sauces de salade, contiennent de l'agar-agar ou de l'algine qui sont des gélifiants à base d'algues. Les dentifrices, les shampoings et les crèmes solaires contiennent également des algues.

19

Les crustacés

Que sont les crustacés ?

Les crustacés sont des animaux qui ont un squelette à l'extérieur de leurs corps. Ce sont des invertébrés, ce qui signifie qu'ils n'ont pas de colonne vertébrale. Les crustacés font partie d'un groupe appelé arthropodes ayant des pattes articulées et des corps composés de plusieurs segments, et auquel appartiennent les insectes. Leur squelette est solide et composé de calcium. La plupart des crustacés vivent dans l'eau de mer. En font partie les crabes, les crevettes, les homards et les anatifes. Comme les poissons, les crustacés respirent par des **branchies.** Ils possèdent de nombreuses paires de pattes articulées et des antennes dont ils se servent pour toucher, sentir et ressentir.

Quel est le plus grand crustacé de l'océan ?

C'est le crabe araignée japonais qui vit dans le Pacifique. Il tient son nom de ses longues pattes étirées semblables à celles des araignées. A l'âge adulte, le crabe araignée mâle peut atteindre jusqu'à 3,9 m d'envergure et peser jusqu'à 18 kg. L'un des plus lourds des crustacés est le homard américain. Le plus gros spécimen de ce type avait un poids de 20 kg, mais ils ne sont en général pas aussi gros que cela.

Les pattes d'un crustacé peuvent-elles repousser ?

Oui. Si une pince, une patte ou une antenne vient à être endommagée, voire brisée, les crustacés peuvent en faire repousser une autre. Ils peuvent même **s'autoamputer** d'une de leurs pinces ou pattes en cas de danger. On appelle cela autonomie. Le membre perdu se remplace au bout de 3/4 mois.

Quel est le crabe qui ne possède pas sa propre carapace ?

Le bernard-l'ermite ne possède pas sa propre carapace protectrice. A la place, il vit dans la coquille d'autres animaux. Il existe plus de 500 espèces de bernard-l'ermite et la plupart d'entre elles vivent au fond des océans. Ils replient leur souple abdomen et leur queue en crochet pour s'intégrer dans leur nouvelle demeure. En grandissant, ils doivent trouver une plus grande coquille. Si la coquille qu'ils visent n'est pas vide, ils en chassent tout simplement l'occupant et prennent sa place.

Les polypes, anémones de mer et éponges se fixent souvent aux coquilles des bernard-l'ermite. Ceci profite aux deux. La créature à l'extérieur profite du transport

« gratuit » et des restes de nourriture du crabe qui, pour sa part, est protégé par un meilleur camouflage et une meilleure défense.

Pourquoi les crustacés muent-ils ?

Les exosquelettes des crustacés sont composés d'une substance solide appelée chitine, celle-là même qui constitue nos ongles. Les exosquelettes ne sont pas des matières vivantes et ne peuvent pas grandir. A plusieurs reprises, les crustacés doivent se débarrasser de leur exosquelette pour pouvoir grandir. C'est ce qu'on appelle la mue. Préalablement à la mue, un nouvel exosquelette commence à se développer sous l'ancien. Lorsque le crustacé devient trop grand pour son ancien exosquelette, la carapace craque et l'animal se glisse à l'extérieur. Alors, le nouvel exosquelette durcit afin d'apporter sa protection à l'animal. Le nouvel exosquelette est en général trop grand et le crustacé grandit pour le remplir.

Une fois vides, les carapaces de crustacés sont très légères et souvent rejetées sur les plages par la marée.

Comment la crevette claqueuse claque-t-elle ?

La crevette claqueuse n'est pas plus longue qu'un doigt, mais elle peut faire un bruit assourdissant ! Il existe des centaines d'espèces de crevettes claqueuses qui vivent dans les eaux peu profondes des mers du globe. Ces crevettes possèdent deux pinces, dont l'une ressemble à un gant de boxe. Lorsque la crevette referme sa pince, elle crée un jet d'eau qui peut atteindre la vitesse de 100 km/h. Cette vitesse peut changer la pression de l'eau, créant ainsi des bulles. Lorsque la bulle éclate, elle émet un bruyant claquement. Ceci s'appelle la « cavitation ». La crevette claqueuse utilise ce bruit pour se défendre ou pour communiquer avec ses congénères. Le bruit émis est tellement sonore qu'il peut aller jusqu'à produire des interférences dans les **sonars** des navires.

LE SAVIEZ-VOUS ?

Les homards ont comme les humains la faculté d'être gauchers ou droitiers. Le côté de leur pince la plus développée, la pince à broyer, détermine leur côté favori.

21

Explorations
et voyages

Qui a inventé le scaphandre ?

Les plongeurs ont probablement commencé à utiliser des **tubas** dès les années 100 après JC, utilisant pour les fabriquer des roseaux évidés. Mais ce n'est cependant qu'en 1939 que le Dtr. Christian Lambertson inventa le scaphandre autonome pour soutenir l'effort de guerre. Il était efficace pour des plongées en eaux peu profondes, mais beaucoup de plongeurs sont morts lors de plongées en eaux plus profondes. En 1943, les Français Jacques Cousteau et Émile Gagnan inventèrent l'aqualung, un dispositif autonome d'alimentation en air. On les considère comme les pères du scaphandre autonome actuel (SCUBA). Le sigle « SCUBA » signifie appareil de respiration sous-marin autonome.

Jacques Cousteau a été l'un des plus célèbres explorateurs du monde sous-marin.

Qu'est-ce que le « mal des caissons » ?

Egalement connu sous le nom de maladie de décompression, le mal des caissons se produit lors de changements de pression trop rapides. Lorsque les plongeurs plongent, ils portent un scaphandre autonome et respirent de l'air comprimé, essentiellement à base d'azote. S'ils remontent trop vite à la surface, l'azote dissous dans les tissus du corps forme des bulles d'air dans la circulation sanguine. Ceci provoque des souffrances aux articulations, à l'abdomen et aux poumons et peut se terminer en vertiges et en inconscience. Si on ne traite pas ce mal immédiatement (en faisant séjourner la personne dans un caisson de décompression), l'issue peut être fatale.

Que sont les AUV ?

Les AUV, Véhicules Sous-marins Autonomes, sont des robots submersibles. Ils se dirigent de façon autonome dans l'océan et n'ont pas besoin de marins pour les conduire. Ils emportent fréquemment des équipements scientifiques comme des sonars, des caméras et des thermomètres qui peuvent servir à enregistrer des données et cartographier une zone encore inconnue d'un océan.

Les données enregistrées par un AUV peuvent être envoyées pour **analyse** à un ordinateur central. Les AUV peuvent atteindre des zones inaccessibles aux humains, par exemple sous la glace polaire, et y rester durant une longue période.

22

Qu'est-ce que « l'Alvin » ?

L'Alvin est un sous-marin de recherche pour les grandes profondeurs. Il plonge dans les océans depuis 1964. Son nom vient de son inventeur Allyn Vine, qui rêvait d'un sous-marin qui pourrait amener des hommes au fond des océans pour y mener des recherches. L'Alvin « vit » sur un navire appelé l'Atlantis. A chacune de ses plongées, l'Alvin emmène en général 3 personnes -un pilote et deux scientifiques - et exécute de 150 à 200 plongées par an. Il peut rester sous l'eau durant 6 heures à chaque plongée. Il possède deux bras **hydrauliques** qui peuvent soulever des **objets** pesant jusqu'à 90 kg. Les échantillons récoltés sont disposés dans un panier attaché à la proue de l'engin.

Des scientifiques du Wood's Hole Oceanographic Research Center préparent l'Alvin pour son grutage après une plongée dans les profondeurs.

Comment fonctionnent les sous-marins ?

Les sous-marins peuvent flotter à différentes profondeurs marines, car ils possèdent d'énormes réservoirs appelés ballasts, qui peuvent alternativement être remplis d'eau ou d'air, suivant que l'on souhaite monter à la surface ou plonger. Pour plonger, on pompe de l'eau de mer dans les **ballasts.** Ceci alourdit le navire qui s'enfonce. Pour revenir à la surface, on extrait l'eau des ballasts et on la remplace par de l'air comprimé. Plus léger que l'eau, l'air va permettre au sous-marin de rester en surface.

Quelle est la différence entre un submersible et un sous-marin ?

Submersibles et sous-marins voyagent tous deux sous la surface des mers. Les sous-marins sont généralement beaucoup plus grands que les submersibles, et ne dépendent pas d'un navire de surface pour leur fournir le combustible, l'air ou la nourriture dont ils ont besoin. Les submersibles sont reliés à la surface par ces câbles leur fournissant l'air et l'énergie nécessaires à l'équipage. Ceci signifie que les submersibles sont le plus souvent utilisés pour la recherche scientifique et l'exploration d'épaves, tandis que la plupart des sous-marins appartiennent à des marines nationales et patrouillent tout autour du monde.

Les épaves

Quel est le célèbre navire qui entra en collision avec un iceberg en 1912 ?

Lors de sa construction, le Titanic était le plus grand et luxueux navire de ligne de son époque. Sa coque comportait divers compartiments étanches, et on pensait que cela le rendait quasiment insubmersible. Lors de son voyage inaugural, il quitta Southampton (Angleterre) pour se rendre à New York, emmenant 2 200 personnes à son bord. La nuit du 14 avril, à 23h40, Le Titanic heurta un iceberg qui dérivait dans l'Océan Atlantique. Il n'y avait à bord que 20 canots de sauvetage, ce qui était insuffisant pour permettre **d'évacuer** tous les passagers. Seul un tiers d'entre eux put échapper au naufrage. Le navire sombra dans les eaux glaciales 2 heures et 40 minutes plus tard. 705 passagers furent sauvés par le navire Carpathia, mais 1 522 personnes moururent.

Comment retrouve-t-on les épaves ?

Certains navires sont équipés spécialement pour la recherche des épaves. Ils sont dotés d'un équipement spécifique, comme des sonars et des ROV (véhicules télécommandés), car les épaves sont parfois très difficiles à localiser. Il est parfois possible de faire remonter une épave avec un système de câbles et de ballons gonflables qui l'arrache des fonds des mers.

Pourquoi certains navires disparaissent-ils ?

La plupart des bateaux travaillent sur les mers durant toute leur période d'activité et sont ensuite mis à la casse lorsqu'ils sont trop anciens pour être utilisés. Mais **naviguer** comporte toujours une part de danger, et même les plus grands navires peuvent disparaître sans laisser de traces. Ceci arrive souvent lorsqu'un navire est submergé par une vague géante. Le poids et la puissance de la vague à eux tous seuls peuvent envoyer un navire par le fond avant que quiconque puisse lancer un appel radio demandant de l'aide. Cependant, il arrive parfois que des navires disparaissent par beau temps. C'est encore un des grands mystères de la mer.

Quelle technologie est employée pour prévenir les naufrages ?

De nos jours, navires et bateaux sont équipés de nombreux systèmes permettant de prévenir les accidents. L'un des plus simple consiste en des **balises** qui sont la signalisation « routière » de la mer. On utilise également des signaux avec des cornes pour prévenir les autres navires de sa direction. Tous les bateaux et navires utilisent des cartes marines représentant la mer et les côtes environnantes et signalant les éventuels écueils qui pourraient les mettre en danger. De nombreuses embarcations sont également équipées de GPS (système de localisation global) qui leur donnent leur position exacte. Les phares sont utilisés depuis des siècles sur les côtes et sur certaines îles. Ils avertissent des dangers et guident les navires avec sécurité.

Que découvrent les archéologues dans les épaves ?

Les **archéologues** sous-marins observent les épaves pour découvrir les causes du naufrage, comment avait été construit le navire, et comment ses passagers vivaient. On peut considérer une épave comme un résumé de l'époque à laquelle le navire a sombré. La découverte d'objets peut livrer des clés sur la façon de vivre des personnes embarquées avant le naufrage. L'eau préserve beaucoup des objets qui se trouvaient à bord et les scientifiques en rapportent pour les examiner à terre, les conservant avec soin. Ceci revient très cher et prend énormément de temps et les scientifiques ne rapportent donc que ce dont ils ont absolument besoin pour leurs recherches.

Qu'est-il arrivé à la « Mary Rose » ?

La « Mary Rose » était la fierté du roi Henry VIII et de la marine britannique. C'était le plus grand navire de guerre de son époque. Le navire avait connu une longue carrière pleine de succès de 1511 à 1545. Le 19 juillet 1545, naviguant toutes voiles dehors à la rencontre de la flotte française, il chavira brutalement et sombra, ne laissant aucun rescapé. Ce naufrage est très probablement dû à des mouvements de la cargaison dans la cale. Le navire commença à pencher jusqu'à ce que de l'eau y pénètre par les orifices de passage des canons. Il coula ensuite en quelques minutes. En 1982, les restes du navire furent récupérés et ramenés au port anglais de Portsmouth, où ils sont exposés aujourd'hui. Le renflouement de la Mary Rose nous a appris une multitude de choses sur la vie et les combats des marins de l'époque des Tudor.

Quelles quantités de poissons sont pêchées chaque année ?

On pêche environ 120 millions de tonnes de poisson par an. Ceci comprend également les baleines (pêchées par certains pays pour leur chair et l'huile de **blanc de baleine**), des poissons comme le thon, le maquereau, le saumon, le cabillaud et le haddock, des crustacés tels que les homards ou des coquillages comme les huîtres. A chaque espèce appartient une forme de pêche. Les grands poissons comme les requins, le thon ou l'espadon sont attrapés à la ligne, les poissons plus petits sont pêchés avec des chaluts dont les mailles ont des tailles différentes, en fonction de la taille du poisson. Les **chalutiers** ratissent le fond des mers avec de lourds filets, ramassant tout sur leur passage, même des huîtres ou des clams. Beaucoup de gens pensent que certains poissons deviennent de plus en plus rares du fait de la pêche extensive.

Qu'est-ce que l'énergie marémotrice

Les marées peuvent être utilisées pour produire de l'électricité. On construit une grande digue, appelée barrage, traversant un estuaire. Lorsque la marée monte ou descend, l'eau passe dans des tunnels percés dans

Les turbines marémotrices sont la dernière génération de cette technologie. Elles perturbent moins l'environnement que les barrages et sont plus efficaces, même si leur construction revient beaucoup plus cher.

la digue, où pousse de l'air dans des tuyaux, actionnant une **turbine**, ce qui produit de l'électricité. Les usines marémotrices ne peuvent être construites qu'à un nombre réduit d'endroits dans le monde car elles nécessitent une grande différence entre les marées basses et hautes (au moins 5 m) pour être suffisamment puissantes. Le prix de leur construction est aussi très élevé. La plus grande installation marémotrice du monde est située dans l'estuaire de la Rance, dans le Nord de la France.

Comment exploite-t-on le pétrole sous-marin ?

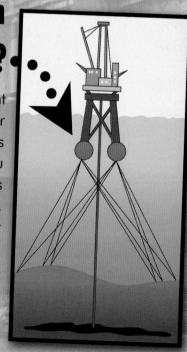

On trouve du pétrole enfoui profondément dans les roches sous-marines. Pour pouvoir l'exploiter, on construit à terre des plateformes pétrolières que l'on positionne ensuite au large avec des barges. Certaines plateformes sont installées dans des eaux peu profondes, mais d'autres dans des endroits pouvant atteindre plus de 1,5 km de profondeur. En eaux profondes, la plateforme flotte sur la mer et est fixée au fond par de gros câbles. On fore des trous dans la roche et le pétrole est ensuite pompé dans des tuyaux. Ensuite, le pétrole est transporté par un tanker vers une **raffinerie** située sur la terre ferme.

Qu'est-ce que le guano ?

Le guano est constitué par les excréments des oiseaux. On utilise le guano comme engrais naturel et il est trente fois plus riche que les excréments de vache ou de cheval. On le trouve particulièrement sur les côtes des îles situées au large du Pérou, de l'Afrique, du Chili et des Antilles. Les Incas péruviens épandaient du guano sur leurs champs et considéraient qu'il avait une valeur comparable à l'or. Ce processus permit d'exploiter plus de 50 m de guano accumulé, mais beaucoup de nids d'oiseaux furent sacrifiés et leur population diminua. L'exploitation du guano est désormais réglementée, ce qui permet à nouveau aux populations d'oiseaux d'augmenter.

On ramasse le guano laissé par de grandes colonies d'oiseaux marins qui vivent sur le littoral rocheux.

Pouvons-nous boire de l'eau de mer ?

L'eau de mer est salée et nous ne pouvons donc pas la consommer. Elle est cependant la seule ressource en eau que possèdent certains pays chauds et secs, ayant beaucoup de côtes, tels que l'Arabie Saoudite ou la Libye. Ces pays utilisent l'eau salée de la mer pour en faire de l'eau douce dans de gigantesques installations de dessalinisation, en utilisant un procédé appelé osmose inversée qui consiste à mettre l'eau salée sous pression pour la faire passer dans des filtres très fins qui en retirent le sel.
Certaines installations de dessalinisation fabriquent de l'eau douce par **distillation**, ce qui élimine le sel et autres impuretés.

Peut-on exploiter l'or de l'océan ?

Si l'on pouvait exploiter tout l'or contenu en suspension dans l'eau du globe, chaque individu pourrait posséder environ 4 kg d'or. Mais il serait également à la tête d'une gigantesque quantité d'eau de mer, car il n'y a qu'environ 2 mg (deux millièmes de gramme) d'or dans une tonne d'eau de mer. Cet or pourrait être tiré de la mer en utilisant un filtre à molécules. Malheureusement, le prix de revient serait plus élevé que la valeur de l'or trouvé.

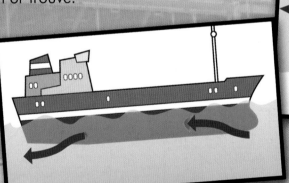

LE SAVIEZ-VOUS ?

Environ un tiers du pétrole du monde vient des champs pétrolifères de l'océan. La plus grande partie de ce pétrole est exploitée dans le Golfe du Mexique, le Golfe Arabique et la Mer du Nord.

Mythes et légendes

Qui était Neptune ?

Neptune est le nom romain du dieu grec Poséidon. C'était le dieu de la mer, connu pour son mauvais caractère et son goût de la dispute. Quand il était de bonne humeur, on dit qu'il créait de nouvelles îles et calmait les océans. Mais lorsqu'il se mettait en colère, il jetait son trident (fourche à trois branches) au fond des mers, provoquant tremblements de terre, tempêtes et naufrages. On dit qu'il vivait dans un palais de corail et de pierres précieuses installé au fonds des mers et qu'il voyageait sur un **char** tiré par des chevaux marins dorés.

Qu'appelait-on le Kraken ?

Le Kraken était un gigantesque monstre marin qui terrorisa les marins norvégiens à partir du 12e siècle. On raconte qu'il avait de grands yeux fixes et des tentacules capables d'atteindre le haut du grand mât d'un navire. On dit qu'il s'installait à la surface de la mer lorsqu'il n'y avait aucun navire, se donnant l'apparence d'une île. Lorsqu'un navire s'approchait, il l'enveloppait de ses tentacules, le faisait sombrer et mangeait tous les marins. On pense maintenant que le Kraken était en réalité un calmar géant.

Qu'appelle-t-on « Baptême de la ligne » ?

Le « Baptême de la ligne » consiste en une cérémonie remontant à l'époque des Grecs anciens, célébrée lorsqu'un navire passait la ligne de l'équateur. On dit qu'elle servait à éprouver les nouvelles recrues pour savoir si elles étaient aptes à supporter de longs voyages en mer. Des membres de l'équipage prétendaient être Neptune et sa famille distribuant des « punitions » aux nouvelles recrues. Les châtiments pouvaient être par exemple de manger des nourritures bizarres, d'embrasser un poisson mort et de se raser la tête. On qualifie d'initiés ceux qui ont déjà passé la ligne et de néophytes ceux qui la passent pour la première fois et deviendront des initiés après la cérémonie.

Qu'est-ce que le « Triangle des Bermudes » ?

Le Triangle des Bermudes est une zone de l'océan Atlantique située entre Les Bermudes, Miami, San Juan et Puerto Rico. En dépit de son nom, cette zone n'est pas triangulaire. Au cours des ans, elle a acquis la mauvaise réputation d'être un endroit ou disparaissent navires et avions. De nombreuses personnes pensent que des forces **surnaturelles** entrent en jeu, d'autres qu'il s'agit de certaines forces naturelles qui entraînent des disparitions. En réalité, les données enregistrées prouvent qu'il n'y a pas plus de naufrages ou de pertes dans cette zone que dans n'importe quelle autre partie de l'océan. Toutefois, le triangle conserve sa mauvaise réputation.

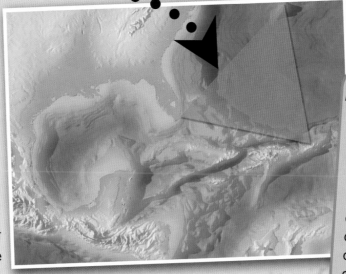

Le Triangle des Bermudes est une des parties des mers les plus célèbres au monde. Mais, est-il vraiment aussi dangereux que sa mauvaise réputation le prétend ?

LE SAVIEZ-VOUS ?

Les marins anglais appellent le fonds des mers « Davy Jones' Locker ». Ce nom vient d'un mélange entre les noms de Jonas et d'un ancien mot signifiant démon. On peut donc dire que Davy Jones est l'esprit de la mer.

Les sirènes existent-elles ?

La plupart des gens ne croient pas à l'existence des sirènes. Pourtant, on peut penser que les dugongs et les phoques ont souvent été confondus avec elles. Les gens croyaient à l'existence des sirènes depuis l'Antiquité. Dans la **mythologie** gréco-latine, Neptune et Triton étaient des hommes sirènes, avec le haut du corps humain et bien musclé et le bas du corps semblable à la queue d'un poisson. On pensait en général que les sirènes étaient plutôt de petite taille -moins de 1,50 m de haut - et qu'elles possédaient de longues chevelures et des yeux bleus.

Le bas de leur corps aurait été vert-gris et lisse comme celui des dauphins. Elles ne parlaient pas, mais certaines chantaient. Elles avaient la réputation d'être gentilles et sympathiques et de porter chance.

Une illustration de l'Atlantide basée sur les descriptions des Grecs anciens.

Qu'est-ce que l'Atlantide ?

Vers l'an 350 av.JC, le **philosophe** grec Platon écrivit deux livres sur une ville fantastique qui aurait existé environ 9 000 ans auparavant. La ville était située dans une île merveilleuse de l'Océan Atlantique et abritait des palais, des temples, des ports... L'Atlantide appartenait à Neptune qui y avait fait construire un palais pour son épouse. Ils avaient 10 fils et l'Atlantide fut divisée entre eux. Durant des années, ses habitants y vécurent en paix, mais ils devinrent rapaces et corrompus. Zeus qui était le roi du ciel et de tous les autres dieux détruisit la cité pour les châtier. Celle-ci fut engloutie en un jour ou une nuit. De nos jours, personne ne sait réellement si l'Atlantide a existé ni où elle pouvait se situer.

29

Glossaire

Algue
Organisme qui vit dans l'eau. Les algues n'ont pas de racines, de troncs ou de feuilles au sens propre du terme et peuvent être un petit organisme monocellulaire ou former des forêts géantes. Un grand rassemblement d'algues dans un endroit peut changer la couleur de l'eau de cette zone.

Amputer
Supprimer un membre d'un corps. Les crustacés peuvent se séparer d'une patte ou d'une antenne si elle est abîmée ou attaquée par un prédateur, ce qui peut les sauver d'un éventuel danger.

Analyse
Procéder à une analyse peut revenir à séparer un objet en petites parties pour l'étudier avec soin. Par exemple, les informations réunies par un AUV sont envoyées à un ordinateur de façon à ce que les scientifiques puissent les étudier et faire leur analyse.

Archéologue
Un archéologue est un scientifique qui étudie les objets venant des personnes qui vivaient il y a des centaines et des milliers d'années. Ces restes nous apprennent comment les hommes vivaient, quels vêtements ils portaient, et quel genre de maisons ils construisaient.

Bactérie
Les bactéries sont de minuscules organismes monocellulaires, vivant dans l'air, le sol ou l'eau. Elle peuvent avoir un rôle bénéfique, comme les bactéries qui vivent dans nos intestins et favorisent notre digestion. Mais d'autres sont nuisibles, pouvant être la cause de maladies affectant les humains, les animaux et les plantes.

Balise
Signal de couleur brillante attaché au fond de la mer par une corde. La balise flotte à la surface de l'eau et avertit navires et bateaux d'un danger, ou signale les voies d'accès aux ports.

Ballastage
Le ballastage consiste à introduire dans les ballasts un matériau lourd, généralement de l'eau, utilisé pour équilibrer un navire. On utilise le ballastage pour faire plonger ou remonter les sous-marins.

Bernacles
Les bernacles sont des crustacés, comme les homards et les crabes. Ils sont recouverts de solides carapaces de forme conique, et se fixent sur des surfaces dures comme les rochers ou les coques de navires.

Blanc de baleine
Couche épaisse de graisse située sous la peau d'animaux tels que la baleine et le phoque et les aidant à conserver leur chaleur dans les eaux froides. On chasse parfois ces animaux pour exploiter l'huile contenue dans le blanc.

Branchies
La plupart des créatures vivant dans la mer respirent par des branchies. Celles-ci permettent aux éléments gazeux contenus dans l'eau de pénétrer dans le sang de ces individus marins, leur permettant d'absorber l'oxygène de l'eau.

Chaîne alimentaire
On appelle chaîne alimentaire la structure complexe faite de plantes et d'animaux qui mangent puis sont mangés à leur tour.

Chalutier
Un chalutier est un bateau, ou une barge, équipé d'un chalut. Le chalut est un grand filet fixé à une armature qui permet de draguer le fond de l'océan et est très utilisé pour la pêche aux coquillages.

Char
Chariot tiré par des chevaux utilisé par exemple en Égypte ancienne et à Rome pour faire la guerre, ou des courses de char. On représente aussi Neptune sur son char tiré par des chevaux marins.

Chavirer
Se renverser. Un navire ou un bateau peut être déséquilibré et se retourner sur un côté si sa charge bouge.

Coque
Partie principale d'un navire ou d'un bateau. La coque ne comprend ni les mâts ni les moteurs.

Corail
Minuscule animal marin appelé polype corallien et vivant en colonies ou groupes. A leur mort, les animaux laissent un squelette rose, rouge ou orangé dont l'accumulation au cours des siècles finit par former des récifs de corail.

Cristaux
Les cristaux se forment par la solidification d'éléments chimiques qui forment alors des objets aux surfaces planes comportant des angles entre leurs diverses faces.

Décibel
Un décibel (Db) est l'unité de mesure du son. Le plus petit son audible n'atteint que 0 Db, alors que le bruit d'un avion au décollage est 1 000 000 000 000 fois plus fort.

Délice
Plat considéré comme excellent et comme un régal. Au Japon, le poisson-globe est considéré comme un délice, une fois qu'on en a retiré le poison.

Distillation
Façon de purifier des liquides en les faisant bouillir avant d'en recueillir la vapeur.

Empaler
Ce mot signifie percer ou tuer avec une pointe ou un harpon. Lorsqu'un poisson nage rapidement, sa proie peut s'empaler sur ses dents pointues et ne plus pouvoir s'en échapper.

Engrais
Désigne les matières que l'on étale sur les sols ou introduit dans la terre pour favoriser la croissance des plantations. Les cultivateurs et les horticulteurs utilisent des algues pour obtenir des plantes solides et en bonne santé.

Entremêlé
Entremêler consiste à joindre étroitement des éléments. Quoique les écailles de la carapace de la tortue soient séparées, elles sont entremêlées de telle façon qu'elles bougent comme un seul bloc.

Évacuer
Faire sortir d'un endroit ou d'une zone de danger. Les bateaux de sauvetage sont utilisés pour évacuer les passagers des navires lorsque ceux-ci sont menacés de naufrage.

Horizon
On appelle horizon la ligne où ciel et terre semblent se rencontrer.

Hydraulique
Les machines hydrauliques utilisent le fait que les liquides ne se compressent pas facilement pour produire de l'énergie et faire bouger des objets comme, par exemple, des robots militaires.

Isolation

Matière qui ralentit ou empêche totalement la perte de chaleur ou une fuite d'un endroit à un autre. La fourrure de la loutre de mer la protège des eaux glaciales, lui apportant la chaleur nécessaire au maintien de sa température corporelle.

Joute

Les joutes étaient un sport populaire au Moyen-Age. Les chevaliers luttaient du haut de leurs montures, utilisant une longue lance pour désarçonner leurs opposants.

Létal

Ce mot signifie mortel. Même si toutes les attaques de requins ne provoquent pas la mort, la taille et l'endroit de la morsure et l'éloignement de la personne par rapport au rivage sont des facteurs qui décident du caractère létal ou non de la blessure.

Mangrove

Les mangroves sont des espaces couverts d'arbres ou de buissons qui poussent dans les eaux salines des zones côtières tropicales. Elles préservent ces endroits de l'érosion en réduisant la vitesse des courants marins, la force des vagues et des vents. Elles procurent un gîte à de nombreuses créatures marines et autres animaux.

Mue

Changement ou abandon de fourrure, plumes, cornes ou exosquelette, laissant la place à une nouvelle « peau ».

Mythologie

Ensemble de légendes racontant l'histoire, la vie des dieux, des ancêtres et des héros d'un groupe de population.

Naviguer

Se déplacer en sécurité sur terre ou sur mer tout au long d'un voyage en évitant les obstacles. Certaines baleines utilisent l'écholocalisation pour renvoyer des sons de façon à connaître la situation des obstacles et à les contourner en toute sécurité au lieu de buter contre eux.

Objets

Objets tels qu'outils, armes ou statues fabriqués par les hommes depuis très longtemps et faisant l'objet d'études de la part des archéologues.

Parasite

Les parasites sont des plantes ou des animaux qui vivent, grandissent et se nourrissent sur une autre plante ou un autre animal (leur hôte). Ils sont souvent dangereux pour leur hôte. Le mâle de la lotte de mer se nourrit sur sa femelle et se laisse transporter par elle.

Pénétrer

Passer au travers de quelque chose. La lumière ne peut pénétrer dans l'eau que jusqu'à une certaine profondeur, mais les plantes ont besoin de lumière pour leur croissance.

Phéromone

Les phéromones sont des produits chimiques sécrétés par les individus et utilisées pour signaler leur présence à leurs congénères, le plus souvent pour trouver un partenaire.

Philosophe

Personne sage et cultivée qui étudie la nature et les sciences dans un système de pensée logique et réfléchi.

Photosynthèse

Les plantes utilisent la lumière solaire pour transformer le dioxyde de carbone, un gaz contenu dans l'air, et l'eau qu'elles absorbent par leurs racines en un sucre du nom de glucose.

Plancton

Le plancton est composé de minuscules plantes microscopiques (appelées phytoplanctons) et d'animaux (appelés zooplanctons) qui flottent à la surface des océans et dérivent dans les courants.

Plumes

Les plumes sont des matières duveteuses et colorées. Les plumes du ver tubicole géant sont rouges car elles contiennent du sang et donc de l'hémoglobine, substance qui donne sa couleur rouge au sang. Le ver tubicole peut rentrer ses plumes dans le tube que forme son corps pour se protéger d'éventuels prédateurs.

Pollution

Changement dans l'environnement naturel dû à l'introduction de substances dangereuses comme des produits chimiques, à la chaleur, ou au bruit. L'environnement devient alors hostile, ingrat ou impropre à la vie humaine ou animale. Les eaux usées, les déchets industriels ou les matières plastiques polluent nos océans, causant des dégâts à la vie marine et réduisant la qualité des eaux.

Profilé

Les objets ou animaux sont dits profilés lorsqu'ils ont une forme fluide, légèrement cintrée, leur permettant des mouvements faciles et rapides dans un milieu aérien ou liquide.

Quartz

Matière minérale solide que l'on trouve dans les roches. L'agate, le silex et le cristal de roche sont des types de quartz. Le sable jaune des plages est essentiellement composé de quartz.

Raffinerie

Une raffinerie est une usine où l'on traite des matériaux bruts, comme par exemple le pétrole brut pompé sous la mer que l'on transforme en essence et autres produits utiles.

Sonar

Le mot sonar est un acronyme anglais (Sound Navigation And Ranging). Cet appareil sert à mesurer le temps que met un son à revenir sous forme d'écho vers un objet et convertit ce son en un graphique ou une image.

Source

Lors des mouvements des plaques terrestres, de l'eau s'écoule par les ouvertures et elle est souvent réchauffée par des roches volcaniques. Ces eaux chaudes retournent ensuite vers les océans y apportant leurs minéraux.

Sulfure d'hydrogène

Le sulfure d'hydrogène est un gaz incolore qui pue comme des œufs pourris et que l'on trouve à l'état naturel en couche épaisse au fond de la Mer Noire. Mis à part certaines bactéries, aucune autre vie marine ne peut se développer dans cette couche d'eau empoisonnée.

Surnaturel

Ce mot définit un pouvoir qui n'est pas naturel et ne peut pas être expliqué par les lois habituelles.

Tentacules

Les tentacules sont de longs « bras » minces que l'on trouve chez les animaux marins invertébrés (ne possédant pas de colonne vertébrale). Ces individus les utilisent pour se déplacer et se nourrir et ces tentacules peuvent être couverts de ventouses ou de cellules gluantes.

Tuba

Le tuba est un tube creux qui permet de respirer lorsqu'on nage juste en dessous de la surface de l'eau.

Turbine

Mécanisme utilisant le mouvement de l'eau pour faire tourner des pales ou des aubes.

Unique

Ce mot signifie seul de son espèce.

Vertical

Dans une position redressée en angle droit par rapport à l'horizon. Les queues des poissons sont verticales et remuent d'un côté à l'autre lorsqu'ils nagent.

Volcan

Ouverture à la surface de la Terre laissant échapper de la lave et des gaz. Il y a plus de 5 000 volcans sous-marins en activité, la majorité d'entre eux se trouvant dans l'Océan Pacifique.

Questions / Réponses

Les prédateurs

Des animaux et des faits étonnants

Diane Stephens

Introduction

Des serpents aux requins, en passant par les abeilles ou les ours, les tueurs du monde naturel sont aussi fascinants qu'ils sont mortels. Ils nous rappellent que le monde peut toujours être aussi dangereux et qu'il existe des forces que nous ne contrôlons toujours pas. Nous devons savoir quel est le serpent le plus **venimeux** ou quel est le plus grand tueur parmi les requins. Avec l'expansion de notre monde sécurisant, ces tueurs sont de plus en plus **menacés**, et deviennent de plus en plus fascinants pour nous.

Certains des plus grands tueurs de la nature sont également de grands survivants de la planète. Le requin régnait sur les océans avant l'arrivée des dinosaures. Inchangé depuis des centaines de millions d'années, il constitue sans doute la parfaite machine à tuer et est l'objet de bien des cauchemars, mais il est aussi pourchassé jusqu'au bord de l'extinction. Combien de temps restera-t-il parmi nous ? L'ours est presque aussi dangereux que le requin. Avec sa faculté naturelle d'adaptation, il s'adapte au milieu où il se trouve, des espaces désertiques de l'Arctique au jardin de banlieue, mais il n'empêche qu'il est menacé par la croissance de la chasse et la disparition de son **habitat** naturel.

La planète dispose d'un territoire qui est toujours assez grand et assez vide pour héberger un grand nombre de bêtes des plus dangereuses. L'Australie abrite un grand nombre d'espèces les plus vénimeuses : des poissons, des serpents, des araignées, des méduses... Il existe également des plantes très dangeureuses. En Australie, aussi, l'homme commence à envahir les **étendues sauvages**, obligeant même les bêtes les plus terribles à se réfugier dans des espaces de plus en plus restreints.

La lutte contre les grands tueurs se poursuit de jour en jour. Les mesures prises à leur encontre sont faciles à identifier : filets à requin, chasse, débroussaillage... Toutefois, certains des grands tueurs, tel le poisson-pierre, sont passés maîtres dans l'art du **camouflage.** Armé de redoutables épines, il ressemble à une pierre, avant qu'on ne marche dessus. Cependant, certains des plus grands tueurs se trouvent parmi les organismes les plus petits existant sur terre. Des insectes, et plus particulièrement le moustique, sont responsables de plus de morts humaines que tous les lions, requins et ours réunis.

Mais ce taux de mortalité impressionnant est insignifiant comparé à celui que peuvent engendrer des microbes invisibles qui provoquent des maladies comme la variole ou la grippe. En 1918, le virus de la grippe a fait 22 millions de morts, bien plus que pour l'ensemble de la première guerre mondiale, et la peste a sévi pendant 300 ans dans le monde entier, tuant presque la moitié de ses populations.

La civilisation s'est développée en luttant contre la nature sous toutes ses formes. Nous avons maintenant l'impression d'avoir vaincu les créatures les plus féroces, mais pour combien de temps encore ? Le chasseur le plus habile sans fusil ou couteau au milieu de la plaine africaine trouvera subitement que le lion est redevenu le plus fort. Si vous êtes à la dérive sur l'océan Pacifique, c'est le requin qui est le chasseur.

Cachés au fond des jungles, de nouveaux et de mortels virus attendent peut-être qu'on les découvre et leur laisse l'occasion de faire des ravages. La bataille contre la nature n'est pas encore gagnée.

Certaines araignées comptent parmi les bêtes les plus venimeuses. Ceci dit, la plupart d'entre elles sont inoffensives, y compris la tarentule soi-disant mortelle.

Les plus grands tueurs de la planète sont les virus.

Le virus VIH/Sida est actuellement le tueur le plus important de la planète, et aucun remède n'est en vue. Avant lui, le grand tueur était la grippe, et avant cela, le virus de la variole.

Il a beau avoir l'air hirsute et sympathique, le grizzly est hargneux et dangereux.

Le grizzly est puissant et il peut courir vite et grimper aux arbres. Il possède également les plus grandes griffes de tous les animaux terrestres. Cela contribue à sa dangerosité, surtout lorsqu'il a faim.

Requins

Quel requin provoque la morsure la plus impressionnante ?

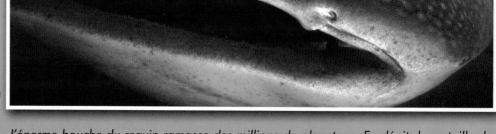

© John Liddiard

Le requin provoquant la plus grande morsure est le requin baleine. Le plus gros de tous les requins, le requin baleine peut atteindre une longueur de 15 m. Mais ce monstre ne se nourrit pas de viande, seulement de petits organismes appelés **plancton.** Les requins les plus féroces sont le grand blanc, l'océanique, le bouledogue, le tigre.

L'énorme bouche du requin ramasse des millions de planctons. En dépit de sa taille de géant, ce requin est sans danger et ne fait de mal aux hommes que par accident.

LE SAVIEZ-VOUS ?

Si vous frottez un requin de la queue vers la tête, vous sentirez que la peau est très rêche. C'est pour cela que, pendant des centaines d'années, on utilisait la peau de requin comme papier de verre

Le requin peut-il sentir le sang ?

Oui, le requin sent très bien le sang. Il possède un odorat très développé, certains d'entre eux pouvant même sentir une petite goutte de sang à une distance de 5 km. Le requin a cinq sens, les mêmes que les humains - odorat, toucher, goût, ouïe et vue. Son museau est muni également d'organes pour détecter les faibles courants électriques émis par toutes les créatures dans l'eau.

Le requin peut sentir le sang a des distances importantes. Parfois, ils se réunissent en nombre et partent dans un « délire de grande bouffe ».

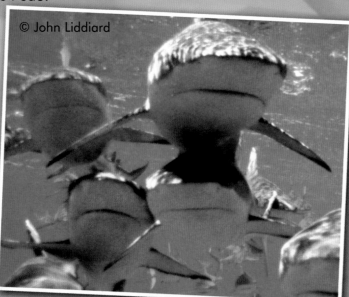

© John Liddiard

Le requin mange-t-il les hommes ?

Il existe 368 espèces de requins, dont seulement quelques-unes connues pour s'être attaquées aux hommes. La plupart des requins préfèrent manger du poisson ou du phoque, et le plus grands nombre d'agressions se sont portées sur des plongeurs qui, pour un requin, pourraient ressembler à des poissons ou des phoques. Une fois qu'il a mordu un être humain, il ne recommence pas, probablement parce que l'homme n'est pas sa proie habituelle. Malheu-reusement, une seule morsure d'un gros requin comme le grand blanc ou le bouledogue peut suffire à tuer un homme.

Quel est le requin le plus dangereux ?

Comment contrecarrer une attaque de requin ?

© John Liddiard

La meilleure manière de contrecarrer une attaque de requin est de lui donner des coups de poing et de pied aussi forts que possible sur le museau et les yeux. Criez au secours et levez un bras tendu hors de l'eau - c'est un signe que vous êtes en détresse. Essayez de garder votre calme. Sortez de l'eau le plus vite possible, en nageant en douceur sans trop éclabousser. Cela vous aidera à nager plus vite et sans attirer l'attention du requin.

Le grand blanc s'attaque plus aux hommes que tout autre requin, mais pas plus d'un tiers de ces attaques n'entraîne la mort de la victime. Le plus gros des grands blancs mesurait 7 m de long et pesait 3 200 kg. Comme la plupart des requins, la femelle est plus grande que le mâle. Le grand blanc possède environ 3 000 dents, organisées en rangées. Le grand blanc navigue en général seul et attaque sa proie par en dessous.

On en trouve dans la plupart des eaux **tempérées** du monde.

Quel est le requin le plus étrange ?

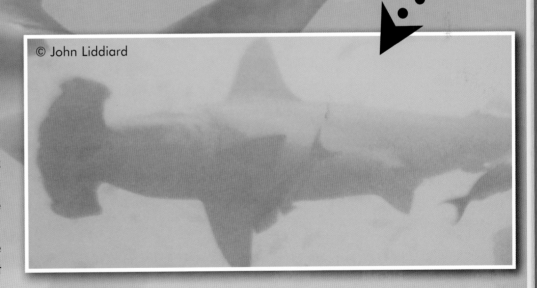

© John Liddiard

La plupart des requins se ressemblent assez, à l'exception du requin marteau. Celui-ci a des yeux très écartés et placés de part et d'autre du « marteau ». Grâce à cet écartement des yeux, le requin marteau possède une très bonne vision **stéréoscopique.** Ses autres sens sont également plus développés que ceux des autres requins. Le marteau étant un grand requin qui peut être assez féroce, c'est une chance qu'il soit aussi facilement identifiable !

Félins sauvages

Quel est le plus dangereux des félins sauvages ? •••••

Le tigre de Bengale, de l'Inde et de l'Asie du Sud-Est, tue plus d'hommes que n'importe quel autre félin sauvage. Lions, jaguars ou autres couguars sont tout aussi capables de tuer des hommes, mais c'est très rare. Le tigre de Bengale est le plus grand de tous les félins. Le mâle peut atteindre une longueur de 3 m et un poids de 250 kg. Le tigre aime nager, le tigre du Bengale peut nager pendant 10 km et même pêcher du poisson s'il a faim.

Les félins chassent-ils en groupe ?

La plupart des grands félins chassent la nuit, à l'exception du guépard, qui chasse de jour. En général ils chassent seuls, et ont une très bonne vue. Le lion constitue une exception. Les lionnes chassent par deux ou en groupes : bien souvent une lionne rabat la proie en direction des autres lionnes qui l'attendent. Les mâles chassent très peu, mais ils tirent toujours la proie jusqu'à un lieu choisi et mangent les premiers, avant les lionnes et les lionceaux.

Quel félin ne peut pas rentrer ses griffes ?

La plupart des grands félins peuvent **rentrer** leurs griffes dans des fourreaux protecteurs. Cela permet de poursuivre une proie en silence, en prenant appui sur les seuls coussinets, ainsi que de préserver les pointes des griffes pour mieux courir et maintenir la proie. En revanche, le guépard ne peut pas rentrer ses griffes. Pour lui permettre de courir plus vite que n'importe quel autre animal (jusqu'à 120 km/heure), il a besoin de ses griffes pour s'agripper au sol.

Les félins ont-ils une bonne vue ?

Les grands félins ont une très bonne vision nocturne et diurne, ce qui les aide pour la chasse. De nuit, ils voient six fois mieux que nous, ce qui signifie, en comparaison, qu'ils voient mieux de nuit que nous de jour. Les yeux des grands félins ont évolué pour leur permettre de bien chasser de nuit.

A quoi sert le jeu pour les petits félins sauvages ?

Lorsque les jeunes félins jouent, ils apprennent beaucoup de choses. Le jeu leur permet de comprendre ce dont leur corps est capable, la manière de se comporter avec d'autres membres de leur espèce et surtout la chasse. C'est en jouant que le jeune animal apprend à **traquer** et à attaquer sa proie. Plus il s'entraîne par le jeu, mieux il saura chasser le moment venu.

Quel grand félin trouve-t-on en Amérique ?

Le jaguar est le seul grand félin vivant en Amérique. La couleur et la taille du jaguar peuvent varier en fonction de son habitat. Le jaguar plutôt petit à pelage sombre vit dans la forêt, où sa robe de couleur foncée lui  sert de camouflage. Le jaguar plus grand et plus clair habite dans les grandes prairies. Le jaguar monte aux arbres, mais cependant moins bien, que le léopard. Il chasse les bovins, les cervidés et les singes, et c'est un très bon pêcheur.

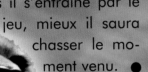

LE SAVIEZ-VOUS ?

Contrairement au chien, le chat domestique présente bon nombre des caractéristiques de son ascendance sauvage.
Même s'il est bien nourri à la maison, votre minou pourra vous prouver qu'il est toujours un chasseur efficace en attrapant des oiseaux ou d'autres petits animaux.

© Warren Photographic.

7

Araignées

Est-ce que les araignées sont toutes venimeuses ?

Presque toutes les araignées possèdent des glandes à venin. Elles paralysent leur proie en leur injectant du venin avec leurs crochets. Ce poison dissout les organes internes de l'insecte afin

que l'araignée puisse les aspirer. La plupart des araignées, mais pas toutes, ne sont pas assez venimeuses pour tuer un être humain.

Quelle taille peut atteindre une araignée ? • • • • • •

Les plus grandes araignées appartiennent à la famille des mygales. La mygale de Leblond est la plus grande araignée au monde. Elle vit dans la forêt tropicale en Amérique du Sud et peut atteindre une taille de 25 cm, pattes comprises. Malgré l'envergure de ses crochets, son **venin** n'est pas assez toxique pour tuer un être humain mais, lorsqu'elle se sent menacée, elle expulse de minuscules poils qui sont presque invisibles mais très urticants.

Quelle est l'araignée la plus venimeuse ?

L'araignée la plus venimeuse est sans doute l'atrax robustus d'Australie. Les atrax des deux sexes produisent un poison dangereux - la rubotoxine. Ce poison est six fois plus puissant chez le mâle que chez la femelle ; le mâle est d'ailleurs très agressif lorsqu'on le dérange. La morsure est extrêmement douloureuse et peut entraîner la mort dans les 15 minutes. Cependant, depuis qu'il existe un **antivenin**, les décès sont désormais rares. • • •

LE SAVIEZ-VOUS ?

Le fil que tisse l'araignée pour sa toile est d'une longueur de 20 à 60 m. Une araignée passe environ trois heures à tisser une toile de taille moyenne.

Pourquoi les araignées tissent-elles des toiles ?

L'araignée tisse sa toile à partir d'un fil de soie que fabrique son corps et qui est expulsé par des **orifices** situés sur la pointe de son abdomen. Le fil sèche dès qu'il entre en contact avec l'air mais reste gluant afin de piéger des insectes. Plus l'insecte se débat, plus il est pris par la toile. Le fil de l'araignée est très résistant et peut soutenir un poids équivalent à 4 000 fois celui de l'araignée qui l'a produit. Les pattes des araignées sont recouvertes d'une huile particulière qui leur évite de se coller à leur propre toile.

Peut-on accueillir une tarentule chez soi ?

Les tarentules font peur à bien des personnes, pourtant elles ne mordent que lorsqu'elles se sentent menacées. Leurs morsures sont semblables à une piqûre d'abeille et ne sont toxiques que pour les quelques personnes qui y sont **allergiques.** La tarentule peut vivre jusqu'à 12 ou 13 ans, plus longtemps que les autres types d'araignées. Elle se nourrit d'insectes, de grenouilles, de lézards et de petits oiseaux. C'est une bête silencieuse et elle n'a besoin que de peu d'espace mais elle ne supporte pas beaucoup de manipulations. Des personnes qui accueillent des tarentules chez elles disent qu'on peut les dresser.

Les araignées sont-elles des insectes ?

L'araignée n'est pas un insecte. Elle appartient à un groupe qui s'appelle arachnides dont font également partie les scorpions, les acariens et les tiques. Pour distinguer une araignée d'un insecte, il suffit de compter leurs pattes : les insectes possèdent six pattes alors que les araignées en ont huit. La plupart des araignées possèdent huit yeux, mais certaines d'entre elles peuvent en avoir 12, 6, 4 ou 2. Leur corps se compose de deux sections : **l'abdomen** et le **céphalothorax**, partie à laquelle sont reliés les pattes et les yeux.

Existe-il des plantes qui mangent des animaux ?

Oui, certaines plantes sont effectivement carnivores. La dionée, l'herbe-crapaud, le drosera et l'utriculaire sont toutes des plantes qui mangent des insectes. Elles se servent de leur feuilles ou de leurs pétales pour attraper les insectes avant de les broyer et de les absorber avec leurs sucs digestifs. Ces plantes poussent en général dans des milieux à sol pauvre et trouvent leurs **nutriments** dans les insectes qu'elles attrapent. La dionée utilise son nectar pour attirer les insectes. Lorsqu'un insecte se pose sur ses pétales, ses pattes frôlent de petits poils, provoquant ainsi la fermeture de la trappe suivie de l'ingestion de l'insecte.

Quelle est la plante la plus vénéneuse ? •••••••••••••••••

Il existe un grand nombre de plantes toxiques dans le monde, mais la ciguë est la plus toxique de toutes. On la trouve en Amérique du Nord, en Europe et en Nouvelle Zélande. Elle a beau appartenir à la même famille que le persil, une toute petite quantité de cette plante est mortelle pour les hommes comme pour les animaux. La tige et les racines, que l'on peut confondre avec le panais, constituent les parties les plus vénéneuses. En 399 av.JC, lorsqu'il fut condamné à mort, Socrate est mort après avoir bu une infusion de ciguë.

Qu'est-ce que l'ongaonga ?

L'ongaonga est une ortie arbustive qui pousse en Nouvelle Zélande. Ses feuilles sont recouvertes de poils qui se cassent lorsqu'on les frôle. Ces poils se collent à la peau et libèrent un poison qui étourdit et dérange la **coordination** de la victime pendant plusieurs jours. Il a tué au moins une personne et un grand nombre de chiens et de chevaux.

Le sumac vénéneux l'est-il vraiment ?

Oui, le sumac vénéneux est vraiment vénéneux ! Toutes les parties de cette plante sont toxiques car elle contient une huile appelée urushiol, une substance gluante sécrétée à tout endroit où la plante est taillée ou écrasée. Cette huile provoque un érythème allergique formant des ampoules et des œdèmes cutanés. Elle se colle aux pelages d'animaux, aux outils de jardin et à tout ce qu'elle touche. De ce fait, elle peut enclencher une réaction allergique chez toute personne en contact avec ces objets et ce, jusqu'à cinq ans plus tard.

Comment les plantes piquent-elles ?

Les plantes qui piquent, telle que l'ortie, sont recouvertes de petits poils creux. Ces poils se cassent lorsqu'on les touche et se logent dans la peau. Ils libèrent un **acide** urticant, provoquant une sensation de brûlure et des démangeaisons. Il s'agit du même acide que l'on trouve dans les glandes salivaires des fourmis. Pour arrêter ces sensations, on peut frotter la partie affectée avec des feuilles de patience (souvent à proximité des orties) ou bien une pâte à base de bicarbonate de soude. A défaut, un peu de **salive** aide à **neutraliser** l'acide.

Comment identifie-t-on un champignon toxique ?

Il existe plus de 10 000 variétés de champignons, avec des formes, des tailles et des couleurs différentes. Certains d'entre eux sont toxiques et quelques-uns sont même mortels. La seule apparence d'un champignon ne donne aucune indication sur son degré de toxicité. Il ne faut jamais manger un champignon sauvage avant qu'il n'ait été bien identifié. La seule façon de déterminer son éventuelle toxicité est de s'adresser à une personne possédant des connaissances spécialisées.

·····> Insectes tueurs

Comment les fourmis piquent-elles ?

Quel est l'insecte le plus venimeux ?

Fourmis, abeilles et guêpes produisent toutes du poison, généralement inoffensif pour la plupart des personnes en bonne santé. Cependant, certaines personnes sont allergiques à leurs piqûres qui provoquent alors des gênes respiratoires et de déglutition, pouvant parfois entraîner la mort. Certains insectes, bien que non toxiques, sont porteurs d'infections mortelles telles que la fièvre jaune. Si un de ces insectes pique une personne **infectée** et pique ensuite une autre personne, l'infection est transmise par le biais de cet insecte.

Le dard piquant de la fourmi se situe à l'extrémité de son abdomen. Elle le recourbe afin de le planter dans sa proie. Bon nombre de fourmis, comme la fourmi bélier d'Australie, immobilisent leur victime avec leurs mâchoires pendant qu'elles les piquent. Contrairement aux abeilles et aux guêpes, la fourmi peut piquer plusieurs fois. Certaines fourmis ne piquent ni ne mordent, mais envoient un jet d'acide dans les yeux de leurs victimes, ce qui peut aveugler un petit animal comme une souris.

Qui sont les fourmis soldats ?

Les fourmis soldats vivent en Amérique du Sud. Elles mesurent entre 8 et 12 mm et sont de couleur brun clair ou rousse. Elles se déplacent en armées de 10 000 à 500 000 à la recherche de nourriture et sont capables de tuer des animaux qui font plusieurs centaines de fois leur propre poids. Elles ont même dévoré des animaux aussi grands que des chevaux.

Quel est le plus grand tueur parmi les insectes ?

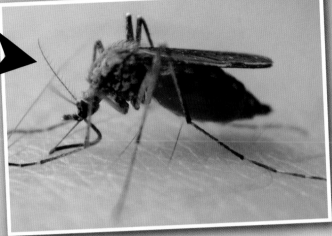

Le plus grand tueur parmi les insectes est le petit moustique. Il est responsable de 300 millions de cas de paludisme par an dans le monde entier, dont 1 million de cas mortels. C'est la femelle qui transmet la maladie lorsqu'elle se nourrit de sang humain ou animal. Le mâle ne se nourrit pas de sang mais de plantes et de fleurs. Les moustiques sont également porteurs d'autres maladies telles que la fièvre jaune, la dengue ou l'encéphalite.

Qui sont les « abeilles tueuses » ?

Des **scientifiques** brésiliens ont **importé** des abeilles d'Afrique afin de les croiser avec les abeilles domestiques indigènes, dans l'espoir de les voir produire plus de miel. Les abeilles africaines sont très agressives et hargneuses. Certaines d'entre elles se sont échappées et sont arrivées en Amérique du Nord, où on les appelle « tueuses » parce qu'elles s'attaquent aux gens et aux bêtes par essaims entiers et ont provoqué un grand nombre de morts. L'abeille africanisée chasse ses victimes sur de plus longues distances et en plus grand nombre que l'abeille domestique et, une fois qu'elle est énervée, son agressivité peut durer plusieurs jours.

Qu'est-ce que la tique ixode ?

La tique ixode vit en Australie et, lorsqu'elle se nourrit du sang de son hôte, elle lui **transmet** un poison paralysant contenu dans sa salive. La **paralysie** qui s'ensuit peut empêcher la victime de respirer à tel point qu'elle décède. En général, ces tiques infestent des animaux **domestiques** et d'élevage, mais elles peuvent également s'attaquer à l'homme.

Une fois la tique repue, son corps gonfle et devient énorme. Le mâle ne piquant pas, ce gonflement ne concerne que la femelle.

LE SAVIEZ-VOUS ?

l'abeille bat des ailes environ 11 400 fois par minute ; c'est ce mouvement qui provoque le bourdonnement caractéristique des abeilles.

13

Serpents

Quel est le serpent dont la morsure est la plus dangereuse ?

Le monde contient un grand nombre de serpents dangereux et tous les ans, des milliers de personnes meurent de morsures de serpent. Le plus dangereux de tous est sans doute le Taipan d'Australie. Une seule morsure de ce serpent produit une quantité de venin suffisante pour tuer 100 personnes. Fort heureusement, il est très rare. D'autres serpents très dangereux incluent le mamba noir d'Afrique, dont la morsure est mortelle si un antidote n'est pas administré très rapidement, et le cobra royal d'Asie, dont la morsure peut tuer un éléphant en moins de 3 heures.

Qu'est ce que l'antivenin ?

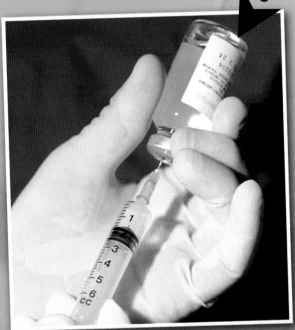

L'antivenin est un antidote contre les morsures de serpent. Il est fabriqué à partir **d'anticorps** créés en injectant à des chevaux ou des moutons du venin de serpent. L'antivenin est ensuite injecté dans les veines ou des muscles de la personne mordue et aide à neutraliser le venin présent dans son corps.

Comment le serpent à sonnettes émet-il son sifflement ?

L'extrémité de la queue du serpent à sonnettes est munie de **segments** cornés composés de kératine, la même matière dont se composent nos cheveux et nos ongles. Chaque fois qu'un serpent à sonnettes mue, entre 1 et 4 fois par an, un nouveau segment se rajoute à ses sonnettes. Le bébé serpent à sonnettes n'en possède pas et ne pourra commencer à siffler qu'après sa première mue. Ce sifflement se produit lorsque le serpent à sonnettes agite sa queue plus de 60 fois par seconde.

LE SAVIEZ-VOUS ?

Les serpents ont une très mauvaise ouïe. Les charmeurs de serpents indiens « tranquillisent » un serpent par le balancement de leur corps. Le serpent n'entend pas du tout la musique, mais elle rend le spectacle plus intéressant !

14

La mer représente-t-elle un abri contre les serpents ?

Les eaux **tropicales** accueillent un nombre de serpents de mer très venimeux. Ils vivent en général dans des eaux peu profondes et se nourrissent de poissons, d'œufs de poisson et d'anguilles. Bien qu'ils aient une respiration aérienne, ils peuvent rester longtemps sous l'eau. Le venin du serpent de mer jaune est le plus toxique de tous les venins de serpent. La morsure de ces serpents peut être mortelle, mais heureusement ils ne sont pas **agressifs** et mordent très peu.

Comment faut-il traiter une morsure de serpent venimeux ?

Essayez si possible d'identifier le serpent. Ne bougez pas la partie atteinte et essayez de la maintenir à un niveau plus bas que le cœur. Si vous êtes à plus de 30 minutes d'un hôpital, bandez la partie au-dessus de la morsure de façon relativement lâche afin de ne pas empêcher la circulation du sang. Allez le plus vite possible à un hôpital.

Comment l'anaconda procède-t-il pour tuer ?

L'anaconda est l'un des plus grands et plus puissants serpents du monde. Il appartient à la famille des boas constrictors il vit dans la **forêt vierge** et l'Amazonie en Amérique du Sud. L'anaconda n'est pas seulement long, il peut également devenir aussi large qu'un homme adulte. Il tue ses victimes en s'enroulant autour d'elles et en les comprimant jusqu'à **suffocation.**

15

Tueurs microscopiques

Qu'était la peste noire?

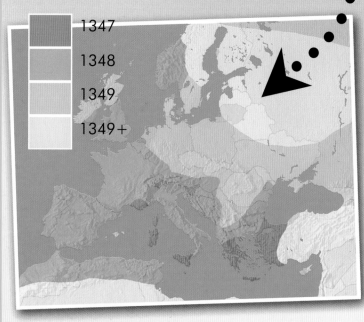

1347
1348
1349
1349+

La peste noire était une maladie qui a sévi en Europe au **Moyen Age**, tuant près de 25 millions de personnes en 5 ans. On l'appelait peste noire en raison des tâches sombres qui apparaissaient sur la peau des victimes quelques jours avant leur mort. Pendant très longtemps, on pensait que la peste noire était la même maladie que la peste bubonique, propagée par des piqûres de puces du rat noir, porteuses de l'infection. En réalité, il semblerait qu'elle était provoquée par un virus hémorragique du même genre que celui de la fièvre de Lassa ou d'Ebola.

Qu'est-ce qu'un virus ?

Les virus sont des microorganismes invisibles sans l'aide d'un microscope électronique. Ils sont présents partout sur la terre, dans l'eau et dans l'air. Contrairement aux bactéries, les virus sont incapables de se reproduire seuls. Ils investissent l'**ADN** des cellules qu'ils infectent et s'en servent pour se reproduire. Notre corps combat les infections virales à l'aide de son système immunitaire qui constitue son moyen de défense contre l'infection et la maladie. Les virus provoquent des maladies telles que le rhume, la grippe et VIH/Sida.

Quelle est la maladie la plus mortelle ?

L'une des maladies les plus mortelles connues jusqu'à présent est la fièvre **hémorragique** d'Ebola, due à un virus. Ce virus s'attaque aussi bien aux hommes qu'aux singes, gorilles ou chimpanzés. Son taux de mortalité est très élevé. Presque tous les cas se sont déclarés en Afrique. Cependant, sur la durée, c'est le paludisme qui a fait le plus de morts, étant responsable de la moitié des décès humains depuis **l'Age de Pierre.**

Le virus d'Ebola se distingue par sa forme en « houlette de berger », ce qui facilite le diagnostic. Malheureusement, il n'existe pas de traitement efficace.

Comment se propage la maladie ?

La maladie et les infections se propagent de nombreuses façons. Elles se transmettent de personne à personne par le biais de contacts et des fluides corporels, d'animaux aux êtres humains par des morsures, des griffures ou des produits de déchet, d'une mère à son enfant à naître à travers le placenta. La maladie se transmet également par contact, car les microorganismes peuvent survivre longtemps sur des objets tels que les poignées de porte. Certaines maladies peuvent se propager dans l'air, comme le rhume et la grippe. Des insectes, par exemple moustiques, poux ou tiques, transmettent des maladies comme le paludisme. Une nourriture contaminée par des microorganismes peut également être la source de maladies graves. Le moyen par lequel une maladie se transmet s'appelle « vecteur ».

LE SAVIEZ-VOUS ?

La plus grande épidémie de tous les temps n'a pas été celle de la variole ni de la peste bubonique mais de la grippe ordinaire. Entre 1918 et 1919, une pandémie de grippe a tué plus de 22 millions de personnes. Cela dit, la peste a tué une part plus importante de la population.

Quel est le seul virus que l'homme a réussi à vaincre ?

La variole était une des pires maladies connues. Ses origines remontent à plus de 3 000 ans et elle a tué plus d'un tiers des personnes touchées. 300 millions de personnes en sont mortes au cours du XXème siècle. Celles qui ont survécu étaient souvent sévèrement marquées ou sont devenues aveugles. En 1798, Edward Jenner a développé un vaccin contre la variole. En 1967, l'Organisation mondiale de la santé a édicté une résolution pour éradiquer la variole de la planète. De très importants programmes de **vaccination** ont été introduits et ont permis enfin de vaincre la variole en 1977.

Comment fonctionnent les antibiotiques ?

Le premier antibiotique, la pénicilline, a été découvert par Sir Alexander Fleming en 1939. Les antibiotiques tuent des bactéries nuisibles en traversant la paroi de la cellule du microbe et en perturbant son fonctionnement normal. Cela permet au corps de se réparer plus vite et plus facilement. Les antibiotiques n'ont aucun effet sur les virus. Leur usage devrait être réservé à des cas de stricte nécessité car ils peuvent produire des effets secondaires comme la diarrhée et des érythèmes et, à plus long terme, des bactéries résistantes aux antibiotiques.

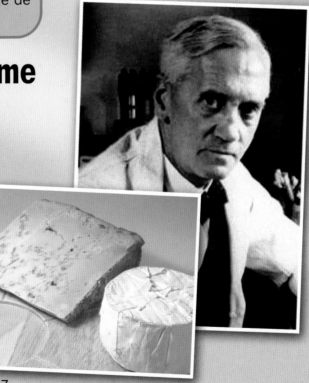

La bactérie qui produit la pénicilline est très proche de celle qui produit le persillage bleu ou vert dans certains fromages. Elle fait également moisir le pain.

17

Au bord de l'eau

Est-ce que le piranha s'attaque aux hommes ?

Le piranha vit dans le fleuve Amazone en Amérique du Sud. Il existe plusieurs types de piranha, mais le plus redoutable est le piranha à ventre rouge, doté de puissantes mâchoires et de dents effilées qui peuvent facilement arracher un doigt ou un orteil. Un tel événement est pourtant rare et personne n'a jusqu'à présent été tué par un piranha. Les piranhas se déplacent en groupes, ou bancs, et se nourrissent d'autres poissons ou d'animaux terrestres s'étant aventurés dans l'eau.

Quelle est la méduse la plus toxique ?

La méduse-boîte est la plus venimeuse des animaux marins qui piquent. On en trouve dans les mers au nord de l'Australie. Son corps a une forme de boîte, à laquelle sont attachés une soixantaine de tentacules qui ondulent dans l'eau. La méduse-boîte est **transparente** et de couleur bleu clair, ce qui la rend difficilement détectable. Les tentacules portent des millions de cellules urticantes qui injectent un poison mortel dans toute créature qu'ils touchent. Bon nombre de personnes sont mortes en quelques minutes après avoir été piquées par une de ces méduses. Il existe un antivenin, mais il faut l'administrer moins de quinze minutes après une piqûre.

Comment les crocodiles attaquent-ils ?

Cela fait des millions d'années que le crocodile habite notre planète et, durant tout ce temps, il n'a guère changé. Un crocodile peut atteindre une taille de 6 ou 7 mètres et un poids de 1 000 kg. Ses puissantes mâchoires et ses dents pointues lui permettent de s'attaquer aux grands animaux et même aux hommes. Tapi dans l'eau près des rives, **immergé** et invisible, il attend sa proie. Dès qu'un animal s'approche pour boire, il s'éjecte de l'eau et entraîne sa proie, la tordant jusqu'à ce qu'elle meure. Le crocodile peut se déplacer très rapidement dans l'eau comme sur terre, sur des distances restreintes.

Qu'est-ce qu'une « couronne du christ » ?

La « couronne du christ » est une étoile de mer qui se nourrit de corail. Elle est recouverte de longues épines capables d'infliger une douloureuse blessure si on la touche par mégarde. Ces épines renferment un poison léger qui peut provoquer des nausées ou des vomissements, avec des douleurs et des ballon-

nements durant une période assez prolongée. L'étoile de mer s'alimente d'une manière étrange en faisant sortir son estomac par la bouche. L'estomac sécrète des sucs digestifs qui font **dissoudre** le corail afin de l'absorber. La couronne du christ peut faire des ravages sur les récifs coralliens car elle tue le corail pour se nourrir.

Quel est l'habitat des alligators ?

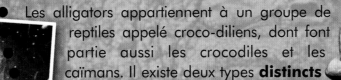

Les alligators appartiennent à un groupe de reptiles appelé croco-diliens, dont font partie aussi les crocodiles et les caïmans. Il existe deux types **distincts**

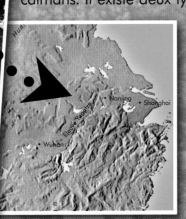

d'alligators : l'américain et le chinois. L'alligator américain vit dans des marais, des marécages, des rivières et des lacs et au sud-est des Etats-Unis. L'alligator chinois vit uniquement dans le basin du fleuve Yang-Tsé en Chine. De cette espèce menacée, il ne reste plus que 1 000 individus. Leur population a été radicalement réduite en raison de la destruction par l'homme des marais qu'ils occupaient autrefois. Ils vivent désormais sur les rives du fleuve, où ils sont en concurrence avec l'homme dans leur recherche de nourriture.

L'hippopotame peut-il être dangereux ?

L'hippopotame a beau avoir l'air indolent et paisible, en réalité il est irascible et agressif et c'est le plus grand tueur d'hommes de tous les animaux en Afrique. En terme de dimension, il est le troisième en Afrique, après l'éléphant et le rhinocéros. Il peut atteindre une taille de 4 mètres et un poids de 4 000 kilogrammes. Il est aussi dangereux dans l'eau que sur terre, où il peut courir plus vite qu'un homme.

LE SAVIEZ-VOUS ?

Quelle est la différence entre un crocodile et un alligator ? La différence principale réside dans les dents qui sont cachées chez l'alligator lorsque sa bouche est fermée parce qu'elles s'emboîtent, tandis que les dents inférieures du crocodile sont visibles lorsque la bouche est fermée.

Dents et griffes

Quelles sont les dents qui mordent le mieux ?

La plupart des animaux ont besoin de dents pour mastiquer leur nourriture. La forme et le nombre de leurs dents dépendent du type de leur régime alimentaire. Certains animaux se servent également de leurs dents pour attraper la nourriture et pour le combat. Les carnivores tels que le lion ou le crocodile sont munis de dents très pointues pour attraper et déchiqueter leur proie. Certains serpents injectent à leur victime un venin à travers leurs longs crochets recourbés.

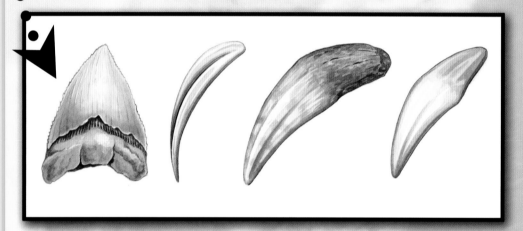

En quoi consistent les griffes ?

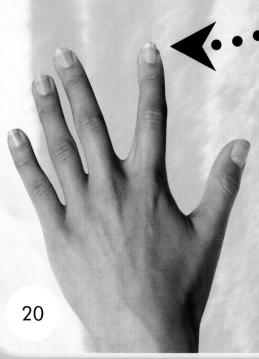

Les griffes des animaux sont composées d'une solide **protéine** appelée kératine. Nos ongles et cheveux sont constitués de cette même matière, tout comme le sont sabots, pelages, écailles, plumes d'oiseaux et cornes, ainsi que la couche extérieure de la carapace des tortues. Les animaux utilisent leurs griffes pour attraper leur proie et pour se protéger. Les griffes leur permettent également de s'agripper lorsqu'ils grimpent et quand ils courent ou marchent sur des surfaces glissantes comme la glace.

Quel est l'animal qui mord le plus fort ?

Les scientifiques font des recherches pour savoir quel animal mord le plus fort. Parmi les animaux étudiés jusqu'à présent, ils constatent que c'est l'alligator qui mord le plus fort, plus que le lion, la hyène, certains requins et l'être humain. On pense qu'il mord même plus fort que ne pouvaient le faire certains dinosaures. L'un des repas préférés de l'alligator étant la tortue d'eau, il a besoin de mâchoires puissantes pour casser la carapace coriace de cet animal.

L'autruche est-elle un animal dangereux ?

L'autruche est le plus grand oiseau au monde. Une autruche mâle peut attendre une taille de 2,70 m et un poids de 150 kg. Bien qu'elle soit incapable de voler, elle peut courir très vite - jusqu'à 70 km heure. Chacune de ses pattes a deux doigts munis de longues griffes acérées. L'autruche peut devenir très agressive lorsqu'elle se sent menacée et certaines d'entre elles ont même réussi à tuer des hommes d'un grand coup de patte.

Le requin perd-il ses dents ?

Au cours de sa vie, le requin perd des dents qui sont ensuite remplacées par de nouvelles. Ses dents sont organisées de 5 à 7 rangées. Celles de la rangée de devant sont les plus grandes, chaque rangée de derrière se composant de dents progressivement plus petites. Les dents durent de 10 à 14 jours puis tombent pour être remplacées par celles de la rangée immédiatement suivante. Le requin tigre peut fabriquer 24 000 dents en 10 ans. Les dents de requin sont de tailles différentes mais toutes de la même forme, chaque espèce de requin ayant une forme de dents distincte.

LE SAVIEZ-VOUS ?

Les dents des castors sont si acérées que les Amérindiens les utilisaient autrefois comme lames de couteau.

Comment l'ours se sert-il de ses griffes ?

Les griffes des ours sont adaptées à leur régime alimentaire. L'ours brun et le grizzly ont de longues griffes recourbées pour creuser la terre à la recherche de racines et de bulbes et pour construire leur tanière. Les griffes de l'ours noir sont plus courtes et plus acérées pour lui permettre de grimper aux arbres pour cueillir des fruits à coque ou du miel. Celles de l'ours paresseux peuvent être très longues. Cet ours n'est pas méchant mais il a besoin de creuser profondément la terre pour en extraire des **termites** et des fourmis. L'ours polaire possède des griffes plus courtes qui sont épaisses et recourbées pour lui permettre d'attraper sa proie et de s'agripper sur le sol glacé.

Poison

Pourquoi les animaux venimeux ne s'empoisonnent-ils pas ?

Les poisons constituent un moyen de défense utile contre l'attaque, mais ce ne serait pas très intéressant si l'animal s'empoisonnait. Pour éviter cela, les animaux disposent de plusieurs méthodes, allant d'une simple attention à ne pas se piquer, comme le scorpion, à la séparation des différents constituants du poison au sein du corps avant leur mise en action, comme chez le coléoptère bombardier. Les poissons bénéficient d'une grande **immunité** contre la plupart des poisons, ce qui les protège mais en même temps signifie que tout poison qu'ils emploient eux-mêmes doit être très puissant pour être efficace contre d'autres poissons.

Comment agissent les poisons des animaux ?

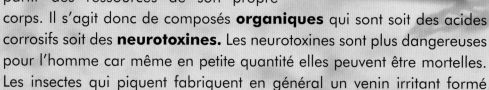

L'animal fabrique lui-même son poison à partir des ressources de son propre corps. Il s'agit donc de composés **organiques** qui sont soit des acides corrosifs soit des **neurotoxines.** Les neurotoxines sont plus dangereuses pour l'homme car même en petite quantité elles peuvent être mortelles. Les insectes qui piquent fabriquent en général un venin irritant formé d'un cocktail de produits chimiques. Comme ils ne déposent qu'une toute petite quantité à chaque piqûre, tout décès qui en résulterait serait dû à une réaction allergique appelée **choc anaphylactique**.

Comment peut-on savoir si un animal est venimeux ?

Les animaux venimeux se signalent souvent par des couleurs ou des motifs flamboyants qui préviennent leurs prédateurs du danger qu'ils représentent. Le rouge, le jaune et l'orangé sont les couleurs les plus fréquemment utilisées. La tête des serpents venimeux est souvent triangulaire ou en forme de flèche, avec de petites dépressions entre les yeux et les narines. Cependant, comme il n'est pas toujours possible d'identifier un animal venimeux par sa seule apparence, il est recommandé de se tenir à distance et de ne pas déranger un animal dont l'innocuité n'est pas certaine.

Les poisons d'animaux peuvent-ils être utiles ?

Le poison d'un animal est bien évidemment utile pour l'animal lui-même. Ce qui est plus surprenant, c'est que certains des plus puissants parmi eux ont une utilité médicale. Des recherches récentes sur le cancer ont révélé que le venin du scorpion jaune peut détruire des cellules cancéreuses sans toucher aux cellules saines. Tous les antivenins sont élaborés à partir du poison d'origine selon la méthode utilisée pour les vaccins, c'est-à-dire une **solution** faiblement dosée du virus pour stimuler les défenses naturelles.

Comment les insectes projettent-ils leur venin ?

Certains insectes préfèrent projeter leur venin depuis une distance plus grande que celle que permettrait une piqûre directe. De petits insectes emploient pour cela une astuce chimique. Les **constituants** du venin sont stockés dans des logements séparés et, au moment de composer le poison, ils sont mélangés dans une chambre à explosion où ils interagissent avec des **enzymes** qui font chauffer le mélange si rapidement qui s'éjecte de l'abdomen de l'insecte.

Qu'est-ce que la grenouille dendrobate ?

Le grenouille dendrobate est l'un des animaux les plus venimeux de la planète. Sa peau contient des poisons chimiques suffisamment puissants pour tuer un homme. Cette grenouille s'habille de couleurs vives pour prévenir des **prédateurs.** Les Indiens Chocó d'Amérique du Sud, où vit cette grenouille, utilisent son poison dans la fabrication de flèches pour la chasse.

··➤ Les tueurs furtifs

Qu'est-ce que le camouflage ?····➤

Le camouflage est la capacité de se confondre avec son **environnement.** Certains animaux l'emploient pour ne pas être vus d'autres animaux. Si on est difficilement détectable, on risque plus facilement de trouver de la nourriture ou de ne pas devenir soi-même de la nourriture. Des animaux comme les cerfs et des écureuils sont de la couleur de la terre, l'ours polaire se revêt de blanc pour se dissimuler dans la neige. Le renard arctique change de couleur selon les saisons : au printemps et en été sa robe est sombre tandis qu'en automne et en hiver elle vire au blanc. D'autres animaux peuvent ressembler à des éléments de leur milieu, par exemple l'insecte brindille ressemble exactement à une brindille.

Les araignées tendent-elles des embuscades ?

Oui, certaines araignées tendent des embuscades à leur proie. L'araignée Dinopis subrufa d'Australie tisse une toile de soie. Ensuite elle se suspend en tenant la toile et attend qu'une victime passe dessous. Dès que celle-ci arrive, l'araignée bondit et jette la toile sur sa proie pour l'immobiliser. L'araignée Eresus creuse un terrier avec ses crochets et recouvre l'ouverture d'un rideau de soie. Elle crée son piège en tendant un fil de soie entre elle et le rideau. Dès qu'une victime touche le fil, l'araignée bondit sur elle.

·Pourquoi le léopard a-t-il des taches et le tigre des rayures ?

Le léopard est taché et le tigre rayé pour les besoins du camouflage. Les taches d'un brun foncé ou noir sur fond doré permettent au léopard de se dissimuler dans de hautes herbes ou parmi le feuillage des arbres. Les rayures du tigre le dissimulent dans la prairie ou la jungle qu'il habite. Le tigre de Sumatra, qui vit dans la jungle, a plus de rayures que n'importe quel autre tigre, tandis que le tigre sibérien n'a besoin que de peu de rayures pour se confondre avec la prairie et la neige.

24

Quel est le tueur qui change de couleur ?

L'une des plus mortelles créatures marines est un petit poulpe de la taille d'une balle de golf qui vit dans les eaux au large de l'Australie. Il s'agit du poulpe à anneaux bleus qui, lorsqu'il se sent menacé, passe du brun clair à anneaux bleu clair au brun plus foncé à anneaux d'un bleu électrique, prévenant ainsi ses prédateurs qu'il est venimeux. Ses mâchoires sont en forme de bec et, bien que sa morsure ne soit pas très douloureuse, le poison qu'il injecte dans la blessure entraîne une paralysie et la mort en quelques minutes.

© Imagequestmarine

Comment les félins réussissent-ils à chasser en silence ?

Les félins sont d'excellents chasseurs, traquant leur proie avec patience et en silence. Ils avancent en rampant très doucement sur le sol puis, lorsqu'ils sont suffisamment près de leur proie, ils bondissent sur elle avant qu'elle ne puisse réagir. La plupart des grands félins chassent seuls, à l'exception des lionnes qui chassent en groupe. Le guépard chasse d'une manière différente. Il traque sa proie de la même façon mais, au lieu de bondir, il accélère subitement et renverse sa victime.

Pourquoi certains animaux chassent la nuit ?

Certains animaux s'appuient pour chasser sur leur vue, ouïe, odorat ou toucher. La nuit fournit un camouflage à bon nombre d'animaux à la recherche d'une proie. Dans des milieux chauds, la chasse nocturne économise l'eau, parfois si rare. Les grands félins ont une très bonne vision nocturne et la plupart d'entre eux profitent de la nuit pour s'approcher en silence de leur proie. La chauve-souris utilise son sens **d'écholocalisation** (sonar) pour détecter une proie à jusqu'à six mètres de distance.

LE SAVIEZ-VOUS ?

Les yeux de chat brillent dans la nuit parce que le fond de l'œil des chats comporte une couche **réfléchissante** qui leur permet de mieux voir de nuit. C'est pour cela que l'on appelle parfois les cata-photes sur la route des « yeux de chat ».

Piqûres, Morsures
et Epines

Comment le scorpion pique-t-il ?

La queue d'un scorpion se divise en segments dont le dernier est composé d'une vésicule et d'un aiguillon. Pour piquer, le scorpion

remonte sa queue par-dessus sa tête et plante l'aiguillon dans sa victime, en donnant des coups pour bien l'enfoncer. Pour empoisonner sa proie, il

extirpe le venin de deux sacs dans la vésicule. La queue du scorpion d'Afrique du Nord possède une force suffisante pour piquer même à travers une chaussure.

Les piqûres de guêpe ou d'abeille sont-elles mortelles ?

Il n'existe qu'un tout petit pourcentage de personnes allergiques aux piqûres de guêpe ou d'abeille et réagissant de façon rapide et sévère. A défaut d'un traitement médical d'urgence, ces personnes peuvent subir un état de choc avec des œdèmes qui bloquent la gorge et entraînent la mort. Il arrive très occasionnellement qu'on soit attaqué par un essaim d'abeilles ou de guêpes.

Pour en mourir, il faudrait qu'un adulte soit piqué environ 1 000 fois, mais il en faudrait beaucoup moins pour entraîner la mort d'un enfant ou d'une personne âgée.

Pourquoi faut-il éviter de marcher sur un poisson-pierre ?

Le poisson-pierre est le plus venimeux des poissons. Il vit sur les rochers et dans les coraux, bien camouflé par sa peau mouchetée. Le poisson-pierre bouge très peu et peut rester au même endroit pendant quatre mois. Si l'on pose le pied sur un poisson-pierre, on ressent une vive douleur provoquée par ses 13 épines dorsales. Ces épines rentrent dans le pied et y injectent un venin mortel. Bon nombre de personnes sont mortes d'une piqûre de poisson-pierre, mais un antivenin est désormais disponible.

Qu'est-ce qu'une cellule urticante ?

Les animaux urticants, comme la méduse, le corail ou l'anémone, sont des cnidaires. Ils se protègent et attrapent leur proie au moyen de cellules appelées **nématocystes.** Ces cellules se trouvent sur toute la longueur de leurs tentacules et se composent d'un fil dardé attaché à un sac de venin. Lorsqu'on le touche, l'animal éjecte des milliers de fils dardés comme des harpons qui injectent le poison dans la victime. Chaque cellule ne peut piquer qu'une seule fois mais, puisque l'animal en possède des millions, il en restera toujours pour la prochaine fois.

Les raies piquent-elles ?

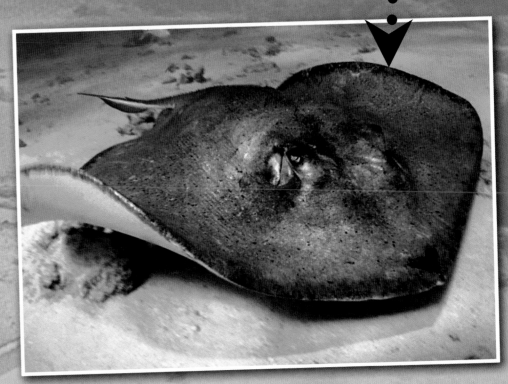

Certes la raie pique, mais seulement pour se défendre. Elle n'est pas agressive et ne pique que si on lui marche dessus. Sa queue a une ou plusieurs épines qui peuvent infliger une méchante entaille qui risque de s'infecter. Ces épines contiennent un venin qui provoque une douleur et un œdème localisés, mais il n'est pas très toxique et donc pas mortel.

L'ornithorynque est-il venimeux ?

L'ornithorynque a vraiment l'air d'un clown, mais cet air comique dissimule une nature venimeuse. L'ornithorynque mâle est doté d'éperons sur les chevilles de ses pattes arrière (la femelle naît avec des éperons qu'elle perd au bout d'un an). Les éperons du mâle sont reliés à un sac de poison à injecter dans la peau d'une victime. L'ornithorynque est le seul animal à poils venimeux. La blessure qu'il provoque est très douloureuse et le poison peut rendre malade. L'ornithorynque n'a causé la mort d'aucun être humain, mais son poison peut tuer un chien.

LE SAVIEZ-VOUS ?

Lorsqu'il est menacé, le fugu gonfle comme un ballon en se remplissant d'eau. Ses épines ne sont pas venimeuses mais ses intestins contiennent un poison qui peut tuer s'il est ingéré.

Les tueurs
d'autrefois

Le plus grand tueur de la nature était-il Tyrannosaurus Rex ?

Tyrannosaurus Rex est incontestablement le plus célèbre des dinosaures et aurait fait plus que le poids contre n'importe quel animal vivant aujourd'hui. Mais des scientifiques ont récemment découvert un prédateur encore plus grand : le Gigantosaurus. Cette bête imposante avait une taille dépassant celle du Tyrannosaure de plus de 20 % et sa proie préférée était le grand **sauropode** Argentinasaurus.

En comparant les deux, on voit que Giganotosaurus était bien plus grand que son cousin. Il n'empêche que ces deux dinosaures étaient l'un comme l'autre des chasseurs redoutables.

Les dinosaures étaient-ils des tueurs sans cervelle ?

L'image courante des dinosaures est celle de gros animaux lourds et lents. Cette image commence pourtant à évoluer depuis que les scientifiques comprennent mieux leur vie. Depuis toujours, un prédateur se doit d'être rapide et adroit et maintenant on sait que bon nombre de dinosaures étaient effectivement des chasseurs rapides, adroits et redoutables. Les chasseurs plus rapides et plus petits comme Deinonychus et Velociraptor chassaient probablement en groupes, comme les hyènes aujourd'hui, une pratique nécessitant une certaine intelligence.

Deinonychus était un chasseur rapide et efficace. Avec ses énormes griffes, il pouvait sabrer sa proie d'un seul coup.

Quels sont les prédateurs des premiers hommes ?

Les premiers hommes étaient des chasseurs acharnés mais s'ils n'y prenaient pas garde, ils pouvaient devenir le repas de bien d'autres prédateurs qui occupaient le même milieu. Certains d'entre eux existent toujours, mais sous une forme évoluée, comme le loup, tandis que d'autres, comme l'énorme Smilodon (une sorte de tigre à dents de sabre), ont **disparu**.

28

Quel était l'oiseau le plus dangereux ?

Plusieurs espèces de grands oiseaux prédateurs ont existé et elles ont maintenant toutes disparu. Le plus grand oiseau de tous les temps était le Dromornis qui vivait en Australie il y environ six millions d'années. Ce monstre ratite (qui ne vole pas) atteignait plus de trois mètres de hauteur et pesait plus de 500 kg. Il possédait un terrible bec recourbé et de grandes pattes griffues, ce qui montre qu'il devait être un chasseur redoutable.

Quels tueurs de l'ancien monde survivent •••••• aujourd'hui ?

Les requins comme les crocodiles existent depuis des millions d'années. Les requins existent depuis 350 millions d'années, et sont donc plus anciens que les dinosaures. Hélicopria était un étrange requin qui vivait il y a 250 millions d'années. Il avait une mâchoire en spirale qui devait servir à blesser sa proie. Un cousin du crocodile moderne, du nom de Sarcosuchus, vivait il y a 90 à 110 millions d'années. Il mesurait plus de 12 m et pesait 10 tonnes ! Sarcosuchus aurait effrayé même les grands dinosaures qui figuraient certainement à son menu.

Après la disparition des dinosaures, les oiseaux géants furent les plus grands prédateurs de la planète. Mais comme les dinosaures, ils ont disparu à leur tour.

Qu'est-ce que le tigre à dents de sabre ?••

Les dents du tigre à dents de sabre étaient tellement grandes qu'elles ne pouvaient qu'être dangereuses. Le Smilodon les aurait utilisées tels deux poignards géants pour les planter dans la chair de sa proie.

Le tigre à dents de sabre est apparu il y a 1,6 millions d'années et vivait à l'époque de la dernière ère glacière. Il a disparu voici 10 000 ans. Il était un peu moins grand qu'un lion mais presque deux fois plus lourd, court sur pattes et avec une queue écourtée. Il possédait deux grandes **canines** longues de 18 cm. C'était un carnivore qui s'alimentait probablement de mastodontes, bisons et chevaux. Un grand nombre de **fossiles** de tigres à dents de sabre ont été retrouvés en Amérique du Nord et du Sud.

Glossaire

Abdomen
La dernière (troisième) section d'un corps d'insecte. Les deux autres sections sont la tête et le thorax. Chez les animaux, l'abdomen est constitué des muscles recouvrant le ventre.

Acide
Composé chimique corrosif. Le contraire d'un acide est une base.

ADN
Acide **D**ésoxyribo**N**ucléique. l'ADN est la longue molécule qui encode toutes les informations nécessaires à la reproduction d'un être vivant. A l'exception des globules rouges et des gamètes, chaque cellule contient un ensemble complet d'ADN.

Age de Pierre
La période précédant celle où l'homme a appris à maîtriser la métallurgie. l'Age de Pierre aurait commencé il y deux millions d'années et terminé vers 4 000 av.JC en Europe et vers 6 000 av.JC au Moyen-Orient.

Agressifs
On dit des animaux qu'ils sont agressifs s'ils sont violents ou s'ils s'attaquent facilement aux hommes ou à d'autres animaux.

Allergique
Une réaction du corps à certains éléments chimiques. Beaucoup de gens sont allergiques au pollen et réagissent en larmoyant et en éternuant.

Anticorps
Elément du système immunitaire d'un organisme. Les anticorps s'attaquent aux virus et aux bactéries. Le corps fabrique différents anticorps contre chaque maladie.

Antivenin
L'antidote au venin des serpents ou des méduses. Pour être efficace, il doit être administré rapidement.

Camouflage
On dit des animaux naturellement capables de se confondre avec leur environnement qu'ils sont camouflés. Certains prédateurs emploient le camouflage pour les aider à chasser, tandis que les proies l'utilisent pour se dissimuler.

Canine
Les deux dents pointues entre les prémolaires et les incisives. Ce nom est tiré du mot latin signifiant « chien ».

Céphalothorax
La tête et le thorax chez certaines araignées et certains crustacés sont fusionnés pour former un céphalothorax.

Choc anaphylactique
Une réaction sévère aux morsures ou piqûres d'insecte pouvant être mortelles car la victime se trouve dans l'incapacité de respirer. Ceux qui risquent de souffrir de choc anaphylactique devraient se munir d'adrénaline pour les cas d'urgence.

Constituants
Les différentes parties dont l'ensemble forme une matière.

Coordination (perte de)
Incapacité à contrôler complètement les mouvements des muscles. Peut-être due à la fatigue ou aux effets de neurotoxines sur le système nerveux.

Digestion
Le processus qui transforme les aliments en éléments utiles. La digestion se déroule dans le tube digestif.

Disparu
Lorsque le dernier membre d'une espèce meurt, on dit que l'espèce a disparu. Toutes les espèces sont vouées à la disparition.

Dissoudre
Transformer en état liquide pour faciliter la digestion. Chez les animaux, les aliments sont dissous par différents acides naturels.

Distinct
Qui ne peut pas être confondu avec autre chose.

Docile
Calme et lent à réagir. Les animaux dociles sont peu enclins à attaquer.

Domestique
Apprivoisé par l'homme et élevé dans une maison ou dans une exploitation agricole.

Echolocalisation
L'utilisation de sonar pour localiser d'autres animaux ou se retrouver dans son milieu. L'écholocalisation est employée par exemple par les chauves-souris et les dauphins.

Environnement
Le milieu dans lequel on vit. Se dit également de l'état de l'ensemble de la planète.

Enzymes
Diverses protéines fabriquées par des êtres vivants et utilisées pour les processus physiologiques.

Etendues sauvages
Milieux naturels encore non colonisés par l'homme. Les plus grandes étendues sauvages qui subsistent sur la planète sont l'Antarctique et certaines zones de la forêt amazonienne.

Forêt vierge
Forêt dense d'arbres à feuilles persistantes dans des zones tropicales, recevant de fortes pluies de plus de deux mètres et demi par an.

Fossiles
Les restes d'anciens végétaux ou animaux piégés dans des roches sédimentaires et transformés après des millions d'années en minéraux.

Habitat (naturel)
Le milieu local fournissant la nourriture et l'abri d'un animal. Des exemples incluent la forêt vierge et l'Arctique.

Hémorragique (virus)
Il existe des virus qui se reproduisent en dissolvant les organes internes de leur victime. La victime crache ensuite du sang chargé de virus. Ce sang est très infectant. L'infection par un virus hémorragique est presque toujours mortelle.

Immergé
Entièrement sous l'eau. Constitue une méthode efficace pour se dissimuler en se tenant en embuscade.

Immunité
Résistance à un poison ou une maladie. Tous les animaux peuvent développer une immunité contre la maladie.

Importé
Introduit dans un pays depuis l'extérieur.

Infecté
Hôte d'une maladie transmise par une plante ou un animal.

Menacé
Qui risque de disparaître. Bon nombre d'espèces de grands animaux sont menacées.

Moyen Age
La période de l'histoire se situant entre l'Antiquité et la Renaissance. On dit qu'il a duré de l'an 476 jusqu'en 1453.

Nématocystes
Les cellules urticantes d'une méduse. Elles se composent d'un fil dardé qui émet une piqûre paralysante.

Neurotoxines
Poison agissant spécifiquement sur les tissus nerveux, provoquant une paralysie et parfois entraînant la mort.

Neutraliser
Rendre sans effets. Les antivenins neutralisent les effets de divers poisons ; les bases neutralisent les acides.

Nutriments
Aliments nécessaires à la vie et généralement dissous par des fluides.

Organiques
Provenant de tissus vivants.

Orifices
Les parties d'une araignée produisant le fil de soie pour tisser une toile.

Paralysie
Perte de la fonction motrice du corps. On peut devenir paralysé lorsque son système nerveux est envahi par des neurotoxines.

Plancton
De minuscules animaux marins unicellulaires vivant près de la surface de l'eau. Les planctons constituent la pointe de la pyramide alimentaire dans l'océan et sont la nourriture habituelle de la gigantesque baleine bleue.

Prédateurs
Animaux qui chassent et tuent d'autres animaux. Les animaux qu'ils chassent sont leurs proies.

Protéines
Eléments de base de toute cellule vivante, les protéines sont de grandes molécules régulant le fonctionnement des cellules. Elles sont fabriquées à partir des nutriments qu'absorbent une plante ou un animal.

Réfléchissant
Qui réfléchit la lumière. Un objet réfléchissant brille lorsqu'on dirige une lumière sur lui.

Rentrer
Rétracter ou refermer. Les animaux à coquille ou à carapace peuvent rentrer leurs pattes ou leurs antennes pour se protéger lors d'une attaque.

Salive
Du mucus liquide sécrété dans la bouche pour humecter les aliments et faciliter leur digestion. Certains animaux se servent de leur salive lorsqu'ils construisent des nids ou des toiles.

Sauropode
Un groupe de dinosaures herbivores caractérisé par un long cou et quatre pattes épaisses et puissantes. Apatosaurus et Diplodocus font partie des sauropodes.

Scientifiques
Les personnes qui étudient les sciences. Elles ne travaillent pas toutes dans des laboratoires. Par exemple, des archéologues étudient la façon de vivre des gens d'autrefois en travaillant sur les sites anciens dans le monder entier.

Segment
Partie d'un ensemble. Les animaux segmentés se composent de plusieurs parties flexibles leur permettant de se recourber et de se déplacer.

Solution
Liquide renfermant un solide dissous. L'eau salée est une solution de sel dissous dans de l'eau ordinaire.

Stéréoscopique
Un type de vision permettant de comprendre à quelle distance se trouvent des objets. Chez les êtres à vision stéréoscopique les yeux sont placés sur le devant de la tête, comme chez la plupart des animaux chasseurs. Les yeux des proies sont en général placés de part et d'autre de la tête pour leur procurer une vision panoramique.

Suffocation
Mort par manque d'oxygène. La plupart des grands félins étouffent leur proie en lui écrasant la trachée avec la bouche, au lieu de la tuer en mordant ou en griffant.

Tempérées
Zones du monde sans grands écarts climatiques, où il fait ni trop chaud, ni trop froid.

Termites
Insectes ressemblant à des fourmis vivant en grandes colonies dans des monticules appelés termitières. Ces monticules peuvent atteindre 10 mètres et héberger des millions de termites.

Transmettre
Faire passer quelque chose. La plupart des êtres vivants se transmettent des maladies par voie aérienne ou par contact direct. Le moyen de transmettre une maladie s'appelle un vecteur.

Transparent
Permet le passage de la lumière. Les atomes des objets transparents sont organisés de façon aléatoire, ce qui laisse traverser la lumière.

Traquer
Se déplacer en silence et avec précaution à la recherche d'une proie.

Tropicales
Se dit des zones du monde (tropiques) caractérisées par un climat chaud et humide avec de fortes précipitations.

Vaccination
Procédé inventé par Edward Jenner en 1796. La vaccination emploie une forme affaiblie d'une maladie pour stimuler le système immunitaire naturel. Lorsque son corps se retrouve en contact avec la maladie réelle, une personne vaccinée aura déjà développé une immunité lui permettant d'y résister.

Venimeux
Se dit de toute créature fabriquant du venin.

Venin
Un poison liquide fabriqué par des animaux et transmis par le biais de morsures, piqûres ou sécrétions cutanées. Certains animaux utilisent du venin pour éloigner des agresseurs tandis que d'autres l'utilisent pour tuer ou immobiliser leur proie.

Incroyable
mais vrai!

Les grandes énigmes de notre monde

Michele Gerlack

Introduction

Tu as sans doute souvent entendu cette phrase : "Comme c'est étrange !". La vérité, c'est que le monde et l'univers sont étranges. D'après le scientifique JBS Haldane, spécialiste de l'univers : "L'univers est non seulement plus étrange qu'on ne l'imagine, mais il l'est encore plus que l'on peut l'imaginer" !

En général, les gens considèrent les choses de façon à leur donner un sens. Cependant, elles ne se passent pas toujours comme nous l'imaginons, si bien qu'elles nous paraissent forcément étranges. Ainsi, les animaux ont parfois des comportements bizarres, la nature peut se mettre en colère, et les êtres vivants qui peuplent le fond de l'océan prennent souvent une apparence des plus curieuses. Il suffit de connaître les raisons de tous ces phénomènes pour qu'ils deviennent évidents.

Seul l'homme semble échapper à cette règle. Ici et là, les gens ont des activités étranges, ou établissent des lois tout aussi bizarres. Un comportement pourra paraître parfaitement sensé à quelqu'un, et n'avoir aucun sens pour une personne originaire d'un autre pays. Ainsi, le comportement et les croyances des Aborigènes d'Australie nous paraissent-ils absolument étranges. Pourquoi refusent-ils le confort des villes ? Quant à eux, ils ne comprennent pas pourquoi nous nous enfermons dans des maisons, ou nous prenons notre voiture pour parcourir quelques centaines de mètres !

Les savants commencent à découvrir le caractère étrange de l'univers. Lorsqu'ils étudient les minuscules particules qui composent l'atome, ils s'aperçoivent que les règles de la physique traditionnelle ne s'appliquent plus. Ces particules peuvent naître de rien, et se déplacer d'un endroit à l'autre sans emprunter l'espace qui les sépare.

La mécanique quantique permet de comprendre le monde de l'infiniment petit. Pour comprendre la nature étrange du monde qui nous entoure, il suffit de le regarder différemment !

Un monde étrange

Expérience d'apesanteur pour l'entraînement d'une **astronaute** de la NASA, dans un avion en chute libre.

Le scorpion, chasseur nocturne, photographié en lumière UV.

Arum géant Titan en fleur

3

Les caméléons changent-ils de couleur pour se confondre avec leur environnement ?

Les caméléons changent vraiment de couleur. Ce qui ne signifie pas que, si tu poses un caméléon sur un kilt, il va prendre les couleurs d'un tissu écossais ! En fait, les caméléons changent de couleur pour communiquer entre eux. Certaines zones de leur peau renferment divers **pigments** qui lui permettent de changer rapidement de couleur. Ce processus permet également à l'animal de contrôler sa température.

Ce caméléon, qui se déplace sur un sol couleur sable, ne prend pas de couleur de son environnement. Les caméléons échappent à leur agresseur en se déplaçant par saccades.

Pleut-il parfois des poissons et des grenouilles ?

Oui. En 1939, une pluie de minuscules grenouilles s'est abattue sur Trowbridge, en Angleterre. Et en août 2000, des milliers de poissons sont tombés en pluie sur un village. Ils avaient été aspirés par des vents violents, puis transportés par les nuages pour retomber enfin avec la pluie.

Quelle différence y a-t-il entre une grenouille et un crapaud ?

En fait, tous les crapauds sont des grenouilles ! Lorsque les gens parlent de grenouilles et de crapauds, ils font une distinction entre deux branches de la même famille. Les grenouilles vivent dans un **environnement** humide afin de conserver une peau lisse et humide. Les vrais crapauds préfèrent un milieu plus sec, de façon à avoir une peau rugueuse et sèche. Les grenouilles pondent leurs œufs en grappes, tandis que les œufs de crapaud forment de longues chaînes. On compte plus de 400 espèces de vraies grenouilles et plus de 300 de vrais crapauds. Tu peux les toucher ! Contrairement à la légende, tu n'attraperas pas de verrues, c'est promis !

La peau verruqueuse des crapauds a donné naissance à la croyance que toucher un crapaud peut donner des verrues.

4

Que se passe-t-il si tu laisses ton poisson rouge dans l'obscurité ?

Les poissons rouges sont photosensibles : leur peau réagit à la lumière du soleil. Si tu laisses un poisson rouge longtemps dans l'obscurité, il perdra sa belle couleur.

Tes poissons risquent-ils de grossir dans un grand aquarium ?

Oui. Les poissons s'adaptent facilement à leur environnement. Si tu les mets dans un grand **aquarium**, ils vont grossir. Alors, fais bien attention à la taille de ton aquarium ! Tu pourrais finir par avoir un poisson bien plus gros que ce que tu souhaitais !

Quel est l'animal le plus vénéneux du monde ?

C'est la grenouille dendrobate dorée, qui vit en Colombie : elle peut fabriquer suffisamment de poison pour tuer jusqu'à 1500 personnes ! Cette grenouille aux couleurs vives produit son venin en mangeant de petits insectes qui se nourrissent eux-mêmes de plantes vénéneuses. Certaines tribus de la Forêt Vierge enduisent leurs flèches avec ce poison, les rendant ainsi très meurtrières.

Grenouille dendrobate verte et noire.

VRAI ou FAUX ?

Les crocodiles pleurent !

Faux ! En réalité, il ne s'agit pas de larmes, car les crocodiles ne possèdent pas de glandes lacrymales. En fait, les crocodiles sécrètent un liquide destiné à maintenir leurs yeux humides lorsqu'ils sont hors de l'eau. Apparemment, les hommes sont les **uniques** animaux qui pleurent à grosses larmes lorsqu'ils sont tristes ou gais.

Les animaux et leurs records

Quel est l'oiseau qui se déplace comme un hélicoptère ?

C'est le minuscule colibri ! La plupart des oiseaux ont des ailes qui se meuvent de haut en bas, mais celles du colibri peuvent effectuer un mouvement de rotation autour de l'épaule, ce qui permet à l'oiseau de voler en arrière, ou même de faire du surplace.

Pour se nourrir de nectar, le colibri vole sur place et introduit son long bec pointu dans la fleur.

Qui a le plus gros appétit du monde ?

La baleine bleue est le plus gros mangeur de la planète. Chaque jour, elle mange deux fois plus qu'un être humain en une année. Alors que les hommes ont un **régime** alimentaire varié, cette baleine de 160 tonnes (soit le poids de 30 éléphants) absorbe exclusivement des crevettes microscopiques appelées krill. Elle est capable d'engloutir 40 millions de krill par jour.

Une baleine bleue géante et sa minuscule proie, le krill.

Les éléphants peuvent-ils être ivres ? •••••

Eléphant d'Afrique. Quand il est éméché, cet animal généralement placide devient très dangereux.

Les éléphants ont parfois des comportements qui rappellent ceux des hommes. Ainsi, ils aiment boire un petit coup de temps à autre ! Et ils adorent les fruits de l'amarula, un arbre qui pousse dans la savane. Ils en mangent tant et tant, que le jus **fermente** dans leur estomac et se transforme en alcool, si bien que les éléphants titubent un peu !

Quel est le mammifère le plus lent du monde ?

C'est le paresseux ! Il passe la majeure partie de son temps suspendu aux arbres des Forêts d'Amérique du Sud et d'Amérique Centrale. Quand il décide enfin de descendre, il met 22 minutes pour parcourir 100 m (un athlète met 10 secondes). Il n'est pas étonnant qu'il passe 80% de sa vie à dormir !

Pourquoi ton chat se frotte-t-il contre toi ? •••••

Ce n'est pas seulement parce qu'il est heureux de te voir ! Les chats possèdent des glandes dont les sécrétions ont une **odeur** : ils se frottent contre les gens et les objets afin de laisser leur odeur et marquer ainsi leur territoire. Ainsi, si ton chat vient se frotter contre toi, c'est pour montrer qu'il est bien chez toi et qu'il se sent chez lui !

Les pigeons ont un des meilleurs sens de l'orientation du monde animal !

Comment les pigeons voyageurs retrouvent leur nid ?

Le sens de l'orientation très développé des pigeons voyageurs leur permet de retrouver leur chemin en utilisant la position du soleil, des repères dans le paysage, ou l'énergie **magnétique** terrestre. Ainsi, un pigeon pris dans son nid (point de départ) et transporté à des kilomètres de là, retrouvera le chemin du retour grâce à la position du soleil, ou en reconnaissant certains éléments du paysage, comme les montagnes. De là-haut, il a une vue plongeante.

A table !
Curiosités à boire et à manger !

Pommes, oignons et pomme de terre ont-ils le même goût ?

Oui ! Leur différence de saveur provient de leur odeur respective. Vérifie toi-même ! Pince-toi le nez, et goûte un morceau de chacun de ces aliments : ils ont tous un goût sucré.

Les pépins de pommes sont-ils toxiques ?

Les pépins des pommes contiennent du **cyanure** (à l'odeur d'amande) en très petite quantité, pour se défendre de leurs agresseurs. Bien entendu, cela n'a aucun effet sur l'homme et les gros animaux, qui adorent les pommes juteuses à souhait. Pour que ce poison soit dangereux pour toi, il faudrait que tu manges des tonnes de pépins !

VRAI ou FAUX ?

Si tu avales ton chewing-gum, il restera des années dans ton estomac !

Bien sûr que non ! Rassure-toi, il n'y aura jamais une montagne de chewing-gum dans ton estomac ! Mais s'il t'arrive d'avaler ton chewing-gum, ce n'est pas grave. Il passera dans ton appareil digestif et sera éliminé comme les autres déchets. Cependant, avaler un chewing-gum n'est pas le meilleur moyen de s'en débarrasser : jette-le plutôt à la poubelle !

Quels sont les aliments les plus présent au monde ?

Il s'agit des céréales : riz, blé, **sorgho**, et avoine, pour le petit-déjeuner. On récolte 1,87 milliard de tonnes de céréales chaque année dans le monde.

Quelle est la garniture de pizza préférée ?

36% des pizzas vendues sont recouvertes d'une garniture aux poivrons. Aux États-Unis, 93% de la population en consomme au moins une par mois. En matière de garniture, tout est permis ! Beurre de cacahuète et confiture, et même purée de pommes de terre, pourquoi pas ?

Les Américains consomment 114 201 tonnes de poivrons par an, essentiellement pour les pizzas.

Quelle quantité d'eau potable la Terre dispose-t-elle ?

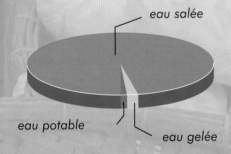

eau salée

eau potable

eau gelée

97% de l'eau présente sur la Terre est de l'eau de mer, salée, impropre à la consommation. L'eau douce ne représente que 3%. Malheureusement, 2% de cette eau existe sous forme de glace, dans les **glaciers** et les banquises. Ne reste donc que 1% d'eau potable, fournie par les lacs, les fleuves et les rivières, ainsi que par le sous sol.

Le sucre a-t-il des effets sur le cerveau ?

Vraisemblablement oui. Des savants ont découvert que les aliments riches en sucre (et en matières grasses) réduisent la quantité de certains composants chimiques du cerveau, utiles pour l'apprentissage. En 1978, des avocats américains ont défendu un criminel en prétendant qu'il n'était pas dans son état normal au moment des faits. Un psychiatre a déclaré à la cour que l'accusé avait mangé trop de sucreries, et en particulier des gâteaux appelés Twinkies, ce qui aurait affecté son jugement. Le prévenu a été acquitté.

Barres de Twinkie, l'une des friandises les plus populaires en Amérique.

Le monde aquatique
La mer, face cachée du monde

Quel animal se fixe avec une sorte de colle ?

Les moules sécrètent une substance visqueuse qui leur permet de se fixer partout. Des savants ont découvert récemment que les moules produisent cette substance en recueillant des particules particulières dans l'eau de mer, qu'elles mélangent avec une protéine. La médecine envisage d'utiliser cette colle naturelle pour suturer les plaies consécutives à une opération.

VRAI ou FAUX ?

Les étoiles de mer sont des poissons !

Faux ! Les poissons appartiennent à la famille des vertébrés (de même que l'homme, les oiseaux, et les reptiles) car ils ont une **colonne vertébrale** qui maintient leur corps. Certains êtres vivants, dont l'étoile de mer, en sont dépourvus : on les appelle des invertébrés. L'étoile de mer n'est donc pas un poisson ! Elle possède cependant une particularité bien pratique : si elle perd l'un de ses bras, il lui en pousse un nouveau.

Quel animal a les plus grands yeux du monde ?

Le calmar géant est une créature de légende qui existe vraiment.

Le calmar géant a des yeux de la taille d'une pizza (environ 39 cm de diamètre). Mais cet animal marin vit dans les profondeurs de l'océan, si bien que tu as peu de chances de le voir ! En avril 2003, un calmar géant ayant des yeux de la taille d'une assiette a été pêché dans l'Antarctique, près de la Nouvelle-Zélande.

Le corail est un animal constitué de millions de polypes.

Pourquoi les poissons de l'Antarctique ne gèlent-ils pas ?

La morue de l'Antarctique, Notothenia Coriiceps (c'est son nom savant) peut survivre dans les eaux glaciales de l'Antarctique grâce à une **protéine** présente dans son sang. Cette protéine agit comme un antigel : le sang de l'animal reste donc à l'état liquide, même à des températures inférieures à celle de l'eau dans laquelle il vit.

Quelle est la plus grande structure vivante du monde ?

La Grande Barrière de corail, au nord-est de l'Australie, est constituée de plus de 2900 récifs soudés entre eux, de 350 **espèces** de coraux, et de 1500 espèces de poissons. Cet écosystème fragile est menacé par les variations climatiques, la pêche, la pollution, et le tourisme.

Quel est le poisson qui dort dans un sac de couchage ?

Le poisson-perroquet, qui vit dans les récifs coralliens, possède une glande spéciale dans sa bouche. Cette glande sécrète un épais mucus dont il s'entoure avant de s'endormir. En masquant son odeur, ce cocon le protège des **prédateurs.**

Quel animal peut faire sortir son estomac de sa bouche ?

L'étoile de mer possède de nombreuses particularités, dont celle d'être capable de faire sortir son estomac de sa bouche afin de dévorer une grosse proie. Ainsi, elle l'avale, puis la digère.

11

Les insectes
Les petites bêtes qui rampent

Quelle est la taille maximale d'un insecte ?

Généralement les insectes sont minuscules. Ils ne possèdent pas de poumons et respirent grâce à des tubes ou spirales, qui **transfusent** l'oxygène de l'air dans leur corps. Peu efficace, ce processus limite leur croissance. Le plus long des insectes est le phasme, qui peut atteindre 50 cm. Le plus lourd est le Weta Géant, pesant plus de 70 grammes.

Le phasme est un insecte très long qui ressemble à une brindille.

Les scorpions brillent-ils dans le noir ?

Oui ! Exposés à un rayonnement **ultra-violet**, les scorpions brillent d'une lueur verdâtre, même s'il s'agit de scorpions fossiles datant de millions d'années ! On suppose que ce phénomène est dû à la présence d'une substance inconnue, dans leur organisme. Ainsi, les scorpions peuvent difficilement se cacher dans le noir !

Certains scorpions comptent parmi les animaux les plus venimeux, d'autres sont inoffensifs. Le venin de scorpion est utilisé en médecine pour le traitement de certaines maladies, dont le cancer.

Combien de sang un moustique peut-il absorber ?

Un moustique absorbe une fois et demie son propre poids de sang à chaque piqûre. A l'échelle humaine, cela correspondrait à environ 114 litres d'eau. Seules les femelles piquent, car elles ont besoin de sang pour produire leurs œufs. Leur odorat très développé leur permet de détecter ton odeur à plus de trente mètres.

Comment se nourrissent les fourmis ?

La forme particulière de leur bouche ne permet pas aux fourmis de mâcher et d'avaler des aliments solides. Elles les pressent, afin d'en extraire le suc, qu'elles boivent. Il arrive à la fourmi de conserver de la nourriture dans ses différents estomacs ! Un premier estomac contient son propre repas, et le second, celui qu'elle partagera avec ses compagnes.

Comment le bombardier se défend-il ?

Pour éloigner ses prédateurs, le bombardier a une arme très efficace. En cas de danger, il projette sur son agresseur une sécrétion produite par certaines glandes de son abdomen. Son ennemi est aveuglé, et le bombardier en profite pour prendre la fuite.

Les abeilles ne piquent-elles qu'une seule fois ?

L'abeille ne peut utiliser son aiguillon qu'une seule fois. Si elle l'utilise pour se défendre, elle meurt. Fixé à l'extrémité de son abdomen, l'aiguillon se termine par un crochet qui s'agrippe fermement à la peau de sa proie. Lorsque l'abeille s'envole, elle déchire son propre abdomen. Contrairement aux abeilles, les guêpes ont un aiguillon lisse qui peut piquer plusieurs fois. Voilà pourquoi les guêpes ont la réputation d'être plus agressives que les abeilles.

VRAI ou FAUX ?

Une piqûre de tarentule est mortelle !

Faux ! Certaines personnes considèrent même les tarentules comme des animaux de compagnie ! Elles ne piquent que très rarement. Dire que leur poison est mortel relève de la légende. La piqûre de ces grosses araignées provoque tout au plus une **irritation** de la peau. Leur **abdomen** est couvert de poils contenant une substance qui peut entraîner des irritations cutanées. Il est donc recommandé de se laver les mains après avoir touché une tarentule.

13

Pourquoi l'arc-en-ciel forme-t-il un arc ?

En réalité, un arc-en-ciel décrit un cercle dont tu ne vois que la moitié, le reste étant caché par le sol. En avion, il est possible de voir le cercle entier. Pour que se forme un arc-en-ciel, il faut que les rayons du soleil traversent de minuscules gouttes d'eau dans l'atmosphère. Ces gouttelettes réfractent les rayons comme à travers un **prisme** de verre. La réfraction est la décomposition de la lumière en ses différentes couleurs (violet, indigo, bleu, vert, jaune, orangé et rouge). La science moderne ne peut expliquer pourquoi ces réfractions se combinent pour donner la forme familière de l'arc-en-ciel.

L'arc-en-ciel est une merveille de la nature. Sa beauté et les mystères de sa formation ont été la source de nombreuses légendes, la plus connue étant celle qui assure qu'un vase rempli d'or se trouve à son extrémité.

Où se trouve le plus petit état du monde ?

Il existe un grand nombre de petits pays, comme Monaco, les Iles Cook. Mais le Vatican, en Italie, est le plus petit état du monde, sous l'autorité du pape. Ses dépenses sont couvertes par la contribution des catholiques romains du monde entier. La cité du Vatican est une petite ville de 900 habitants, dont 100 gardes suisses, qui s'étend sur 44 hectares. Elle est entourée par la grande ville de Rome. Le Vatican possède son propre préfixe national du domaine internet : "va".

Tous les fleuves vont-ils à la mer ?

Cette croyance populaire a été immortalisée par des chansons et des dictons.
Malheureusement, elle n'est pas complètement exacte. En Afrique du Nord, les fleuves qui coulent vers le sud, à partir du Tassili, disparaissent dans les sables du Sahara.

Qu'est-ce que la Ceinture de Feu ?

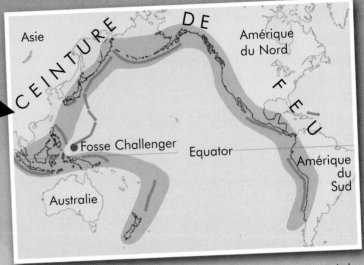

Le monde compte plus de 600 **volcans** en activité, dont plus de la moitié se situe le long de l'océan Pacifique, dans la Ceinture de Feu, qui cerne tout l'océan. Au fond de la mer, une suite de failles de la croûte terrestre et de bordures des plaques tectoniques entraînent une activité volcanique. La plupart des volcans de la Ceinture de Feu sont sous-marins.

La Ceinture de Feu, dans l'océan Pacifique est une région d'intense activité volcanique, où se produisent souvent tremblements de terre et tsunamis.

Le Pôle Nord est-il une île ?

En réalité, le Pôle Nord est un immense bloc de glace flottant sur la mer. En 1958, le Nautilus, premier sous-marin nucléaire (Etats-Unis) a franchi la calotte glaciaire du Pôle Nord en plongée, en un périple de 2945 km. Il a fait brièvement surface près du pôle, en brisant la glace avec sa tour d'observation.

Comment transporter le pétrole de l'Arctique sans qu'il gèle ?

En 1977, les Américains ont construit un pipeline de 1290 km, depuis l'océan Arctique jusqu'au sud de l'Alaska. Pour empêcher le pétrole de geler durant les neuf jours du voyage, ils l'ont chauffé à 45°C.

VRAI OU FAUX ? Le vendredi 13 porte malheur !

C'est un jour comme les autres, à cette différence près que les gens croient parfois qu'il va leur arriver quelque chose de désagréable. Cette superstition perdure depuis des centaines d'années. Certains pensent qu'elle remonte à la condamnation à mort, par le **pape** et le roi de France, d'un grand nombre de chevaliers le vendredi 13 de l'année 1307. (Ce n'est donc pas le 12e siècle, comme indiqué dans le texte, mais le 14e). Pour d'autres, elle ferait référence à plusieurs événements dramatiques survenus le vendredi, comme la mort de Jésus.

La Terre
Chez nous

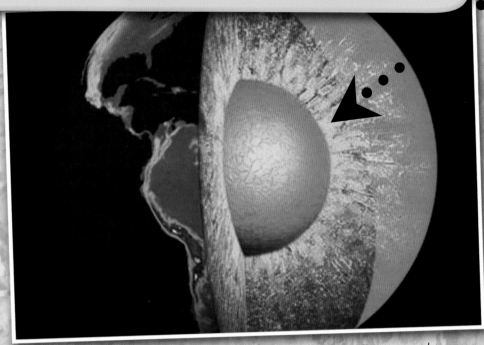

Le centre de la terre est un noyau liquide de fer en **fusion**. La Terre a un champ magnétique dont l'origine tient à l'existence de courants électriques circulant dans le noyau.

La Terre est-elle vraiment ronde ?

Dans l'Antiquité, on croyait que la Terre avait la forme d'un disque, et que si l'on s'aventurait trop loin sur la mer, on risquait de tomber. Cette croyance a disparu lorsque des savants ont démontré que la Terre est ronde. Des mesures précises effectuées par des instruments modernes ont permis d'affirmer que notre planète n'est pas parfaitement ronde. En réalité, elle est renflée en son milieu et légèrement aplatie aux deux sommets. Cette forme étrange est le résultat des effets de la gravitation du soleil et de la lune sur la surface de la planète, mais ces irrégularités sont trop infimes pour être visibles à l'œil nu.

Sur cette illustration, les irrégularités de la forme de la Terre ont été exagérées afin d'être visibles.

Y a-t-il du feu au centre de la Terre ?

Non, mais sa température avoisine les 4 000°C. On y trouve une pression très forte, et un liquide constitué de fer en fusion. Dans les galeries des mines de charbon, cette chaleur se fait ressentir alors qu'on se trouve à 4 800 km du centre de la terre. Sachant que les forages les plus profonds mesurent actuellement environ 12 km, il y a encore beaucoup de chemin à faire avant d'atteindre le noyau !

VRAI ou FAUX ?
La Californie est l'état d'Amérique le plus exposé aux tremblements de terre !

Bien que la Californie se situe le long d'une côte où se produisent de nombreux **tremblements de terre**, et juste à l'extrémité de la faille de San Andréas, ce n'est pas l'état d'Amérique où la terre tremble le plus souvent. L'Alaska, en revanche, est l'état le plus exposé : chaque année, un tremblement de terre de magnitude 7 ou plus, y survient. Les Américains qui redoutent les tremblements de terre devraient habiter le Dakota du Nord, l'état le moins sensible de toute l'Amérique du Nord.

Drapeau de l'Etat de l'Alaska.

Que devient la pluie ?

La pluie tombe sur le sol, et l'eau se rassemble pour former des fleuves ou bien, elle s'infiltre dans le sol, constituant ainsi de vastes réservoirs naturels souterrains. Les fleuves se jettent dans les mers, et même les eaux souterraines finissent par rejoindre l'océan. La chaleur du soleil fait **évaporer** une partie de l'eau de mer, qui s'élève dans l'atmosphère, et retombe plus loin sous forme de pluie.

Est-ce que la Terre prend du poids ?

Oui. Depuis 4,6 millions d'années, le poids de la Terre s'est accru de la poussière des **météorites** qui sont tombées à sa surface. Les météorites brûlent en atteignant l'atmosphère terrestre, et tombent en pluie de poussière. Environ 25 tonnes tombent ainsi chaque jour (plus que la charge de ces autobus), soit 9 125 tonnes par an.

La vidange des baignoires tourne-t-elle dans le même sens dans l'hémisphère nord et l'hémisphère sud ?

Cette question a pour base une réalité scientifique : la rotation de la Terre réagit sur les fluides se déplaçant dans l'atmosphère. Ainsi, les **ouragans**, dans l'hémisphère nord, tournent dans le sens des aiguilles d'une montre, et dans le sens inverse dans l'hémisphère sud. Cependant, cet effet (connu sous le nom de force de Coriolis) est très faible. Les vidanges de baignoires devraient suivre la théorie, mais d'autres facteurs (vibrations, vagues dans l'eau du bain, etc) masquent totalement cet effet.

Quel est le minéral le plus dur de la Terre ?

Les minéraux sont des substances naturelles se trouvant à l'intérieur du sol ou à sa surface, dont on mesure la dureté sur une échelle de 1 à 10. Le diamant est le minéral le plus dur (10). Seul un diamant peut couper ou polir un autre diamant. La poudre de talc est le minéral le plus léger (1). Le verre atteint le niveau 5,5.

La force de Coriolis est différente selon les parties du monde.

Des gens étranges
Bizarreries et curiosités

A quoi servent les sourcils ?

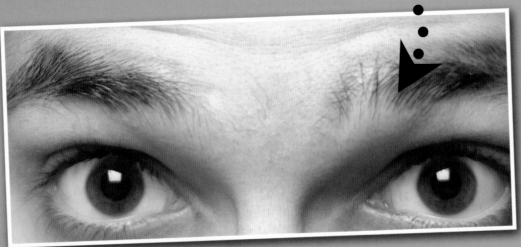

Les sourcils seraient des vestiges de notre lointain passé, lorsque les hommes avaient besoin de protéger leurs yeux de la pluie et de la sueur. Le corps et le visage des Australopithèques étaient couverts de poils. Bien visibles sur notre visage, les sourcils servent à exprimer nos **émotions**, et font partie de notre langage du corps.

Les somnambules sont-ils réveillés ?

Non, ils sont encore endormis. Souvent ils agissent en rêvant. Ils sont capables de contourner des obstacles car leurs yeux envoient des messages à leur cerveau. Une personne somnambule n'a pas le sens du danger : elle peut donc ouvrir une fenêtre à l'étage et tomber. Une personne sur dix est somnambule à une période de sa vie. Le terme médical est le somnambulisme.

Une personne sur dix est atteinte de somnambulisme à une période de sa vie.

Pourquoi jongler est-il bon pour le cerveau ?

Certains savants assurent qu'apprendre à jongler développe le cerveau. S'entraîner à cet art **complexe** développe la matière grise, qui joue un rôle important dans la mémoire visuelle. Des tests ont montré que le cerveau des jongleurs se réduisait lorsqu'ils cessaient de pratiquer leur art.

Pourquoi tout le monde n'a-t-il pas la même couleur de peau ?

Le corps humain produit une substance brun foncé appelée mélanine, destinée à protéger la peau des rayons solaires. Les personnes qui en produisent beaucoup ont une peau noire, les autres, une peau claire. D'après les spécialistes, nos lointains ancêtres (il y a des milliers d'années) venaient d'Afrique, ils étaient noirs. Cependant, après leur installation dans des régions plus froides et moins ensoleillées, la quantité de mélanine produite par leur corps a diminué au cours du temps, et leur peau s'est éclaircie.

Comment sommes-nous apparentés les uns aux autres ?

Les humains sont relativement proches parents les uns des autres. Contrairement aux autres animaux (les chiens, par exemple), il n'existe qu'une race d'hommes. Tous les hommes modernes descendent d'un petit groupe d'humains qui a quitté l'Afrique, il y a plusieurs milliers d'années. Ils ont donc tous des **ancêtres** communs, quel que soit l'endroit où ils vivent. Tu es apparenté génétiquement aux Aborigènes d'Australie, tout comme aux Esquimaux ou aux Indiens d'Amérique.

Les cheveux poussent-ils encore après la mort ?

Après le décès, la peau se dessèche et rétrécit car le cœur ne fait plus circuler le sang dans l'organisme. Ce rétrécissement de la peau fait émerger les poils (de même que les ongles) même s'ils conservent la même longueur. On a alors l'impression qu'ils ont poussé.

VRAI ou FAUX ?

Walt Disney, le créateur de Mickey, a demandé que son corps soit conservé par congélation après sa mort !

Faux ! Il s'agit d'une rumeur. Walt Disney accordait une importance tournant à l'**obsession** quant à son intimité, qu'il s'agisse de sa vie et de sa mort. En réalité, sa dépouille mortelle repose dans un tombeau de famille, au Forest Lawn Memorial Park, à Los Angeles (Etats-unis).

19

L'espace et au-delà
L'univers est plus étrange qu'on ne peut l'imaginer

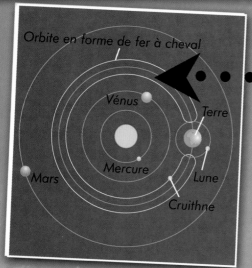

L'astéroïde 3753 Cruithne décrit une orbite en forme de fer à cheval autour de la Terre.

Combien la Terre a-t-elle de lunes ?

Tu connais la Lune, qui illumine le ciel, la nuit. Mais tu ne sais peut-être pas que, de temps en temps, la gravité terrestre capture de petits astéroïdes qui se mettent à décrire d'étranges orbites autour de la Terre. En 1986, des astronomes ont découvert la dernière de ces minuscules lunes, d'environ 3 km de diamètre, baptisée Cruithne. Il est probable que Cruithne accompagnera la Terre pendant cinq ou dix mille années, avant de se libérer pour poursuivre son voyage spatial.

Les astronautes grandissent-ils au cours d'un voyage spatial ?

Oui ! Dans l'espace, en l'absence de gravité terrestre, les objets n'ont plus de poids. En l'absence de pression sur les disques des vertèbres, la colonne vertébrale s'allonge légèrement. En apesanteur, les astronautes doivent faire de l'exercice régulièrement afin d'entretenir leur masse musculaire.

Exercice d'apesanteur (zero g) de l'astronaute Sharon McAuliff, à bord d'un avion de la NASA.

Pourquoi a-t-on d'abord envoyé des animaux dans l'espace ?

Le chimpanzé Ham met son équipement.

Au début de l'exploration spatiale, personne ne connaissait exactement les conditions et les effets d'un vol en **orbite** sur les hommes. De plus, on ne savait pas lancer une fusée assez grande pour accueillir un homme. D'où la décision d'envoyer d'abord des animaux dans l'espace. Différents animaux ont effectué des vols spatiaux, dont une chienne appelée Laïka, un chat, Félix, et un chimpanzé répondant au nom de Ham.

La chienne Laïka dans sa capsule.

Quel est le plus gros astéroïde connu ?

Approche d'un astéroïde par une sonde spatiale

Les astéroïdes sont des blocs de roches datant de la création de l'univers qui se déplacent dans l'espace jusqu'à ce qu'ils rencontrent une planète. Le plus gros astéroïde connu circule entre Mars et Jupiter. Il a 933 km de diamètre (il en existe certainement de plus gros). Le plus gros qui soit passé relativement près de la Terre mesurait 8 km de diamètre

VRAI ou FAUX ?

Il n'existe pas de pesanteur dans l'espace !

Contrairement à la croyance populaire, la pesanteur s'exerce dans l'espace. Effectivement, c'est la force de **gravité** qui fait tourner les planètes autour du Soleil. Les astronautes "flottent" dans l'espace parce que la vitesse à laquelle ils tombent en direction de la Terre est identique à celle à laquelle la Terre s'éloigne.

Que les extra-terrestres penseraient-ils de nous ?

En 1970, lorsque les techniciens de la **NASA** ont lancé les sondes spatiales Pioneer et Voyager, ils se sont demandés ce qui arriverait si des extra-terrestres les découvraient. Les sondes ont donc été munies d'une plaque indiquant leur provenance, et des renseignements sur les humains. Elles transportaient aussi un enregistrement sonore, avec des bruits de la Terre, de la musique et les salutations de la NASA. On ignore ce que les extra-terrestres auraient fait de toutes ces informations !

Ce disque renfermait les renseignements envoyés dans l'espace à bord de la sonde Voyager. La plaque rectangulaire était à bord de Pioneer 6 et 7. Toutes deux contenaient des instructions en code binaire.

De quoi l'univers est-il fait ?

L'univers est composé de milliards d'étoiles, de planètes et autres objets célestes, ainsi que d'immenses nuages de gaz interstellaire. Mais les **astronomes** ont découvert que cela ne représente pas toute la matière que l'univers est censé renfermer. Les savants pensent que 90% de l'univers est fait de matière noire, invisible au télescope. Si la matière noire n'existe pas, les scientifiques ne comprennent pas le fonctionnement de l'univers, aussi poursuivent-ils intensément leurs recherches.

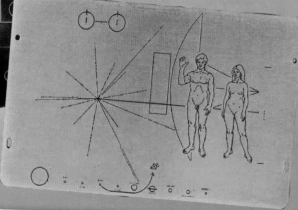

…➤ Constructions folles
Quand le bâtiment va mal !

Pourquoi la Tour de Pise est-elle penchée ? •••••➤

La Tour de Pise est édifiée sur un terrain composé de sable, ce que les constructeurs ignoraient au début des travaux, en 1174. Elle a commencé à pencher à partir du moment où trois de ses étages ont été érigés. 800 ans après, des techniciens se sont attaqués au problème, plaçant des charges importantes sur le côté nord de la tour, tandis que les fondations étaient renforcées. La tour s'est légèrement redressée, et si elle penche toujours, elle ne semble plus être sur le point de tomber.

La célèbre Tour Penchée de Pise, en Italie, porte bien son nom. Elle a été légèrement redressée, afin d'empêcher qu'elle ne s'écroule.

Quand a débuté la construction de la Grande Muraille de Chine?

La construction de la Grande Muraille a commencé en 220 av. J.-C., sous la **dynastie** Qin. Elle est composée de plusieurs murs accolés bout à bout. Les parties principales ont été édifiées au cours des deux millénaires suivants. Les travaux se sont terminés en 1644, sous la dynastie Ming. La Grande Muraille de Chine s'étend sur 4 000 km de long.

Une partie de la Grande Muraille, serpentant à travers la campagne.

Pourquoi le site de Stonehenge est -il en pierre ? •••••••

Construit il y a plus de 5 000 ans par un peuple inconnu, il était constitué de pieux de bois disposés en cercle. En 2 100 av. J.-C., de grosses pierres bleues provenant des monts Prescelli, dans le sud du Pays de Galles, (à une distance de 395 km de là) ont été traînées et dressées sur le site. Une centaine d'années plus tard, ces pierres ont été remplacées par des **mégalithes** trouvés sur place, et disposés comme ils sont actuellement.

Stonehenge, dans le sud de l'Angleterre, est un des plus importants sites néolithiques du monde.

Une ville peut-elle couler ? •••••••••

Deux vues de Venise. La place et la Basilique St Marc, et une partie du Grand Canal, montrant comment la ville peut être inondée.

Oui ! L'exemple le plus célèbre est la ville de Venise, construite sur une lagune composée de centaines d'îlots sableux. Les variations du niveau de la mer entraînent le sable des **fondations** qui soutiennent les édifices, et les vagues font des brèches dans les digues de protection de la ville. Certains quartiers sont inondés. (les marches de marbre donnant accès aux canaux sont parfois recouvertes d'eau à marée haute). La ville s'enfonce petit à petit dans la lagune.

Quel fut le prix de la construction de l'opéra de Sydney ? ••••••••••

L'**opéra** de Sydney, en Australie, surplombe le port. Le coût de la construction de cet édifice original a atteint près de 12 fois celui du budget initial (75 millions de dollars, au lieu des 6 millions prévus). Si le prix réel de la construction avait été connu au départ, ce monument à l'architecture audacieuse n'aurait sans doute jamais vu le jour.

La toiture originale de l'opéra de Sydney est un joyau d'architecture qui entre pour une bonne part dans le prix total de la construction.

VRAI ou FAUX ?

La Grande Muraille de Chine est la seule construction humaine visible de l'espace !

Faux ! Les photographies prises par les astronautes en orbite basse (563 km) révèlent d'autres constructions (ponts, autoroutes, aéroports). Vue de l'espace, la Grande Muraille a l'apparence d'une ligne brune qu'il est parfois difficile d'identifier

Le Taj Mahal est-il l'une des sept merveilles du monde ? ••••

Non ! Mais c'est un miracle si cette merveille n'a pas été détruite ! Au XIXe siècle, ce mausolée de marbre blanc a failli être démoli, le marbre devant être vendu à Londres. Heureusement, la démolition a été arrêtée à la dernière minute, car personne, à Londres, ne s'intéressait à l'achat de marbre indien.

Quelle a été la première émission de télévision ?

Après de nombreux essais, les premières émissions ayant une diffusion importante ont été réalisées par la BBC à Londres, ainsi que par la télévision allemande, à Berlin, en 1935. Les signaux de la télévision allemande étaient beaucoup plus puissants que ceux de la BBC. Si des extra-terrestres avaient regardé notre télévision depuis l'espace, les signaux qu'ils auraient captés auraient été ceux des Jeux Olympiques de Berlin, en 1936.

L'émetteur de la BBC de Crystal Palace couvre tout le sud-est de l'Angleterre.

Quel est le dernier pays équipé de la télévision ?

Le petit royaume mon-tagneux du Bhoutan n'a eu accès à la télévision qu'en 1999. A l'occasion de son 25e anniversaire, le roi a adopté à la fois la télévision et internet. Des **psychologues** ont étudié les effets de l'arrivée de la télé-vision sur le peuple bhoutanais.

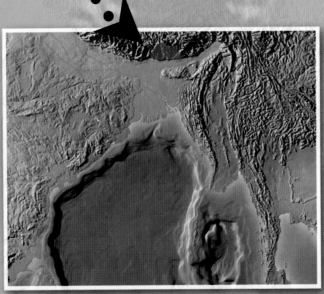

Le petit royaume de Bhoutan (en rouge) est situé dans les montagnes de l'Himalaya, entre l'Inde et la Chine.

Peut-on fabriquer du diamant à partir du charbon ?

Au Moyen-âge, le rêve des alchimistes était de transformer les métaux, comme le plomb, en or. Depuis que les scientifiques ont découvert la composition du diamant, ils sont capables d'en fabriquer dans leurs laboratoires. Après avoir chauffé du graphite à très haute température, ils le compriment jusqu'à ce qu'il se transforme en diamant. C'est ainsi qu'est fabriqué le diamant industriel, mais il est beaucoup plus difficile de faire de véritables pierres précieuses.

*Un **alchimiste** dans son laboratoire. Au Moyen-âge, les alchimistes recherchaient le moyen de transformer les éléments courants en matières plus précieuses comme l'or. Ils recherchaient également le secret de la vie éternelle.*

VRAI ou FAUX ?

La majorité des gens n'utilisent que 10% de leur cerveau !

Non ! Cette affirmation est souvent utilisée pour expliquer pourquoi certaines personnes ont des pouvoirs télépathiques. En réalité, nous faisons un bon usage de tout notre cerveau. Même si les scientifiques ne connaissent pas entièrement son fonctionnement, ils ont démontré, grâce à des images à résonance magnétique, que le cerveau travaille, toute la journée, à de nombreuses activités diverses. Chaque partie de ton cerveau reçoit et envoie un grand nombre d'informations.

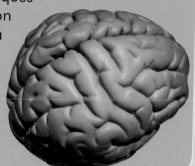

Un kilogramme perdrait-il de son poids ? •••••

Le poids exact du kilogramme est défini par celui d'un cylindre de **platine iridié**, déposé en Angleterre en 1898. Au cours du siècle dernier, le cylindre a perdu du poids (soit l'équivalant d'un grain de sel) par érosion de sa surface.

Ne compte pas sur ces poids d'un kilo pour faire plus facilement tes mouvements de gymnastique !

Quel est le plus petit livre du monde ? ••••

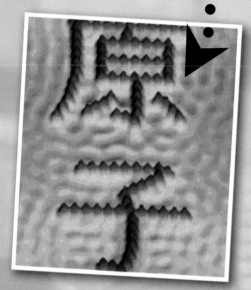

Finie, l'utilisation du crayon ! Des scientifiques japonais et américains ont écrit un texte avec des atomes. En utilisant un microscope à tunnel, ils ont aligné certains atomes pour constituer des mots. Encore plus stupéfiant ! D'autres scientifiques ont réussi à écrire des mots sur les atomes en déplaçant des électrons.

•••Les ordinateurs jouent aux échecs !

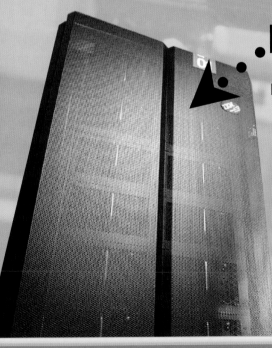

Les ordinateurs sont capables de jouer aux échecs depuis longtemps, mais ils ont acquis récemment assez de puissance pour battre les meilleurs joueurs du monde. En 1997, l'ordinateur Deep Blue a battu le champion Gary Kasparov. Grâce à sa rapidité, il peut estimer le meilleur jeu possible, à l'avance. Le joueur, lui, le fait par **intuition**. Cependant, Deep Blue n'avait pas conscience de jouer aux échecs.

Le super-ordinateur Big Blue, d'IBM, joue également aux échecs.

Les plantes
Etonnants végétaux

Les plantes peuvent-elles se déplacer ?

Toutes les plantes bougent, ne serait-ce que parce qu'elles grandissent. Certaines, comme le tournesol, tournent leurs fleurs vers le soleil. Les plantes carnivores possèdent des sortes de mâchoires qui se ferment rapidement, ou des rameaux qui se resserrent sur une proie. Mais il existe un champignon, le mycète, capable de se déplacer sur le sol, et même de monter sur le tronc d'un arbre et d'en redescendre pour chercher sa nourriture, parcourant ainsi plusieurs mètres par jour !

Le mycète Dog Vomit se déplaçant pour chercher sa nourriture.

Les plantes se nourrissent-elles d'animaux ?

On compte plusieurs variétés de plantes carnivores. La plus connues est la Vénus attrape-mouches, qui attire les insectes avec son parfum. Lorsqu'un insecte se pose sur une feuille largement ouverte, les poils qui la recouvrent provoquent sa brusque fermeture, piégeant ainsi l'insecte. La plante utilise des sucs digestifs particuliers pour digérer sa proie vivante. Quelques jours après, elle ouvre sa feuille, afin de capturer un autre imprudent.

Les feuilles de cette plante carnivore se referment pour emprisonner un insecte imprudent.

Quel est le plus grand arbre du monde ?

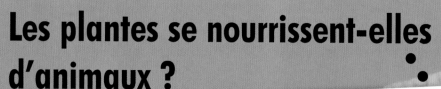

Le séquoia géant domine les arbres et les plantes qui l'entourent.

C'est le séquoia géant. Il peut atteindre 84 mètres de haut, et 29 mètres de circonférence. (soit une chaîne de 10 personnes). On le reconnaît facilement à la forme massive de son tronc. Le séquoia de Californie, une espèce voisine, est l'arbre le plus haut du monde.

Quelle est l'unité de mesure du diamant ?

L'unité de mesure pour les pierres précieuses est le carat. Un carat correspond à 200 milligrammes. Le mot doit son origine à l'utilisation de la graine du caroubier, un arbre poussant en Afrique, et non de la carotte, comme pourrait le laisser supposer le mot carat.

Quelle est la plante la plus malodorante?

C'est l'arum titan ! Il fleurit rarement, mais quand cela arrive, ses fleurs dégagent une odeur nauséabonde. Cette odeur rappelle celle d'un mélange de viande brûlée, d'œufs et de fromages pourris ou d'**excréments**. La dernière floraison de la plante, au Jardin Botanique de Kiev, en 1996 (les précédentes floraisons dataient de 1926 et 1889), a permis aux botanistes

L'arum TITAN en fleur, aux US Botanical Gardens

d'étudier son odeur. Ils ont découvert qu'elle est due à deux produits chimiques libérés avant et après la pollinisation.

Le sumac vénéneux est-il toxique ?

Oui, bien sûr. Mais tu n'en mourras pas si tu le touches ! Mais tu auras des irritations cutanées et des démangeaisons. Les feuilles de cette plante des bois et des jardins contiennent une huile incolore, appelée urushiol. Une seule goutte de cette substance suffit pour donner des rougeurs et des démangeaisons à beaucoup de gens. Le seul **moyen** de calmer cette irritation est de se laver immédiatement à l'eau froide, voire de consulter un médecin.

VRAI ou FAUX ?

Manger des carottes permet de mieux voir dans l'obscurité !

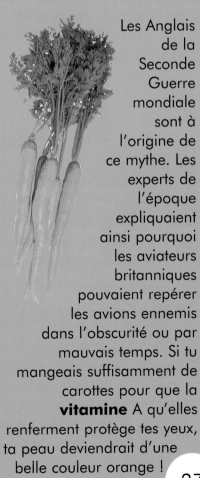

Les Anglais de la Seconde Guerre mondiale sont à l'origine de ce mythe. Les experts de l'époque expliquaient ainsi pourquoi les aviateurs britanniques pouvaient repérer les avions ennemis dans l'obscurité ou par mauvais temps. Si tu mangeais suffisamment de carottes pour que la **vitamine** A qu'elles renferment protège tes yeux, ta peau deviendrait d'une belle couleur orange !

Quel est la loi la plus stupide du monde ?••••••••••

Il y en a beaucoup ! En voici un petit échantillonnage :

A Omaha, aux Etats-Unis, les parents peuvent être arrêtés si leur enfant fait un rot dans une église.

Au Texas, il est interdit de traire les vaches du voisin.

Les sucres d'orge sont interdits dans l'état de Washington.

En Thaïlande, ne pas porter de sous-vêtements est illégal.

En Angleterre, les femmes n'ont pas le droit de manger du chocolat dans les autobus et les trains.

Quand tu visiteras le Texas, prends garde à la vache que tu vas traire !

Distance record parcourue par une automobile.

Elle varie selon le type de voiture, mais le record est détenu depuis 1957 par une Mercedes 180D, qui aurait parcouru 2 millions de km en 21 ans. Soit deux fois et demi la distance de la Terre à la Lune aller et retour.

Quelle est la bombe la plus puissante qui ait explosé ? •••

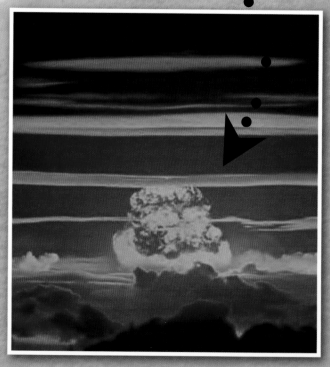

Le 30 octobre 1961, les Soviétiques ont fait exploser au-delà du Cercle Arctique la plus puissante bombe nucléaire jamais fabriquée. Les débris ont fait trois fois le tour de la Terre, et le champignon qui s'est formé a atteint 65 km de haut, parvenant au-delà de l'atmosphère. Cette bombe était dix fois plus puissante que tous les explosifs utilisés lors de la Seconde Guerre mondiale.

Que se passe-t-il lorsque tu tires la chasse dans les toilettes d'un avion ?

Les avions ont des toilettes spéciales, sous **vide**, qui aspirent les déchets, et un peu de détergent dans un réservoir. Normalement, les déchets restent à bord jusqu'à l'atterrissage. Cependant, un Américain a intenté un procès contre une compagnie d'aviation car un bloc de ces déchets tombés du ciel a atterri sur son bateau. Il a obtenu 3 236 dollars de dommages.

Comment arrêter un grand navire ?

Il est plus difficile d'arrêter un navire qu'une voiture. Et cela, d'autant plus qu'il est gros et lourd. Le plus gros navire actuel est le supertanker Jahre Viking, pesant 565 000 tonnes lorsqu'il est chargé. Il est aussi long que 48 autobus, et large comme la moitié d'un terrain de football. A la vitesse moyenne de 18 milles à l'heure, et à plein chargement, il lui faudrait 15 minutes pour s'arrêter.

Le supertanker Jahre Viking croisant dans le Golfe Persique.

Que se passerait-il, si l'on détruisait toutes les Forêts tropicales ?

La température augmenterait sur la Terre car il n'y aurait plus suffisamment d'arbres dans le monde pour absorber le **dioxyde** de carbone qui produit le réchauffement du climat. Actuellement, les Forêts tropicales sont détruites à raison de l'équivalent de la superficie de 200 terrains de football par minute.

L'exploitation commerciale des arbres à bois dur menace la survie de nombreuses **Forêts tropicales.**

VRAI ou FAUX ?

Se tenir trop près de la TV est dangereux !

Faux ! Si tu t'assois trop près de la télévision, tu risques seulement une irritation des yeux. L'idéal, c'est de se tenir au moins à 1,5 m de l'écran, et de battre les paupières de temps en temps pour que tes yeux conservent leur humidité. Cette idée qu'il ne faut pas regarder la télévision de près date des années 60 : certains tubes de télévision émettaient des **rayons X** dangereux, ce qui n'est plus le cas aujourd'hui.

Glossaire

Abdomen
Partie du corps humain située entre la poitrine et le petit bassin. Chez les insectes, l'une des trois parties du corps, les autres étant la tête et le thorax.

Alchimiste
Personne qui pratique l'alchimie, c'est-à-dire une science occulte destinée à changer des métaux ordinaires en or. L'alchimie est le précurseur de la science moderne.

Ancêtre
Personne dont tu descends grands-parents et au-delà. Dans certaines parties du monde, les ancêtres sont particulièrement respectés et même adorés.

Aquarium
Réservoir à parois de verre dans lequel l'on élève des poissons.

Astronaute
Personne qui se déplace dans une fusée en orbite. En Russie, elle est appelée cosmonaute.

Astronome
Personne qui étudie les étoiles au moyen de télescopes et d'autres instruments. Ne pas confondre avec l'astrologue, qui est censé prévoir l'avenir par l'observation des mouvements des planètes.

Colonne vertébrale
Ensemble des os qui soutiennent le squelette. Chacun de ces os est une vertèbre. Les vertèbres s'articulent en un arc osseux.

Complexe
Se dit de quelque chose qui n'est pas simple. Qui contient plusieurs éléments différents.

Cyanure
Poison violent. On trouve différents types de cyanure, plus ou moins toxiques. Curieusement, le cyanure a une odeur d'amande grillée.

Dioxyde de carbone
Gaz toxique responsable de l'effet de serre sur la Terre et sur Vénus. Il est composé d'un atome de carbone et de deux atomes d'oxygène. On le trouve à raison de 0, 003% dans l'atmosphère terrestre.

Dynastie
Succession de souverains ou d'hommes célèbres d'une même famille : dynastie Ming, dans la Chine ancienne, dynastie des Windsor, en Angleterre.

Emotions
Sensations comme la tristesse, ou la joie. Elles se manifestent par des signes divers : tremblements, rires, etc.

Environnement
Ensemble de conditions naturelles et culturelles qui peuvent agir sur un organisme vivant. Nous partageons un même environnement, la Terre.

Espèces
On dit que des organismes vivants appartiennent à la même espèce s'ils ont des traits communs, et peuvent se reproduire entre eux. Les chevaux, les chiens et les hommes sont des exemples d'espèces différentes.

Evaporation
Transformation d'un liquide en vapeur. L'eau s'évapore à la température ambiante, ce qui explique que la lessive, par exemple, sèche au soleil.

Excrément
Matières fécales. Le crottin de cheval est utilisé comme engrais. En Inde, les bouses de vaches servent de combustible pour le chauffage.

Fermenter
Passer d'un état non alcoolique à un état alcoolique. La fermentation est la transformation du sucre contenu dans un aliment ou une boisson sous l'influence d'une bactérie et d'une levure.

Fondations
Structures robustes destinées à supporter le poids d'une construction. Sans les fondations, les immeubles s'écrouleraient rapidement.

Forêt tropicale
Forêt des régions tropicales composées d'arbres à feuillage persistant recevant des précipitations annuelles de plus de 2,5 mètres.

Glacier
Enorme rivière de glace qui s'écoule très lentement. En hiver, les glaciers grossissent, le poids de la neige et de la glace les entraînent vers la vallée. En été, ils rétrécissent, et la glace fond aux extrémités.

Gravité
Phénomène par lequel un corps subit l'attraction de la Terre. La gravité est générée par la masse d'un objet. Les petits objets génèrent peu de gravité : c'est pour cette raison que les astronautes paraissent légers lorsqu'ils marchent sur la Lune.

Intuition
Forme de connaissance ou conviction qui ne fait pas appel au raisonnement. Elle est basée sur l'expérience ou des situations analogues dans le passé.

Fusion
Passage d'un corps solide à un corps liquide sous l'action de la chaleur.

IRM
Image par Résonance Magnétique. Le scanner utilise les champs magnétiques pour voir à l'intérieur de l'organisme.

Irritation cutanée

Inflammation de la peau souvent caractérisée par des marques rouges et une sensation de chaleur qui oblige à se gratter.

Magnétique

Qui a rapport à l'aimant. Le fer est magnétique : il est attiré par l'aimant. En revanche, le plastique ne l'est pas.

Mégalithes

Monuments constitués de gros blocs de pierre brute, utilisés par les hommes préhistoriques pour leurs rites religieux.

Météorite

Fragment de corps céleste qui brûle en entrant dans l'atmosphère terrestre et tombe sur la Terre. Les météorites qui brûlent entièrement dans l'atmosphère sont appelés étoiles filantes.

Moyen

Généralement utilisé dans le sens de normal, correct. En mathématique, la moyenne est obtenue en divisant la somme des valeurs par leur nombre.

Mythe

Récit fabuleux ou légende, tellement connus, qu'ils sont considérés comme vrais.

NASA

National Aeronautics and Space Administration, organisme créé aux Etats-Unis pour coordonner les travaux de recherche et d'exploration aéronautiques et spatiales civiles.

Obsession

Mot ou idée impossible à chasser de l'esprit.

Odeur

Sensation perçue par le nez, organe olfactif. Tout le monde a sa propre odeur.

Opéra

Œuvre dramatique avec accompagnement de musique orchestrale (partition) et dont les paroles sont chantées (livret). Le mot désigne également le théâtre où l'on joue des opéras.

Orbite

Trajectoire décrite par un corps céleste autour d'un autre.

Ouragan

Forte tempête tropicale qui débute dans l'hémisphère nord et se déplace en direction du nord ou du nord/est. La vitesse du vent peut atteindre 118 km/h.

Pape

Chef de l'Eglise catholique romaine. Il est élu en conclave par un collège de cardinaux, et conserve sa fonction jusqu'à sa mort.

Pigment

Substance généralement naturelle qui donne une coloration particulière : l'ocre produit une couleur rouge-orangé, le cobalt, une couleur bleu clair.

Platine iridié

Mélange de platine et d'iridium servant à fabriquer un alliage d'une grande dureté.

Prédateur

Animal qui se nourrit d'un autre animal.

Prisme

Objet triangulaire de verre destiné à décomposer la lumière.

Protéine

Constituant essentiel des cellules. Les protéines sont des chaînes complexes d'acides aminés qui règlent les fonctions de l'organisme.

Psychologue

Personne qui étudie les phénomènes de l'esprit et de la pensée.

Rayons X

Particules de très hautes énergies pouvant traverser les tissus mous, comme la peau et les organes, et sont arrêtées par les os ou le métal.

Régime

Nourriture nécessaire à la vie : la vache a un régime végétal, par exemple. Le mot désigne également le fait de réduire son alimentation, chez une personne qui souhaite perdre du poids.

Sorgho

Graminée, appelée également mil, cultivée dans les pays chauds pour ses grains et aussi comme fourrage.

Transfuser

Faire passer un liquide ou un gaz d'un contenant à un autre. Faire passer le sang d'un individu dans le corps d'un autre.

Tremblement de terre

Secousses en relation avec la déformation de l'écorce terrestre en un lieu donné. Certains sont très destructeurs. On les mesure au moyen de l'échelle de Richter, qui va de 1 à 10.

Ultra-violet

Invisible à l'œil humain, l'ultraviolet se situe juste après le violet, et avant les rayons X, dans le spectre solaire. A l'autre extrémité du spectre solaire, en deçà du rouge, se trouve l'infrarouge.

Unique

Le seul d'une même espèce. Une occasion unique n'arrive qu'une seule fois.

Vide

Absence d'air et d'atomes. Il est impossible d'obtenir le vide absolu car l'espace est rempli d'atomes dispersés, essentiellement d'hydrogène et d'hélium.

Vitamines

Substances organiques indispensables au bon fonctionnement de l'organisme, dont la carence provoque différentes maladies. Il existe 13 vitamines, désignées par des lettres et des chiffres, comme la vitamine A et la vitamine B12.

Volcan

Fissures de l'écorce terrestre laissant passer des éruptions de lave. Les volcans se présentent souvent sous forme de montagnes, mais il en existe également au fond des océans.

Questions / Réponses

L'antiquité

Un monde fascinant de faits et de personnages

Diane Stephens

Introduction

Nos **ancêtres** humains les plus anciennement connus vivaient il y a plus de cinq millions d'années. On a retrouvé leurs restes en Ethiopie (Afrique). Ils ne mesuraient qu'environ 1,20 mètre, mais ils marchaient redressés et étaient plus près de l'homme que du singe. Il y a environ un million d'années, les premiers humains commencèrent à quitter l'Afrique pour aller en Europe et dans le reste du monde. Ceci a dû se passer en deux étapes, séparées entre elles par des milliers d'années. A partir de l'Afrique de l'Est, les humains se répandirent dans toutes les parties du monde. Ceci eut lieu durant plusieurs milliers d'années. A partir de là, les hommes voyagèrent vers l'Australie, le Japon, la Polynésie et l'Amérique.

Des populations humaines plus modernes, appelées homo sapiens (ce qui signifie homme sage), se développèrent également en Afrique il y a plus de 100 000 ans. Ces hommes modernes quittèrent bientôt l'Afrique et essaimèrent dans toute l'Europe. Ces ancêtres sont également connus sous le nom de Cro-Magnon, du nom de la région française où l'on découvrit leurs restes pour la première fois. Les scientifiques pensent qu'il n'a existé que quelques milliers de ces premiers voyageurs et chaque être humain hors d'Afrique fait partie de la famille de l'un d'eux.

L'homme de Neandertal était une sous-espèce des êtres humains qui vécurent il y a 35 000 à 200 000 ans. Partant d'Afrique, ils s'installèrent en Europe et en Asie. On pense qu'ils vécurent à côté de Cro-Magnon et eurent même peut-être des relations avec lui. Personne ne sait absolument pourquoi l'homme de Neandertal a totalement disparu, tandis que nos ancêtres directs ont su survivre et certaines personnes pensent que les deux espèces ont pu se mélanger à un moment. Les premières populations migraient à la recherche de nourriture, suivant des troupeaux de gibier : une façon de vivre appelée chasse-cueillette. Parfois, ces peuplades s'installaient dans un endroit et construisaient des maisons et de petits villages. Ne se déplaçant plus en permanence, les hommes commencèrent à entretenir la terre, la cultivèrent et élevèrent des animaux pour la nourriture et les **vêtements.** Pour pouvoir faire tout cela, ces populations anciennes durent inventer beaucoup d'outils. Les **archéologues** ont pu utiliser les restes de ces outils pour découvrir comment ces êtres humains vivaient et travaillaient.

On pense que les premiers hommes qui ont atteint l'Amérique venaient d'Asie. On croit que certains d'entre eux passèrent par la langue de terre qui unissait à cette époque l'Asie et l'Alaska, il y a environ 11 500 ans. Récemment, des scientifiques ont émis comme évidence que des hommes étaient parvenus en Amérique du Sud beaucoup plus tôt que cela. Ils auraient pu arriver dans de simples embarcations, où auraient traversé l'énorme étendue de glace qui recouvrait la plus grande partie du Canada. On pense que des hommes ont vécu au Chili il y a 12 000 ans, tandis que certains sites de l'Amérique du Nord et du Sud remonteraient à quelques 20 000 ans.

Une fois que les êtres humains furent installés dans le monde entier, les conditions de l'essor des premières **civilisations** furent réunies. Les sociétés précédant le monde de l'écriture sont appelées préhistoriques et incluent le monde néolithique. Une fois que l'écriture fut inventée, les civilisations entreprirent de laisser des souvenirs aux générations futures. Les historiens et les archéologues se sont servi de ces souvenirs pour déterminer comment l'homme a évolué et s'est installé à la surface du globe.

Les mystérieuses statues de visages des Olmèques sont un des plus grands mystères du monde. On pense qu'elles sont des représentations de visages d'anciens rois, mais personne ne sait vraiment dans quel but elles étaient érigées.

Autre grand mystère de l'histoire : Stonehenge en Angleterre. Certaines personnes pensent que ce monument géant est en fait un calendrier solaire créé pour noter le passage des ans. Quels qu'en soient les motifs, sa construction a demandé d'énormes efforts collectifs pour aboutir.

Les premiers hommes habitaient dans des cavernes. On a retrouvé des restes des hommes des cavernes, de leurs peintures et de leurs outils dans de nombreux sites en Europe et en Afrique. Parmi les grottes les plus connues, on peut noter celles d'Altamira, au Sud de l'Espagne, et celle de Lascaux dans la région française du Périgord.

....➤ Néolithique

Que signifie le mot Néolithique ?

Le mot « Néolithique » vient des mots grecs neos qui signifie « nouveau » et lithos qui veut dire « pierre ». Le terme Néolithique est donc utilisé pour définir le Nouvel Age de Pierre. Ceci fut la période de l'histoire où commencèrent les cultures, où les hommes se mirent à utiliser des outils de pierre, et où les villages et des villes se développèrent, les populations se sédentarisant pour cultiver la terre. Ils firent également de nouveaux apprentissages, comme celui de la poterie et le tissage. La période du Néolithique commença et se termina à différentes époques en fonction des différentes parties du monde. La première période néolithique débuta en Asie entre 8 000 et 6 000 av.JC, lorsque les hommes entreprirent des cultures telles que celles du blé et de l'orge, ils élevèrent des animaux, tels que des bovins, des moutons, des chèvres et des porcs. La période néolithique devint ensuite l'âge de Bronze, lorsque les hommes commencèrent à fabriquer des outils et des armes en bronze, vers 3 500 av.JC.

Non ! Les peuples du Néolithique sont apparus après les hommes des cavernes qui appartenaient au Neandertal et vivaient en Europe et au Moyen-Orient il y a environ 35 000 à 200 000 ans et étaient très proches des êtres humains modernes. Leur cerveau avait une taille similaire au nôtre et leur intelligence leur permit de fabriquer des outils de pierre comme des burins et des grattoirs.

Les restes d'anciens habitants des cavernes nous en disent long sur la façon dont ces peuples vivaient.

Comment les hommes du Paléolithique chassaient-ils ?

Les chasseurs de l'époque paléolithique n'avaient que des instruments et des armes primitifs, faits de pierre. Ceci faisait de la chasse une activité périlleuse. Afin de rendre la chasse aussi sûre que possible, ces peuples primitifs chassaient en groupes. Ils trouvèrent petit à petit le meilleur moyen de chasser chaque type d'animal. Ainsi, les chasseurs rabattaient les **mammouths** vers de hautes falaises pour les tuer. Mais pour chasser le bison ou des animaux plus petits, ils suivaient leurs traces et tendaient une embuscade à l'animal. Les premiers chasseurs ont pu travailler ensemble car ils possédaient le langage.

Pourquoi les hommes du Paléolithique ont-ils créé des peintures rupestres ?

Les anciennes cultures étaient souvent **superstitieuses** : les hommes croyaient dans des dieux et au hasard. L'art paléolithique fut probablement créé comme faisant partie d'anciennes cérémonies religieuses visant à faire plaisir aux dieux et à rendre la chasse féconde. La plupart des œuvres d'art furent créées au plus profond des cavernes ou dans d'autres lieux de spiritualité. Il semble que les artistes aient été des personnages très importants. Puisque les hommes du Paléolithique n'avaient pas de langage écrit, on pense que les scènes **représentées** dans ces peintures servaient également à transmettre l'art de la chasse et faire connaître les endroits giboyeux.

Les anciennes peintures rupestres expliquent les techniques de la chasse

Quels sont les outils utilisés par les peuples de l'âge de pierre ?

Les hommes de l'âge de pierre n'avaient pas de métaux. Tout ce dont ils avaient besoin devait être fabriqué avec des matériaux naturels, tels que le silex, les os ou les peaux des animaux. Les outils qu'ils fabriquaient étaient simples, mais efficaces : des couteaux, des haches, des têtes de lances, et même des aiguilles et des ustensiles de cuisine. Nous pouvons encore voir aujourd'hui dans des musées ces têtes de haches dont beaucoup restent encore très acérées. La partie en bois ou en peau de bête de ces outils a depuis longtemps disparu. Il nous est donc difficile de déterminer quel était l'usage de chacun.

Pourquoi les hommes du Néolithique construisaient-ils des monuments en pierre ?

Les hommes du Néolithique ont laissé beaucoup de monuments en pierre que nous pouvons encore admirer. La plupart sont très petits, mais quelques-uns, tels ceux de Stonehenge et les alignements de Carnac, sont réellement impressionnants. On pense que ces monuments ont été construits pour des cérémonies religieuses, en raison du temps et des efforts nécessités par leur **construction**. Mais nul ne peut l'affirmer. Sans posséder de langage écrit, les peuples du Néolithique étaient cependant capables d'élaborer ces projets de constructions complexes. On peut penser que, s'ils avaient la possibilité de dédier tant de temps et de ressources à l'élaboration de ces **structures**, c'est parce que leur société devait être relativement en paix et aisée.

Deux des plus grands menhirs de Stonehenge, en Angleterre.

LE SAVIEZ-VOUS ?

Les hommes du Néolithique ne vivaient pas très longtemps. La plupart d'entre eux mourraient entre 20 et 30 ans, et seuls quelques-uns atteignaient 40 ans.

5

...⟶ Les Sumériens

D'où venaient les Sumériens ?

Les Sumériens venaient d'une zone appelée Sumer, située dans le sud de la Mésopotamie (actuellement l'Irak).

La Mésopotamie était située entre deux grands fleuves, le Tigre et l'Euphrate, ce qui rendait la région extrêmement **fertile.** Sumer était aussi un pays plat, ce qui facilitait la culture, en dépit du manque de pluie. Pour résoudre ce problème, les sumériens construisaient des bassins d'irrigation pour stocker de l'eau et des canaux pour amener l'eau jusqu'à leurs champs.

Quelles étaient les principales villes de Sumer ?

Les villages agricoles de Sumer devinrent petit à petit de plus en plus grands. En 3 500 av.JC, les premières villes furent construites. Ces cités étaient entourées de remparts et chacune d'entre elles avait son propre temple et sa place du marché. Les villes principales se nommaient Ur, Uruk, Kish et Lagash. Chaque ville avait son propre roi qui contrôlait également les villages et fermes alentour de sa ville. On les appelait des états-villes et les habitants n'étaient pas des **citoyens** du pays, mais plutôt de leur état-ville.

Dans quel genre de maisons vivaient les Sumériens ?

Les premières habitations sumériennes étaient faites de roseaux. Plus tard, les Sumériens utilisèrent de l'argile pour faire des briques et construire des maisons, comblant les espaces entre les briques avec de la paille. Les maisons avaient un ou deux étages. Comme elles étaient bâties en argile, au bout d'un certain temps elles commençaient à **se détériorer.** Lorsque cela se produisait, le propriétaire de la maison la rasait et en construisait une nouvelle au même endroit. Ceci arrivait très fréquemment et, petit à petit, comme on construisait de plus en plus de maisons au-dessus des anciennes, le niveau des villes s'éleva, formant des collines. Ces collines, appelées « tells » sont encore visibles aujourd'hui.

Les Sumériens furent les premiers hommes à construire des villes et des cités.

Qu'appelle-t-on une ziggourat ?

Les ziggourats étaient des monuments construits par les Mésopotamiens entre 3 000 et 600 av.JC. C'étaient d'énormes structures pyramidales, construites avec une très grande plate-forme en bas, puis une plus petite construite sur la première, suivie d'une plus petite encore, etc. Certaines ziggourats ne comportaient que deux étages, tandis que d'autres pouvaient arriver jusqu'à sept. Tout en haut, il y avait un temple. Ceci s'est peut-être fait parce que les hommes pensaient qu'il était meilleur de se rapprocher du ciel pour honorer les dieux. Il y a une ziggourat très célèbre à Ur (actuellement en Iraq).

LE SAVIEZ-VOUS ?

Les Sumériens sont connus pour avoir inventé la roue. Les premières roues étaient faites de bois. Ils purent donc transporter de lourdes charges sur des charrettes tirées par des ânes et des bœufs. Ils inventèrent également le tour de potier et purent ainsi fabriquer leurs poteries plus rapidement.

Pourquoi ce sont les Sumériens qui ont les premiers inventé l'écriture ?

Les Sumériens ont été les premiers hommes à entreprendre d'écrire. Devenant plus riches, les hommes avaient besoin d'une manière de se souvenir des paiements qu'ils échangeaient. Dans un premier temps, ils commencèrent par faire des dessins appelés pictogrammes, qu'ils traçaient sur des tablettes d'argile humide, avec un roseau servant de crayon. On faisait ensuite sécher les tablettes d'argile au soleil, ou bien on les faisait durcir dans un four. Plus tard, les hommes commencèrent à utiliser des **symboles** et à écrire d'un côté à l'autre sur l'argile, afin que l'écriture ne puisse plus baver. Leur écriture était très anguleuse, d'où son nom d'écriture cunéiforme, terme qui veut simplement dire anguleux.

Que raconte l'histoire de Gilgamesh ?

L'histoire de Gilgamesh est une des plus anciennes histoires connues. Gilgamesh était dans la réalité un roi de Sumer, gouvernant la ville d'Uruk, et qui vécut il y a environ 2 500 ans av.JC. Il était un piètre gouvernant, et son peuple implora donc les dieux pour qu'ils interviennent et le changent. Les dieux créèrent alors Enkidu, homme sauvage couvert de poils qui vivait dans les collines. Lorsque Gilgamesh apprit l'existence d'Enkidu, il envoya une très belle femme le trouver et le soumettre. Elle ramena Enkidu et avec Gilgamesh ils devinrent les meilleurs amis du monde. Lors de la mort d'Enkidu à la suite de fièvres, Gilgamesh eut aussi peur de mourir. Il voyagea alors vers un pays lointain, à la rencontre du dieu Utanapishtim qui lui expliqua que s'il voulait vivre éternellement, il devait rester éveillé durant six jours et six nuits. Mais Gilgamesh fut vaincu par la fatigue et ne put rester éveillé. Utanapishtim lui dit alors de rentrer chez lui, de trouver une femme, d'avoir des enfants, et de vivre sa vie dans le bonheur, ce qu'il fit.

Les Egyptiens

Qui étaient les Pharaons ?

Les Pharaons étaient les rois et reines qui gouvernaient l'Egypte ancienne. Le peuple croyait qu'ils étaient à la fois rois et dieux, et ils détenaient le pouvoir absolu sur leur peuple. Le mot « Pharaon » signifie « celui qui vit dans le palais ». Simplement toucher la **couronne** du pharaon ou son **sceptre** vous rendait passible de la peine de mort. Le principal devoir des pharaons consistait à construire et entretenir des temples pour les dieux. Le premier pharaon d'Egypte fut Ménès qui réunit la Haute et la Basse Egypte vers 3 100 av.JC. l'un des plus célèbres pharaons est Toutankhamon. Il n'avait que neuf ans lorsqu'il devint roi et mourut d'une blessure à la tête en 1 352 av.JC, alors qu'il n'avait que 18 ans.

Pourquoi les Egyptiens faisaient-ils des momies ?

Les Egyptiens croyaient que les morts avaient besoin de conserver leurs corps pour une vie suivante. Ils préservaient les cadavres des personnes importantes. On enlevait des corps le cerveau et d'autres organes que l'on plaçait dans des récipients spéciaux. Le corps était alors recouvert d'une substance dite natron, un sel qui les desséchait. Puis on les enduisait d'huiles avant de les envelopper dans des bandelettes et de les placer dans un cercueil en forme du corps. Ce processus durait 70 jours. Puis la momie était enterrée dans une **tombe** avec des objets tels que des bijoux ou de la nourriture qui pourraient lui être utiles dans sa prochaine vie.

Quels étaient les dieux que les Egyptiens adoraient ?

Les Egyptiens adoraient de nombreux dieux et déesses. Ils pensaient qu'il était important d'adorer les dieux et les déesses pour que leur vie se déroule paisiblement. Beaucoup de dieux étaient représentés avec un corps humain et un visage d'animal. D'autres n'étaient représentés que sous forme d'un animal. De nombreux temples furent construits pour dieux et déesses. Parmi les dieux les plus importants, il faut citer Thot (homme à tête d'ibis), dieu du savoir, inventeur de l'écriture. Il inventa aussi l'astronomie, la géométrie et la médecine. Amon, créateur de toutes choses, représenté par un bélier ou un **sphinx** à tête de bélier. Nout était la déesse du ciel, elle était personnifiée comme une femme courbée pour symboliser les cieux.

8

Que sont les hiéroglyphes ?

Les hiéroglyphes sont une forme d'écriture picturale utilisée par les Egyptiens de 3 000 av.JC à 300 après JC environ. On décompte environ 1 000 images ou hiéroglyphes, chacun d'entre eux représentant un objet, un son ou une idée. Les gens écrivaient sur du papier appelé **papyrus** qui était fait avec les fibres des tiges de cette plante. Quelques centaines d'années plus tard, les hommes cessèrent d'écrire de cette manière et personne ne put se rappeler ce que cela voulait dire. Puis en 1799, on découvrit la Pierre de Rosette. La pierre avait été gravée en 196 av.J C.et on pouvait y déchiffrer trois écritures : hiéroglyphique, démotique (écriture cursive) et grecque. C'est à partir de là qu'un Français du nom de Jean-François Champollion put déchiffrer les hiéroglyphes.

Pourquoi le Nil était-il si important pour les Egyptiens ?

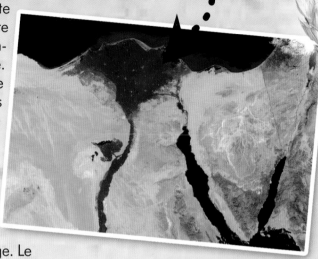

Le Nil traverse toute l'Egypte dont le territoire est essentiellement composé de désert de sable. Chaque année, le fleuve déborde, recouvrant les terres riveraines de limon. Ce limon est extrêmement riche et il fertilise les plantations. Des populations viennent s'installer donc il y a 8 000 ans pour cultiver du blé et de l'orge. Le fleuve fournissait également aux hommes de l'eau et des poissons et c'est ainsi que villages et villes se développèrent le long de ses rives. Même si tout le monde n'était pas riche, les gens mangeaient bien.

Comment a-t-on construit les pyramides ?

Les pyramides étaient de grandes tombes construites pour les pharaons entre 2 630 et 1 640 av.JC. D'énormes blocs de pierre dont le poids pouvait dépasser 2 000 kg étaient taillés dans des **carrières** puis posées sur des traîneaux que l'on faisait glisser sur des rondins de bois jusqu'à la base des pyramides. Puis on utilisait des rampes pour lever les blocs de pierre à la hauteur voulue. Les pyramides n'ont pas été construites par des esclaves, mais par des gens ordinaires. Environ 20 000 personnes travaillaient en même temps sur une pyramide. Il a fallu au moins 20 ans pour construire chaque pyramide.

LE SAVIEZ-VOUS ?

Dans l'ancienne Egypte, tout le monde se maquillait, hommes, femmes et enfants. Ils utilisaient des miroirs d'argent et de cuivre poli pour appliquer les produits de maquillage.

Les Phéniciens

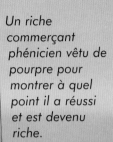

Pourquoi les Phéniciens étaient-ils appelés le « Peuple Pourpre » ?

L'un des produits les plus remarquables produit par les Phéniciens était la teinture pourpre, provenant d'un coquillage. Il venait de la cité de Tyr et était donc connu sous le nom de « Pourpre de Tyr ». La teinture servait à teindre des tissus à partir des coloris les plus clairs jusqu'à des couleurs allant du rose au pourpre profond. Ce produit était tellement onéreux que seuls les rois et les personnes très riches pouvaient l'acheter. Le nom de « Phénicien » vient du grec et signifie « hommes pourpres ».

Un riche commerçant phénicien vêtu de pourpre pour montrer à quel point il a réussi et est devenu riche.

Qu'est-ce qui fit des Phéniciens un peuple important ?

Leur terre était fertile et ils ne produisaient pas seulement de la teinture pourpre, mais aussi des raisins, des olives et du bois de cèdre. Le sable des côtes leur permettait de fabriquer du verre, et ils devinrent célèbres par leurs productions **manufacturées** et leurs dons de commerçants. Les Phéniciens étaient d'excellents marins et ils fabriquèrent des navires pouvant affronter la mer, ce qui leur permit de faire du commerce avec des peuples lointains et les rendit **prospères.**

Quelle était la ville Phénicienne la plus connue ?

En 800 av.JC, les Phéniciens fondèrent la ville de Carthage sur les rives de l'Afrique du Nord, là où se situe maintenant la Tunisie. Ce fut la reine Didon, de Tyr, qui présida à la fondation. Le gouverneur africain du lieu fut d'accord pour lui donner autant de pays qu'elle pouvait en **encercler** avec une seule peau de bœuf. Didon le piégea en découpant la peau en fines lanières, obtenant par cette ruse suffisamment de territoire pour construire une ville. Les Phéniciens utilisèrent Carthage comme centre de leur commerce, y construisirent des quais, des marchés et des fabriques. Carthage fut détruite par Rome lors des Guerres Puniques qui durèrent 100 ans.

Jusqu'où les Phéniciens allèrent-ils pour explorer et faire du commerce ?

Les Phéniciens établirent des relations commerciales avec tous les peuples autour de la Méditerranée. Ils allèrent également aussi loin qu'en Angleterre pour y trouver de l'étain qui, allié avec du cuivre, était utilisé pour faire du bronze. En 600 av.JC, un pharaon égyptien les envoya naviguer tout autour de l'Afrique, et, bien que nous ne sachions pas s'ils vinrent totalement à bout du voyage, ils explorèrent de fait une grande partie de la côte africaine.

Quelles sortes d'objets fabriquaient les Phéniciens ?

En dehors des étoffes de pourpre, les Phéniciens étaient réputés pour leurs splendides bouteilles de parfum en verre et leurs perles de verre. Ils sculptaient également des statues en ivoire, faisaient des meubles en bois de cèdre et utilisaient le papyrus égyptien pour faire des rouleaux de papier pour les livres. Ils fabriquaient également de grandes jarres de terre, appelées amphores, pour y stocker du vin et de l'huile et les transporter vers d'autres pays.

Quelles sont les particularités de l'alphabet phénicien ?

Les Phéniciens définirent un alphabet de 22 lettres, basées sur des sons. Chaque forme représentait un son spécifique, ce qui fait que les mots étaient composés de différentes formes.

Bien que cet alphabet ait été légèrement modifié par les Grecs et les Romains, il est devenu l'alphabet utilisé de nos jours.

LE SAVIEZ-VOUS ?

Les Phéniciens ont fabriqué des navires de guerre ayant plusieurs ponts pour les rameurs. Les navires à deux ponts s'appelaient des birèmes, ceux à trois ponts des trirèmes. Les Grecs les adoptèrent et les utilisèrent dans la fameuse bataille navale qu'ils gagnèrent contre les Perses, la Bataille de Salamine, en 480 av.JC.

La Chine

Peut-on voir la Grande Muraille de Chine depuis l'Espace ?

La Grande Muraille de Chine est la plus importante structure construite par l'homme dans le monde entier. Les parties les plus anciennes ont été construites en 700 av.JC environ pour protéger les cités riches de la Chine de l'invasion de tribus **nomades** venues du Nord. Qin Shi Huangdi fit la liaison entre les parties de la muraille et l'étendit, construisant environ 6 000 km de mur. La plus grande partie tombe maintenant en ruines ou a disparu, mais on peut encore voir la structure depuis une navette spatiale en orbite basse terrestre, mais toutefois pas depuis la lune.

Quand la civilisation chinoise a-t-elle commencé ?

Cette civilisation a débuté le long du Huanghe (Fleuve Jaune) et est la plus ancienne civilisation qui survive de nos jours. Durant des milliers d'années, la Chine était isolée du reste du monde par des montagnes, des déserts et des océans. Les premiers villages furent construits il y a environ 5 000 ans, lorsque les hommes commencèrent à faire des cultures sur les rives du fleuve. Ils y cultivaient des céréales et du riz, et également des fruits et des légumes, et élevaient des porcs et des poulets. Les villes et les régions se développèrent à partir de 1 600 av.JC. Elles étaient sous le contrôle de puissantes familles appelées dynasties qui se faisaient souvent la guerre entre elles.

Qui fut le premier empereur de Chine ?

En 221 av.JC, un gouverneur de la dynastie Qin domina les autres dynasties chinoises. Il se nomma lui-même Qin Shi Huangdi, ce qui signifie « Premier Empereur de Chine ». Il fut un tyran impitoyable et tua ou bannit quiconque s'opposait à lui, et alla même jusqu'à brûler la plupart des livres qui venaient des dynasties précédentes.
A sa mort en 210 av.JC, il fut enterré dans un énorme tombeau, gardé par plus de 7 000 soldats et chevaux de taille réelle, faits de terracotta. Chacun des soldats avait un visage différent et on pense qu'ils devaient ressembler à la véritable armé de Shi Huangdi.

Qu'étaient les "Os oraculaires" ?

Les « os oraculaires » étaient utilisés par les prêtres entre 1 300 av.JC et 1 046 av.JC environ pour les aider à prédire l'avenir. Les hommes étaient très superstitieux et posaient aux prêtres toutes sortes de questions à propos de tout, depuis le temps, jusqu'à la santé ou la prospérité future. Les questions étaient écrites sur des omoplates d'animaux ou des carapaces de tortues. Les os ou les carapaces étaient alors chauffées jusqu'à ce qu'elles se cassent et on pouvait alors déduire des morceaux brisés la réponse « oui » ou « non ». On écrivait également le récit des activités et leurs résultats sur les os et ils constituent les premiers souvenirs écrits de l'histoire de la Chine.

Qui était Confucius ?

Confucius était un grand penseur Chinois et vécut de 551 à 479 av.JC. Son nom était Kongfuzi, Confucius est son nom européen. Il naquit dans une famille pauvre mais il était intelligent et travailla dur à l'école. Il passa la plus grande partie de sa vie à donner son enseignement à un petit groupe de **disciples** et à tenter d'expliquer aux divers gouverneurs comment gouverner avec sagesse et bonté, parfois sans aucun succès. Il enseigna également que les hommes doivent obéir aux lois et veiller avec soin sur leurs familles.

Confucius fut le plus célèbre penseur chinois. Ses proverbes sont encore populaires de nos jours.

Qu'ont inventé les anciens Chinois ?

Les Chinois étaient de grands créateurs et ils inventèrent de nombreuses choses. Parmi leurs plus importantes inventions on trouve le papier et l'encre. Ils firent alors les premiers livres et, à la fin de la Dynastie Tang en 907 après JC, chaque cité chinoise avait une librairie. Ils fabriquèrent le premier sismographe pour mesurer les tremblements de terre, inventèrent le compas, et apprirent à faire du thé à partir de feuilles de thé.

LE SAVIEZ-VOUS ?

Les Chinois considéraient que le dragon était un gage de bonheur. Ils pensaient également que chats et lions portaient bonheur. Confucius avait un chat qu'il gardait en permanence à ses côtés, pensant que sa sagesse lui venait du ciel par l'intermédiaire de son chat.

L'Inde

Qui étaient les premiers Indiens ?

Les premières populations arrivées en Inde sont probablement venues d'Afrique vers 40 000 av.JC. C'étaient des chasseurs-cueilleurs. Plus tard, ils se mirent à l'agriculture et s'installèrent dans la vallée de l'Indus vers 2 500 av.JC. On appela cette civilisation « Harappa ». Environ 1 000 ans plus tard, des peuples appelés Aryens, issus de la zone comprise entre la Mer Noire et la Caspienne, arrivèrent en Inde. Ils s'y installèrent et s'unirent avec les peuples Harappa dans la vallée de l'Indus.

Comment s'habillaient-ils ?

Le costume indien a toujours été riche et plein de couleurs. Les Indiens anciens avaient de nombreuses fabriques de soie et autres étoffes permettant à leurs vêtements d'être longs et flottants. Ces habits très colorés n'étaient cependant portés que par les classes riches et dominantes. La majorité des Indiens portait des costumes beaucoup plus simples. Le vêtement le plus habituellement porté par les femmes est le sari. Depuis à peu près les années 600 av.JC, les femmes portaient ces longs vêtements qu'elles drapaient autour de leur corps de façons différentes. Le tissu de ce costume pouvait mesurer jusqu'à huit mètres de long. Les hommes s'habillaient habituellement plus pour le confort que pour le style. Le costume masculin le plus habituel se compose d'un « pyjama » et d'une « kurta ». Dans les villages, la plupart des hommes portent des « lungis ». Le « lungi » est un tissu rectangulaire, habituellement de coton, qui se drape autour de la taille et se plisse à l'aine sur le devant

A quoi correspond le système de castes ?

Après l'arrivée des Aryens en Inde, les peuples furent répartis en différentes castes ou groupes. Il y avait quatre castes, allant des Brahmanes qui étaient prêtres et chefs, aux castes inférieures appelées Shudras comprenant la plus grande partie du peuple, représentant les fermiers et les serviteurs.

Un groupe de personnes était considéré comme tellement inférieur qu'il n'appartenait même pas à une caste. On les appelait « Intouchables » et ils devaient se consacrer aux pires travaux, comme le nettoyage des caniveaux. Les gens des différentes castes ne pouvaient pas se lier d'amitié ou par le mariage avec de personnes d'une autre caste.

Brahamanes

Kshatriya

Vaishya

Shudra

Intouchables

Qu'est-ce qu'un stupa ?

Le stupa est un monument bouddhique en forme de **dôme.** Les stupas étaient faits de terre et recouverts de briques ou de pierre. Il y avait souvent des balustrades carrées autour du dôme. Au sommet du dôme, il y a des ombrelles qui sont le symbole de Bouddha. Les stupas étaient construits sur des sites religieux ou en relation avec d'importants épisodes de la vie de Bouddha. Les plus célèbres stupas indiens constituent un groupe de stupas construits à Sanchi entre le 3ème siècle av.JC et le 12ème siècle après JC. Le plus grand stupa, appelé le Grand Stupa, atteint 36,5 m de diamètre et 16,5 m de hauteur, sans compter l'ombrelle.

La plupart des plus grands stupas étaient recouverts d'or.

Comment a-t-on commencé à utiliser les éléphants ?

Les Indiens commencèrent à dresser les éléphants il y environ 4 000 ans. Ils les utilisaient pour les travaux agricoles. Dès 1 100 av.JC, ils les utilisèrent dans l'armée. Les éléphants pouvaient charger les ennemis, les piétiner et briser leurs rangs. A la guerre, on utilisait toujours les éléphants mâles car ils couraient plus vite et étaient plus agressifs que les femelles. Les éléphants servirent pour les guerres depuis cette époque jusqu'au commencement du 19ème siècle. De nombreux éléphants furent tués durant ces années de guerre. L'un des premiers Européens à tomber sur les éléphants de guerre indiens fut Alexandre le Grand. Il en fut tellement impressionné qu'il en ramena quelques-uns uns pour les utiliser dans sa propre armée.

Qui a mis en place le Bouddhisme ?

Vers 525 av.JC, un prince indien appelé Siddharta Gautama constata les souffrances du peuple et décida de trouver un meilleur style de vie. Il cessa d'être un prince pour devenir un saint homme. Ses trois principaux enseignements étaient que les hommes devaient cesser de faire le mal, d'enseigner et d'accomplir le bien envers les autres. Il devint connu sous le nom de Bouddha, ce qui signifie « celui qui est éclairé », et le bouddhisme devint une religion.

LE SAVIEZ-VOUS ?

La civilisation Harrapa a laissé de nombreux écrits. Cependant, à ce jour, personne n'a jamais été en mesure de trouver comment se lisait ou se parlait la langue Harrapa.

Les Olmèques et les Mayas

D'où venaient les Olmèques et les Mayas ?

Les Olmèques et les Mayas étaient probablement les **descendants** des chasseurs-cueilleurs venus les premiers en Amérique et installés au Mexique vers 11 000 av.JC. Ils s'installèrent en Amérique du Sud dans ce qui est maintenant le Mexique, le Guatemala, le Belize, le Honduras et le Salvador. Il y a encore des descendants des Mayas qui vivent au Mexique, au Guatemala et au Belize. Les Olmèques sont la plus ancienne de ces civilisations.

Combien de temps ces civilisations ont-elles duré ?

Les Olmèques étaient la première civilisation d'Amérique du Sud. Leur nom signifie « gens du pays du caoutchouc » et eux-mêmes s'appelaient Xi (qui se prononce shi). Ils furent florissants de 1 300 à 400 av.JC, époque à laquelle ils disparurent. Personne ne sait comment cela s'est passé. Les Mayas, civilisation plus tardive, durèrent largement plus longtemps, de 1 000 av.JC à 1 521, lorsqu'ils furent exterminés par les Espagnols.

Qu'étaient les têtes en pierre des Olmèques ?

Les têtes olmèques sont d'énormes têtes sculptées dans le basalte, roche qui se forme à partir de la **lave** refroidie. A ce jour, on a retrouvé 17 têtes. La plupart mesurent de 3 à 4 mètres de haut et pèsent plus de 20 tonnes chacune. Le basalte dans lequel les têtes sont sculptées viennent de carrières distantes de 120 kilomètres. Personne ne sait comment les Olmèques faisaient pour transporter ces énormes blocs de pierre sur de telles distances. Chaque tête semble porter un casque et on pense que ce sont des têtes de gouverneurs ou de chefs.

16

Pourquoi les Mayas faisaient-ils des sacrifices humains ?

Les Mayas pensaient qu'il était nécessaire de sacrifier du sang humain pour garantir la survie des dieux et des hommes. Ce **sacrifice** aurait permis de faire monter l'énergie humaine jusqu'aux dieux qui, en retour, récompenseraient les hommes en leur donnant un pouvoir **divin.** On sacrifiait généralement des prisonniers, des esclaves et des enfants.

Quel chiffre a été inventé par les Mayas ?

Les Mayas ont été le premier peuple du monde à comprendre la valeur du zéro, alors que le reste du monde n'avait aucune compréhension du zéro à cette époque. Ils utilisaient un système de numération qui ne comportait que trois symboles, et était donc facile à comprendre par tous. Un point équivalait à 1, une barre à 5 et une forme de coquillage à 0. Ce système était tellement simple que même les personnes incultes pouvaient faire des additions et des soustractions pour le commerce.

Quelles sont les plus importantes villes Mayas ?

L'ancienne cité de Tikal (aujourd'hui Guatemala City) était une des plus importantes cités Maya. Les premières personnes vécurent à cet endroit en 500 av.JC et y construisirent des temples, des palais, des maisons, des places et des aires de jeux de ballon. La cité était construite sur une colline au milieu de la jungle ce qui la mettait à l'abri des inondations saisonnières. On pense que la ville a pu avoir jusqu'à 10 000 habitants. Tikal disparut soudain en 900 après JC. Personne ne sait ce qui est arrivé à la ville et à ses habitants et la jungle reprit rapidement ses droits sur ce site.

LE SAVIEZ-VOUS ?

Les Mayas savaient écrire et avaient un calendrier tout à fait exact, mais ils n'avaient pas d'objets en métal et ne découvrirent jamais la roue. Malgré ceci, ils ont constitué une civilisation très avancée et ont construit de grandes villes, des temples et des pyramides.

Les Aborigènes

Qui sont les Aborigènes ?

Il y a à peu près 40 000 ans, durant la période glaciaire, des populations venues d'Indonésie, probablement à la recherche de poissons et de coquillages, abordèrent les rivages de l'Australie. Ils se dirigèrent vers l'intérieur du pays et furent les premiers hommes à vivre en Australie. Ces Australiens primitifs sont connus sous le nom d'Aborigènes.

Combien y a-t-il de langues aborigènes ?

Les populations australiennes étaient formées par des groupes ou des clans. Certains clans demeurèrent sur la côte, tandis que d'autres s'en allèrent à l'intérieur du pays. Chaque clan possédait sa propre culture, ses croyances et sa langue, il y avait plus de 500 différentes langues, mais beaucoup d'entre elles sont maintenant éteintes. Il reste actuellement entre 200 et 250 langues aborigènes qui sont encore parlées.

LE SAVIEZ-VOUS ?

Le rocher d'Uluru, en Australie, est le plus énorme rocher d'un seul tenant du monde et c'est un endroit sacré pour les Aborigènes. Il mesure 348 mètres de haut et 9,4 km de circonférence. Uluru est également connu sous le nom d'Ayers Rock.

Qu'appelle-t-on « bois à lancer » ?

Les « bois à lancer » étaient des bâtons utilisés par les Aborigènes pour la chasse il y a 10 000 ans. C'étaient des baguettes de bois raides qui étaient effilées à chaque bout et on s'en servait pour chasser les émeus et les kangourous ou d'autres petits animaux. Les boomerangs se sont développés à partir des bois à lancer. Ce sont des morceaux de bois courbés qui reviennent lorsqu'on les lance. Les Aborigènes sont connus pour leurs boomerangs, mais on en a retrouvé dans d'autres pays, vers les mêmes époques. Le pharaon égyptien Toutankhamon avait toute une collection de bois à lancer et de boomerangs.

Comment les Aborigènes ont-ils pu survivre dans un environnement aussi hostile ?

Les Aborigènes étaient des chasseurs-cueilleurs. Au début, ils restèrent près des côtes, pêchant des poissons et des coquillages. Petit à petit, ils entreprirent d'explorer l'intérieur du pays, développant les techniques dont ils avaient besoin pour chasser dans les conditions chaudes et sèches du pays. Les hommes chassaient de gros animaux, tels les kangourous et les émeus, tandis que les femmes chassaient des animaux plus petits et cueillaient des fruits et des baies. Ils s'assuraient de ne jamais trop chasser ou cueillir et de ne jamais gaspiller la nourriture. Ils ne restaient pas non plus trop longtemps, garantissant ainsi qu'il y aurait suffisamment de nourriture pour la saison suivante.

Que sont les • • • • • • • • ▶ « Histoires du Rêve » ?

Les « histoires du rêve » sont la façon dont les Aborigènes expliquaient la vie et la naissance du monde. Ces histoires étaient faites pour éduquer les enfants, faisant l'objet d'une transmission orale de la part des anciens. Le Rêve parle des voyages et des faits et gestes des ancêtres qui avaient créé la vie. Les Aborigènes pensaient qu'ils faisaient partie intrinsèque de la nature et qu'ils restaient en liaison avec leurs ancêtres par l'intermédiaire de la terre. Les histoires enseignaient aussi aux gens comment ils devaient se comporter et pourquoi.

Qu'est-ce qu'un didjeridoo ? • •

Le didjeridoo est probablement le plus ancien instrument de musique du monde. Il est fait de troncs et de branches d'arbres évidés par les termites. On a retrouvé des peintures rupestres des Aborigènes montrant que les gens jouaient du didjeridoo il y a 2 000 ans. On jouait du didjeridoo pendant que les gens chantaient ou psalmodiaient, bien souvent à propos du Rêve et de la nature.

l'Amérique du Nord

Quand l'Amérique du Nord fut-elle habitée pour la première fois ?

Durant la période glaciaire, il y a de cela de 15 000 à 40 000 ans, la plus grande partie de l'Amérique du Nord était recouverte de glace. Il y avait tant d'eau glacée sur la terre que le niveau de la mer baissa, découvrant une étroite bande de terre qui reliait l'Asie et l'Amérique du Nord. Les hommes qui empruntèrent ce chemin devinrent les premiers Américains d'origine, s'installant petit à petit vers le sud au cours des temps. Ces populations étaient composées de chasseurs-cueilleurs qui vécurent des ressources de ces pays glacés du mieux qu'ils purent.

Qui furent les premiers habitants d'Amérique du Nord ?

Les Clovis furent le premier peuple à s'installer en Amérique du Nord. On a découvert un site de Clovis au Nouveau Mexique, datant d'environ 13 600 ans. Ils chassaient de grands animaux, tels que les mammouths et les bisons. Personne ne sait avec certitude d'où ils venaient. On pense qu'ils seraient peut-être descendus depuis l'Alaska, ou seraient remontés vers le nord, venant d'Amérique du Sud. Une autre **théorie** des scientifiques serait qu'ils auraient navigué depuis l'Europe car ils possédaient des outils similaires aux peuples ibériques de cette époque.

Qui a construit le Tertre du Grand Serpent ?

Le Tertre du Grand Serpent, en Ohio, aurait été construit par les Indiens Adena, vivant dans cette région entre 3 000 et 1 300 av.JC. Il a une longueur de 217 mètres et était fait d'argile et de roches, plus recouvert de terre. Personne ne sait pour quelles raisons les Indiens Adena ont construit le Tertre du Serpent, mais il est possible qu'il ait été construit pour honorer un dieu ou pour chasser les mauvais esprits.

Qui étaient les peuples « Tresseurs de Paniers » ?

Les peuples Anasazi, habitant le sud-ouest de l'Amérique, étaient appelés peuples des « Tresseurs de Paniers » à cause des splendides paniers qu'ils tressaient. Avant 500 après JC, ils vivaient dans des cavernes et s'abritaient dans les crevasses des murs des canyons. Ils fabriquaient des paniers à partir de fibres de plantes qu'ils roulaient ou tressaient en toutes sortes de formes et de tailles. Ils utilisaient les paniers pour stocker ou transporter des choses ou bien pour tamiser les graines ou la farine. De nombreux paniers étaient colorés de motifs enchevêtrés. Les « tresseurs de paniers » étaient les ancêtres des Indiens Pueblo d'aujourd'hui.

Quels peuples s'installèrent dans le Grand Nord du pays ?

L'une des premières civilisation à s'installer fut celle des Paléoesquimaux, qui peupla l'Alaska il y a 5 000 ans. Ils apportèrent des outils comme l'arc et la flèche et portaient des vêtements de peau comparables à ceux des peuples de Sibérie de la même époque. Ils vivaient dans des tentes couvertes de peaux d'animaux, maintenues par des pierres placées tout autour. Ils avaient des arcs et des flèches et étaient vêtus chaudement de fourrures d'animaux, qu'ils chassaient comme les morses, les phoques, les baleines, le caribou et les bœufs musqués.

Que chassaient les premiers Américains ?

Les populations primitives chassaient les grands animaux qui vivaient à la période glaciaire, tels que le mammouth laineux, le bison et le **mastodonte**, les **bœufs musqués** et les élans mâles. Lorsque les populations s'étendirent sur le territoire de l'Amérique du Nord, elles chassèrent les divers animaux vivant dans chaque région. On chassait le buffle dans les plaines, on traquait le cerf et les poissons dans les régions boisées, et on pourchassait de petits animaux comme les lapins dans les régions désertiques. Les populations de l'Alaska attrapaient des morses et des phoques et pêchaient des poissons dans les eaux glacées.

LE SAVIEZ-VOUS ?

Les chamans étaient des êtres purs qui faisaient le lien entre la terre, les animaux, et le monde des esprits. Ils faisaient de la magie pour guérir les maux de la population.

21

La Grèce

Quelle forme de gouvernement inventèrent les Grecs ?

A Athènes, tous les citoyens avaient le droit de voter et de prendre part au gouvernement. C'est ce que l'on appele la démocratie, ce qui signifie « gouvernement par le peuple ». Cependant, pour être un citoyen, il fallait être du sexe masculin et être né dans la cité. Cela signifiait que beaucoup de personnes ne pouvaient pas voter, par exemple les femmes, les étrangers et les esclaves.

Qu'appelle-t-on le cheval de Troie ?

En 1250 av.JC les Grecs et les Troyens (habitant actuellement la Turquie) se firent la guerre à cause d'Hélène, la superbe femme d'un roi grec, qui s'était enfuie avec Pâris, prince de Troie. Les Troyens refusaient de rendre Hélène et les Grecs attaquèrent Troie. Mais Troie était entourée de hauts remparts et les Grecs n'arrivaient pas à y pénétrer. Ils essayèrent dix longues années durant, mais ne purent jamais détruire les remparts. Finalement, un de leurs chefs, Ulysse, mit au point un nouveau stratagème. Ils construisirent un gigantesque cheval de bois monté sur des roues, dans lequel plusieurs hommes pouvaient se cacher et ils l'abandonnèrent devant les grilles de Troie. Les Troyens pensèrent que ce cheval était une **idole** grecque et le poussèrent à l'intérieur de la cité. Au beau milieu de la nuit, les soldats grecs qui y étaient dissimulés descendirent du cheval et ouvrirent les portes de la ville aux autres soldats. Ils détruisirent la ville et ramenèrent Hélène en Grèce.

Quand débutèrent les Jeux Olympiques ?

Les premiers Jeux Olympiques eurent lieu en Grèce, à Olympie, en 776 av.JC, en l'honneur du dieu Zeus. Au début, il n'y avait qu'une seule épreuve, la course à pieds, courue par des hommes nus. Le vainqueur était couronné d'une couronne de branches d'oliviers. Les femmes n'avaient le droit ni de participer, ni même d'assister aux jeux. Les jeux avaient lieu tous les quatre ans, et la période qui les séparait s'appelait une Olympiade. Avec le temps, d'autres sports furent intégrés dans les épreuves, comme des courses de chars, la lutte, le lancement du disque et du javelot. Les Grecs organisèrent les jeux durant 1170 ans, jusqu'à leur abolition par l'empereur byzantin Théodore II en l'an 394 après JC. Ils furent rétablis en 1896.

Le philosophe Archimède

Qui étaient les grands philosophes grecs ?

Les Grecs révéraient le savoir et ceci suscita l'existence de grands penseurs ou philosophes. Ils furent les premiers à découvrir beaucoup de choses que l'on enseigne encore dans les écoles de nos jours. On peut ainsi citer Pythagore et Euclide, connu comme étant le père de la géométrie. On raconte encore la célèbre histoire du penseur scientifique Archimède : en allant prendre son bain, un jour, il remarqua que la masse d'eau déplacée par son corps était la même masse que celle de son corps. Il sauta d'un seul coup de son bain et courut dans la rue en criant « Eureka ! Eureka ! », ce qui signifie « J'ai trouvé ! »

LE SAVIEZ-VOUS ?

Zeus était le roi des dieux grecs. La légende dit qu'il aurait avalé ses enfants nouveau-nés pour qu'ils ne puissent pas lui succéder.

Qui étaient les Spartiates ?

Sparte était une ville du sud de la Grèce. Vers 700 av.JC, les Spartiates partirent à la **conquête** de leurs voisins, les Messéniens, et en firent leurs esclaves, les appelant des Hilotes. Les Hilotes étaient mal traités par les Spartiates qui les contraignaient à cultiver leurs terres. Ceci laissait aux Spartiates du temps pour s'entraîner à faire la guerre. Dès l'âge de 7 ans, les garçons étaient enrôlés pour s'entraîner en tant que soldats. Cet entraînement durait 17 ans.

Ainsi, à l'âge de 20 ans, ils étaient de vrais soldats. En 441 av.JC, certains états grecs jugèrent qu'Athènes devenait trop puissante et s'unirent aux Spartiates pour faire la guerre aux Athéniens. Cette guerre dura 37 ans et fut connue sous le nom de Guerre du Péloponèse. Les Spartiates finirent par gagner et ils prirent Athènes en 404 av.JC.

Qu'est-ce que le Parthénon ?

Le Parthénon était un très grand temple, construit par les Grecs anciens. La construction commença en 447 av.JC et se termina en 438 av.JC. Il était construit sur la plus haute colline d'Athènes. Comme les **architectes** voulaient qu'il soit le plus magnifique temple jamais construit, ils utilisèrent le marbre. A l'intérieur du temple, il y avait une grande statue faite d'or et d'ivoire représentant Athéna, la déesse de la sagesse et de la guerre.

Le Parthénon est l'un des bâtiments les plus célèbres du monde antique. « La maison carrée » à Nîmes en France donne une impression de ce que doit avoir été le Parthénon.

Nos ancêtres Européens

Le site de Stonehenge, en Angleterre, est plus ancien que tout langage écrit en Europe. A l'époque celtique en Angleterre, Stonehenge existait déjà depuis plus de 5 000 ans.

Pourquoi les Européens ont-ils construit des menhirs ?

Il y a au moins 7 000 ans, les anciens Européens construisirent, dans toute l'Europe, d'énormes pierres dressées, appelées mégalithes. Ce mot vient du Grec mega, qui signifie grand, et de lithos, qui veut dire pierre. Certaines de ces pierres sont alignées, d'autres sont disposées en cercles. Personne ne sait pourquoi elles ont été construites, peut-être servaient-elles de temples ou d'**observatoires** et certaines d'entre elles sont alignées en fonction des mouvements du soleil et des étoiles. Il existe un célèbre site construit en cercle dans le Wiltshire en Angleterre : celui de Stonehenge. Il est construit avec des pierres venant du Pays de Galles, distant de plus de 380 km. Les scientifiques ne savent toujours pas comment les gens de cette époque ont pu faire pour transporter d'aussi énormes pierres, puisqu'ils n'avaient ni chariots, ni moyens de levage, ni même de chevaux pour les aider.

Pourquoi célèbre-t-on encore des festivals celtes de nos jours ?

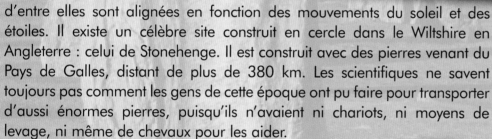

Les Celtes célébraient la fin de l'été et des récoltes par la fête de Samain. Ils allumaient un énorme feu de joie, s'habillaient de peaux de bêtes, faisaient de la musique et dansaient. Les célébrations duraient trois jours. A la fin du festival, chaque famille prenait un tison du feu pour allumer son propre feu à la maison. Les Celtes croyaient que cela les protégerait tout au long de l'hiver durable et froid qui les attendait. La fête de Samain est ensuite devenue la fête de Halloween, toujours célébrée de nos jours.

Qui étaient les Druides ?

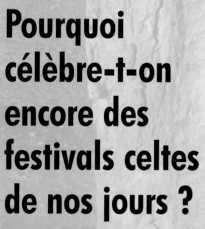

Les Druides étaient des personnages importants des communautés celtes. Ils n'étaient pas seulement des prêtres, mais aussi des conseillers et des professeurs pour les populations. Ils suivaient les enseignements druidiques et chaque chose qu'ils apprenaient devait être mémorisée, ils n'écrivaient absolument rien. Les Druides se chargeaient également de l'éducation des enfants en leur racontant des histoires traditionnelles.

Dans quelles sortes de maisons vivaient les premiers Européens ?

Au cours de la période du Paléolithique, qui fait partie de l'âge de pierre, le climat de l'Europe était très froid. Les premiers hommes qui s'y installèrent furent appelés les hommes de Cro-Magnon. Lorsqu'ils le pouvaient, ils vivaient dans des cavernes, et lorsqu'ils ne trouvaient pas à s'abriter dans des cavernes, ils faisaient des tentes rudimentaires en utilisant les matériaux qu'ils trouvaient. Cela pouvait être des branches d'arbres, ou des os de mammouths laineux pour constituer l'ossature de la tente que l'on recouvrait ensuite avec des peaux de bêtes pour se mettre à l'abri du vent, de la pluie et de la neige. On pense que l'homme de Cro-Magnon a été le premier humain à construire des maisons.

Les Celtes avaient une longue tradition de guerriers. Même l'armée romaine avait un grand respect pour ces combattants.

Qui étaient les Celtes ?

Les Celtes étaient les hommes qui vivaient en Europe aux environs de 500 av.JC. Ils vivaient en tribus, chacune d'entre elles possédant son propre territoire et son propre chef. La plupart du temps, ils étaient fermiers, mais, lorsque ce n'était pas le cas, il n'aimaient rien autant que la pêche. On raconte que les Celtes ont parfois chargé leurs ennemis en hurlant, et ne portant aucun vêtement ! Mais ils étaient également réputés pour les beaux vêtements de laine qu'ils portaient et pour les magnifiques objets de bronze et d'or qu'ils fabriquaient

La langue celte est-elle encore parlée en Europe ?

Les premiers Celtes parlaient une langue appelée l'ancien celtique. De nos jours, il subsiste six **dialectes** issus de l'ancienne langue qui sont encore parlés. Les Irlandais parlent le gaélique irlandais, les Ecossais parlent le gaélique écossais. Au Pays de Galles, on parle le galois, le cornique dans les Cornouailles, tandis que les habitants de l'Ile de Man s'expriment en mannois. Le cornique et le mannois sont des langues pratiquement éteintes. En France, en Bretagne, on parle le breton.

Rome

Qui étaient Romulus et Remus ?

Romulus et Remus étaient les fils jumeaux du dieu Mars et de la vestale Rhea Silvia. Leur père les **abandonna** dès leur naissance dans un endroit isolé. Ils furent nourris par une louve jusqu'au moment où un berger les découvrit. Sa femme et lui s'occupèrent des enfants jusqu'à ce qu'ils atteignent l'âge adulte. En 753 av.JC, Romulus et Rémus édifièrent une ville sur les rives du fleuve Tibre. Comme Remus se moquait de la petite taille des remparts de la cité, Romulus le tua. Il appela la ville Rome et s'en proclama roi.

Comment les Romains choisissaient-ils leurs chefs ?

Lors des premiers temps, Rome fut dirigée par des rois. Le dernier roi fut Tarquin le Superbe, chef haï qui fut destitué en 509 av.JC. Rome devint alors une **république**, contrôlée par des **sénateurs** issus des plus riches familles. Plus tard, même le peuple eut le droit de choisir ses représentants. Le premier empereur romain fut Auguste, choisi en 27 av.JC.

Qui étaient les gladiateurs romains ?

Les gladiateurs étaient des criminels, des prisonniers de guerre ou des esclaves, habitués à se battre entre eux pour distraire le public. Les combats avaient lieu dans des stades ovales appelés amphithéâtres. Le plus grand amphithéâtre était le Colisée de Rome. Les gladiateurs combattaient jusqu'à ce que l'un des deux soit blessé ou meure. Un gladiateur blessé avait le droit de lever la main pour demander sa grâce. Si l'empereur et les spectateurs levaient le pouce, cela signifiait que sa vie serait épargnée. Mais si le pouce était baissé, il devait mourir.

Photo d'une statue ancienne montrant Romulus et Remus tétant le lait de la louve.

Pourquoi l'armée romaine était-elle si puissante ?

Rome avait une armée professionnelle composée de soldats bien entraînés. Partant de Rome, ils gagnèrent de plus en plus de territoires. A chaque conquête d'une ville, celle-ci était intégrée à l'Empire romain, et sa population disposait alors du droit de vote à Rome. Les gens devaient également payer des impôts à Rome et envoyer des hommes combattre avec l'armée romaine. De cette façon, Rome devint de plus en plus riche, son armée de plus en plus importante, et l'empire de plus en plus puissant. Ils construisirent des routes, afin de pouvoir se rendre facilement dans toutes les parties de l'Empire romain, et ils édifièrent des forts aux frontières afin de protéger facilement leur Empire.

Qui était Jules César ?

Jules César était un célèbre général romain, qui se proclama plus tard chef à vie de Rome. César ne perdit jamais une seule guerre et deux de ses plus importantes conquêtes furent la Grande-Bretagne et la Gaule (partie du territoire appartenant maintenant à la France, la Belgique, l'Allemagne, et l'Italie. C'était un excellent orateur et nous connaissons encore une de ses célèbres phrases : « Je suis venu, j'ai vu, j'ai vaincu ». César était un chef populaire, mais de gens craignaient qu'il se proclame roi. Aux Ides de mars, le 15 mars de l'année 44 av.JC, César fut assassiné par un groupe de nobles dont il pensait qu'ils étaient ses amis.

Quelles sont les villes romaines ensevelies par la lave ?

En 79 après JC, le Vésuve, volcan italien, entra en éruption, ensevelissant les villes de Pompéi et d'Herculanum. Les populations n'étaient nullement préparées à cet événement, et bien qu'ils aient essayé de s'enfuir, plus de 2 000 personnes moururent. Les villes furent totalement ensevelies sous la lave et les cendres et ne furent jamais reconstruites. Elles ont été dégagées par des archéologues, ce qui a permis de montrer comment leurs habitants vivaient et travaillaient à cette époque.

LE SAVIEZ-VOUS ?

Lorsque des attaquants les assaillaient du haut des remparts, les soldats romains réunissaient leurs boucliers. D'autres soldats mettaient leurs boucliers au-dessus de leurs têtes. Cette formation s'appelait « faire la tortue » et permettait aux soldats de s'approcher de l'ennemi avec plus de sécurité.

Afrique ancienne

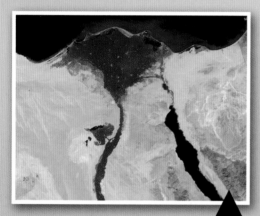

Quand a commencé la civilisation en Afrique ?

La première civilisation d'Afrique a commencé dans l'Egypte ancienne. Les Egyptiens construisirent des villes et des cités le long du Nil, il y a plus de 4 000 ans. La civilisation en Afrique sub-saharienne s'est établie beaucoup plus tardivement, lorsque l'Afrique fut divisée en deux parties par le désert du Sahara, et qu'alors les deux parties de l'Afrique connurent un développement très différent.

LE SAVIEZ-VOUS ?

Les premiers êtres humains du monde viennent d'Afrique. Les plus anciens **fossiles** réellement humains viennent d'Ethiopie et sont vieux de 160 000 ans. Il existe des restes plus anciens, mais les scientifiques ne sont pas certains qu'ils s'agissent de restes humains.

Pourquoi la civilisation africaine s'est-elle divisée entre le nord et le sud ?

Situé au nord de l'Afrique, le Sahara n'a pas toujours été un désert. Il y a des milliers d'années, il était recouvert d'herbe et les hommes y chassaient des girafes, des hippopotames et des rhinocéros. Puis les hommes y introduisirent du bétail, des moutons, des chèvres et des porcs. Il y a environ 5 000 ans, le climat se réchauffa et devint plus sec et l'herbe disparut pour céder la place au Désert du Sahara. La désertification sépara l'Afrique entre le nord et le sud, et des populations partirent vers le sud et l'ouest au fur et à mesure que le désert gagnait du terrain. Les habitants de l'Egypte développèrent autour du Nil une civilisation très différente de celle des peuples qui partirent vers le sud.

Qui était le peuple Nok ?

La population Nok venait de ce qu'on appelle actuellement le Nigéria autour de 900 av.JC à 200 après JC. Nous ne savons pas comment ils se nommaient eux-mêmes et leurs avons donc donné le nom du village de Nok où l'on a retrouvé les premiers vestiges de leur culture. Ils avaient découvert la fusion de l'acier et apprirent à fabriquer des outils en acier pour l'agriculture. Ils furent également les premiers humains de l'Afrique sub-saharienne à faire des sculptures, dont la plupart étaient des statues faites de **terre cuite.**

Qui a construit le Grand Zimbabwe ?

La cité du Grand Zimbabwe a été construite par le peuple Shona à partir des années 1 100. On connaît peu de choses sur les motifs de cette construction ou sur les gens qui y vivaient, car ils ne possédaient pas de langage écrit à cette époque. Le mot « Zimbabwe » signifie « Maisons de Pierre » et le pays actuellement appelé Zimbabwe a repris le nom de la cité antique. C'est la plus grande structure ancienne construite au sud du Sahara. Certains murs de pierre ont une hauteur de près de 12 mètres et une largeur qui atteint jusqu'à cinq mètres par endroit. On pense que de 200 à 300 personnes seulement vivaient là et qu'il s'agissait probablement de nobles et de leurs familles. Jusqu'à 10 000 personnes vivaient dans des huttes de terre construites autour des bâtiments principaux.

Durant de nombreuses années suivant leurs découvertes, les explorateurs occidentaux refusèrent de croire que la cité du Grand Zimbabwe pouvait avoir été construite par la population indigène.

Qui étaient les Bantous ?

Les peuples Bantous vivaient le long du Niger, en Afrique de l'Ouest (régions correspondant actuellement au Nigéria et au Cameroun). En raison, peut-être, d'un excédent de population ils étendirent leurs territoires vers le sud et l'est. Leur **migration** commença vers 1 000 av.JC et se poursuivit jusqu'à 700 après JC. Ils introduisirent des céréales telles que le **millet** et le **sorgho** dans les territoires où ils s'installèrent et apportèrent avec leurs connaissances en matière de **fusion** du métal et de fabrication d'outils.

Qu'importait-on de l'ancienne cité d'Aksoum ?

Aksoum est la plus ancienne ville d'Ethiopie. Elle fut fondée vers 300 av.JC et représentait une des civilisations les plus importantes et avancées de cette époque. Les habitants d'Aksoum faisaient du commerce avec des pays éloignés, tels que l'Egypte, l'Inde, l'Arabie et la Perse, exportant de l'or, de l'ivoire, des cornes de rhinocéros, des peaux d'hippopotames, et faisant le commerce d'esclaves. Ils importaient du coton et de la soie, de l'huile d'olive et de la **laque.**

29

Glossaire

Abandonné

Laissé tout seul. Les hommes abandonnent leurs maisons et leurs villes lorsque les conditions de vie changent, les obligeant à déménager. Ceci se produit souvent à la suite d'une guerre, d'une famine ou d'une autre catastrophe naturelle.

Ancêtres

Les êtres humains dont descendent un groupe ou une famille. Vos ancêtres sont vos parents depuis longtemps disparus, habituellement bien avant vos grands-parents. Les sociétés primitives avaient souvent le culte de leurs ancêtres, pensant qu'ils pouvaient protéger leur famille et leur porter chance.

Archéologues

Scientifiques qui étudient la vie humaine et les civilisations du passé, par l'observation de restes tels que des outils, des constructions, des poteries et des œuvres artistiques. Les archéologues se servent des objets qu'ils découvrent pour nous montrer comment les peuples vivaient et travaillaient dans des temps reculés avant que l'usage de l'écriture ne devienne habituel.

Architecte

Un architecte est une personne qui dessine et définit la taille et le style des immeubles, faisant des plans pour situer chaque pièce dans un bâtiment, avec les fenêtres et les portes. Il faut de nombreuses années pour apprendre l'architecture, car il est important que les constructions soient sûres.

Carrière

Une mine dont on extrait de la pierre.

Citoyen

Une personne qui vit et qui est intégrée dans une cité, une ville ou un état est un citoyen. Les citoyens avaient le droit de vote, alors que les serfs et les domestiques ne l'avaient pas. Cependant, les serviteurs qui avaient fait preuve de loyauté pouvaient devenir des citoyens après un certain nombre d'années de service.

Civilisations

La civilisation représente le développement et le progrès des sociétés humaines, incluant souvent les progrès de l'art et de l'éducation. Ceci a commencé avec des groupes d'hommes vivant ensemble qui ont entrepris de fabriquer des outils de pierre et de bois, échangeant des objets avec d'autres groupes et faisant des peintures rupestres. La civilisation exige que les hommes vivent avec des lois qu'ils ont acceptées et de travailler en coopération pour le bien de tous.

Conquête

On dit des pays qui ont été vaincus par des envahisseurs qu'ils ont été conquis. Ainsi des peuples tels que les Romains ont construit un réseau de pays conquis, constituant ainsi des empires géants.

Construction

La façon dont quelque chose est construite ou constituée. Dans les temps très anciens, de nombreuses et très massives pierres étaient entassées les unes sur les autres. Personne ne sait cependant avec certitude comment les hommes pouvaient y arriver sans l'aide de machines.

Couronne

Couronne de fleurs, feuilles ou de branches. Les couronnes sont normalement associées aux funérailles ou aux célébrations.

Descendant

Une personne qui peut retrouver la trace de ses ancêtres jusqu'à une personne ou un groupe spécifique est appelée un descendant.

Se Détériorer

S'abîmer, s'affaiblir, se démolir. Les maisons de terre s'érodaient lentement du fait des craquelures des murs dues au soleil, tandis que la pluie emportait petit à petit des pans de murs.

Dialectes

Les dialectes sont des façons différentes de parler une même langue. Vous pouvez entendre les changements de dialectes lorsque vous parcourez un pays d'une région à une autre. Nombreuses sont les régions d'un pays qui possèdent leur propre dialecte.

Disciple

Un disciple est une personne qui suit un maître et diffuse ses enseignements. Les disciples les plus connus étaient les douze apôtres qui suivaient Jésus de Nazareth.

Divin

Surhomme, semblable à un dieu. Les peuples anciens attribuaient souvent des évènements qu'ils ne comprenaient pas (par exemple les éclipses) à une intervention divine.

Dôme

Une forme en dôme est une forme arrondie ou hémisphérique, comme la moitié d'un ballon de football.

Eclairé

Informé et compréhensif. Les hommes les plus éclairés dans les sociétés primitives étaient soit les scribes, soit les prêtres. Après l'âge médiéval sombre, l'Europe connut un sursaut dans la connaissance et les découvertes scientifiques, que l'on dénomma Epoque des Lumières.

Escarbille (tison)

Petit morceau rougeoyant de bois ou de charbon restant après un feu.

Encercler

Former un cercle ou un anneau. Plus l'objet pour encercler était long ou large, plus la zone d'encerclement devait être importante.

Enchevêtrement

Une tâche ou un objet très complexes sont dits « enchevêtrés ».

Extinction

Les espèces sont dites éteintes lorsque leur dernier survivant disparaît. Toutes les espèces s'éteignent, éventuellement en évoluant vers d'autres espèces.

Fertile

Sol riche et apte à fournir d'importantes récoltes de cultures ou fruits. Les peuples s'installèrent dans des régions fertiles car ils pouvaient faire de bonnes récoltes et avoir beaucoup de nourriture pour leurs animaux.

Fossile

Restes ou traces d'un animal ou d'un végétal ayant existé il y a très longtemps. Les fossiles ne sont pas des os : le cours du temps a transformé les os des animaux en pierres par le biais d'une action chimique. Cette action s'appele fossilisation.

Fusion
Fondre ou fusionner des métaux. Les alliages sont plus solides que les métaux de base et rendent ainsi plus solides les outils et les armes. Le bronze est un alliage de cuivre, de zinc et d'étain.

Idole
Objet d'adoration, les idoles sont en principe des sculptures représentant de façon visuelle des dieux ou des divinités. Nombreuses sont les sociétés primitives qui croyaient que l'idole contenait l'esprit du dieu et pouvait avoir une influence directe sur leurs vies.

Laque
Une couche vernie transparente appliquée sur les surfaces pour les rendre brillantes. Les Japonais anciens étaient réputés pour la qualité de leurs laques.

Lave
La pierre liquéfiée descendant d'un volcan est appelée lave lorsqu'elle est en surface. Lorsqu'elle est en dessous de la surface ou à l'intérieur du volcan, elle est appelée magma.

Mammouths
Un énorme animal à poils longs, ressemblant à un éléphant, avec des défenses recourbées. Les hommes chassaient les mammouths avec des flèches et des haches, puis mangeaient leur chair et utilisaient leur peau, leurs os et leurs défenses pour construire des huttes primitives. Les mammouths ont disparu il y a 10 000 ans.

Manufacturer
Produire des biens en grande quantité. Un tas de produits, comme le verre ou les meubles en bois de cèdre, étaient fabriqués pour être vendus ou pour faire du commerce avec d'autres peuples. Cela faisait la richesse et le pouvoir des commerçants.

Mastodonte
Un mammifère ressemblant à l'éléphant qui vivait en Amérique du Nord. Il était légèrement plus petit qu'un éléphant, avec des défenses recourbées et des poils épais brun-roux. Ils ont disparu il y a 3 000 ans probablement du fait d'une chasse trop importante de la part des premiers habitants.

Migration
Mouvement des personnes ou des animaux d'un endroit à un autre. De nombreux oiseaux migrent chaque année pour échapper aux intempéries. Les peuples migrent également, souvent pour des raisons économiques.

Millet
Petites semences de graines venant de certaines plantes.

Bœufs Musqués
Genre de bœuf ayant une odeur de musc.

Nomades
Groupe de personnes n'ayant pas de résidence fixe et voyageant d'un endroit à l'autre, à la recherche de nourriture, d'eau et de pâturages pour leurs animaux. Dans les époques primitives, de nombreuses tribus étaient des tribus nomades. Actuellement, la plupart des gens habitent dans un seul endroit.

Observatoire
Bâtiment dédié à la science, hébergeant un télescope que l'on utilise pour étudier les étoiles.

Papyrus
Forme primitive du papier, fabriquée en pressant des feuilles de la plante du papyrus en bandes très minces.

Préservé
Traité pour éviter la décomposition. Les restes des anciens ont parfois été préservés en restant enfermés dans la boue ou la glace.

Prospère
Riche ou aisé. Le commerce avec d'autres populations, en particulier celles de pays lointains, enrichissaient beaucoup les hommes qui pouvaient vendre leurs marchandises ou les échanger contre quelque chose dont ils avaient besoin.

Représenté
Etre à la place de. Souvent exprimé par des signes ou des symboles. Dans l'écriture ancienne, les noms des lois sont souvent représentés par des symboles spécifiques.

République
Etat dans lequel les citoyens élisent des représentants chargés d'élaborer et de faire respecter les lois. Rome et la Grèce étaient des républiques, mais Rome devint ensuite un empire.

Révérer
Honorer et adorer. Les peuples primitifs révéraient souvent leurs ancêtres.

Sacrifice
Offrande de valeur faite aux dieux. Il s'agit fréquemment de faire le sacrifice d'un animal ou d'une personne. Parfois, le sacrifice reste symbolique.

Sceptre
Baguette ou bâton tenue par une personne détenant une autorité, tel un roi ou un prêtre.

Sénateurs
Membres du gouvernement d'une république. Les sénateurs sont élus à un sénat qui gouverne. Ceci est supposé être un procédé juste. Mais souvent les sénateurs obtenaient leur poste en payant.

Sorgho
Type d'herbe utilisée pour ses grains. On peut faire du sirop avec le jus de la plante. Le sorgho est une base de l'alimentation dans de nombreuses parties du monde.

Sphinx
Statue égyptienne ayant un corps de lion et une tête d'homme, de bélier ou de faucon. Le Sphinx est près des pyramides de Gizeh en Egypte. On dit en général que le Sphinx a été construit à peu près à la même époque que les pyramides. Cependant certaines personnes pensent qu'il pourrait être beaucoup plus ancien qu'elles.

Structure
Constituée de différentes parties et tenues ou rassemblées d'une manière spécifique, les Ziggourats étaient construites en couches, avec des plate-formes construites sur le toit de chacune d'entre elles, à chaque fois plus petites au fur et à mesure que l'on montait.

Superstition
Croyance dans des choses étranges, mystérieuses ou effrayantes dont la plupart sont erronées. Les peuples du Néolithique peignaient des peintures rupestres, espérant qu'elles rendraient les « dieux » heureux et qu'ils auraient de nombreux animaux à chasser.

Symbole
Signe utilisé pour montrer ou agir comme quelque chose de différent. Chaque marque ou signe désignait quelque chose de différent.

Terre cuite
Argile solide utilisée pour les poteries et les constructions.

Théorie
Explication d'un événement ou d'un phénomène lorsque peu d'informations sont disponibles.

Tombe
Monument ou chambre pour enterrer les morts. Dans le passé, les rois ont construit des tombes de plus en plus grandes pour montrer à quel point ils étaient riches et puissants.

Vêtement
Habit pour se couvrir

Questions / Réponses

Les origines

Une galaxie de faits fascinants

Jane Mogford

Introduction

Il existe dans notre vie quotidienne tant de choses qui nous paraissent aller de soi. La nuit suit le jour, le temps change constamment, les rayons des supermarchés sont remplis de denrées et l'électricité ne manque jamais lorsque nous allumons les lampes.

Tout semble se passer comme par magie, de façon constante, fiable et à la demande.

Cela ne s'est pas toujours passé ainsi. Auparavant, les gens avaient souvent une idée assez précise de l'origine de certaines choses.

Une bonne partie du repas sur la table provenait des produits cultivés chez soi et la plupart des objets ménagers étaient fabriqués à la main dans le voisinage.

Mais après l'avènement de l'industrialisation, vers le milieu du XVIIIème siècle, ce lien direct entre utilisateur et fabricant commença à se dénouer. Les biens étaient désormais produits en masse dans des usines situées dans divers endroits du pays et à partir de matières premières provenant du monde entier.

Avec le développement de la mécanisation, de plus en plus de personnes n'avaient ni le savoir-faire ni le besoin d'être directement impliquées dans la création des biens qu'elles consommaient.

Comment l'univers a-t-il pu naître ?•••

Les scientifiques croient que l'univers est né à partir d'un tout petit point qui renfermait l'univers tout entier. Il y a environ 15 billions d'années, ce point a explosé, lors d'un phénomène qu'on appelle le « Big Bang », laissant s'étaler tout son contenu. Après l'explosion, tout s'est mis à refroidir et des **atomes** se sont regroupés pour former ce que nous voyons autour de nous aujourd'hui, depuis notre planète au soleil et jusqu'à toutes les étoiles dans le ciel.

Le télescope spatial de Hubble permet de voir plus loin que tout autre télescope optique. La lumière des étoiles mettant si longtemps à arriver jusqu'à nous, ce que voient les scientifiques maintenant est en fait l'apparence qu'avait l'univers il y a des billions d'années.

De quelle manière se forment les étoiles ?••••••

Lorsque l'univers s'est mis à refroidir après le Big Bang, les effets de la gravité ont conduit à l'agglomération de grosses masses de gaz qui brûlaient de mille feux comme d'énormes incendies. Ce sont ces incendies que nous pouvons voir briller dans le ciel nocturne. Notre Soleil est aussi une étoile, mais comme il est très près de notre planète, il semble beaucoup plus grand et brillant que les autres étoiles. Lorsque leurs gaz sont consumés, les étoiles finissent par s'épuiser. Si elles sont petites et dépourvues d'une gravité suffisante pour maintenir leur masse, elles explosent, mais si elles sont grosses avec une gravité plus puissante que la force de l'explosion, elles s'effondrent sur elles-mêmes.

Quelle est l'origine des planètes ?

Lorsqu'une étoile explose et « meurt », la matière qu'elle rejette est attirée par la force de **gravité** d'une étoile « vivante ». Cette matière se rassemble en une grosse boule. Cette boule peut être composée de gaz, comme ceux qui forment les planètes Jupiter et Saturne. Ou bien elle est composée de solides, comme Mars et la Terre.

Lorsqu'une planète se forme, elle se met en **orbite** autour d'une étoile. Nous connaissons notre étoile, le Soleil, mais les astronomes ont découvert plus de 70 planètes en orbite autour d'autres étoiles.

4

Que sont les galaxies ?

Les **galaxies** sont de grandes concentrations d'étoiles gravitant ensemble en un mouvement circulaire, tel une spirale. Au centre de chaque galaxie se trouve un objet lourd - une boule dense de gaz ou de solides - qui crée une puissante force gravitationnelle. C'est cette force gravitationnelle qui maintient la cohésion de la galaxie.

Notre galaxie, la Voie lactée, est une galaxie spirale comme celle de la photo. C'est le type de galaxie le plus fréquent. La Voie lactée appartient à un amas galactique appelé « groupe local ».

Qu'est-ce qu'un trou noir ?

Les scientifiques croient en l'existence des trous noirs mais s'efforcent toujours d'établir exactement en quoi ils consistent et comment ils se forment. La théorie qu'ils préconisent actuellement est que ces trous se forment lorsque des étoiles s'effondrent sur elles-mêmes, créant une masse si dense et avec une force gravitationnelle si puissante qu'elle aspire toute la matière et toute l'énergie, y compris la lumière, de sorte que celles-ci ne peuvent plus s'échapper. Puisque la lumière est emprisonnée, nous ne pouvons plus la voir, et c'est pour cela qu'elle paraît être un trou noir.

Pourquoi la Terre a-t-elle une lune ?

La Lune est le **satellite** naturel de la Terre. De même que la Terre est en orbite autour du Soleil, la Lune est en orbite autour de la Terre. On pense que la Lune s'est créée lorsque la Terre est entré en collision avec une grosse **comète** et a rejeté des morceaux de roche dans l'espace. Ces roches se sont agglomérées grâce à la force gravitationnelle de la Terre, formant ainsi la Lune. On la voit briller la nuit parce qu'elle reflète la lumière du Soleil. D'autres planètes possèdent également des lunes. Des **astronomes** ont compté 25 lunes en orbite autour de Saturne.

LE SAVIEZ-VOUS ?

Les étoiles qu'on peut observer dans le ciel nocturne ne sont peut-être plus là ! Certaines étoiles sont déjà « mortes » par explosion ou implosion. Mais, parce qu'elles sont si loin et que la lumière qui permet de les voir met si longtemps à arriver jusqu'à la Terre, ce qu'on est en train de voir est en fait une image ancienne d'une étoile qui n'existe plus. Etrange, n'est-ce pas ?

La Terre

Pourquoi les espèces disparaissent-elles ? • • • •

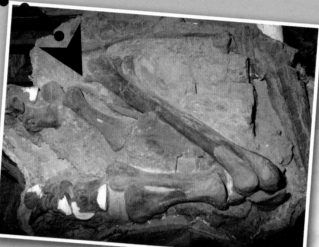

Les raisons de la disparition des **espèces** sont multiples. Souvent, elle est le résultat d'un manque de nourriture provoqué par une modification du milieu. Par exemple, pendant l'ère glacière, le grand froid empêchait certaines plantes de pousser, ce qui a entraîné la mort des animaux qui s'en nourrissaient. Personne ne sait exactement pourquoi les dinosaures ont **disparu.** L'une des théories avance qu'une grosse météorite aurait heurté la Terre, rejetant dans l'atmosphère un énorme nuage de poussières qui a obscurci les rayons du soleil. Cela aurait entraîné la destruction de la nourriture et de l'habitat dont dépendaient les dinosaures pour vivre. D'autres animaux, comme le dodo, ont disparu parce qu'ils ont été trop chassés par l'homme. L'homme a également détruit les habitats d'autres animaux en coupant les arbres de la forêt vierge pour leur bois ou pour planter des cultures à leur place, ou encore en polluant des eaux avec des produits chimiques issus des usines.

Pourquoi existe-il tant d'êtres vivants différents ?

La vie n'a jamais cessé d'évoluer depuis les premiers **organismes** unicellulaires jusqu'aux millions d'êtres vivant sur notre planète aujourd'hui. Plantes, animaux, poissons, oiseaux, êtres humains…, tous s'adaptent constamment aux modifications de leur milieu afin de pouvoir trouver de la nourriture, se protéger des ennemis et continuer à se reproduire. Ces changements se produisent très lentement, parfois sur des millions d'années, et peuvent aboutir à des choses étranges comme la girafe, qui a développé un cou démesurément long pour pouvoir atteindre les feuilles au sommet des arbres. On peut citer aussi le porc-épic qui s'est recouvert d'épines pour se protéger de ses ennemis, ou encore des plantes qui se parent de fleurs exotiques pour attirer des insectes distributeurs de pollen.

Depuis quand existe-il de la vie sur Terre ?

Personne ne sait exactement quand la vie a commencé sur Terre. Il y a 4,6 billions d'années, après le Big Bang, la Terre devait être inhospitalière et sans vie. Mais, un billion d'années plus tard, elle fourmillait de vie sous forme d'organismes unicellulaires comme les **bactéries** et des **algues.** Ces créatures furent sans doute les seuls habitants de la Terre pendant les 3 billions d'années suivantes, jusqu'à ce que

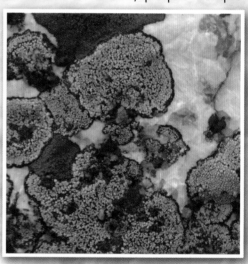

les conditions soient réunies pour l'apparition de nouvelles espèces plus complexes.

La vie existe-t-elle sur d'autres planètes ?

Il n'y a aucune raison que la vie n'existe pas sur une autre planète. On pense que c'est la présence de l'eau sur la Terre qui lui a permis de s'y développer. C'est pour cette raison que les scientifiques ne cessent de chercher des indications de la présence de l'eau sur les autres planètes de notre **système solaire.** On a trouvé des signes indiquant que l'eau aurait coulé sur Mars et peut-être un jour trouvera-t-on des fossiles d'êtres vivants qui y auraient vécu. Mais il est possible aussi qu'il y ait des planètes semblables à la Terre de l'autre côté de l'univers, des planètes avec une vie similaire à celle de la Terre il y a des milliers d'années ou celle qu'il y aura dans des milliers d'années. Il ne nous reste qu'à les trouver !

Comment les plantes se sont-elles développées ? • • • • • • • • • • • • • • • •

La surface de la Terre est recouverte d'eau à 71 %. C'est donc dans l'eau que la vie aurait commencé il y a environ 3,5 billions d'années. Les plantes comme les coraux pouvaient vivre dans la mer, alors que les masses continentales à cette époque étaient **arides** et n'auraient pas pu maintenir une végétation en vie. Il fallut encore 50 millions d'années avant que les **climats** et les milieux ne soient à même de permettre la croissance des plantes terrestres. Passé ce cap, les insectes et les plantes se sont développés de concert, car ils dépendaient les uns des autres. Tout de même, l'**évolution** des plantes a mis encore 1,6 billions d'années pour aboutir à des arbres et des forêts et un million d'années de plus à créer des plantes à fleurs.

Comment les êtres marins sont-ils devenus des êtres terrestres ? • • • •

Le besoin de trouver un milieu plus favorable à la survie de leur espèce a poussé certains êtres marins à devenir des êtres terrestres. Pendant ses premiers billions d'années, la vie sur Terre n'existait que dans la mer. Mais une fois les conditions adéquates réunies, des plantes et des insectes ont commencé à se développer sur la terre. Les êtres marins qui avaient du mal à se défendre et à défendre leur progéniture des ennemis, ou qui ne trouvaient plus de quoi se nourrir, se sont aventurés sur la terre. Il s'agissait des premiers amphibiens, les animaux qui vivaient indifféremment dans l'eau et sur la terre. Certains d'entre eux se sont adaptés à la vie terrestre permanente et ont évolué de façon à se recouvrir de plumes ou de poils à la place des écailles.

Les hommes

Sommes-nous vraiment apparentés aux singes ?

On pense que les hommes et les singes avaient un ancêtre commun remontant à six millions d'années. La marche de l'évolution a séparé les hommes des singes, chacun évoluant ensuite de son côté. L'homme se distingue du singe par sa bipédie, une faculté développée il y a environ 4 millions d'années, et son gros cerveau complexe qui lui donne la capacité de fabriquer et d'utiliser des outils et de développer le langage.

Quel est notre parent le plus proche ?

Les hommes sont des **primates** et les parents proches d'autres primates, à savoir les chimpanzés et les gorilles. Nous avons tous un **ancêtre** commun remontant à 6-8 millions d'années. Notre plus proche parent humain est Homo sapiens, dit homme moderne, qui vivait il y a environ 100 000 ans et qui a progressivement investi le monde entier. La première découverte de fossiles d'Homo sapiens a eu lieu dans un abri rocheux dans le sud-ouest de la France. Ces hommes, nommés Cro-Magnon, avaient un visage petit et large avec un front haut et un menton pointu.

Un des premiers gisements de fossiles découverts se trouve dans les gorges d'Olduvai en Tanzanie. S'agirait-il de notre berceau commun ?

Où vivaient les premiers hommes ?

Les recherches menées portent à croire que les tout premiers hommes sont nés en Afrique il y a environ 4 millions d'années, car ce n'est qu'en Afrique qu'on a trouvé les fossiles les plus anciens. Au cours des 2 à 3 millions d'années suivantes, l'homme a appris à marcher sur deux jambes, à fabriquer des outils et à maîtriser le feu. Mais c'est seulement après l'apparition d'Homo erectus (« homme debout ») que les êtres humains ont migré d'Afrique en Asie et en Europe.

LE SAVIEZ-VOUS ?

Les hommes qui peuplaient des zones trop froides pour permettre la croissance des arbres construisaient parfois leurs abris à partir d'os de mammouth laineux.

8

Qui était l'homme de Neandertal ?

L'homme de Neandertal était le premier Homo sapiens, un des ancêtres de l'homme moderne. On l'a découvert pour la première fois en 1856 dans la vallée du Neander près de Düsseldorf. Depuis on en a trouvé plus de 300 fossiles à travers le monde. Il est caractérisé par son front fuyant et son importante arcade sourcilière. Il vivait il y a 30 000 à 120 000 ans mais a disparu avec l'apparition de l'homme moderne en Europe et en Asie. Outre leur capacité à fabriquer et à utiliser des outils et à maîtriser le feu, les hommes de Neandertal étaient vraisemblablement les premiers à enterrer leurs morts.

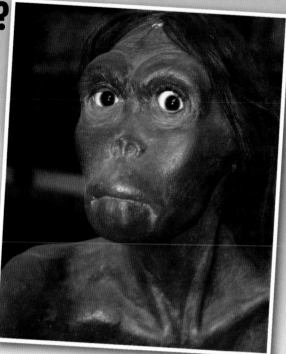

Qui étaient les premiers hommes ?

Les premiers hommes étaient des hommes-singes appelés Australopithèques, ou singes austraux. Ils sont descendus des arbres et se sont mis debout. Les restes fossilisés de la célèbre Australopithèque « Lucy » ont été retrouvés en Ethiopie en 1974. En dépit de sa petite taille (elle ne mesurait qu'un mètre), les scientifiques pensent qu'elle devait avoir dans les 40 ans lors de sa mort il y a environ 3 millions d'années.

Bien que les scientifiques puissent tirer beaucoup de renseignements de l'étude des ossements des premiers hominidés, ils en savent toujours peu sur leur façon de vivre. Des images d'artiste comme celle de gauche peuvent nous donner une certaine idée de leur apparence mais leur carnation et leur degré de pilosité relèvent de la pure conjecture.

Pourquoi y a-t-il tant de types humains différents dans le monde aujourd'hui ?

En se dispersant à travers le monde, l'homme moderne a dû s'adapter à des milieux différents. La couleur de la peau des hommes des régions très chaudes s'est assombrie afin de les protéger contre les rayons nocifs du soleil. Celle des hommes de **l'hémisphère nord** où il fait plus froid était plus claire pour offrir une meilleure protection contre les engelures. La couleur des cheveux et des yeux est généralement en harmonie avec celle de la peau : cheveux et yeux foncés dans les régions chaudes et cheveux clairs et yeux bleus dans les régions froides. Le climat influe également sur les traits du visage et la forme du corps. Les habitants des régions froides, comme les Esquimaux, ont le visage joufflu et le nez empâté, et ils sont plutôt de petite taille et bien enrobés. En revanche, un corps plus mince et élancé convient mieux aux climats chauds car il permet une libération plus rapide de la chaleur pour maintenir sa température.

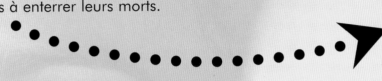

9

La parole

La parole est-elle spécifique aux êtres humains ?

Aucun autre être vivant n'a développé l'usage de la parole comme l'ont fait les êtres humains. D'autres êtres communiquent par gestes ou par sons pour des raisons diverses : pour

Les êtres humains adorent parler. L'essor des téléphones portables depuis une dizaine d'années est un exemple de l'importance que nous accordons à notre capacité de communiquer les uns avec les autres.

éloigner leurs ennemis, marquer leur territoire, avertir des dangers, trouver leur chemin ou attirer un partenaire. Mais seuls les humains ont la possibilité de communiquer par la parole. Notre cerveau étant plus gros et plus sophistiqué que celui des autres animaux, nous avons pu développer le langage parlé. Pour autant que l'on sache, la communication des animaux ne concerne que l'immédiat, par exemple un danger à signaler ou un appel à un partenaire, tandis que celle des êtres humains peut concerner présent, passé ou futur.

Pourquoi certains signes sont-ils compris de tout le monde ?

Même si à travers le monde les gens se différencient par leur apparence et leur langue, ils sont tous des êtres humains et partagent les mêmes émotions et sentiments. Cela signifie que certaines expressions du visage ou certains gestes peuvent être compris de tout le monde. Par exemple, nous comprenons tous qu'un sourire signifie contentement ou assentiment, qu'un signe de la main est une salutation et que se pincer le nez en fronçant les sourcils indique la présence d'une mauvaise odeur ! Peu importe où nous nous trouvons, de tels gestes sont universellement reconnus. Avec la progression des voyages à l'étranger, il est devenu important que certains signes puissent être compris de tous. Ces signes se présentent sous forme de pictogrammes ou de symboles au lieu de mots, ce qui leur permet d'être compris dans n'importe quel pays.

Pourquoi portons-nous tous un nom ?

La raison la plus évidente est qu'un nom nous permet de nous différencier des autres et de comprendre plus facilement de qui il est question. Après tout, il est bien plus facile d'employer le nom Alice que de se référer à une petite fille aux cheveux blonds avec un serre-tête bleu et qui court après un lapin ! Certains noms traversent les générations d'une même famille ou clan, comme par exemple le nom du clan écossais MacDonald ou encore la maison royale des Bourbon. D'autres noms ont pour origine un métier, tels que Boulanger ou Charpentier. Chaque culture possède ses spécificités dans l'emploi des noms. Par exemple, dans certaines parties d'Afrique, le nom d'une personne indique sa place dans la fratrie !

Quelle est l'origine des noms de lieux ?

Les noms de lieux les plus anciens font souvent référence à un élément du paysage local. Par exemple, les noms en « puy » ou « mont » décrivent un lieu sur ou près d'une hauteur, tandis que les noms en « val » indiquent un lieu dans une vallée ou dépression. Des personnes qui s'installent dans un nouveau lieu changent bien souvent son nom d'origine. Les noms de bon nombre de lieux en Amérique sont ceux des tribus amérindiennes, comme Chattanooga ou Illinois. Des émigrés renomment parfois le lieu où ils s'installent du nom du lieu qu'ils ont quitté pour en garder le souvenir.

Pourquoi y a-t-il tant de langues différentes ?

Personne ne sait exactement lorsqu'on a commencé à utiliser le langage, mais nombre de spécialistes croient qu'à l'origine il n'existait qu'une seule langue que parlait tout le monde. Depuis le temps, cette langue aurait subi de multiples adaptations aboutissant à près de 6 000 langues parlées dans le monde aujourd'hui. Les langues évoluent et s'adaptent pour de nombreuses raisons. Il y a des milliers d'années, les gens vivaient en petites tribus, chacune développant une langue propre à son expérience et à son milieu. En migrant vers d'autres parties du monde, elles auraient rencontré d'autres tribus et dû trouver des moyens de communiquer avec elles. Cela aurait conduit des tribus diverses à mélanger leurs langues et à en former une nouvelle, légèrement différente. Si l'on imagine que cela s'est répété sur des milliers d'années, on peut comprendre pourquoi le nombre de langues croissait sans cesse.

LE SAVIEZ-VOUS ?

Il existe 1,2 billions de personnes parlant le chinois, ce qui fait du chinois la langue la plus parlée au monde.

Pourquoi certaines langues sont-elles parlées partout dans le monde ?

Jadis, la plupart des gens vivaient et mourraient dans leur commune natale qu'ils n'avaient jamais quittée. Ils n'avaient ni radio ni télévision et ils étaient nombreux à ne pas savoir lire, donc ils ne pouvaient pas parcourir les journaux. Ils n'étaient donc au courant que de ce qui se passait dans leur voisinage. Aujourd'hui en revanche les gens voyagent beaucoup, nombre d'entreprises possèdent des agences à l'étranger et les nations ont des relations commerciales dans le monde entier. On dispose également du courrier électronique, de l'internet, de la télévision et de la radio pour diffuser partout les mêmes informations, émissions et publicités. C'est une forme de **mondialisation** qui a conduit à l'emploi de termes identiques dans tous les pays et toutes les cultures. Ou que l'on aille ou presque, on est compris quand on prononce des termes comme OK, e-mail ou hamburger.

Aliments

Pourquoi certains aliments sont-ils mis en conserve ?

La mise sous **vide** des aliments dans des boîtes de conserve permet de les garder pour une consommation ultérieure. La plupart des aliments sont **périssables** et par conséquent ne se conservent pas longtemps avant de pourrir. Une façon efficace des les empêcher de pourrir est de les faire cuire et de les mettre sous vide dans des boîtes. Le fait du vide signifie qu'aucun **microbe** ne peut pénétrer les aliments et qu'ils ne peuvent donc pas pourrir. Les boîtes de conserves ayant une durée de vie d'un an ou plus, elles peuvent être stockées sur les rayons des supermarchés. Elles sont également parfaites pour des voyageurs ou des explorateurs qui ont besoin de disposer d'une nourriture saine dans leurs expéditions vers des contrées lointaines.

Pourquoi faut-il faire cuire certains aliments ?

Les êtres humains vivaient sur la Terre pendant près de 2 millions d'années avant de savoir maîtriser le feu. Mais une fois cette maîtrise acquise, ils purent faire cuire leurs aliments. La cuisson rend les aliments plus souples ou plus tendres, donc plus faciles à mastiquer et à avaler. Elle permet aussi de libérer les saveurs d'un aliment, ce qui rend sa consommation plus agréable. En cuisinant un mélange d'aliments, on peut élaborer des repas qui contribuent à un régime équilibré à base de protéines, féculents et graisses. La cuisson, surtout des viandes, est également importante pour assurer l'élimination des bactéries et microbes qui peuvent se trouver dans des aliments crus.

La cuisson des aliments à été un des plus grands pas franchis par la civilisation humaine.

Le café provient-il vraiment d'une cerise ?

Le café moulu que nous achetons provient d'un fruit appelé communément cerise. Ces cerises (ou drupes) sont le fruit d'une plante, le caféier, qui pousse en général dans des régions montagneuses où le climat est doux et humide. Le caféier est très cultivé au Brésil, au Kenya et dans les pays d'Amérique Centrale. On secoue le caféier pour faire tomber les cerises mûres que l'on torréfie ensuite jusqu'à ce qu'elles soient sèches. La torréfaction libère toute la richesse des saveurs du café et permet de le conserver jusqu'au moment de le moudre et d'en faire le breuvage. La meilleure façon de le faire est de verser de l'eau très chaude sur la mouture et de la **filtrer** pour n'en laisser que l'infusion. Mais on est nombreux à ne boire que du café instantané, c'est-à-dire du café séché davantage et traité de sorte à en faire une poudre qui se dissout dans de l'eau chaude.

D'où proviennent les spaghettis ?

Les Italiens sont célèbres pour leurs spaghettis et autres pâtes. Mais les pâtes font également partie des plats d'autres pays et cultures, par exemple les nouilles chinoises. Les spaghettis sont faits à partir de farine, d'œufs et d'eau mélangés jusqu'à l'obtention d'une pâte élastique que l'on passe ensuite dans une machine à pâtes qui la coupe en de longs fils fins. Fraîches, elles sont moelleuses et cuisent en quelques minutes. Mais on peut les faire sécher et les stocker assez longtemps avant de les faire cuire dans de l'eau bouillante et de les servir en sauce ou en accompagnement d'un plat de viande ou de légumes.

Quelle est l'origine de la pizza ?

Les premières pizzas ont été fabriquées à Naples, en Italie, où elles constituaient un repas nourrissant à base de bons ingrédients locaux : farine, tomates, fromage et huile d'olive. La pâte de la pizza est faite d'un mélange pétri de farine, levure et eau. On étale la pâte pour former un rond fin sur lequel on dépose la garniture. La garniture d'origine se composait de tomates fraîches, mozzarella et basilic. On passe ensuite le tout dans un four très chaud et on le laisse cuire jusqu'à ce que la pâte soit bien dorée et croustillante et le fromage bien fondu. On peut maintenant acheter des pizzas dans de nombreux pays et avec des garnitures diverses : saucisson, poulet, fruits de mer, jambon avec de l'ananas…

D'où provient le thé en sachet ?

Le thé est fait à partir des feuilles séchées du théier. La plupart des thés que l'on consomme sont cultivés en Inde ou en Chine et récoltés en prélevant les feuilles tendres et vertes du théier. Ces feuilles sont ensuite séchées jusqu'à ce qu'elles brunissent, après quoi elles sont écrasées ou moulues et mises en sachet. Il existe plusieurs sortes de thés, telles que l'Assam, le Darjeeling ou le thé vert. Chacune possède un goût spécifique qui relève de son lieu d'origine.

LE SAVIEZ-VOUS ?

Le premier hamburger aurait été servi dans la sandwicherie de Louis Lassen à New Haven, Connecticut, en 1895.
La famille Lassen fait toujours des hamburgers aujourd'hui !

13

L'eau

Pourquoi pleut-il ?

Lorsque le soleil chauffe l'eau contenue dans les océans, les lacs, les rivières et même les plans d'eau aussi petits que des flaques, celle-ci se transforme en un gaz appelé **vapeur** d'eau. Dans l'air, cette vapeur se retransforme en gouttelettes d'eau par un processus appelé condensation. Ces gouttelettes se réunissent et forment des nuages. Lorsque ces nuages deviennent trop lourds, l'air ne peut plus soutenir l'eau qui donc tombe sous forme de pluie, grêle ou neige. Les régions maritimes ou montagneuses reçoivent en général plus de précipitations que les régions plus plates ou à l'intérieur des terres.

On a tendance à considérer la pluie comme gênante mais, sans elle, toute la vie sur la planète finirait par disparaître.

Pourquoi l'eau est-elle si importante ?

L'eau est essentielle à la vie. Le corps humain est constitué d'eau à environ 65 %. Notre corps élimine à peu près 2,5 litres d'eau tous les jours par la transpiration, la fonction urinaire et simplement en respirant. On doit boire de l'eau régulièrement afin de remplacer celle qu'on a éliminée. Sinon, nos organes vitaux, reins, cerveau, cœur, etc… ne peuvent pas fonctionner correctement. Les niveaux de concentration et d'énergie baissent et les microbes qui essaient de vivre dans le corps ne sont pas expulsés. On peut vivre jusqu'à un mois sans nourriture, mais seulement quelques jours sans eau.

LE SAVIEZ-VOUS ?

La quantité d'eau sur la Terre n'a pas changé depuis sa formation. Cela signifie que certaines molécules d'eau que l'on boit aujourd'hui peuvent avoir été bues par un Neandertal il y a plusieurs milliers d'années.

Que deviennent les eaux usées ?

Lorsqu'on tire la chasse, vide un lavabo ou une bassine d'eau de vaisselle, les eaux usées passent dans les égouts et sont transportées jusqu'à une station d'épuration. Là, l'eau passe par une série de filtres. L'eau est ensuite stockée dans de grandes citernes dans lesquels on introduit des bactéries qui mangent littéralement les déchets contenus dans les effluents. L'eau est alors suffisamment propre pour être remise dans une rivière ou un ruisseau à proximité qui va alimenter un réservoir. Les eaux de ce réservoir seront purifiées avant de retrouver le chemin des robinets.

Comment l'eau arrive-t-elle à nos maisons ?

Des barrages impressionnants comme celui-ci sont construits pour fournir de l'eau et de l'énergie.

Les eaux de pluie sont stockées dans des **réservoirs**, qui sont de grands lacs artificiels. Certains réservoirs sont formés par la construction de barrages sur des rivières et l'inondation des terres. Un réservoir peut stocker l'eau en surface ou sous terre ou encore dans de grands châteaux d'eau. Lorsqu'elle est prélevée du réservoir, l'eau subit un processus de **purification** qui garantit que seule de l'eau propre circule dans les conduites menant aux endroits où les gens vivent et travaillent. Dans les pays développés, ces conduites sont reliées à toutes les maisons mais, dans les pays plus pauvres, on doit aller chercher l'eau dans un puits ou à un robinet, une source d'eau unique que partagent de nombreuses personnes dans une commune.

Comment l'eau sort-elle du robinet ?

D'où provient l'eau en bouteille ?

Le monde souterrain contient énormément d'eau qui circule et, par endroits, remonte à la surface où elle jaillit, formant une source. Lorsque l'eau d'une source s'avère être particulièrement pure, on la prélève pour la mettre en bouteilles et la vendre en tant qu'eau de source naturelle. Certaines eaux de source sont pétillantes, soit naturellement, soit parce qu'on y a ajouté du **dioxyde de carbone.**

Après avoir été purifiée dans une station d'eau potable, l'eau est véhiculée dans des conduites jusqu'à nos maisons. Lorsqu'on ouvre un robinet dans une cuisine ou salle de bains, on déverrouille un système permettant à l'eau d'arriver dans une maison et de couler jusqu'à ce que le système soit de nouveau verrouillé en fermant le robinet. Si une conduite d'eau dans une maison ou dans une rue venait à éclater, l'eau en jaillirait. C'est la **pression** qui permet à l'eau de remonter jusqu'aux robinets situés en étage. Certaines maisons sont munies d'une citerne sous le toit pour alimenter une chaudière qui chauffe l'eau des robinets d'eau chaude.

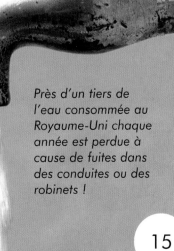

Près d'un tiers de l'eau consommée au Royaume-Uni chaque année est perdue à cause de fuites dans des conduites ou des robinets !

15

L'électricité

Qu'est-ce que l'électricité ?

L'électricité est le déplacement de minuscules particules chargées appelées électrons. Si on stocke un très grand nombre d'électrons, ceux-ci tentent de se déplacer vers des endroits non chargés. Donc, pour former un circuit électrique, il faut créer une boucle reliant les endroits chargés en électrons aux endroits non ou peu chargés afin que l'électricité puisse circuler. Les électrons pouvant circuler librement dans les métaux, on utilise des fils métalliques pour les circuits électriques.

A quoi sert l'électricité ?

L'électricité fournit l'énergie nécessaire au fonctionnement des appareils dans des maisons, bureaux, communes, etc. Elle est souvent utilisée pour la cuisson des aliments et pour chauffer l'eau. La plupart d'entre nous possèdent des appareils électriques comme des bouilloires, des grille-pain ou des fours micro-ondes. Nous utilisons l'électricité pour faire fonctionner des outils, des ordinateurs, des lampadaires dans la rue…, ainsi que pour regarder la télévision, écouter la radio ou alimenter certains jouets. En fait, nous avons besoin de l'électricité pour tant de raisons qu'on peut se demander comment on a jamais réussi à se débrouiller sans elle !

Comment fabrique-t-on de l'électricité ?

Il existe plusieurs façons de générer de l'électricité : par la force du vent, la pression d'eau ou en brûlant des combustibles tels que le charbon. Pour produire de l'électricité, il faut faire circuler des électrons. Pour ce faire, il suffit de déplacer un aimant le long d'un fil métallique. Une façon efficace de générer de l'électricité consiste à faire tourner des aimants dans un anneau métallique. Pour produire de l'électricité à partir du charbon, on brûle le charbon pour faire chauffer de l'eau. L'eau se transforme en une vapeur qui fait tourner une hélice qui, elle, fait tourner les aimants pour produire de l'électricité. On peut également exploiter la force du vent ou de l'eau pour faire tourner l'hélice.

D'énormes turbines exploitent la force de l'eau pour produire de l'électricité.

16

Comment une ampoule s'éclaire-t-elle ?

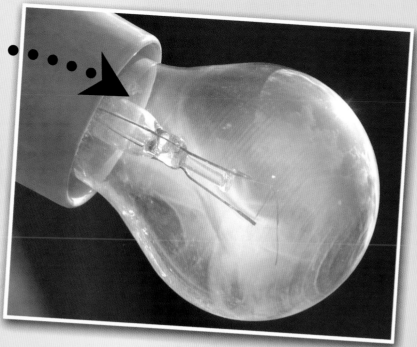

A l'intérieur d'une ampoule se trouve un mince fil métallique formant partie d'un circuit électrique. Lorsqu'on allume une ampoule, l'électricité passe dans ce fil et crée une **friction** qui le chauffe. Une fois une certaine température atteinte, le fil est si chaud qu'il se met à rougeoyer. Ce rougeoiement suffit à éclairer une pièce. Il n'est pas très coûteux de produire des ampoules mais celles-ci ne sont pas très efficaces car elles sont source d'une grande déperdition d'énergie thermique.

Comment l'électricité arrive-t-elle à nos maisons ?

L'électricité est générée dans des **centrales** électriques et véhiculée par de gros câbles métalliques jusqu'à nos maisons. Les réseaux de grands pylônes qu'on peut voir dans le paysage transportent d'importantes quantités d'électricité et constituent le réseau électrique national. L'électricité arrive dans des sous-stations pour être convertie à des **voltages** plus bas adaptés à une utilisation en toute sécurité.

Comment stocke-t-on l'électricité ?

L'énergie électrique est souvent stockée dans des piles. En créant une réaction chimique dans une pile zinc/carbone, on libère l'énergie qui y est stockée. Une réaction chimique ne peut se produire que si des électrons circulent dans la batterie. Ils pourront circuler à partir du moment où un circuit est créé en connectant un fil aux bornes positives et négatives dans la pile.

LE SAVIEZ-VOUS ?

L'électricité se déplace très rapidement à une vitesse de 299 792 km par seconde, à la même vitesse que la lumière dans le vide. Si on pouvait allumer une ampoule sur la Lune depuis la Terre, il ne faudrait que 1,26 secondes pour la voir allumée, à une distance de 384 400 km !

Le temps

Qu'est-ce qui fait gronder le tonnerre ?

L'un des nombreux types de nuages est le cumulo-nimbus, celui qui doit se former pour qu'un orage puisse se produire. Ces nuages sont ceux qui sont à l'origine de la foudre, du tonnerre et des chutes de fortes pluies ou de grêlons. La foudre et le tonnerre se produisent ensemble. Lorsqu'un éclair traverse l'atmosphère il augmente la température de l'air de plus de 30 000°C. Cela provoque une dilatation de l'air qui ensuite refroidit rapidement. En refroidissant, l'air se précipite de part et d'autre de l'éclair et provoque une collision. C'est cette collision qui produit le grondement que l'on appelle le tonnerre.

Les nuages d'orage se reconnaissent facilement par leur forme et leur couleur.

Quelle est l'origine des ouragans ?

Un ouragan est une sorte de gros orage tourbillonnant. Lors d'un ouragan, le vent et la pluie peuvent atteindre des vitesses de 300 km par heure et certains ouragans mesurent jusqu'à 500 km de large ! Tandis qu'un orage ordinaire peut se développer indifféremment sur terre ou sur mer, un ouragan est une tempête **tropicale** qui ne se développe que sur la mer. La chaleur provoque l'évaporation de l'eau de mer, créant une vapeur qui monte et forme un courant d'air qui se déplace en un mouvement circulaire. Cette masse d'air tournoyant prend progressivement de l'ampleur jusqu'à ce qu'elle produise l'effet d'une gigantesque toupie. Tant qu'il reste sur la mer, un ouragan tourne de plus en plus vite ; il ne commence à s'épuiser que lorsqu'il arrive sur la terre, mais non sans avoir déjà provoqué bien des dégâts aux biens et à **l'environnement.**

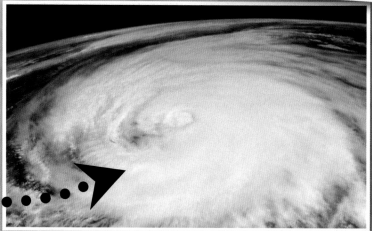

Un ouragan vu de l'espace.

Qu'est-ce qu'un arc-en-ciel ?

Jadis, on croyait qu'au pied d'un arc-en-ciel se cachait un trésor. Les arcs-en-ciel se forment lorsque les rayons du soleil traversent des gouttes de pluie. La lumière du soleil apparaît incolore mais en fait elle est composée de plusieurs couleurs. En pénétrant dans une goutte de pluie, cette lumière se décompose et ses différentes couleurs sont alors réfléchies comme dans un miroir. Des rayons de soleil fracturés et réfléchis par de nombreuses gouttes de pluie forment un arc de plusieurs couleurs : L'arc-en-ciel.

Pourquoi neige-t-il ?

La neige se forme dans des nuages composés de vapeur d'eau. Lorsque la température d'un nuage descend en dessous de 0°C (point de congélation), l'eau contenue dans le nuage se transforme en glace. Chaque cristal de glace possède une forme unique qui dépend de la température de l'air et la quantité d'eau entrant dans sa composition. Lorsque le nuage est suffisamment chargé en cristaux de glace, ceux-ci commencent à tomber. En tombant, les cristaux entrent en contact avec un air plus chaud qui les fait légèrement fondre et s'agglomérer, formant ainsi des flocons de neige. Les flocons que nous voyons sont, selon leur taille, composés de 2 à 200 cristaux différents.

LE SAVIEZ-VOUS ?

On estime qu'à un moment donné, il se déroule environ 2 000 orages à travers le monde et qu'il se produit en moyenne 16 millions d'orages par an !

Qu'est-ce que la sécheresse ?

Une sécheresse est un problème grave de manque d'eau dû à de longues périodes sans pluie. Même s'il pleut au cours d'une sécheresse, la quantité d'eau est en général insuffisante pour pénétrer dans le sol avant qu'elle ne **s'évapore.** La plupart des sécheresses graves se produisent à l'intérieur des terres dans des régions à climat chaud et à terre très sèche. Dans les cas les plus importantes, la sécheresse peut durer des années entières. Sans eau, les agriculteurs ne peuvent pas cultiver la terre ou nourrir et abreuver leur bétail. Par conséquent, puisque leur vie en dépend, leur capacité de se nourrir eux-mêmes est menacée. Les sécheresses sont bien plus fréquentes dans les grandes masses continentales comme l'Afrique, l'Amérique et aussi en Australie.

Qu'est-ce la foudre ?

La foudre est le résultat d'une **turbulence** au sein d'un nuage d'orage qui provoque la collision entre des gouttelettes d'eau et des cristaux de glace, ce qui charge en électricité des particules dans le nuage. La charge électrique devient si importante qu'elle doit être libérée en partie par un éclair. Les éclairs sinueux forment de grands zigzags allant du nuage au sol et se produisent lorsque l'électricité dans un nuage est conduite vers un objet élevé comme un grand arbre ou une flèche d'église. D'autres éclairs passent de nuage en nuage, voire même à l'intérieur d'un seul nuage. C'est ce qu'on appelle un éclair diffus.

La foudre est une des forces les plus spectaculaires de la nature. En dépit de sa réputation effrayante, la plupart des personnes qu'elle a frappées survivent, cela parce qu'elle ne les frappe pas de plein fouet, ce qui serait effectivement mortel.

Denrées
alimentaires

*La canne à sucre est une culture de base dans bon nombre de **pays en voie de développement**.*

Comment se fabrique le beurre ?

Le beurre est fabriqué à partir du lait. Le lait de vache a une teneur très élevée en graisses. On le fait tourner pour séparer la crème du petit lait. Cette crème est ensuite chauffée et versée dans un récipient où on la baratte jusqu'à ce qu'elle s'épaississe et forme des particules de beurre qui s'agglomèrent progressivement. Le beurre ainsi formé est lavé afin de le débarrasser des résidus de petit lait puis pressé pour en faire une masse compacte. On peut ajouter au beurre environ deux cuillères à café de sel par kilo pour mieux le conserver. Une fois que le beurre est prêt, on en fait des plaquettes qu'on emballe pour la vente.

Comment produit-on le sucre ?

Cent vingt et un pays dans le monde produisent du sucre. 70 % de ce sucre provient de la canne à sucre, une grande graminée à tige épaisse qui pousse dans des régions tropicales comme en Inde, Amérique du Sud, Afrique et Australie. Les autres 30 % du sucre mondial sont produits à partir de la betterave à sucre, cultivée en Europe du Nord et en Amérique du Nord. En ce qui concerne la canne à sucre, les tiges sont broyées entre des rouleaux pour en libérer leur jus épais qui est ensuite filtré et que l'on fait bouillir afin que s'évapore toute l'eau qu'il contient et pour former un sirop épais. Ce sirop est de nouveau porté à ébullition jusqu'à ce qu'il devienne des cristaux de sucre que l'on essore pour en dégager tout résidu de liquide. Les cristaux sont ensuite séchés à l'air chaud avant d'être conditionnés.

D'où provient le fromage ?

Tout comme le beurre, le fromage est fait à partir du lait. On y ajoute une matière appelée présure qui l'aide à cailler. Après, on peut couper le **caillé** en cubes et les faire chauffer dans une cuve où ils se réduisent en petits morceaux pas plus gros qu'un grain de riz. Le caillé va tomber au fond de la cuve et le liquide restant, qui s'appelle petit-lait, sera égoutté pour ne laisser que les grains de caillé. On ajoute du sel pour conserver le fromage et lui donner du goût. Ensuite on le presse pour en former de gros blocs avant de l'emballer pour le stocker et l'affiner.

Comment les abeilles fabriquent-elles le miel ?

L'abeille cueille du **nectar** lors de la floraison des fleurs, arbres ou arbustes en l'aspirant avec sa trompe. L'abeille possède deux estomacs, dont l'un est en quelque sorte un sac à dos pour stocker le nectar. Elle devra butiner jusqu'à 1 500 fleurs pour remplir ce sac. De retour dans la ruche, les abeilles ouvrières pompent le nectar du sac et le mastiquent pour en libérer les sucres et rendre le nectar plus collant. Ensuite elles l'étalent dans les alvéoles des rayons qu'elles ont fabriqués. Le sirop devient encore plus épais avec l'évaporation de son eau, un processus que les abeilles accélèrent en battant leurs ailes. Lorsqu'il est devenu vraiment gluant, les abeilles l'enferment dans une des alvéoles en le recouvrant d'une couche étanche de cire.

Comment fabrique-t-on les céréales du petit déjeuner ?

LE SAVIEZ-VOUS ?

On consomme environ 120 millions de tonnes de sucre dans le monde chaque année !

Les céréales du petit déjeuner sont en fait des graines naturelles telles que blé, riz, maïs ou avoine. Ces graines sont d'abord cuites à la vapeur, parfois avec une adjonction de parfums ou de vitamines. Lorsqu'elles sont cuites, les graines sont séchées puis passées dans un moulin qui les aplatit pour en faire des flocons ou des grains légèrement écrasés. Ensuite, on les fait griller pour en rehausser la couleur, le goût et le craquant avant de les conditionner dans des boîtes ou des sachets étanches pour qu'elles soient bien fraîches et croustillantes le matin sur notre table.

D'où vient la farine ?

L'homme fabrique la farine depuis des milliers d'années. Les premiers hommes devaient sans doute écraser les grains de blé entre deux pierres afin de les réduire en farine, et ce processus est globalement le même aujourd'hui. Les minoteries sont toujours équipées de grosses meules pour moudre les grains. La friction que crée cette action chauffe les grains, ce qui permet de bien répartir leurs essences, vitamines et minéraux naturels dans la farine. Une fois moulue, la farine est tamisée pour en retirer toute la menue paille - la partie du grain que l'on ne mange pas - avant de l'utiliser dans la fabrication de pains, biscuits et autres gâteaux.

Télévision

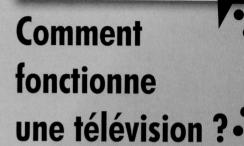

Comment fonctionne une caméra de télévision ?

Une caméra de télévision fonctionne de la même façon qu'une caméra de cinéma mais, au lieu d'une pellicule, elle est munie d'un dispositif à transfert de charge (DTC) photosensible. Ce dispositif est composé de trois couches, une pour chaque couleur d'une image télé. Le DTC détecte la proportion de lumière de couleur qu'il intercepte et l'enregistre en tant qu'image sur une bande vidéo.

Comment fonctionne une télévision ?

Les images sur un écran de télévision ont l'air d'être en mouvement, mais en fait elles sont composées d'une série de clichés fixes qui changent très rapidement, tout comme les images « en mouvement » que l'on peut dessiner à l'école, chacune étant légèrement différente de la précédente afin que, lorsqu'on les tourne vite, elles semblent bouger. Les images de télévision changent au rythme d'environ 30 images par seconde et paraissent donc bouger sans à-coups. Un écran de télé ne dispose que de trois couleurs : rouge, bleu et vert. La télévision mélange les trois couleurs pour produire toutes les couleurs que l'on voit à l'écran.

Comment se passe la diffusion télévisuelle ?

Après son enregistrement, une émission est convertie en signaux électriques qui sont transmis à un relais, un de ces grands mâts de télévision que l'on peut voir ici et là dans le paysage. Ces signaux sont ensuite relayés jusqu'à une antenne qui les capte et les envoie à un téléviseur pour être répartis entre son et image par le syntoniseur de l'appareil. L'émission est ainsi prête à être visualisée.

Les signaux des images télévisuelles sont transmis par de grands mâts. Leur portée étant limitée, il faut beaucoup de ces mâts pour couvrir tout un pays.

Qu'est-ce que la télévision numérique (TVN) ?

Jusqu'à récemment, la télévision émettait toujours en format analogique. La télévision numérique est une technologie assez nouvelle qui envoie des signaux qui procurent une image bien nette qui semble vraie à l'écran. Avec un signal analogique, un récepteur TV ne peut pas distinguer entre le vrai signal et un signal **parasite**, tandis qu'avec le système numérique, les images sont numérisées dans le signal afin que le récepteur puisse les décoder, c'est-à-dire, départager l'image et les parasites pour trouver un signal clair.

Qu'est-ce que la télévision par satellite ?

La télévision par satellite est diffusée par la **transmission** de signaux électriques à un satellite artificiel en orbite dans l'espace. Ces signaux sont ensuite retransmis par le satellite et captés par des paraboles installées sur des bâtiments. La vitesse de l'orbite des satellites artificiels est la même que celle de la Terre, ce qui fige leur position dans le ciel. La Terre étant ronde, les signaux ne peuvent pas atteindre tous les endroits du monde, mais les satellites peuvent les envoyer à d'autres satellites et obtenir ainsi une couverture complète de la Terre. On peut recevoir la télévision par satellite n'importe où à condition de disposer d'une parabole.

A quoi sert une antenne ?

L'atmosphère est remplie de signaux TV qui se présentent sous forme d'ondes électromagnétiques. Une antenne sert à capter des ondes électromagnétiques transmises par des relais et à les envoyer par un câble (câble coaxial) vers le téléviseur. Normalement, on installe les antennes en hauteur, comme sur le toit d'un bâtiment, où elles peuvent capter un signal clair envoyé par un relais.

LE SAVIEZ-VOUS ?

Bon nombre de personnes ont participé à l'invention de la télévision, mais le premier à transmettre des images en mouvement était John Logie Baird, un scientifique écossais, en 1936. L'inventeur du premier téléviseur à tube cathodique était un jeune Américain du nom de Philo Farnsworth. Il n'avait que 14 ans lorsqu'il a eu l'idée de concevoir ce type de téléviseur que nous utilisons encore aujourd'hui.

Les ordinateurs

Comment fonctionne un ordinateur ?

Un ordinateur répond à une série de questions, ou requêtes, en les décomposant en plusieurs requêtes plus petites. Et chacune de ces requêtes dépend de la réponse à la requête qui l'a précédée ! Cette capacité de décomposition en petites requêtes afin de répondre à une requête beaucoup plus importante s'appelle « logique ». Lorsqu'on programme un ordinateur pour accomplir une tâche donnée, ses circuits informatiques exécutent une série de pas logiques aboutissant à la fonction requise. Les ordinateurs réalisent ces tâches très rapidement, les plus puissants pouvant faire des trillions de calculs par seconde. Cette vitesse permet aux ordinateurs d'accomplir des tâches simples en nombre suffisant pour construire les programmes complexes que nous utilisons aujourd'hui.

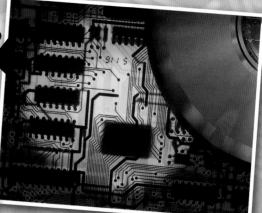

Comment les ordinateurs communiquent-ils entre eux ?

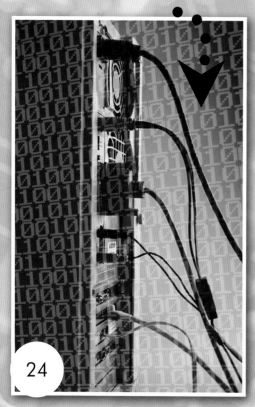

Les informations entrées dans un ordinateur sont écrites en « code binaire ». Ce code convertit toute information en une série de 0 et de 1. Encodées ainsi, les informations peuvent transiter via un réseau de fils vers d'autres ordinateurs. Là, elles sont décodées à l'identique et peuvent être stockées ou visualisées. On peut également stocker des données en code binaire sur des disques informatiques ou des cartes mémoire qu'il suffit d'introduire dans un autre ordinateur.

Comment transitent les messages e-mail ?

Pour transférer des informations d'un ordinateur à un autre sans que ces derniers soient reliés par un réseau de fils, on utilise le système e-mail qui emprunte le réseau téléphonique et permet d'envoyer des informations dans le monde entier. Le message e-mail est encodé en format binaire puis « crypté », ce qui signifie qu'il ne peut pas être lu avant d'arriver chez son destinataire pour être décodé.

Quel était le premier ordinateur ?

Le tout premier ordinateur était très différent de ceux que nous connaissons aujourd'hui. Il n'était même pas alimenté par un courant électrique. Il se composait d'un grand nombre de rouages et formait en fait une simple machine à calculer. On y entrait un calcul en organisant les rouages de sorte qu'ils correspondent aux différents chiffres du calcul. Ensuite on tournait une manivelle et l'ordinateur réalisait le calcul en alignant des rouages.

Le premier ordinateur programmable était la « machine à différence » de Charles Babbage. Il était entièrement mécanique et n'a jamais été construit parce que sa conception était trop complexe. Récemment, on en a exposé certaines parties comme pièces de musée.

Quelle est l'origine de l'internet ?

En 1957, la Russie a lancé le Spoutnik I, le premier satellite artificiel autour de la Terre. En réponse, les États-Unis ont formé la DARPA (Defence Advanced Research Projects Agency), afin de regagner le leadership dans la course aux armements. En 1967, la DARPA a lancé le projet ARPANET afin de constituer un réseau informatique distribué. Au début, seuls des militaires y avaient accès mais après on a étendu cet accès à d'autres personnes. Parallèlement, d'autres pays ont développé leurs propres réseaux qu'ils ont finalement mis en commun avec le réseau américain, et c'est ainsi que l'internet est né.

Quel est le principe du site web ?

Une page web est un fichier composé de balises HTML qui donnent à un navigateur web le format d'une mise en page sur un écran d'ordinateur. HTML est un langage informatique qui indique quelles couleurs, polices et mise en page utiliser. La page web est stockée sur un ordinateur appelé serveur web dans le cadre d'un ensemble de pages qui composent un site web. Lorsqu'on saisit une adresse web, ou URL, le logiciel qu'est le navigateur web demande au serveur web d'envoyer le fichier à l'ordinateur par le réseau téléphonique. Le navigateur s'appuie sur les balises HTML pour calculer l'affichage de la page sur l'écran, avec l'ensemble de ses couleurs, graphiques, texte et même films.

Le symbole "@" a été choisi pour les adresses e-mail parce qu'il n'était utilisé de manière courante dans aucun alphabet et que, par conséquent, il était facilement reconnaissable.

Comment le diamant se forme-t-il ?

Le diamant est composé de cristaux de carbone qui se forment lorsque le fond de l'océan glisse dans le manteau de la Terre et que sa roche basaltique se métamorphose. Ce diamant est ramené à la surface dans du magma qui refroidit ensuite. On trouve le diamant dans des roches anciennes dans plusieurs régions du monde : Afrique australe, Amérique du Sud, Inde, Australie de l'ouest, Canada et certaines parties de l'Europe du Nord et d'Asie. Le diamant est la matière la plus dure qu'on connaisse et il ne peut être rayé que par un autre diamant. Il ne sert pas uniquement à faire des pierres précieuses, car il entre aussi dans des processus industriels pour percer ou couper d'autres matières.

D'où provient le papier ?····➤

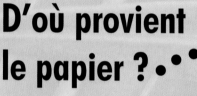

Le papier a été inventé en Extrême Orient et a été introduit en Europe par des marchands qui allaient à Venise. Le mot « papier » vient du mot égyptien pour un roseau appelé papyrus que l'on utilisait dans les temps anciens pour fabriquer un certain type de papier. On comprimait ces roseaux et on les séchait pour former un papier sur lequel on pouvait écrire en hiéroglyphes (les caractères des anciennes écritures égyptiennes). Le papier moderne est fabriqué à partir de la pulpe de bois, une pâte composée de bois et d'eau. On étale cette pulpe et on la passe entre des rouleaux jusqu'à ce qu'elle soit de l'épaisseur voulue. Ensuite on la fait sécher pour qu'elle devienne du papier.

Pourquoi y a-t-il tant de variétés de laine ?•

La laine de mouton est classée selon son épaisseur. La mérinos est la plus fine, la Cheviot et la Southdown sont d'épaisseur moyenne et la Lincoln ou la Cotswold sont plus grosses. La laine ne provient pas uniquement de moutons : on utilise également de la laine de chameau, de chèvre angora (c'est le mohair) ou de chèvre cachemire. Lama, alpaga et vigogne sont utilisées en Amérique Centrale et du Sud depuis des temps anciens. On utilise la laine pour confectionner des vêtements mais aussi pour des revêtements de sol comme les tapis et les moquettes.

Comment fabrique-t-on de l'encre ?

On peut fabriquer soi-même de l'encre noire indélébile en mélangeant les ingrédients suivants pour former une pâte épaisse avant de la délayer avec un peu d'eau : un jaune d'œuf, une cuillère à café de gomme arabique, une demi-tasse de miel et une demi-cuillère à café de suie formée en chauffant une assiette avec une flamme de bougie. On fabrique de nombreux types et couleurs d'encre pour des besoins différents en mélangeant de grandes quantités de différents ingrédients. On enduit d'encre d'imprimerie des fontes des rouleaux servant à imprimer des journaux, livres ou magazines. Les cartouches d'imprimante contiennent de l'encre condensée pour les impressions sur papier des fichiers informatiques.

D'où provient la soie ?

La soie est une fibre fine, translucide et jaunâtre produite par le ver à soie lorsqu'il fabrique son cocon. Il existe de nombreuses variétés de vers et d'insectes qui produisent de la soie, mais seule la larve du ver à soie est élevée pour la production du tissu de soie. La soie sauvage est produite par le ver tussor d'Inde et de Chine, qui se nourrit de feuilles de chêne. Il tisse une fibre plus rêche, plus plate et plus jaune. Pour la fabrication du tissu, on trie les cocons selon leur couleur et leur texture puis on les place dans de l'eau chaude pour assouplir leur gomme naturelle afin de pouvoir les dérouler. Les fibres de certains cocons peuvent atteindre une longueur de 600 à 900 mètres. Les fibres sont ourdies ou entortillées pour les renforcer, puis on élimine la gomme en les faisant bouillir avant de les teindre, après quoi elles sont prêtes pour le tissage de **l'étoffe.**

Comment cultive-t-on le coton ?

On utilise le coton depuis au moins 7 000 ans. Le coton est cultivé dans des régions tropicales et sous-tropicales et sa période de croissance dure environ cinq mois. Après la chute des pétales, une boule de **fibres** de coton blanches se forme dans une capsule. Lors de la récolte, les machines arrachent les capsules entières. On en retire les graines pour ne laisser que la partie qui s'appelle soie. Les fibres sont peignées et les brins qui en résultent sont ensuite entortillés ensemble pour former des fils plus épais et plus forts, prêts à être tisser. Le coton est un textile utile parce qu'il résiste aux hautes températures et aux lavages répétés.

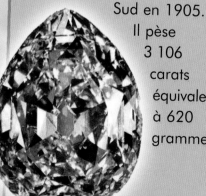

Produits industriels

De petites pompes comme celle-ci servent à extraire du pétrole des puits de taille réduite dans des lieux comme le Texas aux Etats-Unis.

Pourquoi y a-t-il du pétrole dans le sol ?

Le pétrole se produit par un processus similaire à celui du charbon. Il est créé par la pression de couches de terre qui change la structure de plantes, arbres et animaux morts. Tout comme le charbon, le pétrole contient du carbone, ce qui en fait de bons combustibles. Toutefois, le charbon n'est composé pratiquement que de carbone, tandis que le pétrole est un mélange de molécules de carbone et d'hydrogène, ce qui lui donne sa forme liquide.

D'où provient le charbon ?

Le charbon provient des restes fossilisés d'arbres qui ont été enfouis dans le sol depuis des millions d'années. Lorsque ces arbres mourraient, ils étaient progressivement recouverts de couches de terre et de sable. Avec le temps, ces couches devenant de plus en plus lourdes, la pression créée a transformé la terre et le sable en roches et le bois en charbon. Le charbon est composé d'une matière appelée carbone. Les arbres contiennent beaucoup de carbone mais il faut beaucoup de pression pour que ce carbone s'agglomère pour devenir charbon. Les arbres qui se sont transformés en charbon sont si vieux qu'ils devaient être vivants à l'époque des dinosaures. On retrouve parfois des restes fossilisés de créatures préhistoriques dans le charbon.

Pourquoi le caoutchouc est-il élastique ?

Un quart du **latex** mondial est extrait d'arbres vivants. Le reste est élaboré à partir du pétrole. Les éléments chimiques du pétrole sont traités pour allonger leurs chaînes de molécules. Ces chaînes deviennent si longues qu'elles cessent de se comporter comme un liquide et forment à la place un solide élastique. Elles peuvent être étirées, ce qui aide à les démêler, mais dès que l'étirement cesse, elles se contractent et s'emmêlent de nouveau. Chaque fois qu'on tire sur un élastique, les chaînes de ses molécules se frictionnent, ce qui chauffe le caoutchouc. On peut vérifier cela on tirant plusieurs fois sur un élastique : on sentira bien le réchauffement !

D'où provient le plastique ?

Le plastique aussi est fabriqué à partir du **pétrole.** Il ressemble au caoutchouc dans la mesure où il se compose de longues chaînes de carbone et **d'hydrogène**, mais ses chaînes sont beaucoup plus longues. Dans certains plastiques, les chaînes sont reliées, ce qui leur confère une grande rigidité. Parfois, on ajoute d'autres matières au plastique pour altérer son comportement : le rendre plus fort, changer son point de fusion ou son niveau de malléabilité.

L'acier est un mélange de deux métaux. De tels matériaux s'appellent alliages. En réagissant à l'oxygène de l'air, l'acier se rouille. La rouille relève en fait d'une sorte de combustion qui agit comme un feu très, très doux.

Qu'est-ce que l'acier ?•••••••••

L'acier est fabriqué à partir de fer auquel on ajoute du carbone pour le renforcer. Le fer est extrait du sol sous forme de minerai. Il constitue un matériau très utile mais il n'est pas très solide. Si on lui ajoute de petites quantités de carbone, les atomes du carbone pénètrent entre les atomes du fer et altèrent leur disposition et leur donne une structure beaucoup plus résistante.

Le verre est-il vraiment fait avec du sable ?•••

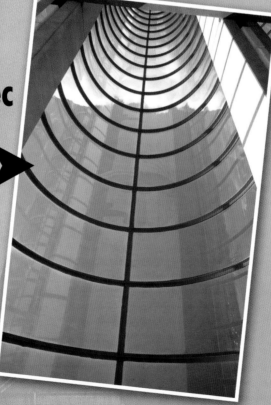

Le verre est fabriqué à partir du sable, le même que celui que l'on trouve sur la plage. On chauffe de grandes quantités de sable jusqu'à des températures très élevées qui le font fondre. On le verse ensuite dans une très grande cuve en métal liquide qui permet au verre de former une surface parfaitement lisse.

Le verre liquide remonte à la surface du métal liquide et, en refroidissant, devient une masse lisse et pleine. Ces masses pleines peuvent ensuite être roulées entre deux gros cylindres chauffés pour en faire un verre de l'épaisseur voulue.

LE SAVIEZ-VOUS ?

Une fois fabriqué, le plastique est pratiquement indes-tructible. Dans les océans du monde flottent plus de 46 000 objets en plastique qu'on a abandonnés.

Glossaire

Agiter
Bouger dans tous les sens, secouer ou faire tourner.

Algue
Une plante sans vraies feuilles ou tige qui pousse dans l'eau.

Ancêtre
Une personne faisant partie d'une ascendance. Un parent qui existait avant soi.

Aride
Une terre aride est une terre si infertile que presque rien ne peut y pousser.

Astronome
Un scientifique qui emploie des télescopes et d'autres instruments pour étudier les étoiles. Il ne faut pas le confondre avec un astrologue qui, lui, essaie de prédire l'avenir en étudiant le mouvement des planètes.

Atome
Une des plus petites particules dans laquelle la matière puisse exister.

Bactéries
Organismes unicellulaires microscopiques en forme de bâtonnet.

Caillé
Une substance épaisse qui se forme lorsque le lait tourne.

Carbone
Un élément présent dans tout organisme vivant. Dans sa forme la plus pure, il devient du diamant ou du graphite.

Centrale
Un grand bâtiment dans lequel on utilise du gaz, du charbon ou du nucléaire pour générer de l'électricité. L'électricité est transportée de la centrale par des câbles vers des réseaux de sous-stations où elle est convertie au voltage requis pour être utilisée.

Climat
Les conditions météorologiques habituelles d'une région.

Comète
Un astre qui traverse l'espace en libérant une queue de gaz et de poussières.

Conducteur
Une matière qui permet le passage de la chaleur, de la lumière, du son ou de l'électricité.

Dioxyde de carbone
Un gaz toxique responsable de l'effet de serre sur Vénus, comme sur la Terre. Il est composé d'un mélange d'un atome de carbone et de deux atomes d'oxygène.

Disparu
On dit d'une chose qui n'existe plus qu'elle a disparu. Un oiseau comme le dodo a disparu de la Terre parce que chaque individu de cette espèce est soit mort de mort naturelle ou a été tué.

Reculé
Se dit des lieux isolés comme le Pôle Nord ou le centre du désert du Sahara.

Electromagnétique
Un électroaimant est composé d'une spirale en fil métallique permettant le passage d'un courant électrique, ce qui lui confère un magnétisme temporaire.

Electron
Particule de matière comportant une charge négative.

Environnement
L'environnement est l'ensemble des conditions dans lesquelles vit un organisme. Elles peuvent être chaudes, froides, sèches ou humides. Mais en fin de compte, nous partageons tous le même environnement : la planète Terre.

Espèce
Un groupe d'animaux ou de plantes présentant des caractéristiques similaires. Les hommes peuvent sembler très différents les uns des autres mais appartiennent tous à une même espèce nommée Homo sapiens.

Etoffe
Un tissu servant à la confection d'habits ou de garnitures d'ameublement. L'ensemble des caractéristiques qui définissent une personne ou une chose.

Evaporer
Lorsqu'une matière change de l'état liquide à l'état gazeux, on parle d'évaporation. L'eau peut s'évaporer à température ambiante et c'est pour cette raison que les choses sèchent au soleil.

Evolution
Le processus par lequel les animaux, les plantes et les hommes se sont développés à partir de formes de vie antérieures.

Fibre
Un mince fil servant à la fabrication d'un tissu.

Filtre
Un dispositif qui piège des matières indésirables contenues dans le liquide ou le gaz qui le traverse.

Friction
La force engendrée par le frottement d'un objet contre un autre. Les surfaces lisses (comme la glace) produisent peu de friction tandis que les surfaces rugueuses (papier de verre) en produisent beaucoup.

Galaxie
Un grand ensemble d'étoiles, comme la Voie lactée, qu'on peut observer au télescope.

Générateur
Un appareil qui produit du gaz, de la vapeur ou de l'électricité.

Gravité

La force qui maintient la cohésion de l'univers. Elle est ressentie sous forme de pesanteur et est générée par la masse d'un objet. Les petits objets en génèrent peu et c'est pour cette raison que les astronautes semblent peser moins lorsqu'ils sont sur la Lune.

Hémisphère nord

La moitié du monde située au nord de l'équateur. L'autre moitié s'appelle hémisphère sud.

Hydrogène

Ce gaz invisible sans odeur et sans couleur est la plus légère des matières connues. Son poids spécifique est environ un quatorzième de celui de l'air.

Latex

Le jus laiteux de diverses plantes, notamment de l'hévéa.

Microbe

Un micro-organisme qui peut être la source de maladies.

Migrer

Partir d'un lieu pour s'installer dans un autre. On l'emploie souvent pour parler d'oiseaux ou d'animaux qui se déplacent en fonction des saisons. L'homme a toujours été un grand migrant.

Mondialisation

La mise en place de façons de vivre similaires à travers le monde. Des exemples en sont l'emploi généralisé de la langue anglaise, l'implantation des mêmes enseignes de magasins, l'accès mondiale à l'internet.

Nectar

Un liquide sucré contenu dans des fleurs et cueilli par des abeilles pour en faire du miel.

Orbite

Le trajet pris par une planète ou une comète autour d'une étoile ou d'un soleil.

Organisme

Un être vivant. La structure matérielle d'un individu animal ou végétal.

Parasite

Dû à de l'électricité qui ne forme pas un courant. Une interférence dans un signal TV analogique est due à des charges électriques parasites qui dérangent le signal et diminuent la qualité de la réception.

Pays en voie de développement

Des pays pauvres qui tentent de développer leur industrie et d'améliorer leurs conditions de vie, comme nombre de pays en Afrique, Asie et au Moyen-Orient.

Périssable

Quelque chose qui peut pourrir, comme la viande, les fruits ou les légumes frais.

Pétrole

Une huile extraite de la roche dans divers endroits du monde et qui peut être d'une couleur allant du jaune clair au brun foncé ou noir. On le raffine pour en faire un combustible comme l'essence ou la paraffine.

Pression

L'action de compresser ou de comprimer. On « comprime » l'eau pour la faire passer dans des conduites de sorte à la faire ressortir en un jet plutôt qu'un filet lorsqu'on ouvre un robinet.

Primate

Un animal appartenant au groupe qui inclut les singes et les hommes.

Purification

L'action de nettoyer ou d'éliminer des éléments indésirables d'une matière pour la rendre pure.

Réservoir

Un lieu de stockage de l'eau, souvent sous forme d'un lac artificiel. Certains réservoirs sont souterrains, d'autres en surface.

Satellite

Une lune qui tourne en orbite autour d'une planète. La Lune que nous voyons dans notre ciel est le satellite de la Terre.

Système solaire

Notre système solaire se compose du Soleil et toutes les planètes qui sont dans son orbite. L'univers contient de nombreux soleils, chacun avec son propre système solaire.

Transmission

L'envoie d'un signal TV ou d'une diffusion d'un endroit à l'autre.

Tropical

Un pays tropical bénéficie d'un climat chaud et se situe entre les deux lignes de latitude 23,50 nord et 23,50 sud. Ces lignes s'appellent respectivement tropique du Cancer et tropique du Capricorne.

Turbulence

Un mouvement violent et inégal de l'air ou de l'eau.

Vapeur

Un gaz visible formé par l'échauffement de certaines matières. La condensation et la brume sont des vapeurs formées lorsqu'on fait chauffer ou bouillir l'eau.

Vide

Un espace totalement dépourvu de tout, y compris de l'air.

Voltage

Un volt est une unité de mesure de la force électrique. Ce nom vient de celui du scientifique italien, Volta, qui a découvert la manière de produire de l'électricité par une réaction chimique. Le voltage est la quantité de force électrique mesurée en volts.

Questions / Réponses

Le corps humain

Des détails fantastiques sur notre corps

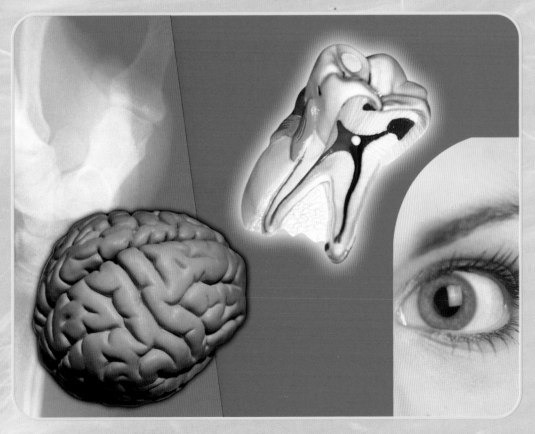

Diane Stephens

Introduction

Notre corps est une machine extraordinaire. Chaque être humain commence sa vie par une cellule issue de la réunion d'un œuf venant de sa mère et d'un spermatozoïde provenant de son père. Lorsque le bébé se développe dans le ventre de sa mère, les cellules se divisent et se spécialisent afin de former les différents systèmes qui composent le corps humain.

Toutes les parties de ton corps contribuent ensemble à te garder en vie et en bonne santé. Cela va de ton sang qui transporte de l'oxygène dans chacune de tes cellules à ton système digestif qui utilise la nourriture pour la transformer en énergie ou en déchets.

Ton corps est l'un des systèmes les plus compliqués que l'on connaisse. Il est extraordinaire de penser que tous les processus qui te gardent en vie travaillent sans même que tu en aies conscience !

Les os qui composent le squelette sont la charpente du reste de ton corps. Sans ton squelette, tu serais une masse informe ! Les squelettes humains sont curieusement similaires à ceux de tous les animaux à quatre pattes, tels que les chevaux, les souris, et même les dinosaures ! Tous les mammifères possèdent sept vertèbres cervicales, même les girafes.

Ton squelette est suffisamment solide pour supporter ton poids, mais chaque os qui le compose est suffisamment léger pour que les muscles puissent le faire bouger.

Ton squelette ne te donne pas seulement ta forme humaine spécifique, il est également une protection pour les parties fragiles et molles de ton corps, comme ton cerveau, ton estomac et tes vaisseaux sanguins. Tes côtes protègent tes organes internes, exactement comme ton crâne protège ton cerveau. Ton cerveau flotte dans ton crâne, protégé des coups et des chocs par le liquide cérébro-spinal.

Sans ton squelette, tu ne pourrais pas bouger ! Les os agissent comme des leviers, laissant tes muscles les mettre en mouvement, et toi avec ! Les ligaments qui sont des bandes élastiques maintiennent les muscles en place sur les os.

Ce système complexe travaille 24 heures par jour sans que tu doives y réfléchir ; mais parfois tu te poses des questions sur ce qui se passe à l'intérieur de ton corps. Les chapitres de ce livre apportent des réponses à certaines des questions que tu te poses. Ces réponses éclairciront le mystère de ce corps en évolution permanente.

Le cerveau humain est une mécanique extraordinaire et mystérieuse. Il est le centre de nos pensées et de notre être. Même si la technologie moderne nous permet de scanner des cerveaux vivants, nous ne savons que peu de choses sur son fonctionnement.

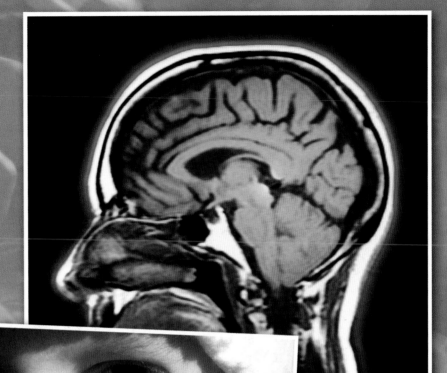

A l'exception du sens du toucher, tous les autres sens, l'ouïe, la vue et l'odorat sont traités dans notre cerveau.

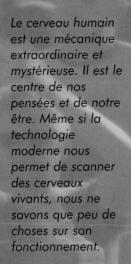

Toutes les parties du corps ont besoin d'être entretenues et soignées régulièrement. Les médecins, les dentistes, et tous les autres professionnels de la santé nous gardent en bonne forme.

3

Le sang

De quoi est fait le sang ?

Le sang est composé d'un **fluide** aqueux, appelé plasma, et de milliards de minuscules cellules sanguines. Il existe deux types de cellules sanguines dans notre sang : les globules rouges et les globules blancs. Les globules rouges servent à transporter l'oxygène dans notre corps, les blancs luttent contre toutes les infections qui pourraient y pénétrer. Le sang contient également des éléments appelés plaquettes qui favorisent sa coagulation lorsque tu te coupes.

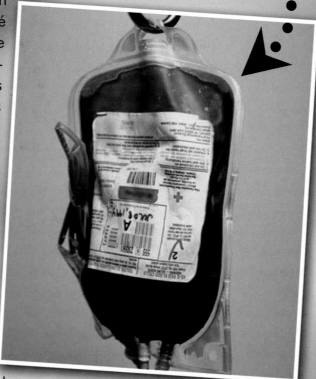

Pourquoi le sang est-il rouge ?

Notre sang possède beaucoup plus de globules rouges que de globules blancs. Les globules rouges contiennent un produit à la coloration rouge appelé hémoglobine qui donne au sang sa couleur. Les globules rouges transportent l'oxygène des poumons à toutes les autres parties du corps. Puis ils capturent le dioxyde de carbone qui est un déchet et le renvoient vers les poumons pour qu'il soit expiré. Le corps a besoin de fer pour fabriquer l'hémoglobine. En cas de manque de fer, on peut devenir gravement malade.

A quoi sert le sang ?

Le sang a de multiples fonctions dans le corps. C'est le système de transport du corps qui apporte de l'oxygène et des nutriments aux cellules du corps et élimine les déchets. Les globules blancs sont comme des soldats qui défendent le corps de l'invasion de germes. Lorsque tu te coupes, les plaquettes de ton sang forment une barrière protectrice permettant la cicatrisation. Le sang aide également le corps à maintenir une température régulière. Lorsque tu as chaud, les vaisseaux sanguins se **dilatent** et permettent à la chaleur de s'évacuer du corps à travers la peau. Lorsque tu as froid, les petits vaisseaux sanguins se **contractent** empêchant la chaleur de s'évacuer de ton corps.

Photo du haut
Un globule blanc engloutit une bactérie.

Photo du bas
Les vaisseaux sanguins se dilatent pour te garder au frais et se contractent pour retenir la chaleur.

Comment le sang circule-t-il dans le corps ?

Le sang circule dans le corps dans trois types de tubes appelés artères, veines et capillaires. Ce sont tous des vaisseaux sanguins. Les artères sont grosses et épaisses et font circuler le sang venant du cœur dans toutes les parties du corps. Les veines sont plus fines que les artères et font remonter le sang de toutes les parties du corps jusqu'au cœur. Les plus petits vaisseaux, appelés capillaires, réalisent la jonction entre les artères et les veines et permettent à l'oxygène et aux nutriments de passer dans les cellules du corps. Les minuscules capillaires font aussi repasser les déchets dans les veines.

Schéma du système circulatoire. Il montre les veines en bleu et les artères en rouge. Ce schéma a été simplifié pour ne montrer que les principaux vaisseaux sanguins.

Quelle quantité de sang y a-t-il dans le corps ?

Lorsque tu grandis, le volume du sang contenu à l'intérieur de ton corps devient plus important. Les nouveau-nés ont à peu près 250 ml de sang (environ une tasse pleine), alors qu'un adulte en possède en moyenne cinq litres. La moitié de ton sang est du plasma aqueux, le reste étant composé des **nutriments** et des **hormones** qu'il transporte. Ton cœur pompe environ 300 litres de sang à l'heure, soit la totalité du volume sanguin humain à chaque minute. Ceci aboutit à un total impressionnant de 7 200 litres par jour et de 2,6 millions de litres par an. Ceci représente plus de 700 piscines !

Pourquoi le sang coagule-t-il ?

Lorsque tu te coupes ou que tu te blesses, de petits fragments contenus dans ton sang coagulent pour former une croûte qui arrête le saignement et empêche les germes de pénétrer dans la blessure. Le sang coagulé se transforme en croûte qui protège la blessure durant la **guérison.**

REMARQUABLE

Si on réunissait tous les vaisseaux sanguins de ton corps, on obtiendrait une longueur de plus de 100 000 km, soit deux fois et demi le tour de la Terre.

Les os

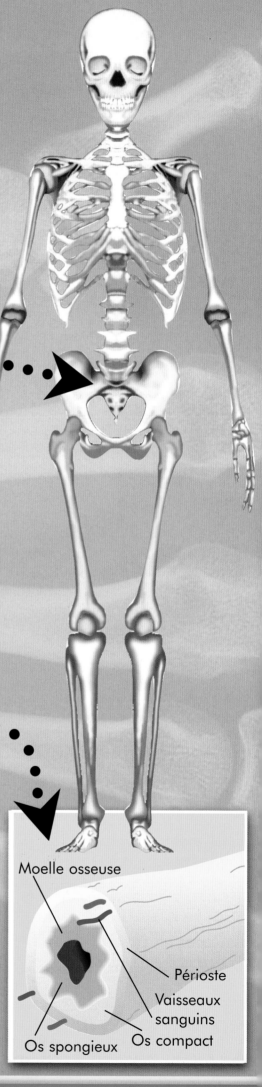

Que se passe-t-il lorsque tu te fractures un os ?

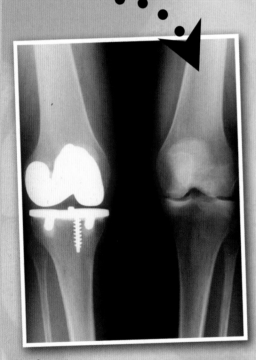

Le fait de se casser un os s'appelle une fracture. Une fracture peut être ouverte (si l'os cassé apparaît par une lésion de la peau) ou fermée (lorsque la peau ne s'est pas ouverte). Si l'on pense que tu es victime d'une fracture, on fera une radio aux **rayons x** donnant un cliché de l'os sous la peau. L'os peut alors avoir besoin de broches pour le reconstruire ou d'une gouttière de plastique pour le garder en place jusqu'à ce que la fracture soit réparée.

Combien d'os y a-t-il dans ton corps ?

La plupart des adultes possèdent 206 os, mais quelques-fois certaines personnes ont une paire supplémentaire de côtes, ce qui fait 208 os. Tes mains et tes pieds totalisent 110 os, plus de la moitié de tous les os de ton squelette. Les bébés naissent avec plus de 300 os, mais ils se **calcifient** entre eux en grandissant.

De quoi sont faits les os ?

Les os sont constitués de **protéines** et de **minéraux** apportés par la nourriture. Il existe deux types d'os. La couche dure supérieure de l'os, dite os compact, est composée de petits tubes appelés ostéons. A l'intérieur de l'os compact se trouve un os moins dur appelé os spongieux. Les os spongieux contiennent la moelle osseuse qui fabrique des cellules et stocke les graisses.

La structure interne de l'os lui apporte sa grande solidité.

Moelle osseuse

Périoste

Vaisseaux sanguins

Os spongieux

Os compact

Comment les os bougent-ils ?

Les os peuvent bouger car ils ont des jointures (là où deux os se rejoignent) et des muscles qui y sont attachés. Les jointures qui bougent beaucoup, par exemple celles du genou, s'appellent des jointures synoviales. Les extrémités des os sont recouvertes de cartilages qui sont souples et les jointures **sécrétent** un fluide appelé fluide synovial. Ensemble, ils permettent aux os de bouger sans frotter les uns contre les autres. Les muscles se contractent, ou deviennent plus courts, et leur action entraîne le mouvement des os.

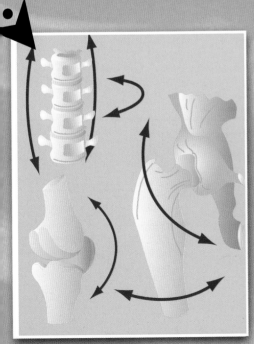

Quels sont les plus petits et les plus grands os du corps ?

Le plus petit os du corps est l'étrier, osselet de l'oreille, qui ne mesure que 2,5 mm de long. Le plus grand est le fémur qui mesure un quart de la taille de chaque personne. Le fémur est également l'os le plus lourd et le plus solide de ton corps.

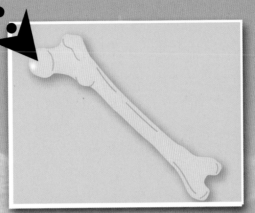

Le fémur est ce long os qui relie le genou au pubis.

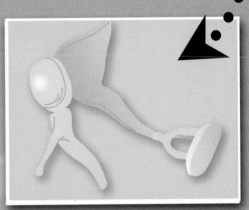

L'étrier est un tout petit os en forme d'étrier d'équitation. Il est situé dans l'oreille interne.

Combien avons-nous de paires de côtes ?

La plupart des êtres humains possèdent douze paires de côtes. Les côtes sont de longs os recourbés, attachés à la colonne vertébrale dans le dos. Devant, certaines côtes sont reliées au **sternum** par un cartilage. Les sept paires de côtes supérieures sont dites vraies côtes car elles sont attachées au sternum. Les trois suivantes sont rattachées à la dernière paire de vraies côtes par un cartilage. On les nomme fausses côtes. Les deux dernières paires de côtes sont appelées côtes flottantes car elles ne font pas tout le tour de notre poitrine.

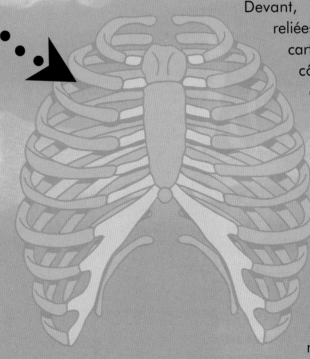

La cage thoracique est un système complexe d'os dont le but est de protéger les organes internes de toute agression.

7

Les muscles

Combien y a-t-il de types de muscles ? ● ● ● ● ● ●

Il existe trois types de muscles dans le corps. Les muscles squelettiques servent à faire bouger toutes les parties du corps. Les muscles viscéraux se trouvent dans les organes internes, tels que l'estomac, les poumons et les intestins, et aussi dans les gros vaisseaux sanguins. On les appelle également muscles lisses et on ne peut pas contrôler leurs mouvements. Les parois du cœur sont constituées d'un muscle particulier appelé muscle cardiaque qui se contracte tout au long de la vie.

Il y a plus de 100 muscles dans le visage et la tête. Nous utilisons environ 20 muscles pour sourire, mais plus de 40 pour froncer les sourcils. Cela voudrait-il dire que nous sommes d'un naturel heureux ?

Combien as-tu de muscles dans ton corps ? ● ● ●

La plupart des muscles du corps sont des muscles squelettiques, dits striés. Ce sont ceux que l'on utilise pour bouger. Il y a plus de 640 muscles striés qui nous aident à tout faire, depuis marcher, jusqu'à cligner des yeux. Le muscle cardiaque ne se trouve que dans le cœur. Il serait impossible de faire le décompte des muscles viscéraux, car ils sont en formes de strates, feuilles, poches ou tubes et se trouvent à l'intérieur des organes.

Comment les muscles agissent-ils ? ● ● ●

Tous les muscles sont composés de fibres. Les muscles squelettiques sont reliés aux os et ne peuvent que se contracter - devenir plus courts. Du fait qu'ils ne peuvent que tirer (sans pousser), les muscles fonctionnent généralement par paires - un muscle agit sur un os dans une direction et l'autre le ramène dans sa position initiale. Lorsque tu décides de faire un mouvement, ton cerveau envoie des messages aux muscles concernés, leur demandant de se contracter. Cela rend les muscles plus courts, ils tirent l'os avec eux, entraînant le mouvement.

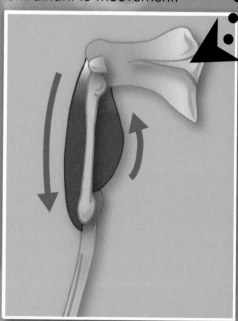

REMARQUABLE

Les muscles des paupières peuvent faire cligner de yeux jusqu'à cinq fois par seconde.

Quel est le muscle le plus solide du corps ?

Peut-être penses-tu que le muscle le plus fort du corps se situe dans les fesses ou les jambes, mais, en réalité, c'est le muscle masseter, situé de chaque côté des **mâchoires** qui est le plus puissant du corps. Il permet de faire bouger les mâchoires et on l'utilise pour mordre et mâcher la nourriture.

Croquer une pomme n'est pas très difficile pour ton puissant muscle masseter !

Quels sont les plus gros et les plus petits muscles du corps ?

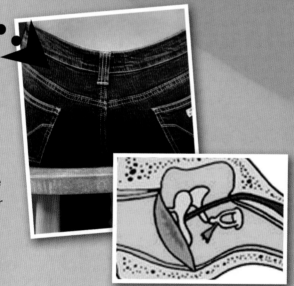

Le plus gros muscle du corps est le grand **fessier**, situé dans les fesses. On l'utilise pour courir, sauter et monter des escaliers. Il sert aussi de coussin, très utile pour s'asseoir. Le plus petit muscle est le stapedius, relié à l'étrier de l'oreille interne.

Pourquoi les muscles font-ils mal après des efforts ?

Lorsque l'on fait de nombreux **exercices**, les muscles ont besoin de beaucoup plus **d'énergie** pour faire correctement leur travail. Cette énergie dégage de l'acide lactique que le corps ne peut pas éliminer suffisamment vite. Cet acide atteint les fibres musculaires, produisant une sensation de douleur. Fort heureusement, cette atteinte ne dure pas et les muscles récupèrent assez vite. Cependant, une quantité trop importante d'acide lactique peut arrêter le fonctionnement des muscles, ce qui explique pourquoi des coureurs de marathons peuvent s'écrouler **d'épuisement.**

Le cerveau

····➤

A quoi sert le cerveau ?

Le cerveau est le centre de contrôle du corps. Tout ce que tu fais, vois, entends, sens et goûtes est contrôlé par le cerveau. Le cerveau contrôle également des choses telles que la respiration ou bien le rythme des battements du cœur, tout aussi bien que les mouvements. Tout ce que tu penses, **rêves** et ressens provient de ton cerveau.

Comment pense-t-on ?

Le cerveau est divisé en plusieurs zones, chacune d'entre elles étant spécifiquement consacrée à une tâche. La partie du cerveau qui contrôle la pensée se situe à l'avant du cerveau, dans la partie dénommée lobe frontal. Les cellules nerveuses du cerveau, appelées neurones, s'envoient mutuellement des **signaux** et sont connectées au reste du corps. Le cerveau peut définir d'où proviennent les signaux et il interprète les messages du style « j'ai froid aux pieds » ou encore « je me suis pincé un doigt ».

centre de la vue

centre du goût

toucher et sensations

mouvements de base

planification des mouvements

centre de la parole

centre de l'audition

lobe frontal

centre de l'équilibre

cervelet

Quelle est la taille du cerveau ?

L'être humain possède le cerveau le plus compliqué et le plus lourd de tous les mammifères par rapport à sa taille. Le cerveau est composé de lobes, ce qui permet de réduire son volume dans la boîte crânienne. Si l'on déroulait les lobes, le cerveau serait trois fois plus gros. Le cerveau adulte pèse environ 1,3 à 1,4 kg. Le cerveau du nouveau-né pèse environ 350 grammes. D'autres animaux peuvent avoir un cerveau plus lourd que celui d'un être humain, mais ils sont eux aussi beaucoup plus gros. Même si le cerveau d'un éléphant pèse 6 kg, l'animal lui-même peut peser plus de neuf tonnes ! A titre de comparaison, le cerveau de la souris ne pèse que 2 g.

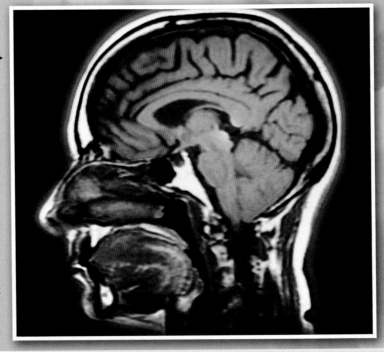

Le cerveau dort-il ?

Personne ne sait pourquoi nous avons besoin de dormir. C'est parce que le corps et le cerveau ont besoin de temps de repos et que sans sommeil nous ne pouvons pas penser correctement. Le cerveau reste en activité pendant le sommeil. Nous faisons tous environ cinq rêves par nuit, même si nous nous souvenons que du seul rêve dans lequel nous nous sommes réveillé. Lorsque nous rêvons, notre cerveau reste aussi **actif** que lorsque nous sommes éveillés.

Comment le cerveau envoie-t-il des messages au corps ?

Le cerveau est relié au reste du corps par la moelle épinière. Cet énorme centre nerveux est situé au cœur de la colonne vertébrale. De plus petits nerfs partent de la moelle épinière vers toutes les parties du corps. Certains neurones envoient des messages des organes des sens tels que la peau, les oreilles ou la langue. C'est ce que l'on appelle les neurones sensitifs. D'autres neurones, appelés neurones moteurs, transfèrent les messages du cerveau vers les muscles, pour donner l'ordre de se contracter. De très nombreux et importants nerfs du corps ont des neurones sensitifs et des neurones moteurs.

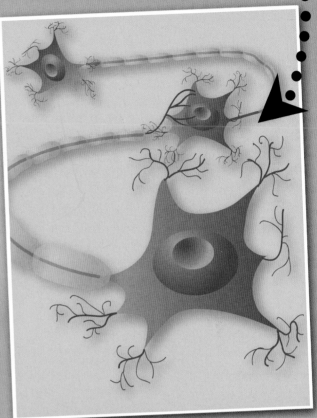

Les neurones effectuent les connections entre les cellules du cerveau. Les neurones ressemblent à un ordinateur, mais en beaucoup plus complexe.

Pourquoi y a-t-il des gauchers et des droitiers ?

Le cerveau se compose de deux hémisphères. La partie gauche contrôle la partie droite du corps, et la partie droite du cerveau contrôle la partie gauche du corps. La plupart des gens sont droitiers car on utilise plus la partie gauche que la partie droite du cerveau. Environ 10 % des gens sont gauchers. Chaque partie du cerveau correspond aussi à des activités différentes et on considère que la partie droite est plus « **artistique** » que la seconde.

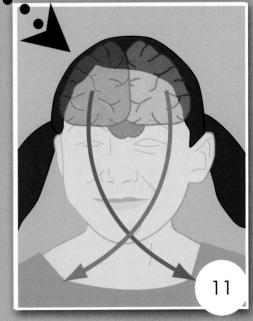

11

Les nerfs
et la moelle épinière

A quoi servent les nerfs ?

Le corps contient un véritable **réseau** de nerfs qui en atteignent toutes les parties. Les nerfs ressemblent à des faisceaux de fils minuscules qui transmettent des signaux dans le corps. Certains nerfs reçoivent des messages du cerveau ils indiquent quels muscles mettre en mouvement. D'autres terminaisons nerveuses transmettent au cerveau des signaux d'un organe sensitif tel que la peau, les yeux, le nez ou la bouche. Les nerfs nous protègent également du danger en faisant réagir le corps avant même que le message n'atteigne le cerveau. Ceci s'appelle une réaction **réflexe.** Par exemple, si tu touches quelque chose de chaud, tes nerfs te disent d'enlever tes mains bien avant que ton cerveau n'ait enregistré que tu l'avais touchée.

Quelle est la longueur de la moelle épinière ?

La moelle épinière est la principale connexion entre le cerveau et les autres nerfs du corps. Elle parcourt le dos et est protégée par la colonne vertébrale. Chez les hommes elle est longue d'environ 45 cm et de 43 cm chez les femmes. La moelle épinière est plus courte que la colonne vertébrale et se termine à la hauteur du bas du dos. Elle se **sépare** alors en plus petits nerfs qui vont ensuite plus bas dans la colonne vertébrale.

Comment voyagent les signaux nerveux ?

Les nerfs ressemblent à des faisceaux de fils minuscules qui transmettent des signaux dans le corps. Ces signaux sont transportés tout au long des nerfs vers et depuis toutes les parties du corps et aussi à l'intérieur du cerveau. Il y a environ 30 000 cellules nerveuses dans le corps et elles peuvent envoyer des signaux à des vitesses dépassant 430 km/h, soit la vitesse d'un avion. Ainsi si tu te coupes un orteil, cela ne prend qu'une fraction de seconde avant que le signal nerveux ne remonte de ton orteil à ton cerveau.

A quoi sert la moelle épinière ?

La moelle épinière est un faisceau de nerfs qui relie le cerveau au reste du corps. Elle est protégée par la colonne vertébrale, constituée d'anneaux osseux au creux desquels passe la moelle. Des nerfs plus petits se branchent sur la moelle épinière, transportant des messages depuis et vers le cerveau et le corps. Une blessure de la moelle épinière peut provoquer une **paralysie.** Après une lésion, la moelle épinière ne peut jamais être réparée.

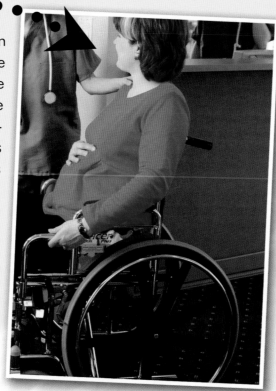

Quel est le plus long nerf du corps ?

Le nerf le plus gros et le plus long du corps est le nerf sciatique. Ce nerf part du bas de l'épine dorsale et traverse le fessier pour aller tout en bas de la jambe. La sciatique est une douleur du nerf que les gens ressentent souvent du fait d'une inflammation ou d'une trop grande pression sur le nerf sciatique.

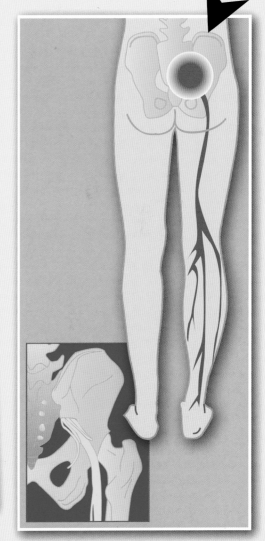

Que sont les nerfs du crâne ?

Les nerfs crâniens apportent l'information depuis et vers le cerveau par le crâne. Nous en possédons douze paires, fonctionnant pour chaque partie du corps. Certains nerfs sont connectés aux organes des sens et sont nécessaires à l'équilibre, à l'odorat, au goût, à l'ouie et au toucher du visage et du cuir chevelu. D'autres contrôlent les muscles ou sont connectés à des **glandes** ou à des organes internes tels que les poumons et le cœur.

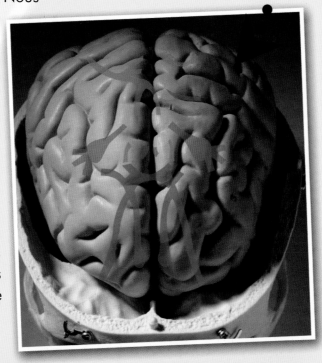

REMARQUABLE

Si l'on mettait tous les nerfs de ton corps bout à bout, ils mesureraient environ 75 km.

➤ Le cœur

A quoi ressemble le cœur ?

Ton cœur ne ressemble que de très loin aux cœurs que tu dessines. Il est plus rond, posé sur le côté de la poitrine. Il est divisé en deux parties par une cloison épaisse. Le cœur se divise également en deux parties, appelées cavités. Il y en a deux en haut et deux en bas du cœur. Les gros vaisseaux sanguins du corps apportent le sang au cœur d'où il repart puisque le cœur le pompe pour le répartir dans toutes les parties du corps.

Comment le cœur bat-il ?

Les médecins utilisent un ECG (électrocardiogramme) pour enregistrer les battements du cœur. Chaque pic représente un battement et le schéma de chaque battement permet au médecin de déterminer ce qui peut ne pas fonctionner dans un cœur.

Le cœur bat en se contractant ou en se comprimant. Tout d'abord, il se repose durant un instant très court et les deux cavités supérieures se remplissent de sang. Puis les cavités supérieures se contractent, poussant le sang dans les cavités inférieures. Les cloisons des cavités inférieures sont faites de muscles épais et lorsqu'elles se contractent, le sang est poussé dans les artères principales, puis dans les poumons et le reste du corps. La partie gauche du cœur reçoit le sang des poumons. Il contient beaucoup d'oxygène et en le pompant le cœur le renvoie dans toutes les parties du corps. La partie droite du cœur reçoit le sang venu du corps où presque tout son oxygène a été utilisé et le renvoie vers les poumons pour qu'il se recharge en oxygène. Ceci se produit à chaque battement du cœur.

Quelle est la taille du cœur ?

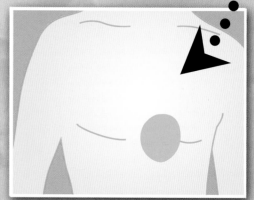

Le cœur est un gros muscle contenu dans la poitrine. Il a à peu près la taille de ton poignet et est situé un peu à gauche du sternum juste derrière les côtes. Le muscle cardiaque est particulièrement solide car il doit pomper le sang et l'envoyer dans toutes les parties du corps, sans jamais s'arrêter.

A quelle vitesse le cœur bat-il ?

Le cœur d'un bébé bat environ 120 à 180 fois par minute après la naissance. Il se ralentit un peu lors de la croissance : le cœur d'un enfant bat environ 100 fois par minute et celui d'un adulte environ 70 fois. Lorsqu'on fait de l'exercice, le cœur bat beaucoup plus vite pour apporter plus d'oxygène et de nourriture aux muscles. Le cœur bat environ 100 800 fois par jour, ce qui représente 35 millions de battements par an.

En faisant de l'exercice, un adulte devrait faire monter les battements cardiaques à environ 140 par minute.

Quelle quantité de sang le cœur pompe-t-il ?

Le corps d'un adulte contient environ 5 litres de sang. Il en pompe environ 7 500 litres par jour, soit environ 70 ml à chaque battement de cœur. Lors d'une **durée de vie moyenne** le cœur d'une personne va pomper environ l'équivalent de 1 million de barils de sang - cette quantité suffirait à remplir plus de 3 super tankers.

Qu'entend-on avec un stéthoscope ?

A chaque fois que le cœur bat on entend un son « boum, boum ». A l'intérieur du cœur et dans la plupart des vaisseaux sanguins qui apportent le sang venu du cœur aux autres parties du corps, il y a des **valves**. Les valves s'ouvrent pour laisser passer le sang, puis se ferment rapidement pour éviter au sang de refluer. « Boum, boum » est le son que font les valves en s'ouvrant et en se fermant à chaque battement du cœur. Le stéthoscope du médecin entend et amplifie ce bruit, permettant ainsi au médecin de vérifier que les battements du cœur font un bruit normal.

REMARQUABLE

Parfois, lorsque tu bouges beaucoup, ton cœur peut pomper 10 litres de sang à chaque minute. Cette quantité suffirait pour remplir un bain en moins de vingt minutes.

> Les dents

Qu'y a-t-il à l'intérieur des dents ? • • • • • • • • • • • • • • • •

La dent est composée de deux parties principales. La racine est la partie située à l'intérieur de la gencive. Elle maintient la dent en place. La partie blanche que l'on voit est recouverte d'une couche d'émail dure et blanche, qui est la substance la plus dure contenue dans notre corps. Le centre de la dent est mou et contient des vaisseaux sanguins et des nerfs.

Combien de dents avons-nous ?

La plupart des gens ont deux systèmes de dentition qui s'installent l'un après l'autre. Les jeunes enfants ont leurs premières dents, appelées dents de lait, à partir de 6 mois et jusqu'à 3 ans. Il y a 20 dents de lait. Vers l'âge de six ans, les dents de lait commencent à tomber et sont alors remplacées par les dents définitives de l'adulte qui, elles, ne seront pas remplacées. La plupart des adultes ont 32 dents mais certains d'entre eux n'ont jamais les quatre dents de sagesse situées à l'arrière et n'ont donc que 28 dents.

Pourquoi les dents ont-elles des formes différentes ?

Si tu regardes tes dents, tu verras qu'elles peuvent avoir trois formes différentes. Ceci vient du fait que des dents différentes jouent des rôles différents. Les dents de devant, appelées incisives, sont étroites et tranchantes pour mordre et découper la nourriture, par exemple lorsqu'on croque une pomme. A côté d'elles, il y a les canines. Elles sont pointues et servent à déchirer et à lacérer la nourriture. Les dents de derrière sont les molaires qui sont larges et plates pour broyer et écraser les aliments que l'on mange pour les rendre suffisamment mous afin de pouvoir les avaler.

Pourquoi les bébés n'ont-ils pas de dents ?

Même lorsqu'ils naissent, ils ont des dents. Elles ressemblent à de petits boutons enfoncés à l'intérieur des gencives. Quelquefois, il arrive qu'un bébé naisse avec une dent qui sort déjà de la gencive. Les bébés n'ont pas besoin de dents jusqu'au moment où ils commencent à manger des aliments solides, vers l'âge de six mois. De ce fait, les dents restent dans les gencives où elles sont protégées jusqu'au moment où elles deviennent nécessaires.

Qu'est-ce que le mal de dents ?

Tu as peut-être déjà eu mal aux dents, ce qui peut être très douloureux. On le ressent souvent comme une douleur lancinante, encore plus forte lorsque l'on mange ou que l'on boit, spécialement quelque chose de chaud ou froid. Le mal de dents peut être provoqué par une cavité ou un trou dans la dent ce qui rend le nerf de la dent plus sensible. Le mal de dents peut aussi venir d'un abcès avec une infection autour de la dent ou de la gencive, ou encore de morceaux de nourriture coincés entre les dents. Il est très important d'aller chez le **dentiste** lorsque l'on a mal aux dents.

Pourquoi a-t-on des caries ?

La plaque dentaire est un dépôt blanchâtre qui se forme sur les dents, provoquant des **caries**. Elle se forme en général à partir de débris alimentaires et de germes contenus dans la bouche. Le sucre et les bactéries pénètrent dans l'**émail** qui couvre les dents. Les **gencives** peuvent aussi s'infecter et se mettre à saigner facilement. Se brosser soigneusement les dents au moins deux fois par jour aide à prévenir l'apparition de la plaque dentaire et à prévenir les caries dentaires.

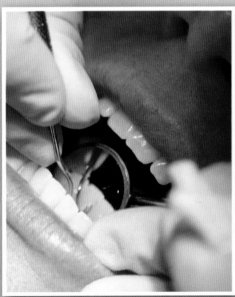

Digestion
et excrétion

Que devient la nourriture une fois avalée ?

Après avoir été avalée, la nourriture voyage dans un tube appelé œsophage et arrive dans l'estomac. L'estomac est une poche dans laquelle la nourriture se mélange avec des sucs (liquides) pour former un liquide. Puis elle passe dans un autre tube, appelé intestin grêle. La nourriture est alors réduite en **molécules** et protéines qui passent dans la circulation sanguine et sont transportées dans toutes les parties du corps. Une partie de la nourriture dissoute arrive au foie. Le foie emmagasine les parties utiles des aliments, telles que les **vitamines** et le sucre. Il transforme les substances nuisibles comme l'alcool pour les rendre moins dangereuses pour le corps. Les restes non utilisables passent dans un troisième tube, appelé gros intestin, qui absorbe le liquide, rendant les déchets solides. Les restes solides appelés fèces passent tout au long des intestins qui vous indiquent le moment d'aller aux toilettes.

œsophage

estomac

rein

colon

intestin

vessie

Combien de temps la digestion dure-t-elle ?

La digestion commence dès que vous introduisez quelque chose dans la bouche et se termine lorsque les particules alimentaires passent dans la circulation sanguine. La nourriture reste dans l'estomac pendant environ trois à quatre heures puis voyage au long des huit mètres de l'intestin grêle. La quantité et la qualité de la nourriture, le temps de mastication, déterminent la durée de la digestion. Elle dure en principe de 24 à 36 heures et les **aliments gras** sont les plus longs à absorber.

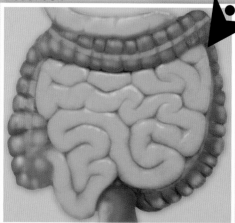

Les intestins sont enroulés de manière serrée. Ceci leur permet d'avoir la longueur suffisante pour digérer la nourriture sans problèmes.

Comment le corps se débarrasse des déchets ?

Le corps a plusieurs façons de se débarrasser des déchets. Les urines et les fèces sont les déchets produits par les aliments solides et liquides. Le dioxyde de carbone est un déchet produit par les cellules de tout le corps. Lorsque l'on expire, on évacue du dioxyde de carbone qui, sans cela, empoisonnerait le corps. La transpiration sert également à évacuer des déchets en excédent dans le corps.

Comment la peau favorise-t-elle l'élimination ?

Etant l'organe le plus étendu de notre corps, la peau joue un rôle beaucoup plus important pour **l'excrétion** que celui que l'on imagine. Chaque jour, nous éliminons environ 550 ml de sueur. La sueur a beau être essentiellement composée d'eau, elle contient également des produits chimiques et des sels dont le corps n'a pas besoin. Certains aliments comme des épices particulières ou l'ail peuvent transmettre leur odeur à la sueur car leurs toxines indésirables sont éliminées par la peau.

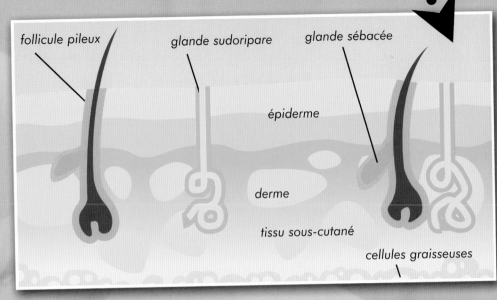

follicule pileux
glande sudoripare
glande sébacée
épiderme
derme
tissu sous-cutané
cellules graisseuses

A quoi servent les reins ?

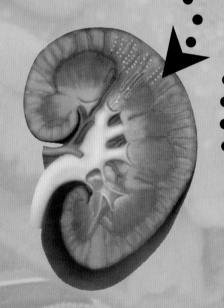

Quelle quantité de déchets produit-on ?

La quantité d'urine que l'on produit dépend de la quantité que l'on boit, mais tout adulte élimine environ 1 500 ml d'urine par jour. Si l'on additionne l'urine éliminée au cours d'une vie, elle pourrait remplir 500 baignoires. Chaque année, le corps produit environ 50 kg de déchets solides, soit de quoi remplir une bétonnière au cours d'une vie de durée moyenne.

REMARQUABLE

Au cours d'une vie entière, on absorbe environ 30 000 kg de nourriture. Ceci est équivalent au poids de six éléphants.

Les reins sont des organes ayant la forme de haricots qui sont situés de chaque côté du dos. Les reins filtrent les liquides indésirables et les déchets du sang et les transforment en urine. L'urine passe dans des tubes, appelés uretères, allant du rein à la vessie. Lorsque la vessie est pleine vous ressentez le besoin d'aller aux toilettes. L'urine passe alors de la vessie à l'extérieur du corps par un autre tube appelé urètre.

Imagine cette quantité de déchets. Elle représente la quantité de déchets produits par ton corps au cours d'une durée de vie moyenne. (Photo fournie à titre gracieux par Mack Trucks, USA)

Cheveux, poils
et ongles

Pourquoi avons-nous des cheveux, des poils et ···· des ongles ?

Notre corps est couvert de poils qui nous aident à rester au chaud. Lorsqu'il fait très froid, les poils se redressent, ce qui engendre une couche **isolante** d'air chaud tout autour du corps. Les ongles protègent le bout des doigts de la main et des orteils et les rendent plus forts. Ils servent également à gratter et à saisir de tous petits objets.

A quelle vitesse poussent cheveux, poils et ongles ?

Cheveux, poils et ongles poussent très lentement. Cheveux et poils poussent d'environ 0,5 mm par jour, soit environ 18 cm par an. Un cheveu peut pousser durant 6 ans avant de tomber. Les poils de la barbe sont ceux qui poussent le plus vite. Les ongles poussent d'environ 0,5 mm par semaine. Les ongles des orteils poussent plus lentement que les ongles des mains et un ongle met environ 6 mois à pousser à partir de sa base.

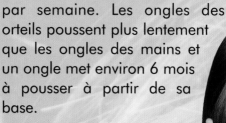

Pourquoi les cheveux sont-ils de couleurs différentes ?

On trouve dans la peau et les cheveux un **pigment**, appelé **mélanine** qui donne aux gens la couleur de leur peau et de leurs cheveux. Plus vos cheveux sont foncés, plus vous avez de mélanine. Les personnes très blondes possèdent très peu de mélanine dans leurs cheveux, les personnes rousses ou châtaines en ont un peu plus et ceux qui ont les cheveux brun-noir en ont beaucoup. Lorsque l'on vieillit, leurs cheveux perdent de la mélanine et deviennent gris ou blancs.

Combien de poils y a-t-il sur notre corps ?

Nous avons des poils partout sur notre corps, sauf sur nos lèvres, la paume de nos mains et la plante de nos pieds. Certains poils sont très fins et sont peu visibles. Nous possédons environ 5 millions de poils répartis sur l'ensemble du corps dont environ 100 000 sont des cheveux. Chaque jour, nous perdons 50 à 100 poils mais nous ne le remarquons pas car nous avons beaucoup et que de nouveaux poils et cheveux poussent constamment.

Pourquoi certaines personnes ont-elles des cheveux frisés et d'autres des cheveux raides ?

Les cheveux et les poils poussent par des millions de trous minuscules, appelés follicules. La chevelure peut être frisée, raide ou ondulée, suivant la forme des follicules capillaires. Les cheveux raides poussent par des follicules ronds, les cheveux ondulés poussent par des follicules en forme de haricots et les cheveux frisés par des follicules ovales.

Pourquoi couper les ongles et les cheveux ne fait pas mal ?

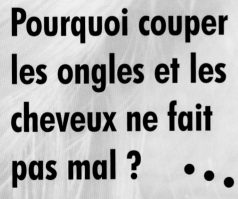

Cheveux, poils et ongles sont composés d'une substance appelée **kératine** que l'on trouve également sur la couche supérieure de notre peau. Cheveux, poils et ongles ne possèdent aucun nerf et donc ne ressentent aucune douleur. D'ailleurs ils ne ressentent absolument rien.

⋯➤ La respiration

Pourquoi avons-nous besoin de respirer ? ⋯•

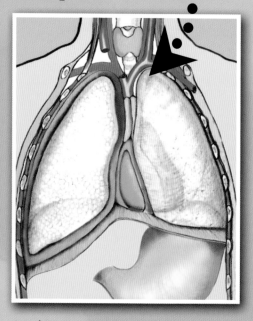

L'air que nous respirons contient de l'oxygène. Nous avons besoin d'oxygène pour rester en vie et que notre corps puisse fonctionner. Les poumons sont faits de petites alvéoles séparées par des cloisons très minces qui permettent à l'oxygène de passer dans la circulation sanguine qui le transporte dans toutes les parties du corps. Les déchets gazeux sont éliminés lorsque nous expirons. Si une maladie, ou le tabac, empêchent nos poumons de fonctionner correctement, nous pouvons avoir besoin d'utiliser une bouteille d'oxygène ou un **ventilateur** pulmonaire qui garantit que nous recevons suffisamment d'oxygène pour vivre.

Comment respire-t-on et expire-t-on ?

La respiration est contrôlée par des muscles situés entre les côtes, appelés muscles intercostaux, et le diaphragme qui est une couche de muscles solides située en dessous des poumons. Pour respirer, les muscles intercostaux se contractent et le diaphragme s'aplatit pour permettre aux poumons de se dilater. Ceci conduit l'air de la bouche vers les poumons par l'intermédiaire des voies respiratoires. Pour expirer, les muscles intercostaux et le diaphragme se relâchent, contractant les poumons et obligeant l'air vicié à remonter et à sortir du corps.

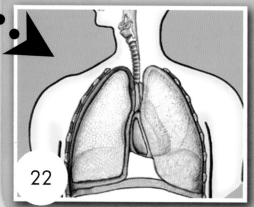
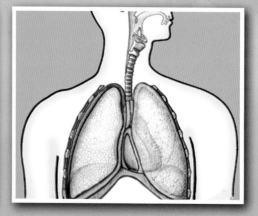

Qu'est-ce que le hoquet ? •

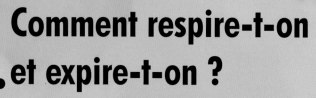

Le hoquet est provoqué par un **spasme** du muscle situé sous les poumons, le diaphragme. Lorsque cela se produit, les cordes vocales se ferment bruyamment produisant le « hic » caractéristique du hoquet. Manger ou boire trop vite, ou une peur soudaine, peuvent être la cause du hoquet. Retenir sa respiration ou boire à petites gorgées peut parfois faire cesser le hoquet. Il y a également beaucoup de manières étranges et merveilleuses pour arrêter le hoquet, par exemple faire peur à celui qui en souffre, ou encore placer une clé glacée en bas de son cou. Il est probable que ces soins sont surtout efficaces parce qu'ils permettent d'oublier que l'on a le hoquet.

A quelle vitesse respirons-nous ?

Une personne adulte respire entre 10 et 14 fois par minute, mais peut atteindre 50 à 60 respirations par minute lorsqu'elle fait de l'exercice, car le corps exige alors plus d'oxygène. Chaque respiration apporte environ 500 ml d'air à un adulte, mais un homme peut absorber environ 6 000 ml et une femme de 4 000 à 5 000 ml d'air en respirant très profondément.

Un adulte peut inspirer tout cet air en une seule respiration !

Comment fonctionnent les poumons ?

L'air que l'on respire descend par la trachée et pénètre ensuite dans les deux bronches menant chacune à un poumon. A l'intérieur des poumons, les voies respiratoires se divisent en tubes de plus en plus petits. A la fin des plus petits tubes, il y a un grand nombre de minuscules sacs appelés alvéoles. De tout petits vaisseaux sanguins s'enroulent autour de chaque alvéole et l'air va et vient des alvéoles au sang contenu dans les vaisseaux.

Pourquoi éternuons-nous ?

Le corps se protège en éternuant. Poussières, saletés ou fumées peuvent **irriter** le nez, causant l'éternuement. Lorsque nous éternuons, nous respirons profondément et nos muscles abdominaux se contractent et deviennent plus durs pour projeter à l'extérieur l'air contenu dans les poumons, le faisant passer par les narines ce qui les débarrasse du **mucus** et des substances irritantes. Un éternuement peut atteindre la vitesse de 160 km/h.

La vue

Comment voyons-nous ?

Les rayons de lumière passent à travers la pupille, qui ressemble à un petit trou, pour aller dans notre œil. Derrière chaque pupille, il y a un **cristallin** qui oriente la lumière de telle façon qu'elle rejoigne une zone située à l'arrière de l'œil appelée la rétine. Il se forme alors sur la rétine une image inversée de ce que nous voyons. Le nerf optique contenu dans l'œil envoie cette information au cerveau, qui nous la retourne dans le bon sens.

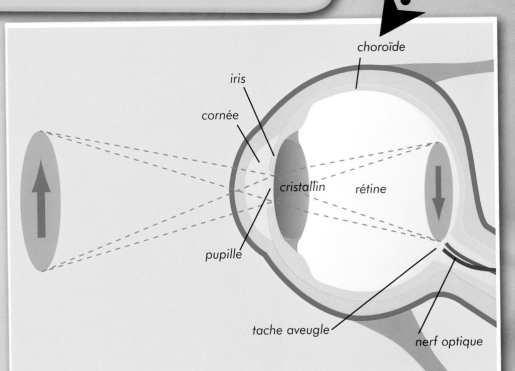

choroïde

iris

cornée

cristallin

rétine

pupille

tache aveugle

nerf optique

Pourquoi la pupille change-t-elle de taille ?

La pupille est le cercle noir situé au centre de la partie colorée de l'œil. Elle est réellement un trou dans l'œil qui laisse passer la lumière. L'œil fonctionne exactement comme une caméra : lorsqu'il fait très clair, l'œil n'a pas besoin de faire passer trop de lumière pour que l'on voie et les muscles de l'iris (la partie colorée de l'œil) se contractent, rétrécissant le trou de la pupille. Si la lumière est trop faible, l'iris se dilate pour rendre la pupille aussi grande que possible afin de permettre à toute la lumière ambiante d'entrer dans l'œil.

Pourquoi avons-nous des larmes ?

Les yeux fabriquent des larmes en permanence, ce qui leur évite d'être trop secs. Les larmes contiennent des protéines qui tuent les germes, empêchant ainsi certaines **infections** de l'œil. Nous clignons de l'œil environ 15 fois par minute, répartissant ainsi les larmes à la surface de l'œil. Le trop-plein de larmes part dans le nez par un minuscule tuyau et c'est pourquoi le nez coule aussi lorsque nos yeux larmoient ou lorsque nous pleurons.

Pourquoi les yeux sont-ils de couleurs différentes ?

La couleur des yeux dépend de la quantité de pigment de l'iris. Les yeux bruns ont beaucoup de pigments, les yeux bleus beaucoup moins. Nous héritons de la couleur des yeux de nos parents. La couleur la plus fréquente est le brun. Si l'un de tes parents a des yeux bruns et l'autre des yeux bleus, tes yeux seront le plus souvent bruns.

Les carottes nous aident-elles à voir dans le noir ?

Les carottes sont riches en vitamine A, nécessaire à la vision lorsqu'il y a peu de lumière. Si le corps ne reçoit pas suffisamment de vitamine A, nous sommes moins capables de voir dans le noir. Mais il n'y a pas que les carottes qui en contiennent. D'autres aliments comme les mangues, le lait, les épinards et les jaunes d'œufs favorisent également la vision nocturne. L'histoire des carottes qui nous aident à voir dans le noir date de la seconde guerre mondiale et sert à expliquer pourquoi les pilotes de nuit britanniques voyaient les avions allemands dans la nuit. La véritable raison était bien sûr que les Anglais avaient des radars, ce qui était absolument secret à cette époque.

Qu'est-ce que le daltonisme ?

Une personne atteinte de daltonisme ne peut pas faire la différence entre certaines couleurs, la plupart du temps entre le rouge et le vert. Le daltonisme est héréditaire et environ 10 % des hommes en souffrent. Il est très rare chez les femmes.

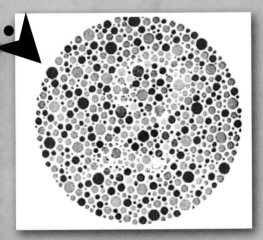

Voici un test standard pour déceler le daltonisme. Les personnes ayant une vision normale peuvent distinguer le chiffre 5 dans le cercle composé de taches de couleur.

L'odorat et le goût

Comment sentons-nous une odeur ?

Les odeurs sont composées de petites particules appelées des odorants. Elles pénètrent dans le nez et sont reconnues par des poils spécifiques reliés au **bulbe olfactif**. Ces particules odorantes se dissolvent dans le mucus contenu dans le nez et les signaux nerveux sont envoyés au cerveau par l'intermédiaire du nerf olfactif. Le cerveau reconnaît alors l'odeur.

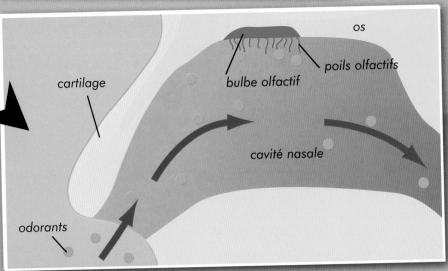

Le fait de respirer profondément par le nez amène les odorants dans la cavité nasale, puis, par les poils olfactifs, dans le bulbe olfactif.

A quoi servent la langue et les papilles gustatives ?

La langue remplit de nombreuses fonctions. Sa surface étendue dans la bouche permet aux aliments d'atteindre rapidement les papilles gustatives. Son humidité permet aux aliments de se **dissoudre**, favorisant ainsi la digestion. La langue aide également à transporter cette nourriture au fond de la gorge afin de pouvoir l'avaler. Si elle est importante pour l'être humain, la langue est aussi vitale pour parler. Sans elle, nous ne pourrions pas articuler les mots. Enfin, les médecins examinent souvent la langue car elle est un bon indicateur de l'état général.

Si l'on regarde sa langue de très près, on remarque qu'elle est couverte de centaines de tout petits boutons. Ces boutons contiennent les papilles gustatives et nous en avons tous des milliers. Les papilles gustatives ont une fonction sensorielle et reconnaissent la composition chimique des aliments et la communiquent par des signaux au cerveau. Par exemple, certaines papilles gustatives réagissent au sucre et lorsqu'un aliment contient beaucoup de sucre, elles envoient le « signal sucre » au cerveau.

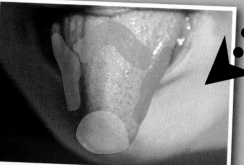

Combien d'odeurs un être humain peut-il détecter ? • • •

Lorsque le nez a un fonctionnement optimal, nous pouvons détecter entre globalement 4 000 et 10 000 odeurs. En vieillissant, le sens de l'odorat se détériore, donc tu devrais avoir un meilleur odorat que celui de tes parents ou grands-parents. Les animaux ont un odorat beaucoup plus développé que celui des hommes. Le sens de l'odorat du chien est plus de 1 000 fois plus fin que celui de l'homme, et un papillon de nuit mâle peut sentir une femelle à 11 km de distance.

Pourquoi perdons-nous le goût lors d'un rhume ?

Le sens de l'odorat est beaucoup plus fort que le goût. Lorsque nous goûtons un aliment, nous nous basons également sur son odeur et sa texture. C'est pourquoi, lors d'un rhume, quand le nez est bouché, l'odorat est réduit, ce qui empêche de ressentir le goût des aliments aussi bien que d'habitude.

Pourquoi salivons-nous ?

La salive est un fluide fabriqué par des glandes situées dans notre bouche. Elle se mélange avec la nourriture. Ensuite, avec l'action des dents, réduit les aliments en purée pour qu'ils soient plus faciles à avaler. Lorsque nous sentons une chose dont nous savons qu'elle est délicieuse, notre cerveau reconnaît l'odeur et envoie à la bouche un signal lui demandant de produire plus de salive.

REMARQUABLE

Au cours d'une vie, nous produisons environ 26 300 litres de salive, suffisamment pour remplir deux piscines de taille standard.

27

···▶ La peau

A quoi sert la peau ?

La peau donne au corps une protection étanche. Elle conserve les fluides corporels à l'intérieur et éloigne les infections. La peau est également un bouclier contre les rayons nocifs du soleil et contrôle la température du corps. Comme elle contient des terminaisons nerveuses, la peau est sensible au toucher, aux pressions, à la chaleur, au froid ou à la douleur.

Pourquoi transpirons-nous ?

La transpiration est une façon qu'a notre corps de se libérer d'un excès de chaleur. Lorsque nous avons chaud, les petits vaisseaux sanguins de notre peau se dilatent et ramènent le sang chauffé à la surface. Lorsque nous **évaporons** la sueur par notre peau, cela élimine la trop grande chaleur des vaisseaux sanguins. Du sang plus frais circule alors dans les vaisseaux, faisant baisser notre température.

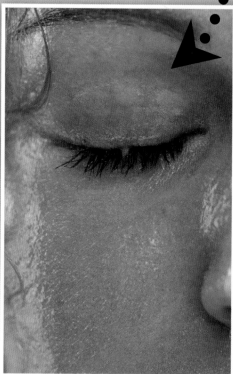

Quel âge a notre peau ?

A chaque minute du jour, notre peau élimine de 30 000 à 40 000 cellules mortes. La plus grande partie de la poussière de nos maisons est composée de cellules de peau morte. Si l'on frotte fort la peau, on augmente encore ces chiffres. Le corps met environ un mois pour remplacer chaque cellule de la peau. Les crèmes et lotions pour la peau aident à l'hydrater et à conserver sa souplesse.

Pourquoi les personnes âgées ont-elles des rides ?

Lorsque nous sommes jeunes, nous avons une peau douce et souple. Ceci signifie que lorsque nous l'étirons, elle reprend sa forme, gardant une surface lisse. En vieillissant, la peau devient moins élastique. Lorsqu'elle s'étire, elle ne reprend pas tout à fait sa forme. Ces étirements de la peau provoquent les rides que l'on peut remarquer chez les personnes âgées.

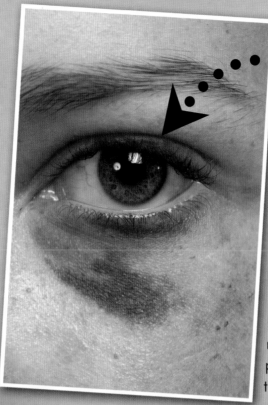

Pourquoi avons-nous des bleus ?

Les bleus se produisent lorsque nous nous cognons, abîmant les fibres musculaires et les **tissus** cutanés, sans ouvrir la peau. Dans la région abîmée, les petits vaisseaux sanguins éclatent et le sang s'en échappe et coule sous la peau. Puisqu'il n'y pas de plaie, le sang est bloqué et forme une marque rouge ou violette sur la peau. La couleur évolue avec le temps lorsque le sang est ré-absorbé puis s'en va petit à petit.

Qu'est-ce que la chair de poule ?

Lorsqu'il fait froid, les vaisseaux sanguins se rétrécissent et nous ne transpirons presque pas. Des muscles minuscules de la peau font se dresser les poils qui enferment l'air tout autour du corps pour le maintenir au chaud. Ceci forme des petits boutons sur la peau, on les appelle « chair de poule ». Nous n'avons plus de poils longs et drus sur notre corps, comme il y a des millions d'années. Les hommes à cette époque étaient certainement beaucoup plus poilus, de ce fait ce réflexe devait beaucoup mieux fonctionner.

Comme la chair de poule n'est plus très efficace pour nous garder au chaud, nous devons porter des vêtements épais durant l'hiver. Ils ont la même action que les poils, enfermant l'air pour conserver notre chaleur.

Glossaire

Actif

Occupé ou plein d'activité. Un style de vie actif est beaucoup plus sain qu'une vie sans aucun exercice.

Aliments gras

Aliments contenant beaucoup de matières grasses, souvent dite « malbouffe », par exemple les hamburgers et les frites. Ces aliments apportent beaucoup d'énergie mais en manger en trop grande quantité est mauvais pour la santé.

Artistique

Avoir une activité créatrice naturelle dans un champ artistique comme la peinture, la poésie ou la musique.

Bulbe olfactif

Cellules spécialisées, chargées de traduire les odeurs en impulsions électriques. Elles sont situées dans le haut de la cavité nasale.

Calcifient

Lorsque deux éléments osseux se réunissent, on dit qu'ils se calcifient. Les fractures osseuses se reconstruisent en se recalcifiant.

Caries dentaires

Atteinte des dents souvent causée par une mauvaise hygiène buccale. Lorsque l'infection progresse et atteint le nerf, la carie devient douloureuse. Il faut alors aller chez le dentiste pour des soins ou même pour enlever la dent, car, contrairement à d'autres infections, la carie dentaire est irréversible.

Contracte

Se contracter veut dire devenir plus petit. Les muscles peuvent se contracter, c'est pour cette raison qu'ils fonctionnent généralement par paires.

Cristallin

Membrane transparente faite pour concentrer la lumière sur un endroit pour former une image. Aussi appelé lentille, on en trouve dans les caméras, les télescopes et dans nos yeux. Les lentilles de verre ont une forme fixe, mais notre cristallin lui, peut changer de forme pour se fixer nettement sur une image.

Dentiste

Médecin spécialisé dans les soins dentaires, l'hygiène buccale et autres problèmes de la bouche.

Dilatent

Se dilater signifie devenir plus grand. Les poumons se dilatent lorsqu'ils se remplissent d'air.

Dissoudre

Une substance se dissout en devenant liquide au contact de l'eau ou de tout autre liquide. Le nouveau mélange, appelé solution, se compose à la fois du produit solide d'origine et du liquide dans lequel il est dissout.

Durée de vie moyenne

Durée de vie normale. Une durée de vie moyenne correspond à celle à laquelle on peut s'attendre si l'on n'a pas d'accident. La durée de vie moyenne est actuellement de 73 ans approximativement.

Email

Substance dure qui recouvre la partie visible des dents. l'émail est composé à partir de calcium qui est un minéral commun que l'on trouve dans le lait.

Energie

C'est une source de puissance. Toute l'énergie du corps vient de l'énergie chimique apportée par la nourriture. La forme de base de l'énergie est une substance chimique appelée ATP.

Epuisement

Une fois que l'on a utilisé toute l'énergie musculaire, les muscles s'épuisent et demandent du temps pour récupérer. On peut également souffrir d'épuisement mental. Le meilleur remède contre l'épuisement est le sommeil.

Evaporons

l'évaporation est la transformation d'un liquide en gaz. L'eau s'évapore sous forme de vapeur d'eau à peu près à la température ambiante, ce qui permet aux choses mouillées de sécher.

Excrétion

Consiste à éliminer du corps les déchets ou matières malsaines. l'excrétion fait partie du processus de la digestion et se fait également par la peau.

Exercice

Activité physique permettant de rester en forme. Peut consister sous la forme de la course à pieds, de la natation, de sports ludiques, de yoga, et de bien autres choses encore.

Fessier

Masse musculaire sur laquelle nous nous asseyons.

Fluide

N'importe quel liquide.

Gencives

Partie souple de la bouche qui recouvre la partie cachée des dents. Du fait de leur souplesse, les gencives sont sensibles aux atteintes de toute sorte.

Glandes

Organes spécialisés du corps qui produisent des substances spécifiques. Les glandes salivaires produisent de la salive, les glandes lymphatiques de la lymphe.

Guérison

Récupération de la santé. Le corps a de multiples moyens de retrouver la santé lorsqu'il a souffert une atteinte quelconque.

Hormones

Les hormones sont des substances que le corps sécréte pour stimuler une activité. l'hormone de croissance -HGH- fait grandir notre corps.

Infections

Présence de corps étrangers, tels que des virus ou des bactéries, porteurs de maladies. Certaines infections sont facilement contagieuses.

Irriter
Devenir inflammatoire ou faire mal. L'irritation de la peau peut provenir d'infections ou par le contact avec des substances chimiques.

Isolante
Permet de garder une bonne température, très souvent en conservant une couche d'air. Les animaux se servent de couches de gras sous-cutanées pour les isoler du froid aussi bien que des manteaux de fourrure.

Kératine
Substance qui forme les cheveux, les poils et les ongles. La kératine est solide et fait également partie des sabots des chevaux ou des cornes des animaux.

Mâchoires
Partie du squelette qui maintient les dents. Les mâchoires sont maintenues en place par les puissants muscles masséter. La mâchoire est l'un des os les plus solides du corps humain.

Mélanine
Substance produite naturellement qui donne la couleur de la peau. Plus on possède de mélanine et plus la peau est foncée. La production de mélanine est stimulée par la lumière du soleil, ce qui produit le bronzage.

Minéraux
Substance non organique ayant une structure de cristal. Les minéraux sont essentiels pour la santé du corps, mais comme le corps ne peut pas les produire, ils doivent faire partie de notre nourriture.

Molécules
Substances constituées de chaînes d'atomes reliés entre eux. La plupart des substances sont composées de molécules. L'eau est composée d'un atome d'hydrogène et de deux atomes d'oxygène reliés entre eux. Les substances composées d'un seul type d'atome sont appelées substances élémentaires.

Mucus
Matière gluante composée d'eau, de cellules mortes et de sels. Le mucus permet au corps de lubrifier et protéger certaines de ses parties, et aussi de prévenir certaines infections.

Nutriments
Sources d'énergie et d'alimentation. Le corps a besoin de nutriments lui apportant toutes les substances chimiques dont il a besoin pour fonctionner normalement.

Paralysie
Impossibilité de bouger due à une atteinte du système nerveux. Une rupture de la moelle épinière entraîne la paralysie de ce qui est situé au-dessous de la rupture. Ceci signifie que les gens qui se cassent au niveau du cou peuvent être dans l'incapacité de bouger leurs bras et leurs jambes. Une telle atteinte est en général irréparable.

Pigment
Substance colorante. Les pigments sont utilisés en peinture. Le corps utilise des pigments qui colorent les cheveux, la peau et les yeux.

Protéines
Les protéines sont des chaînes complexes de molécules organiques et sont vitales pour le fonctionnement de toutes cellules du corps. Elles sont essentielles pour la constitution et la croissance des tissus du corps. Les protéines peuvent être fabriquées à l'intérieur du corps ou faire partie de l'alimentation.

Rayons x
Particules ayant une énergie puissante permettant au médecin de voir le squelette à travers les tissus mous de la peau et des muscles.

Réflexe
Réaction que nous ne contrôlons pas consciemment. Les réflexes servent à répondre rapidement en cas de danger, par exemple en enlevant la main d'une surface trop chaude avant qu'elle ne soit brûlée.

Réseau
Organisation complexe de cellules ou autres éléments. Le cerveau contient un réseau complexe de neurones alors que le système circulatoire est un réseau de vaisseaux sanguins.

Rêves
Séries d'images visuelles et émotionnelles créées par le cerveau durant le sommeil. Les rêves ne se produisent que durant une phase spécifique du sommeil appelée paradoxal (avec des mouvements rapides des yeux).

Sécrétent
Sécréter, c'est produire des fluides corporels comme le mucus ou les graisses de la peau. La sécrétion se fait à un rythme relativement lent.

Sépare
L'action de se séparer consiste à aller dans des directions différentes.

Signaux
Messages transmis dans le corps. Le corps peut utiliser des signaux électriques ou chimiques. Les signaux électriques sont transmis par les nerfs et provoquent des réactions très rapides, comme des mouvements. Les signaux chimiques voyagent avec la circulation sanguine et produisent des réactions plus lentes, telles que la sensation de satiété.

Spasme
Accès incontrôlés d'activité musculaire, la plupart du temps ressentis comme les éternuements ou le hoquet. Les spasmes des muscles importants s'appellent des crampes. Ces grands spasmes peuvent être très douloureux.

Sternum
Os plat situé sur le devant de la cage thoracique auquel s'accrochent les « vraies » côtes.

Tissus
Les composants des organes de notre corps sont appelés tissus. Il y a des tissus souples qui composent le cœur, les poumons, les muscles et la peau et des tissus durs qui composent le squelette.

Valves
Les valves sont des clapets à l'intérieur des vaisseaux sanguins. Elles sont faites pour que le sang ne circule que dans un seul sens dans tout le corps. Sans ces valves, le cœur ne pourrait pas maintenir une pression constante entre deux battements.

Ventilateur
Instrument mécanique permettant de remplacer ou d'aider le travail des poumons, s'ils sont trop abîmés pour transmettre l'oxygène à la circulation sanguine.

Vitamine
Substance grasse ou soluble dans l'eau dont le corps à besoin en petites quantités pour rester en bonne santé. Une nourriture diversifiée est une source importante de différentes vitamines.

Questions / Réponses

La Préhistoire

Un monde aux détails fascinants

Caroline Daniels

Introduction

L'histoire de la Terre a commencé voici 4,5 milliards d'années. Au cours des 3,5 millions d'années qui ont suivi l'apparition de la vie, la Terre a connu de grands bouleversements : emplacement des continents, changements du climat, évolution des plantes et des animaux, etc. De nouvelles formes de vie se sont développées, tandis que des milliers d'espèces se sont **éteintes.**

Il est difficile de concevoir les longues périodes qui ont jalonné le développement de la vie préhistorique. Pour simplifier, imaginons que tout cela se soit passé en 24 heures. Les premiers signes de la vie apparaissent à minuit. À 15h00, les vers, les méduses et les éponges sont déjà bien implantés. À 18h00 apparaissent les poissons vertébrés, et à 21h00, les premiers animaux commencent à coloniser les terres. Les dinosaures dominent sans partage notre planète de 21h30 à 23h00, puis ils font place libre aux mammifères. L'homme apparaît seulement 2 secondes avant minuit, et la préhistoire s'arrête juste 1/4 de seconde avant minuit.

Les 5 500 ans d'histoire archivée sont comprimés dans ce dernier quart de seconde.

L'évolution de la vie ne s'est pas faite sans heurt, mais plutôt par à-coups.

Les premières traces de vie ont connu un démarrage parsemé d'embûches, et l'évolution a été lente, bien que la complexité croissante des formes de vie n'ait cessé d'accélérer cette évolution. Des périodes d'extinction massive ont failli anéantir toute forme de vie, mais elles ont donné leur chance aux survivants, ce qui a entraîné une explosion de **diversité.** Le phénomène est survenu à plusieurs reprises durant la préhistoire, en particulier au cours de l'ère précambrienne, et à l'occasion de l'extinction des dinosaures. Aujourd'hui, nous avons tendance à considérer la vie sur la Terre comme quelque chose d'immuable, mais il n'en est rien. L'évolution ne cesse de modifier lentement, mais sûrement, toutes les espèces vivantes. La vie sur notre planète évolue au rythme des changements climatiques. Chaque **espèce** vivante (y compris l'être humain) finira par s'éteindre un jour, mais la vie continuera.

Les requins figurent parmi les plus lointains voyageurs à travers le temps. S'ils sont restés pratiquement inchangés pendant des millions d'années, leur évolution ultérieure en a fait les plus grands prédateurs de la planète. Malheureusement, ils sont aujourd'hui menacés par l'homme.

Les puissants dinosaures exercent une grande fascination sur la plupart d'entre nous. C'est peut-être parce qu'ils sont la preuve que des créatures monstrueuses ont effectivement foulé le sol de la Terre, notre planète. Ou parce qu'ils nous apprennent que toutes les espèces finissent par s'éteindre, quelle que soit leur puissance passée.

L'homme moderne apparaît seulement dans la période la plus brève de toute la préhistoire. Mais il n'a pas perdu son temps ! En effet, il est passé du chasseur-cueilleur au maître de la technologie et de la science actuelles.

Les origines
de la terre et de la vie

Qu'est-ce que la vie préhistorique ?

La vie préhistorique inclut toutes formes de vie existant sur la Terre, depuis l'apparition des premières traces de vie sur notre planète jusqu'à l'époque où l'homme a commencé à enregistrer l'histoire lorsqu'il a découvert l'écriture, voici 5 500 ans. Elle s'est terminée à différentes époques, selon les cultures et les régions du monde. La préhistoire est tellement longue que les scientifiques ont divisé les millions et milliers d'années qui la composent en périodes appelées « ères ». Les ères ont été divisées en périodes plus courtes appelées « époques ». Aujourd'hui, nous vivons dans l'Ère Cénozoïque, à l'époque Halocène.

Comment la vie est-elle apparue ?

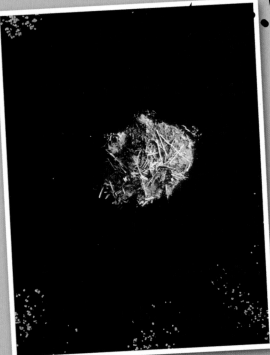

La terre s'est formée voici 4,5 milliards d'années à partir d'une boule de gaz et de poussières. Mais les premiers signes de vie remontent à 3,5 milliards d'années. À cette époque, la Terre ne présente pas les continents et les mers que nous connaissons aujourd'hui, mais elle est recouverte d'eau. Une série de réactions chimiques entraîne la formation d'**organismes** unicellulaires microscopiques. Peu à peu, des êtres pluricellulaires, formés par l'union de nombreuses cellules, commencent à se développer. Ces organismes complexes conserveront un aspect vermiforme ou gélatineux jusqu'à l'apparition d'un tout nouvel organisme, il y a 517 millions d'années. Le pikaia ne mesurait que 5 cm de long, mais il était doté d'une colonne vertébrale. C'est l'ancêtre des **vertébrés**, dont font partie les êtres humains.

Que sont les stromatolites ?

Les stromatolites sont les plus anciens fossiles connus sur la Terre. Certains scientifiques pensent qu'ils constituent les premiers êtres vivants, apparus voici 3,5 milliards d'années. Ces algues monocellulaires se sont formées dans les eaux peu profondes. Au cours du temps, elles se sont durcies, formant des couches de roche ressemblant fortement à du corail. Ces algues bleues vivaient sous forme d'énormes masses flottantes dans la mer. Effectuant la photosynthèse, elles étaient responsables de l'accumulation de l'oxygène dans l'atmosphère terrestre, ce qui a ensuite permis aux animaux de se développer. Certaines se rencontrent encore dans un petit nombre de régions, tel Shark Bay, en Australie.

Formations de stromatolites à Shark Bay, en Australie.

À quoi ressemblait la Terre lorsque la vie est apparue ?

La Terre était très différente de la planète actuelle. Au moment de l'apparition des premiers signes de vie, la Terre a été frappée par des **astéroïdes** venus de l'espace qui ont fait fondre la croûte terrestre et ont transformé les mers en vapeur. La croûte terrestre a fini par se durcir et une mer s'est reformée. Les gaz dans l'atmosphère ont produit un **effet de serre**, réchauffant la Terre bien plus qu'aujourd'hui. Lorsque l'oxygène est apparu dans l'atmosphère, une couche protectrice d'**ozone** (O3) s'est formée et a protégé la vie contre le rayonnement ultraviolet nocif du Soleil, ce qui a permis le développement de la vie.

Comment la tectonique des plaques a-t-elle influencé la vie ?

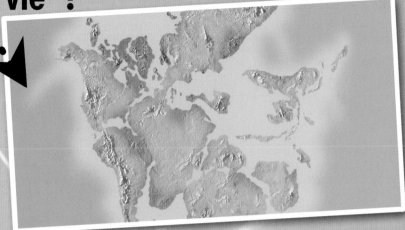

Lorsque la Terre s'est formée, les continents n'existaient pas. Au fur et à mesure que la croûte terrestre se durcissait apparaissaient des chaînes d'îles volcaniques. Plusieurs super continents se sont formés, puis séparés. Le dernier est la Pangée («toutes les terres » en grec), il y a 300 millions d'années. La Pangée s'est divisée pour former les masses continentales que nous connaissons aujourd'hui. **La tectonique des plaques** a brassé les océans, modifié le climat et peut-être accéléré le rythme de l'évolution. Elle est responsable de la formation des montagnes et des océans, et également de la **distribution** des animaux et des plantes, des espèces identiques existant sur différents continents séparés par d'immenses océans.

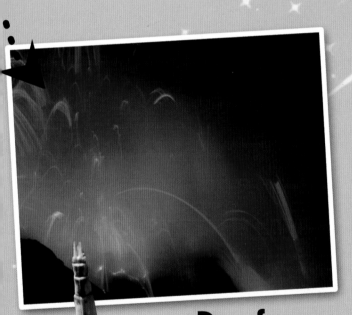

Le sais-tu ?

L'objet le plus ancien découvert sur la Terre est un cristal de zirconium, un petit grain de pierre vieux de 4,4 milliards d'années !

Des formes de vie préhistoriques existent-elles encore aujourd'hui ?

Certaines plantes et animaux vivant à la préhistoire sont encore présents aujourd'hui. Pins, séquoias californiens, ifs et baobabs sont apparus à l'époque des dinosaures. D'autres plantes, telles les **cycadacées**, qui ont évolué depuis 240 millions d'années, datent d'avant l'apparition des dinosaures. Les plantes à fleurs, comme le magnolia, le palmier, et le laurier, ont évolué depuis environ 140 millions d'années. La libellule est l'une des plus anciennes créatures vivant encore de nos jours ; elle est apparue pour la première fois il y a 300 millions d'années. Les limules sont apparues il y a 250 millions d'années, les requins, il y a 200 millions d'années, et les salamandres, il y a 150 millions d'années.

Les fossiles

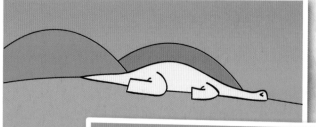

Où trouve-t-on des fossiles ?

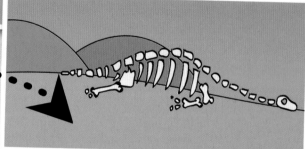

Les fossiles sont les vestiges de plantes et animaux enterrés voici des milliards d'années. Le terme « fossile » dérive d'un mot latin qui signifie « extrait de la terre ». Les restes d'un animal ou d'une plante sont tombés au fond de la mer ou d'une rivière. Les parties putrescibles ont disparu, les parties solides (os, coquille) ont résisté. Les couches de sable se sont déposées, puis **comprimées**, et ont fini par former des roches. La plupart des fossiles ont été trouvés dans de la roche qui s'est déposée en couches, comme le calcaire, l'argile et la chaux. Cette roche est appelée roche sédimentaire. Les fossiles ont tous plus de 10.000 ans.

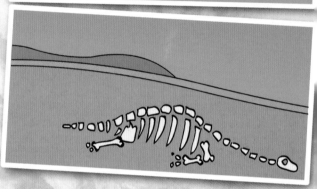

Les fossiles peuvent présenter un aspect différent de celui des roches dans lesquelles ils sont prisonniers, mais ils sont constitués de roche. Les os se sont dissous depuis longtemps

Quels sont les différents types de fossiles ?

Il existe quatre types de fossiles. Les restes des parties dures d'un animal, tels que les os, les dents et les coquilles, sont appelés « organismes fossiles ». Les « traces de vie fossiles » prouvent l'existence passée des animaux ou des plantes (excréments, peau, plumes, graines, feuilles et empreintes de pattes). Les « moules internes » se forment lorsque des **minéraux** remplacent les restes originaux, formant une empreinte de roche qui ressemble exactement à l'animal ou à la plante, tandis que les « moules externes » apparaissent lorsque l'animal ou la plante se dissout dans les eaux souterraines, ne laissant que son empreinte. La plupart des fossiles découverts sont des organismes fossiles ou des moules externes.

Le cœlacanthe
- un authentique fossile vivant –
vit encore aujourd'hui en Afrique du Sud.

Qu'est-ce que la paléontologie?

La paléontologie est l'étude des fossiles et de l'histoire des êtres vivants qui ont peuplé la Terre au cours des temps géologiques. Les paléontologistes étudient les multiples aspects de cette science : histoire de la formation de la Terre, âge de la Terre, éléments concernant la vie préhistorique. L'étude des fossiles constitue une partie très importante de la paléontologie. Les paléontologistes recherchent des fossiles et les étudient pour les identifier, reconstituer le mode de vie de l'animal ou de la plante qu'ils représentent, déterminer leur âge, ainsi que les espèces apparentées.

Comment les scientifiques connaissent l'âge des fossiles ?

Pour estimer l'âge des roches et des fossiles, les scientifiques utilisent une méthode appelée « datation radiométrique ». Certains éléments contenus dans les roches, appelés **isotopes**, sont instables et disparaissent avec le temps. La mesure des isotopes, comme l'uranium et le carbone, dans la roche ou les fossiles, permet de calculer leur âge. En fait, les fossiles ne contiennent pas d'isotopes **radioactifs** instables ; aussi les scientifiques calculent-ils l'âge des roches situées au-dessus et en dessous du fossile afin de déterminer son âge. Il existe une autre méthode, appelée « principe de superposition » : les scientifiques peuvent établir l'âge d'un fossile à partir de sa position dans la couche de roche : plus il est placé profondément, et plus il est âgé.

L'ambre, piège à insectes ?

L'ambre est une masse de résine fossilisée provenant de conifères aujourd'hui disparus. Elle s'est formée voici 300 millions d'années. À cette époque, une grande partie de la terre était recouverte par d'immenses forêts. Les fossiles de nombreux insectes ont été découverts dans l'ambre : ils ont dû être englués dans la résine avant sa solidification. Mouches, abeilles, cafards, coccinelles et fourmis ont été conservés dans les moindre détails, ce qui a permis aux scientifiques d'étudier les organes internes de ces créatures préhistoriques. Cheveux, plumes, dents, graines, fleurs et pollen ont également été piégés. Grâce à ces fossiles, les scientifiques ont pu brosser le portrait des anciennes forêts et évaluer le climat de la Terre.

Le sais-tu ?

Le fossile du marsupial le plus ancien date d'il y a 125 millions d'années. Cet animal avait à peu près la taille d'une souris et vivait en Chine.

L'évolution
et l'extinction

Qu'est-ce que l'évolution ?

L'évolution est le changement que connaît une espèce avec le temps. Les modifications qui s'opèrent dans les gènes des organismes se transmettent aux générations suivantes. Chaque être vivant, y compris l'être humain, a évolué à partir des espèces présentes sur la Terre il y a des milliers ou des millions d'années. Pour évoluer, une espèce doit changer son patrimoine génétique avec le temps (un gène est un élément contenu dans le chromosome, grâce auquel se transmet un caractère héréditaire, taille de l'aile, par exemple). Lorsque les espèces poursuivent leur évolution sur de multiples générations, de nouvelles espèces se développent souvent. Parfois, une espèce évolue en deux espèces, phénomène connu sous le terme de spéciation.

Pourquoi les espèces évoluent-elles ?

Le monde dans lequel nous vivons change constamment, et les espèces qui y vivent, y compris les êtres humains, doivent s'adapter aux modifications de leur environnement pour survivre. Les membres d'une espèce capables de survivre aux changements ont le plus de chances de se reproduire et de transmettre leur patrimoine génétique aux **générations** futures. Les girafes n'ont pas toujours eu un long cou. Leur cou s'est allongé au cours des générations successives, la sélection favorisant les individus ayant le cou le plus long afin de brouter les feuilles des arbres à une grande hauteur. Cette évolution est une réponse aux changements de l'environnement de la girafe.

Où est apparu la vie ?

Selon de nombreux scientifiques, les premiers signes de vie sont apparus à proximité des sources hydrothermiques situées au fond des océans. La chaleur et les minéraux provenant de ces ouvertures auraient créé un environnement propice aux **micro-organismes**, les protégeant ainsi de l'impact des météorites et des astéroïdes qui frappaient régulièrement la Terre à cette époque. Des fossiles et des molécules chimiques spécifiques de la vie ont été découverts dans la chaîne de montagnes Barbeton en Afrique du Sud, dans la région de Pilbara en Australie, et dans les régions d'Isua et d'Akilia dans l'ouest du Groenland. Toutes ces régions étaient submergées lorsque la vie est apparue.

Le sais-tu ?

Les scientifiques estiment que 99,9% des espèces ayant existé se sont éteintes.

8

Qu'est-ce que l'extinction ?

L'extinction est la disparition d'une espèce vivante. Une espèce qui ne peut survivre et se reproduire dans son environnement, ou migrer vers un nouvel environnement qui lui permette de survive, finit par s'éteindre. Une espèce s'éteint lorsque son dernier membre meurt. L'extinction massive se produit lorsqu'un grand nombre d'espèces disparaissent presque en même temps, dans une période relativement courte. On recense cinq extinctions de masse depuis que la Terre existe.

Quelles sont les causes de l'extinction d'une espèce ?

De multiples facteurs peuvent entraîner l'extinction des espèces. L'extinction est un phénomène naturel, la plupart des espèces ne survivant pas plus de 10 millions d'années en moyenne. Ce phénomène est appelé « extinction contextuelle ». Désormais, l'homme exerce une énorme influence sur le degré d'extinction de nombreuses espèces. La pollution, la destruction des habitats naturels, l'agriculture intensive, le réchauffement global et l'introduction de nouvelles espèces dans un habitat peuvent affecter l'équilibre naturel et entraîner l'extinction de certaines espèces. Les scientifiques estiment qu'à l'heure actuelle, les hommes sont à l'origine d'une future extinction de masse et que près de 20% des espèces pourraient s'éteindre dans une trentaine d'années.

Le dodo est le symbole de l'extinction d'une espèce. Incapable de lutter contre l'arrivée des êtres humains et de leurs chiens sur son île d'origine, cet oiseau coureur s'est rapidement éteint.

Qu'est-ce que la sélection naturelle ?

La sélection naturelle, ou « survie du plus fort », est le degré d'adaptation d'une espèce à son **environnement.** Les membres de l'espèce ayant les meilleures capacités de survivre et de se **reproduire** transmettent ces caractéristiques à leur progéniture. La sélection naturelle permet aux espèces de mieux s'adapter à leur environnement.

Le paon est le parfait exemple de survie grâce à la sélection naturelle. Le mâle possédant le plus beau plumage le montre en faisant la roue et attire les femelles, transmettant ainsi ses gênes. Au fil du temps, la queue du paon est devenue de plus en plus remarquable.

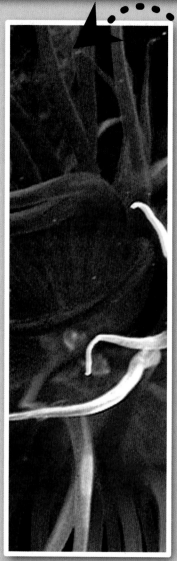

Comment la vie s'est-elle développée dans la mer ?

La vie a commencé dans la mer. Elle s'est développée à partir d'organismes unicellulaires, il y a 3,5 milliards d'années, pour former ensuite des cellules plus complexes appelées **eucaryotes**, voici un milliard d'années. Enfin sont apparues des plantes plus complexes, capables de fabriquer leur propre nourriture à partir de la lumière solaire et de l'eau (photosynthèse). Entre 600 et 550 millions d'années, des animaux multicellulaires tels que les éponges, le corail et la méduse se sont développés.

Connaîs-tu les trilobites ?

Les trilobites étaient des animaux segmentés, pourvus d'une coquille rigide, qui vivaient dans les mers voici 300 millions d'années. Certains trilobites ne mesuraient que 1 mm de long, d'autres atteignaient 70 cm. Il existait de nombreux types de trilobites. Certains pouvaient nager, d'autres rampaient sur le fond de la mer, et d'autres encore se contentaient de flotter sur l'eau. Il s'agit des premiers animaux possédant des yeux. Les trilobites se sont éteints avant l'apparition des premiers dinosaures. On compte 15 000 types de trilobites différents. Cet animal est le fossile le plus répandu aujourd'hui.

À quoi ressemblait le premier poisson ?

Les premiers poissons, appelés ostracodermes, sont apparus voici environ 500 millions d'années. Leur apparence était très différente des poissons que nous connaissons aujourd'hui : en général, ils étaient recouverts d'une sorte de carapace et avaient un squelette cartilagineux et non osseux.
Les placodermes sont les premiers poissons à mâchoires. Ressemblant au requin, ils sont apparus voici environ 480 millions d'années.

Les premiers poissons avaient un aspect étrange, par rapport aux poissons actuels.

Qu'étaient les reptiles marins ?

Les dinosaures n'étaient pas les seuls reptiles du **mésozoïque**. De nombreux **reptiles marins** vivaient dans les océans.

Tous descendaient des reptiles terriens. Certaines espèces, telles que les crocodiles et les tortues, vivent encore aujourd'hui. Parmi les autres reptiles marins du mésozoïque figuraient les ichthyosaures, les plésiosaures et les mosasaures. Les reptiles marins avaient besoin d'air et devaient donc monter à la surface pour respirer.

Le Woolungosaurus et le Kronosaurus sont deux exemples d'animaux marins de la famille des plesiosaures.

Qu'étaient les plésiosaures ?

Les plésiosaures étaient des reptiles marins dotés de nageoires qui vivaient voici 220 à 65 millions d'années. Il existait deux types de plésiosaures : le plésiosauroïde avait un long cou, une tête étroite et un large corps, tandis que le pliosauroïde avait un petit cou, une grosse tête pouvant atteindre le quart de son corps et des mâchoires très puissantes. Les plésiosaures vivaient probablement près de la surface, la tête hors de l'eau. Certains plésiosaures mesuraient jusqu'à 29 m de long. Il s'agissait sans doute des plus grands **prédateurs** de tous les temps.

Comment les mammifères marins ont-ils évolué ?

Les mammifères qui vivent dans la mer (appelés cétacés), tels que les dauphins, les baleines et les phoques, ressemblent fort aux mammifères terrestres – ils respirent de l'air, donnent naissance à des petits qu'ils allaitent. Il y a 50 millions d'années environ, l'ancêtre de la baleine était un animal ressemblant à un loup, doté de courtes pattes et de petits sabots, appelé mesonychide.

Les scientifiques estiment que ces créatures se sont mises à chasser le poisson le long de la côte. Plus elles pénétraient profondément dans l'eau, et plus elles trouvaient de la nourriture. C'est probablement ainsi qu'elles ont appris à nager pour échapper aux prédateurs. Elles ont fini par vivre et se reproduire dans l'eau.

La vie sur la terre

Comment les plantes se sont-elles développées pour survivre sur terre ?

Les plantes terrestres ont évolué à partir des algues, il y a environ 400 millions d'années.
Pour survivre sur la terre, elles ont développé une **cuticule** cireuse qui leur évitait de se dessécher au soleil et à l'air, et des **spores** et semences destinées à la reproduction.
Les premières plantes terrestres qui se sont dotées de ces éléments fondamentaux ont été les mousses et les bryophytes. Au début, les plantes étaient de petite taille, sans véritables racines, feuilles ou pédicules. Elles ont fini par développer des cellules spécialisées pour supporter leur pédicule et, chez certaines d'entre elles, un tissu ligneux leur assurant une grande croissance. Dès que les plantes ont possédé de véritables racines et des vaisseaux pour transporter l'eau et les substances nutritives dans leur organisme, elles ont été capables de pousser très haut.

Quand les premières fleurs sont-elles apparues ?

Les premières plantes à fleurs (angiospermes) sont apparues il y a environ 135 millions d'années – longtemps après les premiers oiseaux et mammifères. Les fleurs ont permis aux plantes de se reproduire de façon plus efficace, ce qui a accéléré le rythme de l'évolution. Le nénuphar est l'une des plantes à fleurs les plus anciennes. L'apparition des plantes à fleurs a entraîné l'évolution d'un grand nombre d'insectes. On estime aujourd'hui qu'il existe 250.000 espèces de plantes à fleurs.

Pourquoi les animaux ont-ils gagné la terre ferme ?

Les animaux ont probablement gagné la terre ferme à cause de la concurrence que se livraient les êtres vivants dans l'eau, pour échapper aux prédateurs et pour profiter de nouveaux habitats. Ils ont dû surmonter de nombreux problèmes avant de pouvoir vivre sur la terre : respiration, protection de leur corps contre le dessèchement, effets de la gravité et reproduction.

Quelles sont les premières ·····, créatures ayant vécu sur la terre ferme ?

Les premiers animaux vivant sur la terre ferme sont les **arthropodes** (animaux ayant un exosquelette et des pattes articulées), il y a quelque 420 millions d'années. Ils ont évolué en vue de se doter d'un corps léger, de pattes robustes et d'une carapace dure destinée à protéger leur organisme et à réduire la perte d'humidité. Certains de ces êtres vivants atteignaient 2 m de long et étaient de taille supérieure à celle de l'homme. Les araignées, les mites et les mille-pattes figurent parmi les animaux ayant évolué à partir de ces créatures primitives. L'un des premiers animaux vivant sur la terre est le scorpion de mer, ou euryptéride. Il a développé des poumons, mais ne s'est jamais adapté de façon à vivre entièrement sur la terre.

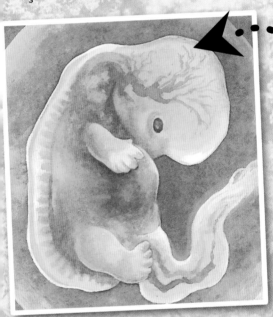

Qu'appelle-t-on des amniotes ?

Les amniotes comprennent les mammifères et les reptiles. Il s'agit d'animaux qui se développent à partir d'un embryon enveloppé dans une membrane appelée amnios. Ceci permet à ces animaux de vivre complètement sur la terre, un pas important dans l'évolution. Les amniotes se divisent en deux groupes : les mammifères et les reptiles (y compris les oiseaux). Les synapsides figurent parmi les plus anciens amniotes connus.

Le sais-tu ?

Les insectes figurent parmi les premiers animaux qui ont vécu sur la terre.
Un petit fossile d'insecte ou *Rhyniognatha*, âgé de 396 à 407 millions d'années, a été découvert en Écosse

Comment les animaux ont-ils développé des pattes ?

Les animaux à 4 pattes (**tétrapodes**) sont les premiers vertébrés (animaux possédant une colonne vertébrale) qui ont marché sur la terre ferme. Ils ont évolué à partir du dipneuste, voici 360 millions d'années, en eaux peu profondes et marécageuses. A l'origine, leurs pattes ressemblaient à des pagaies et chassaient vers le côté ou vers l'arrière pour nager. L'ichthyostega, la première créature à 4 pattes connue, est l'une des premières créatures qui s'est aventurée sur la terre ferme, voici 360 millions d'années. Longue de 60 cm, elle se déplaçait sur ses membres primitifs. Plus tard, les tétrapodes ont développé des membres pointant vers l'avant, ainsi que des doigts sur les mains et les pieds.

Le siderops est un des premiers animaux vivant sur la terre ferme. Il conserve des vestiges de son ancêtre aquatique, et présente des similitudes avec les amphibiens actuels.

Avant les dinosaures

Pourquoi les reptiles ont-il rencontré un tel succès ?

Les premiers reptiles résultent d'une évolution des amphibiens qui s'est produite il y a 315 millions d'années. Ils sont capables passer leur vie hors de l'eau et sont les premiers animaux qui pondent des œufs comportant une coquille. Cette coquille empêche l'œuf de se dessécher durant la croissance de l'embryon. Ils ont ainsi pu quitter le milieu aquatique, tandis que leur peau écaillée et imperméable leur évitait de perdre trop d'humidité. Leurs pattes puissantes permettent de supporter leur corps sur la terre ferme. Les reptiles sont restés les animaux **dominants** sur la Terre pendant 120 millions d'années.

Quel est l'ancêtre des dinosaures ?

Les dinosaures ont probablement évolué à partir de petits **reptiles** carnivores. Les scientifiques ne sont pas certains de connaître le véritable ancêtre des dinosaures, mais il s'agit peut-être du Lagosuchus, ce qui signifie « crocodile lapin ». Ce prédateur féroce est doté d'un long cou en forme de S, caractéristique commune à bon nombre de dinosaures. Des fossiles de Lagosuchus ont été découverts dans l'Argentine actuelle. Les dinosaures descendent probablement du Lagosuchus et des autres archosaures voisins.

Que sont les synapsides ?

Les synapsides, ou reptiles ressemblant à des mammifères, se sont développés voici environ 320 millions d'années. Leur crâne comporte une ouverture extérieure de chaque côté. Des muscles maxillaires, attachés aux orifices, permettent aux mâchoires très puissantes de s'ouvrir largement pour dévorer une proie. Bon nombre de synapsides sont plus grands que les premiers dinosaures ; certains atteignant 3 m de long. Ils constituent les animaux terrestres **dominants** de leur temps. Il existe des synapsides à la fois herbivores et carnivores. Un grand nombre d'entre eux, comme le dimetrodon, ont une sorte de voile sur leur dos qui leur permettent sans doute d'augmenter la température de leur corps en fonction de leur position par rapport au soleil. Le plus ancien dynapside connu est l'archarithyris.

Que sont les cynodontes ?

Les cynodontes constituent un groupe avancé de synapsides, semi-mammifères et semi-reptiles, ils possèdent des dents acérées et pointues (avec de multiples pointes). Leur nom signifie « dents de chien ». Certains cynodontes sont **herbivores**, d'autres, carnivores. Mais tous sont ovipares. Les cynodontes sont les ancêtres des véritables mammifères. Ils mesurent de 1 à 1,5 m et pèsent jusqu'à 20 kg. Plus tard, leur taille va décroître : les cynodontes de la **fin du trias** n'étant pas plus grands qu'un chien. Ils ont vécu du permien au trias, époque de l'apparition des dinosaures. Le cynognathus et l'estemmenosuchus font partie des cynodontes.

Le sais-tu ?

L'un des plus gros ichthyosaures connu, le shonisaurus, dépassait les 15 m de long.

Quels êtres vivants peuplent alors la mer ?

Le requin est l'une des plus anciennes créatures marine : il est apparu il y a environ 400 millions d'années. Parmi les autres animaux marins figurent les mésosaures, premiers reptiles à retourner dans l'eau. Ils utilisent leur longue queue et leurs pattes arrière pour se propulser dans l'eau, se guidant au moyen de leurs pattes antérieures. Ils se nourrissent principalement de **plancton.** L'un des mésosaures les plus connus est le mesosaurus, mesurant environ un mètre de long. Les ichtyosaures sont des reptiles qui sont apparus environ 20 millions d'années avant les dinosaures, soit il y a environ 250 millions d'années. Ils s'éteindront 25 millions d'années avant les dinosaures. Les premiers ichthyosaures ressemblent à des lézards dotés de nageoires, tandis que les ichthyosaures tardifs adoptent la forme d'un poisson.

Les restes fossiles des dents des requins préhistoriques fournissent de précieux renseignements sur ces animaux marins. Leur comparaison avec les dents des requins actuels permet d'observer l'évolution de l'espèce.

Que sont les archosaures ?

Les archosaures, ce qui signifie « lézards dominants », constituent un groupe de reptiles qui sont apparus il y a 250 millions d'années. Il ne s'agit pas de dinosaures. Non seulement leur crâne comporte une ouverture de chaque côté, mais il a des os **fusionnés**, qui allègent le crâne et l'assouplissent en mangeant. Les archosaures ont un museau pointu et des dents insérées dans des cavités. Ils comprennent les reptiles volants, appelés ptérosaures, et les crocodiles. Les dinosaures descendent probablement des archosaures. Les crocodiles et les oiseaux sont les seuls archosaures survivants.

15

Les premiers dinosaures

Quel est le premier dinosaure connu ?

Le Herrasaurus ressemblait à bon nombre des premiers dinosaures.

Récemment encore, le plus ancien dinosaure connu était le Herrasaurus, qui vivait il y a 225 millions d'années et mesurait environ 4 m de long. Mais deux dinosaures récemment découverts sont sans doute plus anciens. Les fossiles de l'Unaysayrus ont été découverts au Brésil. Ce dinosaure bipède vivant il y a 235 millions d'années mesurait 2,5 m de long. Les paléontologistes ont exhumé à Madagascar les fossiles de deux dinosaures qui pourraient être encore plus anciens que l'Unaysaurus. Ces dinosaures herbivores de petite taille ne portent pas encore de nom.

Comment était la Terre lors de l'apparition des premiers dinosaures ?

Lorsque les premiers dinosaures apparaissent sur la Terre, le climat est très chaud et sec, de type désertique. L'herbe et les fleurs n'existent pas, le cycas est alors la plante la plus répandue.

On compte de nombreux amphibiens et quelques reptiles. Les premiers mammifères, les crapauds, tortues et lézards font leur apparition à la fin du trias. Une extinction massive, à la fin du trias, soit il y a 208 à 213 millions d'années, a entraîné la disparition de 35% des espèces animales. La plus grande partie des amphibiens et des reptiles marins, à l'exception des ichthysaures, ont été anéantis, ainsi que la plupart des premiers dinosaures.

A quoi ressemblaient les premiers dinosaures ?

Les premiers dinosaures étaient relativement petits : ils mesuraient environ 3 à 4,5 m de long. Ils étaient bipèdes et probablement très rapides, ce qui leur permettait de concurrencer les autres prédateurs vivant à cette époque. Ils se déplaçaient peut-être en troupeaux, ce qui leur permettait de s'attaquer à des proies plus importantes. Ils étaient carnivores (se nourrissant de chair) ou **omnivores** (se nourrissant à la fois de plantes et de chair). Les premiers dinosaures comprennent le Lesothosaurus, un petit dinosaure herbivore qui vivait voici 225 à 208 millions d'années, ainsi que le Saltopus, un dinosaure carnivore de la taille d'un chat, vivant il y a de 225 à 222 millions d'années.

Le Saltopus avait la taille d'un chat domestique.

Quel est le plus grand des premiers dinosaures ?

Le Platéosaurus est le premier dinosaure herbivore géant (il ne se nourrissait que de plantes). Il a vécu voici 222 à 210 millions d'années, du trias au début du jurassique. Quadripède, il était toutefois capable de se tenir sur ses pattes arrière pour atteindre la végétation haut perchée dans les arbres. Ce dinosaure imposant mesurait 9 m de long et environ 4 m de haut. Il a peut-être vécu en troupeaux. Des fossiles ont été découverts en Allemagne, en France et en Suisse.

Quels sont les premiers dinosaures cannibales ?

Le Coleophysis, l'un des premiers dinosaures, vivait à la fin du trias, il y a environ 210 millions d'années. En 1947, des paléontologues ont mis à jour des centaines de squelettes de Coleophysis, au Nouveau Mexique. L'estomac de plusieurs dinosaures adultes renfermait les restes d'un jeune Coleophysis. Ces animaux étaient donc carnivores ! Le Coelophysis mesurait 2,8 m de long et était bipède. Les os de ses pattes étaient presque creux, d'où leur légèreté et une très grande vitesse de course. Il était **carnivore.**

Pourquoi les fossiles de dinosaures du trias sont-ils aussi rares ?

Un grand nombre de dinosaures de cette période étaient de petite taille, et avaient des os creux, comme ceux de nos oiseaux actuels. Ces os fragiles étaient davantage vulnérables, qu'ils servent de nourriture à d'autres animaux ou soient exposés aux dégradations des intempéries. En revanche, le squelette robuste des dinosaures plus tardifs a mieux résisté à l'épreuve du temps, fournissant ainsi de nombreux fossiles.

Plus gros et plus robustes, les os des dinosaures se sont parfaitement fossilisés.

Les dinosaures tardifs

Que sont les sauropodes ?

Les sauropodes sont les plus grands animaux terrestres. Ces dinosaures herbivores et quadrupèdes possèdent un long cou et une longue queue. Leurs narines sont haut perchées sur leur museau, parfois à proximité des yeux. Ils ont une petite tête, des dents émoussées, et engloutissent de grandes quantités de végétation. Certains sauropodes tardifs ont le corps protégé par une carapace. La taille de ces créatures imposantes varie de 7 à 40 m de long. Avec une longueur de 42 m et une hauteur de 16,5 m, le Supersaurus est l'un des plus grands sauropodes jamais découverts. Les sauropodes ont vécu à la fin du trias, au jurassique, et se sont éteints à la fin du crétacé, en compagnie d'autres dinosaures.

Le Séismosarus est l'un des plus grands sauropodes et l'un des plus grands animaux ayant jamais existé.

Quel est le plus grand dinosaure carnivore ?

En 2000 a été mis à jour en Argentine un dinosaure plus imposant que le Tyranosaurus rex, et plus imposant que le précédent détenteur du record, le Giganotosaurus. Ce monstre de 13,7 m de haut était plus lourd que le T-rex, et avait des pattes légèrement plus courtes. Il a vécu voici environ 100 millions d'années. A l'instar du T-rex, il possédait de courtes pattes de devant quasi inutiles. Ses grandes dents aiguisées comme des poignards étaient fichées dans une mâchoire de type ciseaux. Les scientifiques pensent que ces créatures redoutables chassaient en troupeaux, ce qui expliquerait la découverte des ossements de six individus, au même endroit. Ce dinosaure ne porte pas encore de nom.

Comment les ankylosaures se protégeaient-ils ?

Le mot ankylosaure signifie « lézard rigide ». Ces redoutables dinosaures étaient construits comme des tanks : de grandes plaques cuirassées couvraient leur dos. Certains en possédaient même sur leurs paupières ! Herbivores, ces dinosaures râblés et patauds se nourrissaient de plantes basses. Il existait deux types d'ankylosaures : le véritable ankylosaure et le nodosaure. Le premier possédait de grandes pattes et une queue terminée par une massue qu'il agitait en direction de son ennemi, afin de se protéger. Ces dinosaures ont vécu durant le crétacé. La queue du nodosaure était dépourvue de massue. Le nodosaure vivait au milieu du jurassique et jusqu'à la fin du crétacé.

18

L'iguanodon est le premier dinosaure recensé. Le pouce cornu de chaque patte lui permettait de se défendre contre ses prédateurs.

Que sont les ornithorynques ?

Les dinosaures ornithorynques sont connus sous le nom de hadrosaures, type de dinosaure le plus commun. Ils présentent un museau large et plat, sans dents de devant, mais à l'arrière, leur mâchoire est garnie d'un millier de dents minuscules. Ils se déplacent sur deux pattes (bipèdes). Les hadrosaures sont les premiers dinosaures pourvus de joues destinées à arrêter la nourriture qui risque de tomber de leur gueule au cours de la mastication. Un grand nombre d'entre eux a une crête creuse reliée aux naseaux : l'air passant ainsi amplifie le cri de l'animal, ce qui attire les partenaires. Les ornithorynques vivent en larges troupeaux au cétacé, il y a 140 à 65 millions d'années.

Pourquoi les dinosaures se sont-ils éteints ?

Les dinosaures se sont éteints il y a 65 millions d'années durant la période appelée extinction massive du Tertiaire-Crétacée (K–T) par les scientifiques. Environ 70% des espèces vivant sur la Terre ont également disparu à la même époque. Les scientifiques ne connaissent pas avec certitude la cause de cette extinction, mais ils émettent généralement l'hypothèse d'une gigantesque météorite mesurant 10 km de circonférence qui aurait heurté la Terre. Le choc aurait causé incendies, vents, tempêtes, tremblements de terre et **tsunamis.** La chaleur de l'onde de choc aurait brûlé tout ce qui se trouvait sur son passage et la lumière du soleil aurait été occultée par la poussière et les débris pendant des mois, ce qui aurait entraîné un brusque refroidissement du climat.

Que sont les dinosaures autruches ?

Les dinosaures autruches ressemblent aux autruches modernes : ils ont un long cou, une petite tête, un museau en forme de bec et de grandes et puissantes pattes postérieures. On les appelle également ornithomimosaures, ce qui signifie « imitateur d'oiseau ». Ces dinosaures possèdent de grands yeux et un gros cerveau. Dépourvus de dents, ils utilisent probablement leur bec pour extraire de l'eau les petites plantes et les animaux dont ils se nourrissent. Le plus grand dinosaure autruche est le Gallimimus, mesurant 6 m de long. Il vivait à la fin du crétacé, il y a 80 à 65 millions d'années.

Le sais-tu ?

Un nouveau type de Sauropode a été découvert en 2005 : le Brachytrachelopan mesai. Il ne mesure que 10 m de long et possède un cou court et épais. Il a probablement évolué dans le but de se nourrir de plantes basses, si bien qu'il tient son cou à l'horizontale.

La vie dans les airs

Que sont les ptérosaures ?

Les ptérosaures, dont le nom signifie « lézards ailés » sont des reptiles volants, et non des dinosaures. Ils ont vécu à la même époque, du trias (il y a 215 millions d'années) à la fin du crétacé (il y a 65 millions d'années). Leurs os creux allégent le poids de leur corps et leur permet de voler. Le plus petit ptérosaure a la taille d'un moineau, et le plus grand, le quetzalcoatlus, l'envergure d'un petit avion : c'est le plus grand animal volant de tous les temps. Certains ptérosaures ont le corps recouvert de poils.

Quel a été le premier animal volant ?

Les insectes ont été les premiers animaux volant sur Terre. Le premier insecte ailé connu a été découvert en Écosse ; il vivait il y a environ 350 millions d'années. Les insectes ont peut-être évolué à partir des premiers crustacés. Au début, les ailes se limitaient probablement à des ailerons capables de transporter l'insecte sur une courte distance grâce au vent. Progressivement, les insectes ont appris à battre des ailes pour se déplacer dans l'air par eux-mêmes. Ces premiers insectes sont apparentés à la libellule, mais de taille très supérieure. Le plus grand insecte découvert a une envergure de 76 cm !

Quel a été le plus ancien oiseau connu ?

Le plus ancien oiseau connu est l'Archaeopteryx, apparu il y a 150 millions d'années. Il a la taille d'un pigeon et possède des dents, des griffes sur chaque aile, une longue queue osseuse comme celle des reptiles. Mais il a également des ailes et des plumes comme un oiseau. Il a été découvert en Allemagne en 1861. Incapable de voler, il se laisse glisse probablement de la cime d'un arbre à une autre.

Lorsque le premier fossile d'Archaeopteryx a été découvert, on a pensé qu'il s'agissait d'un faux

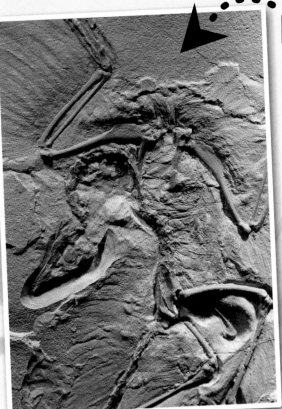

Les oiseaux descendent-ils des dinosaures ?

Les oiseaux sont les plus proches parents vivants des dinosaures. La plupart des scientifiques pensent qu'ils ont évolué à partir des dinosaures raptors. Des fossiles de dinosaures à plumes ont récemment été découverts en Chine, ce qui confirme cette hypothèse. Le Microraptor zhaioanus, une créature de la taille d'un aigle, apparaît il y a 124 millions d'années. Incapable de voler, il utilise ses griffes incurvées pour grimper aux arbres afin d'échapper à ses prédateurs.

L'examen du squelette des dinosaures et de celui des oiseaux révèle de grandes similitudes.

Comment certains animaux ont-ils appris à voler ?

Personne ne sait, avec certitude, comment certains animaux ont appris à voler. D'aucuns pensent qu'ils se sont mis à courir plus rapidement et ont progressivement commencé à s'élever dans l'air. D'autres estiment que tout a commencé lorsque des petits dinosaures ont grimpé dans les arbres pour se laisser glisser ensuite jusqu'au sol. Les raisons qui expliquent pourquoi certains animaux ont appris à voler sont multiples : pour échapper à leurs prédateurs, pour trouver de nouvelles sources de nourriture et pour capturer des proies qui volaient ou se déplaçaient rapidement.

Quelle a été l'évolution des chauves-souris ?

Selon les scientifiques, l'évolution des chauves-souris remonte à 80 à 100 millions d'années, bien que les fossiles les plus anciens datent de 55 millions d'années. Leur ancêtre probable est une musaraigne qui grimpait aux arbres. Au terme de milliers d'années passées à sauter après des insectes pour les capturer, les ancêtres des chauves-souris auraient développé des membranes entre leurs membres et leur corps. Il était plus sécurisant de rester haut perché dans les arbres ou hors de portée des prédateurs sur le sol, mais il fallait moins d'énergie pour voler que pour grimper et descendre des arbres.

Les mammifères

···Quand les mammifères sont-ils apparus sur la Terre ?

Les mammifères ont évolué à partir des synapsides, à peu près à la même époque que les dinosaures. Ils ont développé des caractéristiques qui leur permettaient d'adopter un mode de vie très actif. La plupart des reptiles ne possédaient qu'un seul type de dent : les mammifères en ont développé quatre. Leur squelette assurait grande souplesse et rapidité de déplacement. Des poumons de taille supérieure leur permettaient de respirer rapidement lorsqu'ils étaient actifs. Ils sont devenus des animaux à **sang chaud**, ce qui leur assurait une plus grande activité diurne que celle des reptiles. Les petits mammifères vivaient à la même époque que les dinosaures, mais ils chassaient probablement la nuit pour se nourrir, afin d'éviter les prédateurs.

Comment se reproduisaient les premiers mammifères ?

Les premiers mammifères, qui ont évolué à partir d'animaux ressemblant à des reptiles, étaient probablement ovipares, comme les reptiles. Mais à la différence de ceux-ci, les mammifères femelles nourrissaient leurs petits. Le Platypus et les **échidnés** sont les seuls mammifères ovipares (monotrèmes) vivant encore aujourd'hui. Il y a environ 140 millions d'années, la plupart des mammifères ont évolué soit en **marsupiaux** (mammifères dont les petits naissent à un stade très précoce de leur développement et restent dans la poche de leur mère jusqu'à ce qu'ils aient une taille suffisante), soit en mammifères placentaires, qui donnent naissance à des bébés vivants entièrement développés.

Pourquoi certains mammifères sont devenus très ··· grands ?

Les mammifères primitifs étaient de petite taille. Certains ne sont devenus beaucoup plus grands qu'après l'extinction des dinosaures. Les mammifères les plus grands vivaient dans les océans et sur la terre ferme, où ils disposaient de grands espaces. La nourriture était également abondante, ce qui signifie moins de compétition pour se nourrir et donc une croissance plus importante. Le plus grand mammifère terrestre préhistorique est l'Indricotherium, qui vivait il y a 30 millions d'années. Sa taille avoisinait les 7 m de long et son poids, les 20 tonnes, ce qui représente huit fois la stature d'un rhinocéros actuel.

Les mammifères géants n'ont jamais atteint la taille des plus grands dinosaures, mais ils étaient plus grands que n'importe quel mammifère actuel.

Comment le cheval a-t-il évolué ?

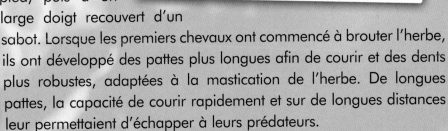

Apparu il y a 55 millions d'années, l'Hyracotherium est un cheval primitif. Il avait la taille d'un chien, un dos arqué, de courtes pattes et une longue queue. Au fil du temps, ses pieds ont évolué, passant de quatre doigts avant et trois doigts arrière à trois doigts par pied, puis à un large doigt recouvert d'un sabot.

Lorsque les premiers chevaux ont commencé à brouter l'herbe, ils ont développé des pattes plus longues afin de courir et des dents plus robustes, adaptées à la mastication de l'herbe. De longues pattes, la capacité de courir rapidement et sur de longues distances leur permettaient d'échapper à leurs prédateurs.

Quel est l'ancêtre de l'éléphant ?

Un petit animal ressemblant à un cochon, le Moeritherium, vivant il y a 50 millions d'années, est l'ancêtre de l'éléphant. Il mesure environ 70 cm de haut et ressemble au **tapir.** Il possède un long nez mais pas de trompe. Le Moeritherium passe une partie de son existence dans l'eau, comme un hippopotame. Depuis ce lointain ancêtre, on a recensé plus de 500 espèces d'éléphants, dont les **mammouths** et les **mastodontes.**

Pourquoi les baleines vivent-elles dans la mer ?

Les baleines sont des mammifères terrestres qui ont évolué et sont devenus les plus gros animaux marins. Le Pakicetus, leur premier ancêtre connu, ressemblait à un loup. Il vivait il y a plus de 50 millions d'années, barbotant probablement dans l'eau pour capturer des poissons. Progressivement, le Pakicetus s'est adapté à la vie aquatique, devenant plus **profilé** et perdant ses pattes arrière. Les baleines sont proches des animaux à sabots à nombre de doigts pair, vaches, chèvres, moutons, cochons et hippopotames. Comme tous les cétacés, leur évolution décrit une boucle complète, passant de la mer à la terre, puis retournant dans la mer.

Le sais-tu ?

Le Morganucodon, un petit animal ressemblant à une musaraigne, est le plus vieux mammifère connu.

L'évolution de l'homme

Qu'est-ce qu'un hominidé ?

Les hominidés regroupent toutes les espèces de la famille humaine ayant vécu depuis le dernier ancêtre commun aux humains et aux singes. Un hominidé est une espèce au sein de cette famille. Les hominidés marchent debout, ont un cerveau volumineux et utilisent des outils. Le premier hominidé connu, l'Ardipithecus ramidus kadabban, vivait il y a environ 6 millions d'années. Il savait utiliser des massues et a quitté la jungle pour s'établir dans les **plaines**, vivant en communautés afin de se protéger contre les prédateurs. De même que les chimpanzés, les gorilles, les orangs-outans et les gibbons, les humains sont des hominidés.

Qui était Lucy ?

Lucy est l'un des premiers hominidés pratiquement complets mis à jour. Le squelette a été découvert à Hadar, en Ethiopie, en 1974. Lucy vivait il y a environ 3,2 millions d'années. Elle ne mesurait pas plus d'un mètre de haut, mais marchait debout. L'aptitude à la marche debout constitue la différence essentielle entre les êtres humains et les singes : Lucy était donc un « être humain » à part entière. Elle doit son nom à la chanson des Beatles « Lucy in the Sky with Diamonds ».

Lucy devait avoir cette apparence.

Les singes sont-ils nos cousins ?

Le dernier ancêtre commun des êtres humains et des singes vivait dans la forêt équatoriale africaine, il y a six à huit millions d'années. Ses descendants se divisent en deux lignées – les êtres humains et les singes. Les êtres humains sont probablement descendus des arbres pour vivre sur la terre ferme et se sont mis à marcher sur deux jambes lorsque le climat a changé, ce qui a réduit le nombre de forêts susceptibles de les accueillir. L'examen des gènes des êtres humains et des singes révèle que seulement 2% d'entre eux sont différents.

Qu'est-ce que l'Homo erectus ?

L'Homo erectus, ou « homme debout » est l'un des premiers hominidés, et un ancêtre de l'homme moderne. Il vivait il y a environ 1, 8 million d'années et est originaire d'Afrique. Il a ensuite émigré vers l'Asie et l'Europe. Sa taille était semblable à celle de l'homme moderne, mais la taille de son cerveau ne représentait que 75% du nôtre. Il utilisait des outils en pierre et savait faire du feu. Le squelette d'un Homo erectus vieux de 1,6 million d'années a été découvert au Kenya. Appartenant à un enfant âgé de 10 à 12 ans, il a été nommé « Turkana Boy ».

Le sais-tu ?

Le parent le plus proche des humains est le bonobo, qui partage plus de 98% de l'ADN avec l'homme. Il est encore plus proche de nous que le chimpanzé. Bonobos et chimpanzés sont aussi plus proches des humains que les gorilles.

Qu'est-ce que l'homme de Néanderthal ?

L'homme de Néanderthal (Homo neanderthalensis) est probablement venu de l'Europe du Nord il y a 230.000 ans. Il vivait en Europe et en Asie occidentale. De taille inférieure à celle de l'homme moderne, il était nettement plus trapu et plus fort, ce qui lui permettait de vivre dans le rude climat de l'ère glaciaire. Il fabriquait des outils : haches, grattoirs et serpes en pierre. L'homme de Néanderthal était un **chasseur cueilleur** ; il utilisait un javelot pour tuer sa proie lorsqu'elle était à proximité. Des conditions de vie difficile ne lui permettaient pas de dépasser l'âge de 40 à 45 ans. Il s'est éteint il y a 35 000 ans, sans doute lorsque l'homme moderne l'a concurrencé pour s'approprier les richesses naturelles.

Qu'est-ce que l'Homo sapiens sapiens ?

Tous les humains font partie de l'espèce « Homo sapiens », ce qui signifie homme sensé ou intelligent. L'Homo sapiens a vécu de 200.000 ans avant notre ère à aujourd'hui. L'homme moderne porte le nom de Homo sapiens sapiens, une espèce d'homo sapiens qui est apparue voici 120 000 ans. Les premiers Homo sapiens sapiens d'Europe sont les hommes de Cro-Magnon. Le développement des arts, dont la fabrication d'instruments de musique, la sculpture sur ivoire, les peintures rupestres et les outils décorés, constitue l'une des principales réalisations de l'homme moderne.

Le développement **humain**

Qui sont les chasseurs-cueilleurs ?

Les chasseurs-cueilleurs étaient un peuple **nomade** qui vivait en groupes, se déplaçant constamment en quête de nourriture. Dans la plupart des sociétés, les hommes pêchaient et chassaient, tandis que les femmes et les enfants restaient près du campement et cueillaient baies, fruits, graines et noix. Ils vivaient dans des cavernes ou des tentes faites de peaux d'animaux ou de branches d'arbres. Les javelots à manche en bois et pointes de pierre ont été les premières armes. Plus tard, seront fabriqués des arcs et des flèches. Il y a 8 000 ans, les chasseurs-cueilleurs ont appris à cultiver le sol et sont devenus cultivateurs.

Les chasseurs-cueilleurs vivaient dans de simples abris pouvant être facilement démontés et transportés.

Qu'est-ce que l'âge de pierre ?

On appelle âge de pierre la période préhistorique caractérisée par la fabrication d'outils en pierre. Sa durée

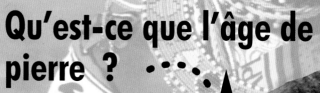

varie fortement selon les différentes régions du monde. L'âge de pierre a commencé il y a environ 2 millions d'années et les premiers outils connus ont été fabriqués par un ancien ancêtre de l'homme, l'Homo habilis, qui a évolué en Homo erectus. Il a fabriqué des outils appelés « serpes », constitués d'une pierre aplatie pourvue d'une face tranchante obtenue en entaillant la pierre d'un côté. Plus tard, des outils plus complexes ont été inventés. L'âge de pierre est également connu sous le nom de période paléolithique, ce qui signifie « ancienne pierre ». L'âge de pierre coïncide également avec la période glaciaire.

Qu'est-ce que le nouvel âge de pierre ?

Au cours du Nouvel âge de pierre, ou période néolithique, il y a 8.000 ans, les populations ont commencé à cultiver la terre, à vivre en groupes importants et à faire de la poterie. Deux des plus anciens sites d'occupation sont Catul Hayak, en Turquie actuelle, et Jéricho, en Israël. Les outils (le plus souvent réalisés en **pierre à feu**) pour meuler, entailler et couper ont évolué avec les changements de mode de vie. Devenus agriculteurs, les hommes ont commencé à porter des vêtements en **textile** comme la laine de mouton et le lin, à la place de la fourrure des animaux.

Quand a-t-on commencé à utiliser des métaux ?

Le cuivre a été le premier métal utilisé pour fabriquer des outils, en Europe et en Asie voici 5.500 années. Peu après, l'homme a appris à fabriquer le bronze. L'âge du bronze a commencé à différentes époques selon les régions du monde. Le bronze était obtenu à partir d'un mélange d'étain et de cuivre. Il était utilisé pour la fabrication des couteaux, des épées, des haches et des lances, ainsi que celle des bijoux. Les peuplades établies en Égypte et en Mésopotamie (aujourd'hui, l'Irak moderne et Syrie) ont été les premières utilisatrices du bronze il y a 5 300 ans. L'âge du bronze a duré jusqu'à 1 200 avant J.-C., époque où l'utilisation du fer a commencé à se généraliser.

Quels sont les premiers instruments de musique ?

L'écartement des trous dans la flûte néanderthalienne est identique à celui d'une flûte moderne.

Le plus ancien instrument de musique découvert est une flûte de l'Âge de pierre, datant de 35 000 années, sculptée dans une défense de mammouth laineux. Il a été découvert en Allemagne en 2 004. Brisée en 31 pièces, la flûte a été reconstruite. Elle ne jouait que trois notes. Les plus anciens instruments de musique en bon état remontent de 8 à 9 000 ans. On recense six flûtes en ossement, découvertes en Chine. Elles étaient fabriquées à partir des os d'un crâne et comportaient six, sept ou huit trous.

Le sais-tu ?

La momie congelée d'un homme préhistorique vieux de 3 500 ans a été découverte en 1991. Surnommée Otzi l'homme des glaces, cette momie portait une hache en cuivre et un couteau en pierre à feu !

Quand la préhistoire s'est-elle terminée ?

La préhistoire s'est terminée lorsque les peuplades ont commencé à conserver des témoignages historiques. Là encore, cela varie selon les différentes régions du monde. En Égypte, la préhistoire s'est terminée vers 3 500 av. J.-C., alors qu'elle ne s'est achevée en Nouvelle-Guinée que vers 1 900. Dès que les peuplades se sont mises à cultiver la terre (les premiers agriculteurs ont commencé à faire pousser des récoltes il y a 9 000 ans), elles ont dû inventer une méthode pour les comptabiliser. L'écriture a été inventée par les Sumériens 3 500 ans av. J.-C. D'autres civilisations ont également inventé des systèmes d'écriture : Égyptiens, Chinois et Olmèques dans l'Ancien Mexique. L'écriture est généralement considérée comme nécessaire au développement d'une société complexe.

La période glaciaire

Qu'est-ce qu'une période glaciaire ?

Une période glaciaire survient lorsque de vastes parties du monde sont recouvertes de glace. Certaines ont duré des millions, voire des dizaines de millions d'années. L'histoire de la Terre a connu quatre périodes glaciaires majeures. La première est apparue il y a 800 à 600 millions d'années. Les périodes glaciaires sont causées par le mouvement des plaques continentales, lorsque de grandes étendues de terre se situent à des altitudes élevées et que des parties de continent se soulèvent. Les changements dans l'**orbite** terrestre affectent également la quantité de chaleur atteignant la Terre, en provenance du Soleil, tandis que la quantité de dioxyde de carbone dans l'atmosphère affecte la température de la planète. Les périodes situées entre les périodes glaciaires, à la température plus douce, sont appelées « périodes interglaciaires ».

Combien y a-t-il eu de périodes glaciaires ?

La Terre a connu quatre périodes glaciaires majeures. On pense que la première a dû se produire il y a de 2,7 à 3 millions d'années. Une autre est apparue il y a de 800 à 600 millions d'années. On estime que des « mini » périodes glaciaires moins rigoureuses se produisent tous les 11 000 ans. La dernière période glaciaire a commencé il y a environ 70 000 ans et s'est terminée il y a 10 000 ans. Au cours de cette période, des calottes de glace d'une épaisseur de 3,5 à 4 km ont recouvert une grande partie de l'Europe et de l'Amérique du Nord. Les longs intervalles de temps impliqués expliquent que les scientifiques ne peuvent prédire quand commencera la prochaine période glaciaire. Pour eux, ce sera dans un proche avenir.

Comment les hommes ont-ils survécu aux périodes glaciaires ?

Les peuplades de l'âge de pierre qui ont vécu au cours de la dernière période glaciaire étaient des **chasseurs-cueilleurs**. Ils chassaient essentiellement des poissons et des oiseaux. Ils mangeaient la chair, et ils brisaient les os pour en sucer la **moelle**, très nourrissante. La chair était découpée en lanières et séchée pour être conservée. Les hommes vivaient dans des cavernes, ou construisaient des abris avec des ossements, du bois et des peaux d'animaux. Les humains modernes seraient parvenus à survivre à une mini période glaciaire, bien que la nourriture fût rare et qu'il fallût émigrer de l'hémisphère nord vers le sud pour échapper à la glace qui recouvrait la terre.

Qu'était la méga faune ?

De nombreux animaux géants ont vécu durant la dernière période glaciaire, mais aujourd'hui ils sont tous éteints. Ces grands mammifères, connus sous le terme de méga faune, sont probablement devenus imposants parce que les animaux les plus grands sont mieux armés pour se procurer les biens de la nature, par exemple, la nourriture. La méga faune comprenait les mammouths, les mastodontes, les rhinocéros laineux, les tigres sabres et les castors géants. Le paresseux géant, qui vivait en Amérique, avait la taille d'un éléphant moderne, tandis que l'Australie connaissait un **marsupial** appelé Diprotodon, de la taille d'un rhinocéros moderne, soit le plus grand marsupial ayant jamais existé. Le mégalocéros était un grand cerf pourvu de bois de près de 4 m, qui vivait en Europe. Malgré leur taille imposante, ces mammifères géants ne pouvaient espérer rivaliser avec les dinosaures.

Pourquoi de nombreux animaux se sont-ils éteints au terme de la période glaciaire ?

Selon les scientifiques, de nombreux animaux de la période glaciaire se sont éteints à cause de la chasse excessive de certains animaux géants tels que le mammouth et le mastodonte. D'autres facteurs comme la hausse des températures, la fonte des glaciers et les variations en matière de précipitations ont pu créer un manque de nourriture et l'obligation de vivre sous des climats auxquels ces animaux n'étaient pas adaptés. D'où l'extinction d'un grand nombre d'entre eux.

Cette carte montre la bande de terre telle qu'elle se présente aujourd'hui. Les zones maritimes en bleu plus pâle indiquent le pont de terre immergé.

Qu'était le Bering Land Bridge ?

Le Bering Land Bridge était une bande de terre qui reliait la Russie à l'Amérique du Nord. Elle est apparue vers la fin de la dernière période glaciaire, il y a de 25 000 à 14 000 ans, lorsque le niveau de la mer a baissé de 100 m à cause de la glace. Les mammouths, les chevaux, les bisons ont quitté l'Asie, traversé cette bande de terre et émigré en Amérique du Nord. Les peuplades asiatiques ont suivi les animaux jusqu'en Alaska et au Canada. Lorsque la période glaciaire s'est terminée, le niveau de la mer a monté, et la bande de terre a été de nouveau immergée.

GLOSSAIRE

Aérodynamique
Ayant une forme qui permet de se déplacer dans l'eau ou dans l'air en offrant la moindre résistance.

Amphibien
Animal capable de vivre à la fois sur la terre ferme et dans l'eau. Les grenouilles et les salamandres sont des amphibiens.

Ankylosaure
Grand dinosaure cuirassé qui vivait pendant le crétacé.

Arthropodes
Animaux dotés d'un exosquelette rigide, d'un corps segmenté et de pattes articulées. Ce groupe d'animaux englobe les insectes, les araignées et les crustacés (crabes, homards, crevettes et anatifes), ainsi que les mille-pattes.

A sang chaud (animal)
Capable de maintenir une certaine température corporelle, indépendamment de la température ambiante.

A sang froid (animal)
Animaux dont la température corporelle est influencée par la température environnementale.

Astéroïde
Fragments de roche et de métal, d'une taille variant de quelques mètres à des centaines de kilomètres, qui gravitent autour du Soleil.

Atmosphère
Les gaz ou l'air qui entourent une planète, en particulier la Terre

Bactérie
Etre vivant unicellulaire présent dans la terre, dans l'air et dans l'eau. Les bactéries sont très utiles mais également responsables de nombreuses maladies.

Carnivore
Animal qui se nourrit de viande.

Cartilage
Tissu conjonctif résistant et élastique. Chez les êtres humains, l'oreille externe, certaines parties de la gorge et les articulations sont constituées de cartilage.

Chasseur-cueilleur
Peuplade qui vivait dans la nature, chassant les animaux et cueillant fruits, graines, noix et racines.

Compressé
Pressé fortement l'un contre l'autre.

Crétacée
Période de l'histoire de la Terre se situant il y a 140 à 63 millions d'années.

Crustacé
Animaux à exosquelette rigide, corps formé de segments, et pattes articulées, qui vivent essentiellement dans l'eau. Les crabes, les homards, les crevettes, et les anatifes sont des crustacés.

Cuticule
Couche externe ou membrane couvrant les parties extérieures des plantes.

Cycas
Plantes vivaces des régions tropicales, à grandes feuilles, qui portent des cônes.

Descendant
Individu issu d'une personne ou d'un groupe spécifique, comme une famille.

Distribution
Répartition d'un organisme dans une région ou des régions particulières.

Diversité
Variété des espèces.

Doigt
Chacune des parties terminant la main et le pied de l'homme ou de l'animal.

Dominant
Élément d'un groupe d'animaux ou de personnes qui dirige ce groupe.

Echidné
Mammifères ovipares pourvus de grandes langues gluantes destinées à capturer les insectes. Les échidnés ont été découverts en Australie, en Tasmanie et en Nouvelle-Guinée.

Effet de serre
Réchauffement qui se produit lorsque la chaleur du soleil est piégée dans l'atmosphère. Le soleil traverse l'atmosphère, mais la chaleur réfléchie par la Terre est capturée par l'atmosphère.

Embryon
Œuf fécondé d'un animal.

Environnement
Ensemble des conditions entourant un être vivant et pouvant affecter sa croissance, son développement et sa survie.

Ère mésozoïque
Période de l'histoire de la Terre se situant il y a 230 à 63 millions d'années

Éteint
Qui ne vit ou n'existe plus.

Eucaryote
Organisme consistant en une ou plusieurs cellules contenant un noyau entouré d'une membrane. Tous les organismes, à l'exception des micro-organismes primitifs tels que la bactérie, sont des eucaryotes.

Évolution
Changement ou développement progressif.

Forêt équatoriale
Une forêt qui se situe au voisinage de l'équateur. Elle reçoit chaque année 2,5 m de pluie.

Génération
Groupe d'individus nés et vivant à la même époque. Par exemple, tes frères et sœurs appartiennent à la même génération que toi.

Gravitation
Attraction universelle qui s'exerce entre tous les corps. Ses effets sont, par exemple, la chute des corps, le mouvement des planètes.

Herbivore
Animal se nourrissant de végétaux.

Isotope
Les isotopes d'un élément ont le même nombre de protons mais un nombre différent de neutrons, ce qui leur confère une masse atomique différente.

Mammifères
Classe de vertébrés à température constante portant des mamelles. Les femelles produisent du lait dont elles nourrissent leurs petits.

Mammouth
Éléphant fossile du quaternaire à toison, grandes défenses courbes, qui mesurait 3,50 m de haut

Marin
Vivant ou faisant partie de la mer.

Marsupial
Mammifère dont la mère met au monde un petit dont le développement est inachevé à la naissance. Le petit se glisse dans la poche de sa mère et s'attache à un téton. Il y reste jusqu'à ce que son développement soit complet. Les kangourous, les wombats, les opossums et les péramélidés sont des marsupiaux.

Mastodonte
Animal voisin de l'éléphant, très proche du mammouth mais présentant une dentition différente. Les mastodontes étaient plus petits que les mammouths. L'espèce s'est éteinte.

Météorite
Fragment minéral provenant de l'espace et traversant l'atmosphère terrestre pour finir sa course sur la Terre.

Micro-organisme
Organisme si petit qu'il ne peut être vu qu'au microscope.

Minéral
Substance dure ressemblant à du cristal, qui se forme naturellement.

Moelle
Substance qui remplit les cavités osseuses. Elle est très nourrissante.

Naître
Venir au monde. Exister.

Nomade
Personne qui se déplace à la recherche de nourriture, d'eau et de terre à pâturage. Les nomades voyagent habituellement en groupes et se déplacent en fonction des saisons.

Omnivore
Animal qui se nourrit aussi bien d'aliments animaux que végétaux.

Orbite
Trajectoire courbe d'un corps céleste gravitant autour d'un autre objet dans l'espace.

Organisme
Etre vivant capable d'agir et de fonctionner par lui-même. Une plante, un animal, un champignon et une bactérie constituent un organisme.

Ozone
Un gaz bleuté qui se forme dans l'atmosphère et aide à protéger la Terre contre les rayons ultraviolets nocifs du soleil.

Permien
Période de l'histoire de la Terre se situant il y a 280 à 230 millions d'années

Plaines
Vaste étendue de pays plat, d'ordinaire dépourvue d'arbres.

Plancton
Organismes microscopiques vivant en suspension dans l'eau de mer. Le plancton sert de nourriture aux poissons, aux baleines et à d'autres animaux marins.

Prédateur
Animal qui vit en chassant et en dévorant d'autres animaux.

Radioactif
Un élément est décrit comme radioactif s'il émet des particules énergétiques en se décomposant. Ces particules contiennent de l'énergie qui porte atteinte aux organismes vivants et peut provoquer l'apparition d'un cancer, et même entraîner la mort. La radioactivité a été découverte en 1898 par la célèbre chimiste française Marie Curie.

Reptile
Animal à sang froid, ovipare, dont la peau comporte des écailles. Les serpents, les lézards, les crocodiles, les tortues terrestres et marines sont des reptiles.

Ressources
Approvisionnement disponible en produits naturels tels que la nourriture, l'eau ou les éléments nécessaires à la construction d'un abri.

Saprophage
Qui se nourrit de matières organiques en décomposition.

Sauropode
Grand dinosaure herbivore à tête étroite, long cou et queue de taille importante.

Se reproduire
Produire des êtres vivants de façon sexuée ou asexuée.

Silex
Fragment de pierre dure utilisée par les hommes préhistoriques pour fabriquer des outils.

Sources hydrothermales
Ouvertures sous-marines d'où jaillissent de l'eau bouillante et des éléments chimiques.

Spore
Une (ou des) petite(s) cellule(s) reproductive(s) produite(s) par une plante, capable(s) de se développer pour former une nouvelle plante, de façon autonome ou par l'union avec une autre spore.

Tapir
Animal nocturne doté de courtes pattes, d'un long corps et d'un long museau flexible et charnu.

Tectonique des plaques
Mouvement des plaques formant la croûte terrestre, qui entraîne la formation de montagnes, l'apparition de volcans et de tremblements de terre.

Tétrapode
Animal ayant une colonne vertébrale, quatre pattes ou quatre pieds.

Textile
Tissu habituellement réalisé par tissage ou tricotage.

Théorie
Ensemble d'idées prenant pour objet un domaine particulier, ou des phénomènes, qu'il explicite.

Trias
Période de l'histoire de la Terre datant d'il y a 230 à 190 millions d'années

Tsunami
Vague géante causée par un tremblement de terre sous-marin ou une éruption volcanique.

Vertébré
Qui possède une colonne vertébrale. Les êtres humains, les mammifères, les poissons, les oiseaux, les reptiles et les amphibiens sont des vertébrés.

Questions / Réponses

L'évolution de la Terre

Un monde d'images et de faits fascinants !

Diane Schmolke

Introduction

Nous avons tendance à penser que le monde dans lequel nous vivons est **stable**, pratiquement statique. La moindre variation climatique nous fait penser qu'il se passe quelque chose d'anormal. En fait, notre planète est un environnement complexe, immense, en perpétuel changement, en **évolution**, en fonction de nombreux facteurs.

Il y a des millions d'années, l'atmosphère de la Terre était telle que nous n'aurions pu y vivre ; mais elle convenait parfaitement à une forme de vie primitive. Cette atmosphère a évolué vers le mélange d'oxygène, d'azote et d'autres gaz à l'état de traces que nous connaissons aujourd'hui. C'est la présence de la vie qui la maintient ainsi. Si la vie disparaissait sur Terre, l'atmosphère retournerait à son état **primitif.**

La présence de glace aux deux pôles de la planète n'est pas constante, sur une longue période de temps. L'Antarctique a été une région chaude et humide. Au temps des dinosaures, le continent antarctique était couvert d'une grande forêt tropicale. De nos jours, il y fait froid, et nous ressentons encore les effets de la dernière période glaciaire. En fait, selon les scientifiques, la période actuelle se situe entre deux périodes glaciaires ; elle est le résultat d'un léger réchauffement planétaire.

L'activité de la Terre montre qu'elle est une planète vivante. Les **continents** eux-mêmes dérivent lentement sur le manteau terrestre. Les roches sont recyclées : elles tombent dans les profondeurs de la Terre et remontent vers la surface lors des éruptions volcaniques.

Des chaînes de montagnes se forment, puis sont usées sous l'action des eaux et du vent. Des fleuves coulent, puis sont asséchés. Des espèces animales évoluent et disparaissent.

Seule notre courte espérance de vie nous force à penser dans le court terme. Et, ironiquement, cette vue à court terme accélère les changements sur notre planète. Alors que l'atmosphère et le climat changent sans arrêt, notre influence commence à accélérer la fréquence de ces modifications.

Les scientifiques discutent de l'influence de l'homme, mais ils s'accordent à penser que cette influence joue un rôle important. La vitesse des changements est trop rapide pour que l'évolution les compense, ce qui conduit à des extinctions massives et d'énormes bouleversements du climat.

L'apparente stabilité du climat est du à sa complexité. De tous petits changements peuvent produire des effets importants.

Quand les gens s'inquiètent du sort de la planète, ils pensent en réalité au destin de l'humanité. La Terre poursuivra son évolution avec ou sans les êtres humains.

Tous les changements que nous devrons apporter à notre façon de vivre sont nécessaires à notre survie, pas à celle de la planète.

Les fossiles découverts dans des roches anciennes constituent les seuls témoins de la vie primitive de notre planète. Ils sont rares, car tous les animaux morts ne laissent pas un fossile derrière eux. De nombreuses espèces n'ont laissé aucune trace, mais certaines, comme ces anémones, ont des points communs avec des espèces existant encore de nos jours..

Un iceberg géant s'est détaché d'un glacier arctique. La calotte glaciaire fondant lentement, de nombreux icebergs de ce type apparaissent le long des itinéraires fréquentés par les navires, dans l'Atlantique Nord.

Les activités humaines ont des effets bien déterminés sur l'environnement. Alors que certains pays essayent de limiter la pollution rejetée dans l'atmosphère, d'autres, essentiellement les pays développés, polluent de plus en plus avec leurs industries sans cesse performantes.

La formation de la Terre

Comment la Terre s'est-elle formée ?

Selon les scientifiques, le système solaire s'est formé à partir d'un nuage de poussières et de gaz tournant lentement. Des petites particules se sont regroupées les unes aux autres sous l'effet de la **gravitation**, formant des blocs qui, joints les uns aux autres, ont constitué la Terre et les autres planètes. La température était alors très élevée, et une grande partie de la planète se trouvait à l'état liquide. Les matériaux les plus lourds sont tombés au centre pour former le noyau, tandis que les plus légers ont gagné la surface, constituant la croûte et le manteau, couche terrestre située entre la croûte et le noyau.

Comment la vie est-elle apparue sur la Terre ?

On suppose que la vie est le résultat de réactions chimiques dans l'atmosphère. Les scientifiques ont pu obtenir en laboratoire, dans des conditions voisines de celles qui régnaient dans l'atmosphère primordial, des protéines (aminoacides) qui constituent les bases de la vie. Ces aminoacides sont peut-être à l'origine des toutes premières formes de vie. Au début, seuls existent des organismes unicellulaires, des micro-organismes **anaérobiques** incapables de produire leur propre nourriture, qui se nourrissent des aminoacides disponibles. Peu à peu, ces organismes apprennent à utiliser l'énergie solaire pour fabriquer leur nourriture. Des organismes multicellulaires apparaissent par la suite : seules des roches de moins d'un milliard d'années en renferment.

Quel est l'âge de la Terre ?

La Terre s'est formée il y a environ 4,55 milliards d'années. Les roches les plus anciennes découvertes sur la Terre datent de 3,9 milliards d'années, et certaines d'entre elles renferment des minéraux vieux de 4,2 milliards d'années.

Les géologues utilisent la datation radiométrique pour déterminer l'âge des roches : ce principe repose sur l'existence d'**isotopes** radioactifs de certains éléments contenus dans les roches, dont la décroissance peut être suivie dans le temps. La quantité d'isotopes restant donne l'âge de la roche. Une autre méthode de calcul s'appuie sur l'étude des météorites, vraisemblablement formées en même temps que les planètes. Certaines **météorites**, de même que des roches rapportées de la Lune, ont 4,5 milliards d'années.

Quelle est l'origine des océans ?

Il y a des millions d'années, lorsque la terre vient de se former, sa température de surface est si élevée que l'eau entre immédiatement en ébullition. D'incessantes éruptions volcaniques libèrent de la vapeur d'eau et des gaz. Par la suite, la Terre se refroidit, l'atmosphère se forme, et la **vapeur d'eau** se condense dans l'atmosphère, formant des gouttes d'eau qui tombent sous forme de pluie. Il pleut ainsi pendant des milliers d'années, et l'eau se rassemble dans les creux pour former les mers et les océans. Le premier océan porte le nom de Panthalassa. De nos jours, 71% de la surface terrestre est recouverte d'eau. La quantité d'eau sur la Terre est constante. Les océans en perdent constamment à cause de l'évaporation, et en gagnent grâce à la pluie et à la neige.

Comment l'atmosphère s'est-elle formée ?

L'atmosphère terrestre s'est formée lorsque les gaz piégés dans le noyau de la Terre s'en sont échappés. L'atmosphère est, à l'origine, essentiellement constituée de dioxyde de carbone, mais sa composition se modifie avec l'apparition de la vie sur Terre. Les **organismes** qui utilisent la **photosynthèse** réduisent la quantité de dioxyde de carbone de l'atmosphère, et produisent de l'oxygène. Au début, l'oxygène est absorbé par les roches. Un milliard d'années plus tard, les roches étant **saturées**, l'oxygène se répand dans l'air. L'ozone se forme grâce à l'action des rayons solaires sur les molécules d'oxygène de l'air. Ce gaz protège les formes de vie naissantes contre les méfaits des rayons **ultraviolets** du Soleil.

LE SAIS-TU ?

La Terre est souvent appelée la Planète Bleue. Les 2/3 de sa surface étant recouverts par les eaux, vue de l'espace, la Terre ressemble à un ballon bleu.

Comment le satellite de la Terre s'est-il formé ?

La thèse la plus reconnue sur la formation de la Lune, satellite de la Terre, est celle de la capture : un astéroïde gigantesque, de la taille de la planète Mars, serait entré en collision avec notre planète. Sous la violence de l'impact, des fragments de la croûte terrestre sont libérés dans l'espace. Sous l'effet de la gravité et de la rotation de la Terre, ils se rassemblent pour former la Lune, mesurant le quart de la Terre, mais avec seulement 1% de sa masse. L'étude des roches lunaires montre que la Lune a le même âge que la Terre, et qu'elles ont toutes deux le même type de roches. Notre satellite est plus gros, par rapport à la taille de la Terre, que celui des autres planètes, à l'exception de Pluton. Charon, le satellite de Pluton, a un diamètre égal à la moitié de celui de la planète.

5

Au commencement

À quoi ressemblait la Terre, juste après sa ...... formation ?

Il y a environ 4 milliards d'années, la température de la Terre est très élevée, et sa surface est couverte de volcans. L'atmosphère est composée de dioxyde de carbone, de gaz et de vapeur crachés par les volcans. En l'absence d'ozone, les rayons solaires atteignent la surface de la Terre, interdisant toute vie. Des météorites la frappent constamment, et creusent des cratères. La Terre n'est qu'une planète hostile, qui ne peut accueillir la vie telle que nous la connaissons.

Qu'est-ce que la « Cité perdue » ?

La « Cité perdue » a été découverte en décembre 2000 sur une montagne sous-marine située au fond de l'océan Atlantique. Elle présente des cheminées et des colonnes de minéraux. L'eau s'infiltre dans la croûte terrestre au travers de brèches, et se réchauffe au contact des roches brûlantes. Chaude, et chargée de minéraux, elle ressurgit dans l'océan. En se refroidissant dans les eaux océaniques, cette eau dépose les minéraux qui formeront des cheminées atteignant 60 mètres de haut. Les micro-organismes colonisant ces sources chaudes utilisent l'énergie chimique pour survivre. On suppose que la vie est apparue dans des sources hydrothermales du fond des océans, semblables à celles de la « Cité perdue ». Avant la formation de la croûte terrestre, la mer a peut-être été en contact avec la couche interne de la Terre, le manteau, qui a pu fournir des aires propices à l'apparition de la vie.

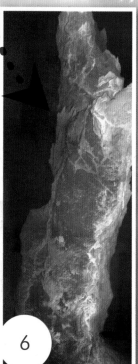

Colonne minérale

Quel est l'objet le plus ancien trouvé sur la Terre ?

Il s'agit d'un morceau de cristal de zirconium, vieux de 4,4 milliards d'années, qui a été découvert en 1999 au nord-est de l'Australie. Son épaisseur est celle de deux cheveux humains. Le zirconium est un minuscule cristal présent dans les roches. À l'inverse des roches qui subissent des transformations au cours du temps, le cristal de zirconium reste intact. Il est donc l'objet le plus ancien trouvé sur notre planète. Ce cristal prouve également que les océans et les continents se sont développés il y a de 4,3 à 4,4 milliards d'années, soit beaucoup plus tôt qu'on ne le pensait jusqu'ici. La vie est peut-être, elle aussi, apparue plus tôt que nous le supposons, mais comment le démontrer ?

Quand les plantes et les animaux sont-ils apparus sur la Terre ?

Les plantes terrestres et les champignons se sont développés à partir de plantes marines. Les premiers végétaux terrestres apparaissent il y a 700 millions d'années. Très légers, ils n'ont pas laissé de fossiles, aussi les scientifiques les ont-ils datés en étudiant les **gènes** des plantes et champignons actuels. Le premier « animal » est formé d'une cellule unique ; il apparaît sur la Terre il y 3,5 milliards d'années. Les organismes multicellulaires voient le jour il y a 600 millions d'années seulement, et les vertébrés (animaux à colonne vertébrale), voici 530 millions d'années. Les différentes formes de vie se développent pendant la période paléozoïque (ère primaire), entre 544 et 245 millions d'années. Les premiers « vrais » animaux sont les éponges, qui existent encore de nos jours. Les premières formes de vie sont relativement simples : **trilobites**, coquillages, éponges, et **céphalopodes.**

Les poissons-chats nous montrent à quoi ressemblaient les premiers amphibiens qui ont quitté l'eau pour vivre sur la terre.

Que sont les édiacarans ?

Les édiacarans sont d'étranges créatures semblables à des méduses, des vers, et des coraux, vivant dans les océans il y a entre 564 et 543 millions d'années, et pouvant atteindre 1 mètre de long. Il ne s'agit ni de plantes ni d'animaux. Ils ont été découverts pour la première fois en 1946, dans le sud de l'Australie. Certains scientifiques pensent qu'ils pourraient constituer les ancêtres des animaux, d'autres, qu'il s'agit d'une forme de vie disparue. Ils n'ont ni yeux ni bouche. Certains flottent dans l'eau, d'autres se fixent au fond. Ils absorbent les nutriments présents dans l'eau.

Quand les animaux ont-ils quitté l'eau pour la terre ?

Il y a 530 millions d'années, les premiers animaux marins viennent vivre sur la terre. Au début, ils quittent le milieu aquatique uniquement pour se reproduire ou pour échapper à leurs prédateurs. Pendant les cent millions d'années suivantes, ils développent des pattes robustes, des corps plus légers, donc mieux adaptés aux déplacements terrestres. Les amphibiens sont les premiers animaux à quatre pattes qui se sont aventurés sur terre. Ils sont relativement proches de certains poissons, comme les coelacanthes.

7

Les variations
climatiques

Qu'est-ce qui peut modifier le climat ?

La Terre présente des climats différents. Le climat dépend de nombreux facteurs. Les régions proches des côtes sont plus chaudes et plus humides qu'à l'intérieur des terres. Les zones élevées, comme les montagnes, tendent à être plus froides car l'air, moins dense, retient moins la chaleur. D'autre part, il y pleut davantage car il y fait plus froid. Les régions situées autour de l'équateur sont très chaudes car les rayons du soleil frappent directement le sol. En revanche, près des pôles, ils arrivent en biais, et doivent traverser une couche d'atmosphère plus importante, d'où un grand froid. Les êtres humains peuvent également causer des modifications climatiques en rejetant des quantités importantes de dioxyde de carbone dans l'air (industries, véhicules). L'orientation des vents a son importance, de même que la pluie. La destruction des arbres, qui transforment le dioxyde de carbone en oxygène, a également un impact sur le climat.

Qu'est-ce que l'effet de serre ?

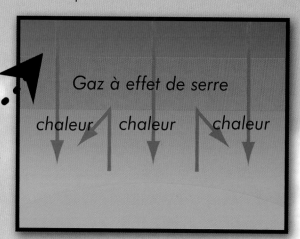

Gaz à effet de serre

chaleur   chaleur   chaleur

Environ 30% de la lumière est réfléchie par le sol en direction de l'espace, mais le reste revient vers la Terre. Des gaz de l'air piègent la chaleur et l'empêchent de s'échapper dans l'atmosphère, ce qui maintient une certaine chaleur à la surface de la Terre. Ces gaz - vapeur d'eau, dioxyde de carbone, méthane, ozone, oxyde d'azote - sont appelés gaz à effet de serre, car ils retiennent la chaleur, comme à l'intérieur d'une serre. La température moyenne à la surface de la Terre est d'environ 15°C. Sans l'effet de serre, elle serait beaucoup plus basse, pouvant descendre jusqu'à – 180°C. Il y aurait alors peu ou pas de vie du tout.

Comment le climat de la Terre varie-t-il ?

La Terre passe alternativement par des périodes plus chaudes et des périodes plus froides. Ce phénomène dépend de la position de la planète par rapport au Soleil, ce qui modifie l'apport de chaleur des rayons solaires selon les périodes de l'année. L'orbite de la Terre autour du Soleil varie par cycles de 96 000 années, tandis que l'inclinaison de la Terre sur son axe varie par cycles de 41 000 ans, ce qui expliquerait les modifications climatiques sur de longues périodes. Cette théorie astronomique est connue sous le nom de cycle de Milankovitch, mathématicien serbe qui a expliqué ainsi les variations des banquises polaires. Malheureusement, chacun de nous contribue au réchauffement de la planète. Les gaz à effet de serre, comme le dioxyde de carbone, font que la Terre se réchauffe plus rapidement qu'elle ne le ferait de façon naturelle.

LE SAIS-TU ?

L'atmosphère terrestre pèse 5 700 000 000 000 000 de tonnes !

8

Qu'est-ce que le réchauffement global ?

Le réchauffement global est l'augmentation de la température moyenne de la surface de la Terre à cause de l'accroissement de l'effet de serre, qui piège la chaleur autour de la Terre. Le phénomène entraîne des modifications du climat, du niveau des océans, et du volume des pluies. Les activités humaines utilisant la combustion du charbon ou du pétrole augmentent la production de dioxyde de carbone, d'où un accroissement de l'effet de serre dans l'atmosphère. Les arbres absorbent le dioxyde de carbone, mais la déforestation entraîne une augmentation du dioxyde de carbone dans l'atmosphère. La quantité de gaz à effet de serre a augmenté de plus de 25% depuis le début de l'ère **industrielle.** On pense que la température moyenne de la surface de la Terre pourrait s'élever de 3,5° à 10°C en l'an 2100.

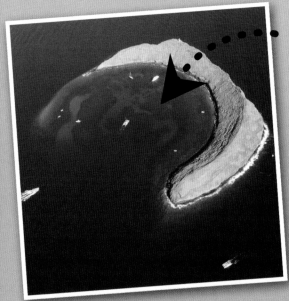

Le réchauffement global participe à l'expansion des déserts

Pourquoi le niveau de la mer s'élève-t-il ?

Le niveau de la mer s'est élevé de 10 à 25 cm au cours des cent dernières années. Les scientifiques prévoient une montée de plus de 80 cm dans les cent prochaines années. Le réchauffement global entraîne la fonte des glaces polaires, ce qui augmente d'autant la quantité d'eau. Cependant, lorsqu'un iceberg fond, le niveau de la mer ne change pas, car la masse d'eau déplacée est égale à son propre poids en eau, aussi n'y a-t-il pas d'eau supplémentaire. Le niveau de la mer monte lorsque le volume de l'eau se dilate en se réchauffant. À l'avenir, de nombreuses îles, villes et terres situées au-dessous du niveau de la mer risquent d'être submergées ou inondées.

Qu'est-ce que l'ozone ?

L'ozone est un gaz semblable à l'oxygène mais, alors qu'une molécule d'oxygène (O_2) est constituée de deux atomes d'oxygène, une molécule d'ozone(O_3) est faite de trois atomes d'oxygène. L'ozone se trouve dans une couche de la haute atmosphère appelée **stratosphère.** Ce gaz se forme lorsque les rayons ultraviolets du soleil scindent les molécules d'oxygène en deux atomes d'oxygène. Ces atomes s'attachent à une molécule d'oxygène pour constituer l'ozone. La couche d'ozone est très mince (environ 3 mm), mais elle empêche les rayons ultra violets du soleil d'atteindre la surface terrestre. On trouve également de l'ozone, créé par les activités humaines, dans l'atmosphère proche de la surface de la Terre. Il se forme lorsque l'oxyde d'azote provenant des moteurs des véhicules, par exemple, se mélange à l'oxygène. Un niveau d'ozone important peut entraîner des crises d'asthme chez les hommes, et des dégâts importants pour les plantes.

La dérive des continents

Qu'est-ce que la Pangée ?

Il y a 250 millions d'années, la Terre n'avait pas l'aspect que nous lui connaissons. Il n'existait alors qu'un seul immense continent, la Pangée (terre entière). Par la suite, la Pangée s'est séparée en deux parties, qui à leur tour se sont fragmentées en masses continentales telles que nous les connaissons aujourd'hui. C'est l'astronome allemand Alfred Wegener qui a énoncé cette théorie, en 1912, suscitant le doute général.

Qu'est-ce qu'une plaque tectonique ?

La Terre, sous nos pieds, est constamment en mouvement, même si nous ne nous en apercevons pas. Sa surface externe est constituée d'une fine croûte de roches, la **lithosphère.** Cette croûte est divisée en différentes sections, ou **plaques tectoniques**, qui flottent sur une couche de roches fondues, appelée **asthénosphère.** On compte huit plaques principales, ainsi que de nombreuses plaques de taille inférieure. L'épaisseur moyenne des plaques continentales est d'environ 150 km, les plaques qui se trouvent sous les océans étant un peu moins épaisses (70 km). Toutes ces plaques se déplacent à des vitesses différentes : les plaques océaniques sont un peu plus rapides que les plaques continentales. La plaque continentale australienne est la plus rapide ; elle se déplace de 6 cm par an. La plaque africaine ne se déplace que de 2,5 cm par an, soit moins que la croissance d'un ongle en un an !

Comment savons-nous que les plaques se déplacent ?

Si tu examines la forme des divers continents, tu remarqueras qu'ils ressemblent à un puzzle géant : les continents peuvent s'emboîter les uns les autres. De nombreux fossiles identiques de plantes ou d'animaux ont été découverts sur des continents différents, ce qui prouve qu'il y a bien longtemps, les continents ne faisaient qu'un.

Quel est l'âge de la croûte terrestre, sous les océans ?

La plus ancienne croûte océanique a environ 200 millions d'années. La croûte océanique étant plus fine que la croûte continentale, elle se déplace plus vite et plus facilement. Il arrive que des plaques se séparent, laissant échapper entre elles des roches en fusion provenant du manteau, qui se répandent au fond de l'océan. Une nouvelle croûte se forme dans cette zone. Comme les bords externes des plaques océaniques sont poussés vers l'extérieur, elles passent sous la plaque continentale. Ce qui signifie que les continents sont constamment poussés vers le haut, tandis que le fond de l'océan est sans cesse détruit et renouvelé.

Combien mesure la « Ceinture de feu » ?

La « Ceinture de feu » désigne les régions situées sur le pourtour de l'océan Pacifique, à activité volcanique importante, où se produisent de nombreux tremblements de terre. Elle s'étend sur 40 000 km, depuis la Nouvelle Zélande, le long de la côte est de l'Asie, et les côtes ouest de l'Amérique du Nord et du Sud. Elle est formée par le bord de la plaque océanique du Pacifique, qui glisse sous les plaques voisines. Les mouvements de ces plaques créent d'énormes quantités d'énergie et de chaleur. Des volcans se forment lorsque des roches en fusions remontent des profondeurs terrestres et surgissent à l'endroit où les plaques se frottent les unes aux autres. La pression s'accroît parfois. Quand les plaques se libèrent brusquement surviennent des tremblements de terre. Les secousses provoquent parfois des raz de marée appelés **tsunami.**

LE SAIS-TU ?

Il y a un tremblement de terre toutes les 30 secondes, quelque part sur le globe terrestre. On compte environ 500 000 tremblements de terre par an : heureusement, moins d'une centaine d'entre eux causent des dégâts.

Quelles sont les causes d'un tremblement de terre ?

Lorsque deux plaques tectoniques se déplacent, elles se frottent l'une contre l'autre, de grandes contraintes naissent sur les bords. La pression finit par être si importante que les matériaux de l'écorce terrestre se rompent, ce qui secoue la terre et la fait vibrer. Un tremblement de terre crée des ondes, à la façon des rides d'une mare, appelées ondes sismiques. Le centre du séisme est l'épicentre. Des centaines de séismes surviennent tous les ans, peu importants pour la plupart et ne causant aucun dégât. Mais certains peuvent dévaster des zones importantes. La faille de San Andréas, en Amérique du Nord, marque la frontière entre les plaques Pacifique et l'Amérique du Nord. Longue de 1200 km, elle a causé de nombreux tremblements de terre très dévastateurs.

11

Les montagnes

Existe-t-il différents types de montagnes ?

Les montagnes sont des masses de roches issues des soulèvements de l'écorce terrestre. Leur taille et leur forme diffèrent. Les volcans ressemblent à des cônes, certaines montagnes sont plissées, d'autres, en forme de plateau ou de failles. La hauteur d'une montagne se mesure par rapport au niveau de la mer. Les montagnes couvrent un cinquième de la surface du globe. Il existe un plus grand nombre de montagnes sous les océans que sur la terre ferme.

Comment les montagnes se forment-elles ?

Les montagnes se forment de diverses façons. Les montagnes plissées résultent de la rencontre de deux plaques tectoniques : les extrémités des plaques se froissent et se plient, formant une montagne. D'autre part, lorsqu'une plaque s'enfonce sous une autre, elle la soulève, ce qui donne naissance à une montagne. Les volcans sont faits de lave (roches en fusion) qui s'est glissée à travers la croûte terrestre. Lorsque la lave en fusion émerge d'un volcan (sans éruption), elle se refroidit pour constituer une montagne en forme de dôme. Les montagnes en failles se forment lorsque des roches sont propulsées à travers des zones fragiles de la croûte terrestre.

LE SAIS-TU ?

La plus haute montagne du globe est le Mauna Kea, sur l'île d'Hawaï, avec 10 203 m. Cependant, le sommet atteint seulement 4 205 m, le reste de la montagne étant sous la mer.

Comment les volcans se forment-ils ?

Lorsque des roches en fusion s'échappent de la croûte terrestre, elles jaillissent par des orifices appelés évents, ou cheminées, formant une montagne en forme de cône constituée de couches de lave et de cendres. En refroidissant, cette lave se solidifie rapidement : un volcan peut se former en un bref laps de temps. Ainsi, le volcan Paricutin, au Mexique, s'est constitué en une nuit. D'autres volcans, tels le mont Saint Helens, en Amérique du Nord, se sont édifiés au cours de milliers d'années. De nombreuses îles, comme celles de l'archipel d'Hawaii, sont en fait les sommets émergés de volcans sous-marins.

Qu'est-ce que l'érosion des •••••> montagnes ?

Depuis des millions d'années, la pluie, le vent, la neige, les **glaciers**, les cours d'eau, de même que les animaux et les plantes, altèrent le sol des montagnes. Le jour, l'eau s'infiltre dans les fissures des rochers. La nuit, elle se transforme en glace, augmente de volume, faisant éclater la roche. Les fragments sont charriés au bas des pentes par les glaciers et les torrents. En se déplaçant, les glaciers arrachent des morceaux de roches qu'ils entraînent, formant ainsi des cônes de déjection. L'**érosion** est plus ou moins rapide selon la dureté de la roche. À cette érosion naturelle s'ajoutent la destruction des forêts par l'homme et la construction de routes et d'immeubles, ce qui augmente parfois les risques de glissement de terrain.

Quelle est la plus ancienne chaîne de montagnes ?

C'est la « Great Dividing Range », en Australie. Ces montagnes se sont élevées il y a entre 570 et 225 millions d'années. L'Australie possède beaucoup de roches anciennes car tout le pays est **géologiquement** peu actif. Ses montagnes ne subissent que l'érosion du vent et de la pluie.

Comment la limite supérieure de la forêt affecte-t-elle l'habitat des montagnes ?

À la limite supérieure de la forêt, les contraintes climatiques sont telles que la croissance des arbres n'est plus possible : c'est la zone du climat alpin. Le réchauffement de la Terre fait reculer que la limite de la forêt : ainsi, dans les Alpes, la végétation a gagné 4 m au cours de chaque dernière décennie. Des températures plus élevées en montagne entraînent la diminution des zones humides favorables à la flore et à la faune sauvages. De nombreux arbres, exigeant beaucoup d'eau, ne survivent pas. La plupart des animaux s'adaptent plus rapidement que les plantes aux variations climatiques. Mais si le climat change très rapidement, ne laissant pas aux arbres le temps de s'adapter, certaines espèces ne survivront pas, ce qui affectera d'autres plantes, de même que la faune, qui sera alors dépourvue de son habitat naturel.

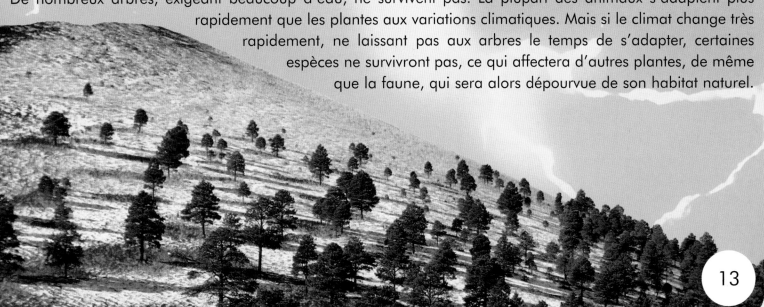

L'évolution

Qu'est-ce que l'évolution ?

On appelle **évolution** la transformation progressive d'une espèce vivante en une autre, au

Fossile d'archaeoptéryx. Bien qu'il ait possédé des plumes comme les oiseaux, l'archaeoptéryx était un piètre animal volant.

cours de millions d'années. Le phénomène survient par étapes, chaque nouvelle génération héritant de propriétés qui l'aideront à survivre dans son environnement. Chaque individu d'une même population est différent ; certains sont plus aptes à survivre que d'autres dans leur milieu naturel. Ces individus ont plus de chance de se reproduire et de transmettre leur résistance à leurs descendants. Si l'environnement change rapidement, seuls les animaux capables de s'adapter aux nouvelles conditions survivront. Les informations concernant les **caractéristiques** d'un animal ou d'une plante sont regroupées dans une molécule de leurs cellules appelée ADN. Chaque nouvelle génération est le mélange des ADN des deux parents. L'ADN, par ailleurs, peut subir des mutations qui induisent des modifications des caractéristiques de certains organismes. Elles sont généralement mauvaises, entraînant la mort de l'organisme. Mais elles peuvent être bénéfiques, et le changement se transmet aux générations futures.

LE SAIS-TU ?

Tous les dinosaures ne se sont pas éteints ! Selon de nombreux scientifiques, les oiseaux sont probablement des descendants des théropodes à plumes.

Qui est Charles Darwin ?

Charles Darwin est un savant britannique né en 1809 dans la ville de Shrewsbery. Fils de médecin, il commence des études de médecine qu'il abandonne bientôt, les trouvant ennuyeuses. Ayant l'opportunité de faire le tour du monde à bord du HMS Beagle, il saisit cette chance. Durant ses cinq années de voyage, il se consacre à l'étude des fossiles et des créatures vivantes qu'il rencontre. À son retour en Angleterre, il reprend des études et publie, en 1859, son célèbre ouvrage, De l'origine des espèces. Il décèdera en 1882, à l'âge de 73 ans.

Qu'est-ce que la « survie du mieux adapté » ?

Les espèces les plus robustes et les mieux adaptées à leur milieu possèdent un avantage sur les autres. Un organisme doit pouvoir se reproduire et transmettre ses gènes aux générations suivantes. Dans le cas contraire, ses qualités « supérieures » seront perdues. Mais les organismes n'ont pas nécessairement besoin de lutter entre eux. Ils peuvent cohabiter. Par exemple, tous les organismes vivants ont besoin de nourriture. Ceux qui pourront s'en procurer le plus rapidement et le plus facilement vivront plus longtemps, et auront une descendance plus nombreuse. Cette aptitude à trouver de la nourriture se transmettra à leurs descendants.

Qu'est-ce que le temps profond ?

Nous avons du mal à concevoir les larges périodes de temps que les scientifiques appellent le temps profond, indispensable pour comprendre l'évolution et les énormes changements qui ont affecté le Terre sur des milliards d'années. Les paléontologues ont divisé le temps profond en ères, en fonction des principaux événements survenant dans l'histoire de la Terre. La science apporte continuellement de nouvelles connaissances sur l'histoire de la Terre, enrichissant ainsi notre compréhension du temps profond.

Les chimpanzés ont-ils moins évolué que les humains ?

Les chimpanzés et les humains sont tous deux des **primates.** Même si les hommes pensent être « uniques », ils sont en réalité très semblables aux autres primates : ils possèdent un cerveau important, et sont capables de voir le monde en couleur. Le dernier ancêtre commun des chimpanzés et des hommes vivait il y a entre 5 et 6 millions d'années. Ensuite, les deux espèces ont évolué de façon différente. Un grand nombre de personnes pensent, à tort, que selon la théorie de Darwin, les hommes descendent du singe, et que les chimpanzés et autres primates sont plus primitifs que nous. Depuis la séparation des espèces, les chimpanzés ont poursuivi leur évolution, mais selon une autre voie. Chimpanzés et humains représentent le sommet de l'arbre de l'évolution. Ils ont été façonnés par leurs environnements différents, et leurs places dans ces milieux.

Les crabes fer à cheval représentent une forme de vie ancienne, très proche des trilobites qui ont commencé à évoluer au cours de l'explosion du cambrien.

Qu'est-ce que « l'explosion du cambrien » ?

Le cambrien, période se situant il y a entre 542 et 488 millions d'années, a été le théâtre d'une explosion de vie (entre 530 et 520 millions d'années) qui a vu apparaître les ancêtres de presque tous les animaux vivant actuellement. Pendant 3 milliards d'années de l'histoire de la Terre n'ont vécu que des organismes unicellulaires ou très sommaires. En seulement une dizaine de millions d'années sont apparus des animaux plus gros, et beaucoup plus complexes. Personne ne sait comment ou pourquoi est survenu cet essor de la vie. Les scientifiques supposent que le phénomène est peut-être lié aux fragmentations de la croûte terrestre, ce qui a fourni davantage d'habitats, par exemple des eaux peu profondes, propices à la vie. L'augmentation de la quantité d'oxygène dans l'air a également joué un rôle important, car les cellules utilisent de l'oxygène pour créer de l'énergie.

Qu'est-ce qui a tué les dinosaures ?·······◀

Les dinosaures ont vécu sur la Terre pendant plus de 200 millions d'années, pour disparaître brusquement voici 65 millions d'années. Leur extinction reste un mystère. Toutefois, les scientifiques émettent l'hypothèse d'une énorme météorite qui aurait percuté la Terre. La chaleur libérée par l'impact aurait entraîné de gigantesques incendies de forêts, tandis que des tsunamis dévastaient îles et côtes. Un nuage de poussière enveloppant la Terre pendant de longs mois aurait masqué la lumière du soleil. Un immense cratère de 180 km de diamètre dû à la chute d'une météorite a été découvert au Mexique : diverses expériences ont démontré que l'impact datait de 65 millions d'années. Selon une autre théorie, le début de la séparation de la Pangée aurait eu pour conséquence une très grande activité volcanique sur la Terre. Pluies acides et poussières auraient entraîné un brusque refroidissement du climat, fatal aux dinosaures.

Combien d'espèces se sont éteintes au cours de l'histoire de la Terre ?·······

Les savants ont identifié plus de 500 millions d'espèces dans l'histoire de la Terre. Mais on peut supposer qu'il y en a eu jusqu'à 20 fois plus, et que 98% ont disparu. Chaque année, plus de 27000 espèces vivantes disparaissent, soit trois à l'heure ! Des

Le dodo s'est éteint au XVIIe siècle.

espèces s'éteignent naturellement à cause des variations climatiques et de leur incapacité à s'adapter à un nouvel environnement. On estime que la moitié des espèces vivant sur la Terre pourraient disparaître dans les cent prochaines années.

Les hommes sont-ils responsables de la disparition de certaines espèces ?

L'activité humaine entraîne l'extinction de certaines espèces vivantes : braconnage, pollution, introduction d'espèces nouvelles dans une zone déterminée. S'y ajoutent la **déforestation**, l'extension de l'agriculture, l'urbanisation, la destruction des récifs de corail, la construction de routes et de barrages. De nombreuses espèces, incapables d'évoluer suffisamment vite pour faire face aux changements de leur environnement, finissent par s'éteindre. Des lois, des traités internationaux, et des organismes tels le WWF (World Wildlife Fund), protègent les espèces en voie de disparition.

Les êtres humains sont-ils également menacés d'extinction ?

Les hommes comptent parmi les espèces les plus évoluées de la Terre, mais l'histoire de la planète montre qu'aucune espèce n'est à l'abri d'une éventuelle extinction. Les scientifiques pensent que le genre humain, de même que les autres espèces, disparaîtra. Les chromosomes perdent d'infimes parties de leurs éléments à chaque génération, ce qui peut conduire à l'extinction de l'espèce. D'autres menaces sont aussi envisageables : chute d'une immense météorite sur la Terre, **guerre nucléaire**, maladie, réchauffement global, destruction ou épuisement des ressources naturelles.

Qu'est-ce que la biodiversité ?

La biodiversité est l'éventail des espèces présentes dans un **écosystème.** Plus un écosystème est vaste, et plus il héberge un grand nombre d'espèces. Si les **ressources** viennent à manquer ou si les conditions de vie se font plus difficiles, certaines espèces disparaissent de l'écosystème, ce qui entraîne l'extinction des espèces dépendantes de celles qui ont disparu. En effet, une espèce peut dépendre d'une autre pour la nourriture, comme les renards et les lapins, ou pour la reproduction, comme les fleurs et les abeilles.

Toutes les espèces d'un écosystème vivent dans un équilibre fragile, et si cet équilibre est rompu, il est difficile d'en prévoir les effets.

LE SAIS-TU ?

La Terre compte environ 5 millions de kilomètres carrés protégés, parcs naturels et réserves, soit 3% de la surface totale de la planète.

Qu'est-ce que l'extinction de masse ?

On parle d'extinction de masse lorsqu'un grand nombre d'espèces disparaissent en même temps. La Terre en a connu au moins cinq. La dernière est survenue il y a 65 millions d'années, avec la disparition de 70% des espèces, dont les dinosaures. Selon les scientifiques, nous sommes actuellement dans la moitié d'une autre période d'extinction de masse qui pourrait détruire 90% des espèces vivantes. Le taux des espèces en voie de disparition accroît rapidement, en raison de la pollution et de la disparition des habitats. Nous vivons actuellement l'extinction de l'holocène, du nom de la période actuelle de l'histoire de la Terre.

Le temps

LE SAIS-TU ?

Le record de vitesse du vent, au cours d'une tornade, est de 511 km/h.

Qu'est-ce qu'El Niño ?

El Niño est le courant qui réchauffe l'océan Pacifique. Il survient lorsque les alizés, vents qui poussent les eaux chaudes du Pacifique d'est en ouest, s'affaiblissent. Les eaux de surface de l'océan se réchauffent de quelques degrés. Cette variation de température affecte le temps de toute la planète, entraînant de violentes précipitations sur la côte est du Pacifique, alors que la sécheresse s'abat sur l'Afrique, l'Asie, l'Australie et l'Amérique du Sud. Le courant El Niño a été baptisé du nom espagnol de l'Enfant Jésus par des pêcheurs ayant remarqué qu'il se manifeste souvent aux environs de Noël. Il survient généralement tous les trois à sept ans, et peut durer jusqu'à un an et demi.

El Nino déclanche des pluies torrentielles et des vagues immenses sur les régions côtières.

Qu'est-ce qu'un météorologue ?

Un météorologue est une personne qui étudie les variations du temps et de l'atmosphère. Ce mot vient du grec meteoron , signifiant « ce qui survient dans le ciel ». Le météorologue doit étudier les mathématiques, la physique, la chimie ainsi que les conditions climatiques des diverses régions du globe. Sa tâche ne se borne pas aux prévisions météorologiques ; elle s'étend à de multiples recherches. Des avions spéciaux lui permettent de prélever des échantillons de l'atmosphère et d'étudier comment surviennent des phénomènes météorologiques dangereux, comme les tornades. Ils utilisent également les satellites pour l'observation des masses nuageuses, et des ordinateurs pour la prévision du temps.

Qu'est-ce qu'une inondation ?

Une inondation survient lorsqu'un fleuve ou une rivière débordent après une période de fortes pluies. Saturé d'eau, le sol ne peut plus en absorber. L'eau se rassemble en torrents dévastateurs qui dévalent subitement des collines, emportant tout sur leur passage : arbres, maisons, ponts, véhicules, animaux et personnes.

Qu'est-ce qu'une vague de chaleur ?

Une vague de chaleur est une longue période à température très élevée, souvent accompagnée d'une très forte **humidité**. Elle peut durer de quelques jours à plusieurs semaines, faisant parfois de nombreuses victimes. Une vague de chaleur peut se révéler très meurtrière, affectant essentiellement les enfants, les vieillards et les malades.

Tornade

Ouragan

Quelle est la différence entre une tornade et un ouragan ?

La plupart des tornades se déclenchent aux États-Unis, dans une zone appelée « tornado alley » (le couloir des tornades). Il s'agit d'un tourbillon en forme d'entonnoir accompagné de gros nuages noirs, dont les vents peuvent atteindre 500 km/h. Les tornades sont classées selon une échelle allant de F0 à F5, selon la vitesse des vents qui les accompagnent. Une tornade de F0, avec des vents de 65 à 115 km/h, cause peu de dégâts, tandis qu'une tornade de F5, dont les vents atteignent de plus de 400 km/h, détruit tout sur son passage. Un ouragan est une brusque tempête tropicale accompagnée de vents soufflant à plus de 120 km/h, voire jusqu'à 260 km/h., qui peut avoir quelque 800 km de diamètre. Les ouragans tournent dans le sens des aiguilles d'une montre dans **l'hémisphère** Sud, et dans le sens inverse dans l'hémisphère Nord. Dans le Pacifique, on les appelle cyclones : le centre du cyclone, l'œil, est une zone assez calme, où le ciel est faiblement couvert. Lorsqu'un ouragan atteint la terre ferme, le **frottement** avec le sol diminue sa vitesse.

Le temps changera-t-il à l'avenir ?

Bien que le temps varie naturellement, les hommes sont responsables des importantes variations climatiques survenues durant les 100 dernières années. Selon les scientifiques, la répartition des pluies sur la Terre changera dans la seconde moitié du siècle actuel, certaines régions se trouvant très arrosées, d'autres moins. Le nombre de jours à température très basse diminuera, tandis que les écarts de température s'accentueront. Une partie des glaces de l'Antarctique fondront, entraînant une élévation du niveau de la mer. Les ouragans seront plus fréquents et plus violents, de même que les chutes de pluie, de grêle et de neige. L'eau des océans se réchauffera, ce qui affectera la vie sous-marine.

Terre et mer

Sibérie

Détroit de Béring

Alaska

Qu'est-ce que le détroit de Béring ?

Le détroit de Béring est une bande de terre longue de 1 600 km, qui a relié l'Alaska et la Sibérie actuelles durant certaines périodes de l'histoire de la Terre. La dernière fois, il y a 21 000 ans, il a permis aux hommes et aux animaux de passer d'Asie en Amérique du Nord. Ce détroit mesurait 1 800 km de large en certains endroits.

Comment les côtes se modifient-elles ?

L'aspect du rivage se modifie constamment : la mer et le vent érodent les côtes. Les vagues peuvent déchiqueter ou, au contraire, combler le rivage. Si la force d'une vague frappant la côte est plus importante que le remous, la vague dépose des matériaux sur le bord. Dans le cas contraire, elle les emporte vers le large. L'érosion est également fonction du type de roche constituant une côte : les roches dures sont plus résistantes. Sapées à la base par les vagues, les falaises finissent par s'effondrer dans la mer.

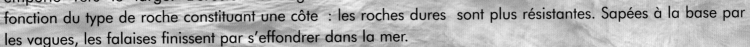

Qu'est-ce qui affecte les glaces de l'Antarctique ?

L'Antarctique est un continent revêtu d'une calotte de glace formée par des chutes de neige, durant des millions d'années, mesurant 4,5 km d'épaisseur par endroits. Durant les mois d'été, de grosses masses de glace, les icebergs, se détachent du bord des glaciers qui aboutissent sur les côtes et flottent sur l'océan. La quantité de glace qui part à la dérive est sensiblement équivalente à la quantité de neige qui tombe au cours d'une année, si bien que l'Antarctique conserve toujours la même taille. Toutefois la masse de glace qui se détache est de plus en plus importante. En mars 2002, un iceberg de plus de 500 millions de tonnes, appelé Larson B, s'est effondré dans la mer. Les scientifiques redoutent que le phénomène ne se reproduise : la fonte de la glace pourrait entraîner une élévation du niveau des mers de l'ordre de 5 mètres.

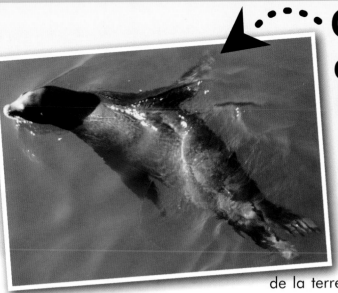

Comment certains mammifères ont-ils évolué pour vivre dans la mer ?

Les mammifères marins proviennent de l'évolution de mammifères terrestres, il y a entre 100 et 50 millions d'années. Au début, ils vivaient dans les eaux côtières peu profondes, puis ont passé peu à peu davantage de temps dans l'eau. Certains mammifères, comme les baleines, passent leur vie dans la mer. D'autres, comme les phoques, partagent leur temps entre la terre et l'eau. Ce déplacement de la terre à la mer est sans doute dû à un besoin de nourriture plus abondante, d'espace plus important, ou à la nécessité d'échapper aux prédateurs. On compte trois groupes de mammifères marins : les cétacés, dont les baleines, les dauphins, et les marsouins. Ils descendent d'animaux terrestres ressemblant à des loups. Les pinnipèdes, phoques, lions de mer et morses, descendent vraisemblablement d'un animal terrestre voisin de la loutre. Quant aux siréniens, comme les lamantins et les dugongs, ils ont évolué à partir de créatures ressemblant à l'éléphant.

Pourquoi le niveau de la mer s'élève-t-il ?

La fonte des calottes glaciaires et le réchauffement du climat conduisent à la montée du niveau de la mer. En se réchauffant l'eau se **dilate**, exigeant davantage d'espace : c'est l'expansion thermique. Le niveau de la mer s'est élevé de 15 à 20 cm au cours des cent dernières années (de 2 à 7 cm dus à l'expansion thermique). La dérive des continents et le déplacement des plaques tectoniques joue également un rôle dans ce phénomène. Au cours d'une période glaciaire, un continent s'enfonce sous le poids de la glace, tandis que ses bords s'élèvent. Lorsque la glace fond, le continent remonte, ses bords s'effondrent, entraînant l'élévation du niveau de la mer.

LE SAIS-TU ?

Actuellement, le monde compte 600 millions de véhicules. Il y en aura le double dans trente ans !

Qu'est-ce que l'énergie fossile ?

On appelle énergie fossile des formes d'énergie provenant des fossiles de plantes et d'animaux. Le charbon, le pétrole et le gaz naturel sont des énergies fossiles qui se sont formées il y a plus de 300 millions d'années. À leur mort, plantes et animaux ont été recouverts de couches de terre et autres **sédiments.** Au cours du temps, la pression et la température élevée les ont transformés en combustibles. Le pétrole est un liquide épais et visqueux présent dans le sous-sol entre des couches de roche. On l'utilise pour fabriquer de l'électricité ainsi que pour actionner les voitures et les avions. Le gaz naturel, ou méthane, se trouve à proximité des zones renfermant du pétrole. Il est utilisé pour la production d'électricité et le chauffage des habitations. Le charbon, présent près de la surface terrestre, est extrait sous forme de minerai noir. Les combustibles fossiles libèrent de l'énergie en brûlant. Lorsqu'ils seront épuisés, ils ne pourront être remplacés.

21

L'homme et la terre

Le changement climatique affectera-t-il l'homme ?

L'ordinateur permet aux scientifiques de savoir si le changement climatique et le réchauffement de la Terre affecteront l'homme. Si le niveau de la mer s'élève, de nombreuses îles, de même que leurs **habitants**, seront menacées. Inondations, cultures détruites, habitations et entreprises endommagées, tel sera le lot de notre environnement. Des régions actuellement froides pourront accueillir des cultures, offrant ainsi plus de nourriture à la population. Mais la sécheresse affectera peut-être d'autres régions, au détriment des récoltes. Le réchauffement du climat augmentera la pollution de l'air et de l'eau, néfaste pour la santé. Les infections, dont le paludisme véhiculé par les moustiques, feront de nombreuses victimes. Les habitants des pays pauvres seront particulièrement touchés à cause du manque de développement de la médecine, et de l'impossibilité d'avoir l'air conditionné, pour combattre la chaleur. Tempêtes, tornades et inondations deviendront plus fréquents.

Qu'est-ce que l'énergie renouvelable ?

L'énergie renouvelable provient de sources naturelles inépuisables : le Soleil, le vent, l'eau, et l'énergie **géothermale.** Elle est plus propre et moins polluante que les combustibles fossiles qui accroissent l'émission de gaz à effet de serre, toxiques, et finiront, de toute façon, par s'épuiser.

Qu'est-ce que des pluies acides ?

Le dioxyde de soufre et les oxydes d'azote sont les principaux **constituants** des pluies acides, dues à la combustion de combustibles fossiles par les usines et les véhicules, automobiles, camions et avions. Les acides se combinent avec la vapeur d'eau, l'oxygène et autres produits chimiques dans les nuages, formant une solution acide qui retombe en pluie, brouillard, et même neige destructrices. Ces précipitations attaquent la peinture des voitures, endommagent les plantes, les immeubles, et les monuments. Elles affectent notre santé, aggravant les troubles cardio-vasculaires et respiratoires. Elles agissent également sur l'eau et la respiration des poissons.

LE SAIS-TU ?

Hawaii possède les plus grandes éoliennes du monde, d'une hauteur de 20 étages. Le diamètre de leurs pales équivaut à la longueur d'un stade de foot !

Quel est l'effet des produits ···· chimiques sur la terre ?

Les **fertilisants** sont utilisés en agriculture pour nourrir la terre, ce qui évite de la laisser reposer avant de procéder à de nouvelles cultures. En réalité, ils altèrent la santé des plantes. Les vers de terre disparaissent, le sol n'est donc plus aéré, et les plantes ont du mal à pousser dans une terre compacte. Les plantes en mauvaise santé sont envahies par des insectes, d'où l'utilisation d'insecticides. Ces produits chimiques affectent notre alimentation, l'air, le sol et l'eau. Les pesticides provoquent cancers, maladies respiratoires, problèmes liés à la fécondité à la fois chez l'homme et chez l'animal. L'agriculture biologique est de plus en plus appréciée, en raison des effets néfastes des produits chimiques sur nos aliments et notre organisme.

·····Qu'est-ce qui provoque sécheresse et famine ?

On pense généralement, à tort, que la sécheresse n'affecte que les régions désertiques ou semi désertiques. L'insuffisance des pluies, des réserves d'eau potable pour l'homme et les animaux due à des carences dans le traitement de l'eau ou à une utilisation abusive, doit être également considérée. Même si le manque d'eau survient souvent de façon naturelle, l'homme en est souvent responsable. L'augmentation de la population accroît la demande en eau. La famine consécutive à la sécheresse survient souvent dans les pays pauvres. La culture de céréales peu exigeantes en eau et le recyclage de l'eau constituent une solution à ce problème.

Qu'est-ce qu'un « carburant de substitution » ? ·····

Il s'agit d'un carburant pouvant être utilisé à la place de l'essence ou du diesel : gaz naturel comprimé, alcool, gaz de pétrole liquide (GPL), et électricité, ces deux derniers étant les plus utilisés. Les véhicules roulant au GPL n'émettent pas de gaz à effet de serre, ce qui est favorable à l'environnement. Il en est de même pour les voitures électriques. Malheureusement, ce n'est pas le cas des centrales qui produisent de l'électricité. La voiture électrique convient pour les déplacements en ville, sur de courtes distances offrant de nombreuses stations d'approvisionnement. Le biocarburant est obtenu à partir de plantes comme l'huile de graines de colza.

Modifier la planète

Que devrions-nous recycler ?

Nous produisons d'énormes quantités de déchets. Ils sont répandus sur de gigantesques **décharges** en plein air qui ont un gros impact sur notre environnement. Ces décharges se révèlent insuffisantes face à l'augmentation des ordures. Elles attirent les rats et les insectes. Les substances toxiques s'infiltrent dans le sol, contaminant l'eau et passant parfois dans la chaîne alimentaire. Une grande partie de nos déchets peut être recyclée : certains matériaux sont récupérés, traités, et réutilisés dans le cycle de production. Fabriquer de nouveaux produits à partir d'objets anciens exige souvent moins d'énergie que faire le produit à partir de zéro.

Comment pouvons-nous réduire la pollution atmosphérique ?

Fumées, poussières et produits chimiques résultant des activités industrielles sont responsables de la pollution atmosphérique, néfaste pour notre santé. Voitures, autobus, camions et avions produisent d'importants dégagements de CO_2 dans l'atmosphère. La moitié de la pollution provient des gaz d'échappement des voitures et camions. La marche à pied, la bicyclette ou les transports en commun aident à la réduire. Dans nos maisons, l'air est également pollué : fumée de cigarette, bombes insecticides, produits nettoyants sont autant d'agents polluants. Il ne faut pas oublier d'aérer régulièrement les pièces dans lesquelles nous vivons.

Comment remplacer le pétrole ?

Réserves mondiales sur le déclin et flambée du prix du pétrole imposent de trouver des solutions alternatives : énergies renouvelables, hydrogène, et biocarburants. Parmi les énergies renouvelables, on compte l'énergie solaire, éolienne, hydraulique, marémotrice, et géothermique. Elles sont réputées inépuisables. Mais les recherches en matière de carburants verts et autres énergies de substitution progressent lentement. Une transition vers l'hydrogène doit dépasser des obstacles économiques et industriels. Le carburant d'éthanol exige davantage d'énergie pour sa fabrication qu'il n'en fournit. L'énergie solaire reste encore peu exploitée. Quant à l'énergie géothermique, elle n'est pas disponible partout.

Comment économiser l'énergie ?

De nombreuses raisons nous poussent à économiser l'énergie, provenant essentiellement des réserves non renouvelables de la planète, comme le pétrole et le charbon. Les économiser, c'est prolonger leur durée dans l'attente du développement de nouvelles technologies. Si nous n'avions plus d'énergie, nous n'aurions pas d'électricité, nous ne pourrions pas cuire nos aliments, conduire une voiture, regarder la télévision, ou travailler sur un ordinateur. Économiser l'énergie, c'est aussi réduire la pollution de l'air et de l'eau, les gaz à effet de serre, et ralentir le réchauffement climatique. L'environnement se trouve ainsi amélioré, de même que la santé des hommes, des animaux et des plantes.

Combien d'habitants la Terre peut-t-elle héberger ?

Aujourd'hui, la population mondiale est de 6,5 milliards d'habitants, mais elle en atteindra sans doute 9,1 milliards en 2050. L'accroissement de la population surviendra essentiellement dans les pays en voie de développement, comme la Chine et l'Inde. Il est difficile d'estimer la population maximale que la planète peut héberger, mais, selon certains scientifiques, il s'agirait d'environ 7,7 milliards d'habitants. Chiffre presque atteint… La superficie de terre et les réserves d'eau dont nous disposons ne sont pas extensibles, aussi faut-il trouver un équilibre entre la population et les ressources dont la Terre dispose. Si nous continuons à les utiliser au rythme actuel, ces ressources s'épuiseront rapidement.

Qu'est-ce que l'accord de Kyoto ?

En vertu de l'accord de Kyoto, 141 pays s'engagent à réduire leurs émissions de gaz à effet de serre pour enrayer le réchauffement de la planète. Il a été ratifié en 1992 à Kyoto (Japon) par les chefs d'état de ces pays, qui se sont engagés à réduire l'utilisation des carburants fossiles. Les États-Unis et l'Australie, deux des plus importants pays du monde, ne l'ont pas signé. Selon les termes de cet accord, les pays développés devaient réduire leurs émissions de gaz de 5% par rapport à leur niveau de l'époque. Chaque pays avait un but à atteindre : les États-Unis devaient réduire de 7%, l'Union Européenne, de 8 %. Certains pays ont même eu la permission d'augmenter leurs **émissions.** Mais il est difficile d'obliger les différents pays à se conformer aux termes du traité. L'accord de Kyoto se termine en 2012 : les chefs d'état se réuniront de nouveau pour convenir des mesures à prendre dans l'avenir afin de réduire la pollution par les gaz à effet de serre.

La période
glaciaire

Qu'est-ce qu'une « période glaciaire » ?

Une période glaciaire est un laps de temps pendant lequel de vastes étendues de la surface de la Terre sont couvertes d'amas de glace appelés glaciers. La dernière est survenue durant le pléistocène, soit entre 60 000 et 10 000 ans. À cette époque, 30% de la Terre sont recouverts de glace (contre 10% aujourd'hui). De grandes quantités d'eau prisonnières de la glace ont fait descendre le niveau de la mer de 100m, découvrant des terres qui sont actuellement immergées. Le Détroit de Béring, entre l'Alaska et la Sibérie, était à découvert, et la Grande-Bretagne et la France actuelles se rejoignaient. Ces véritables ponts de terre ont favorisé la migration des hommes et des animaux. Périodes glaciaires et périodes de réchauffement constituent des cycles : longues périodes pendant lesquelles une grande partie de la Terre est couverte de glace, suivies par de courtes périodes de chaleur.

Qu'est-ce qui provoque une période glaciaire ?

Personne ne connaît exactement les causes d'une période glaciaire, mais il existe plusieurs hypothèses. Lors de la formation des montagnes par les plaques tectoniques, il neige plus abondamment. La neige renvoie la chaleur du Soleil dans l'espace, ce qui refroidit la Terre. Les éruptions volcaniques soulèvent des nuages de cendres et de poussières dans l'atmosphère, masquant une partie des rayons solaires, et entraînant un refroidissement de la Terre. La variation de la distance du Soleil à la Terre modifie la quantité de Soleil qui atteint notre planète. Plus la Terre est éloignée, et moins la chaleur l'atteint : 1% de chaleur en moins sur la Terre réduit la température de 10°C. Les scientifiques pensent qu'il y a un cycle de 180 ans dans la quantité de chaleur produite par le Soleil.

Quand surviendra la prochaine période glaciaire ?

Nous sommes dans une période chaude depuis les derniers 10 000 ans, ce qui est relativement long par rapport aux autres périodes chaudes. La prochaine période glaciaire pourrait survenir dans un avenir relativement proche, soit dans les prochains 2 000 à 5 000 ans. En effet, les températures ont commencé à baisser voici quelques centaines d'années, ce que l'on a baptisé la « petite période glaciaire ». L'évidence montre que si certains glaciers commencent à fondre, d'autres sont en train de devenir plus importants. Pendant la plus grande partie de l'histoire de la Terre, les deux pôles étaient dépourvus de neige. Le fait qu'ils aient actuellement des neiges éternelles prouve que notre planète est beaucoup plus froide.

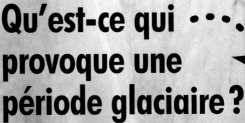

Qu'est-ce que la glaciation totale ?

Les scientifiques ont découvert des roches, dans le monde entier, qui portent les signes indubitables d'un séjour sous une lourde couche de glace. Une étude menée par des géologues américains a conduit à la théorie de la glaciation totale : dans un lointain passé, la Terre aurait été recouverte de glaces des pôles à l'équateur, sur une épaisseur de plusieurs kilomètres. La glace renvoyait une grande quantité de l'énergie solaire, faisant baisser la température de la planète, ce qui avait pour effet d'accroître les étendues gelées. Des millions d'années plus tard, un changement dans l'émission de chaleur du Soleil a entamé un vaste processus de **dégel**, qui a laissé les traces présentes dans les échantillons de roches.

Quels animaux vivaient lors de la dernière période glaciaire ?

De nombreux animaux cohabitaient avec les humains. Des créatures énormes, qui atteignaient une grande taille car la nourriture était abondante. De plus, elles n'avaient pas ou peu de prédateurs. En Amérique du Nord, les tigres à dents de sabre se nourrissaient d'animaux de taille importante comme les bisons. Ces énormes bêtes sauvages vivaient sur le sol et avaient des griffes de 30 cm de long. Castors géants, bœufs musqués, glyptodontes, énormes animaux ressemblant au tatou, et aigles géants de 4m d'envergure, telles sont les créatures que nos ancêtres ont dû rencontrer. Ils chassaient de gigantesques éléphants à longs poils, appelés mammouths laineux, vivant dans de nombreuses régions du monde. Ces animaux avaient plus de 4m de haut, et des défenses aussi longues que leur corps. En Australie, un **marsupial** géant appelé Diprotodontis optatum avait la taille d'un rhinocéros, et un oiseau, le Dromornis stirtoni, mesurait 3 m de haut et pesait 500 kg.

Tigre à dents de sabre

Comment les gens vivaient-ils à la période glaciaire ?

Les hommes de cette époque vivaient de la chasse et portaient des peaux de bêtes sauvages pour se protéger du froid. Ils habitaient des cavernes ou des abris faits de peaux d'animaux, et se déplaçaient constamment, à la recherche de leur nourriture. Des groupes d'hommes chassaient des animaux énormes, mammouths laineux et cerfs géants, mais aussi des bêtes de taille inférieure, comme les lapins et les renards. Ils possédaient des outils rudimentaires en bois, en pierre ou en os. Les os des animaux étaient mis à bouillir, et leur moelle constituait une nourriture appréciée.

LE SAIS-TU ?
Durant la dernière période glaciaire, la glace recouvrait 1/3 de la surface de la Terre.

Renard des neiges

27

Le destin de la Terre

La montée du niveau de la mer nous affectera-t-elle ?

Les scientifiques estiment que le niveau de la mer s'élèvera de 20 à 86 cm en l'an 2100. Cette montée entraînera la disparition de nombreuses régions côtières, donc de nombreuses plages, habitations et entreprises installées dans ces zones. Bon nombre d'animaux et de plantes vont perdre leur **habitat.** De plus, il y aura moins de surface consacrée aux habitations et aux cultures. Nos réserves d'eau douce diminueront car l'eau de mer, salée, va s'infiltrer dans le sous-sol. Le phénomène aura également un effet néfaste sur les plantes et la vie sauvage. Par ailleurs, certaines grandes villes du monde seront menacées.

Les trous de la couche d'ozone peuvent-ils être réparés ?

Des satellites de la NASA ont repéré en 1980 un trou dans la couche de l'atmosphère qui nous protège des rayons ultraviolets, la couche d'ozone. Les scientifiques se sont attachés à la recherche d'un moyen pour y remédier. La limitation de l'utilisation des produits chimiques qui endommagent la couche d'ozone lui fournit une chance de se reconstituer. Mais c'est une tâche de longue haleine. Si l'utilisation de ces produits chimiques dangereux, appelés CFCs, était arrêtée aujourd'hui, il faudrait de 15 à 20 ans pour reconstituer la couche d'ozone.

L'augmentation de la population nous affecte-t-elle ?

L'augmentation de la population mondiale sollicite davantage les ressources disponibles. La terre, les réserves de nourriture et d'eau sont limitées, ce qui augmente les risques de **conflits.** La population des pays en voie de développement croît plus rapidement que celle des pays développés, ce qui entraînera des migrations vers les pays riches, à la recherche de travail et de nourriture. Ce phénomène risque de provoquer des heurts entre les nouveaux arrivants et les populations locales.

Que se passera-t-il si nous continuons à utiliser les ressources naturelles au rythme actuel ?

L'homme utilise les ressources naturelles du monde avec trop d'ampleur. Certaines d'entre elles, comme le pétrole, le charbon et le cuivre, ne peuvent être remplacées car leur formation exige des millions d'années. D'autres, comme le poisson et le bois des forêts se remplacent avec le temps. Mais le rythme avec lequel nous les utilisons est plus important que leur capacité de renouvellement. Chaque habitant d'Amérique du Nord, du Japon et de l'ouest de l'Europe utilise 30 fois plus de ressources que ceux des pays les plus pauvres du monde. La déforestation et le réchauffement global peuvent conduire à l'augmentation de maladies comme le paludisme et le choléra, et à l'apparition de nouveaux fléaux. L'avenir de la Terre dépend vraiment de ce que nous ferons dans les prochaines années.

Comment réduire le réchauffement global ?

Pour réduire le réchauffement global, il faut réduire les émissions des usines, des voitures, autobus et avions. Les arbres absorbent le dioxyde de carbone, l'un des principaux gaz qui affectent le réchauffement global, et aident l'air à se rafraîchir. Ils aident également à conserver le sol en place, prévenant l'érosion et fournissant un habitat pour des millions d'autres plantes et animaux. Planter davantage d'arbres, se déplacer à pied et utiliser les transports en commun dans la mesure du possible permettra de réduire la quantité de dioxyde de carbone de l'atmosphère. Il faut réduire, réutiliser et recycler les produits afin de diminuer la quantité de déchets.

Quelle est la destinée de la Terre ?

Notre planète poursuivra son existence pendant des milliards d'années. Cependant, elle ne pourra échapper à sa destruction. Lorsque l'hydrogène, au cœur du Soleil, sera épuisé, l'étoile s'effondrera et engloutira les planètes internes du système solaire, dont la Terre. La seule façon de survivre, pour l'humanité, sera de quitter la planète avant que ne survienne cet événement, et de se réfugier sur les planètes externes, qui seront plus chaudes au fur et à mesure que le Soleil grossira. L'homme pourra également quitter le système solaire, en route vers les étoiles !

LE SAIS-TU ?

À chaque ouverture de porte, 30% de l'air froid de ton réfrigérateur s'échappe.

Glossaire

Anaérobie
Organisme qui peut survivre sans oxygène. La première forme de vie sur Terre, puisqu'il n'y avait pas d'oxygène dans l'atmosphère.

Asthénosphère
Couche de roches fondues, située immédiatement sous la lithosphère.

Caractéristiques
Trait particulier, qui distingue : une couleur, par exemple.

Céphalopode
Classe de mollusques comprenant la pieuvre, le calmar et la sèche. Les céphalopodes n'ont pas de squelette.

Conflit
Opposition entre gens ou pays. Un conflit peut dégénérer en guerre.

Constituant
Qui entre dans la composition de quelque chose.

Continent
Vaste étendue de terre émergée. On distingue traditionnellement cinq continents : l'Afrique, l'Amérique, l'Asie, l'Europe et l'Océanie. (c'est la classification française)

Dégel
Fonte de la glace et de la neige par suite de l'élévation de la température.

Décharge
Lieu où l'on stocke les ordures, les déchets.

Déforestation
Destruction de la forêt pour faire place à des cultures.

Écosystème
Unité formée par un milieu (eau, sol, etc.) et les organismes animaux et végétaux qui y vivent. Une mare, une forêt en équilibre écologique constituent autant d'écosystèmes. Toute modification du nombre ou du type d'espèce affecte l'ensemble de l'écosystème.

Émissions
Rejets de gaz produits par les véhicules, les usines et l'industrie en général, souvent toxiques pour l'homme, la faune, la flore, et l'environnement.

Érosion
Usure progressive de la surface de la Terre par des processus atmosphériques comme la pluie, le vent, les glaciers, les vagues, les eaux de ruissellements.

Évolution
Ensemble des transformations des êtres vivants dues aux mutations génétiques, en liaison avec la sélection qu'opère le milieu de vie.

Famine
Manque de vivres dans un pays, une ville. La famine peut être provoquée par divers facteurs, comme la sécheresse, la guerre, etc. Un grand nombre de gens meurent de faim au cours d'une famine.

Fertilisant
Substance ajoutée au sol pour qu'il donne des récoltes plus abondantes. Les fertilisants peuvent être des matières naturelles, comme le fumier, ou artificielles.

Frottement
Contact entre deux surfaces, dont l'une, au moins, se déplace.

Géologie
Science qui étudie l'écorce terrestre, ses constituants, et son histoire ;

Gènes
Unité constitué d'ADN qui, portée par les chromosomes, conserve et transmet les propriétés héréditaires des êtres vivants.

Géothermale
Chaleur qui se dégage de l'écorce terrestre.

Glacier
Vaste masse de glace formée en montagne ou dans les régions polaires par l'accumulation de la neige.

Gravitation
Attraction universelle qui s'exerce sur tous les corps. La gravitation est fonction de la masse : plus la masse d'un objet est importante, et plus elle exerce une force de gravitation. Les planètes ont une force de gravitation importante qui leur permet d'avoir une atmosphère.

Guerre nucléaire
Guerre utilisant des armes nucléaires, comme la bombe atomique. Deux bombardements nucléaires ont eu lieu, dans l'histoire de la guerre : une bombe a été lancée sur Hiroshima, l'autre, sur Nagasaki, deux villes du Japon, à la fin de la Seconde Guerre mondiale.

Habitant
Personne vivant dans un endroit défini.

Habitat
Environnement naturel d'une espèce animale ou végétale.

Hémisphère
Moitié d'un objet rond, comme une balle. Moitié du globe d'une planète, en particulier, la Terre.

Humidité
Quantité de vapeur d'eau contenue dans l'air.

Industrialisé
Se dit d'un pays qui compte sur les usines et la mécanisation pour produire marchandises et services.

Isotope
Nom des corps simples de même numéro atomique mais de masse différente.

Lithosphère
Partie solide de la sphère terrestre.

Marsupial
Mammifère caractérisé par la présence, chez la femelle, d'une poche ventrale dans laquelle le petit achève son développement après la naissance. Le kangourou, le koala et l'opossum sont des marsupiaux.

Météorite
Fragment de corps céleste de pierre ou de métal qui traverse l'espace intersidéral et finit sa course sur la Terre.

Migration
Déplacement saisonnier d'hommes ou d'animaux vers d'autres régions de la Terre.

Organisme
Être vivant constitué d'organes travaillant ensemble pour assurer son bon fonctionnement.

Photosynthèse
Processus par lequel les plantes renfermant de la chlorophylle, un pigment vert, produisent leur propre nourriture. Elles utilisent l'énergie solaire pour transformer en aliment le gaz carbonique de l'air et l'eau du sol. En fabriquant leur nourriture, elles libèrent de l'oxygène et de la vapeur d'eau.

Plaques tectoniques
Éléments rigides constituant l'enveloppe externe de la Terre. Ces éléments se déplacent les uns par rapport aux autres, ce qui explique la dérive des continents.

Primate
Ordre de mammifères dont les extrémités des membres portent cinq doigts terminés par des ongles. L'homme, le chimpanzé et le singe sont des primates.

Primitif
Qui est le plus ancien, le plus près de l'origine.

Ressources
Produits naturels indispensables à la vie, tels que la terre ou l'eau. Les ressources en métaux précieux, comme l'or et le pétrole, font la richesse de certains pays.

Satellite
Objet qui tourne autour d'un autre objet. Il existe des satellites naturels, comme la Lune, satellite de la Terre, ou artificiels, fabriqués par l'homme. Les satellites artificiels ont de nombreux usages : communications, navigation, stations spatiales.

Saturé
Qui renferme la quantité maximale d'une solution dissoute : elle ne peut plus en absorber. La terre saturée d'eau provoque des inondations.

Sédiments
Dépôts de particules de sable et de boue charriées par la pluie, l'eau ou le vent.

Stable
Qui ne change pas ou change très lentement.

Stratosphère
Région de l'atmosphère située entre la troposphère et la mésosphère, entre 12 et 50 km d'altitude.

Trilobite
Forme de vie primitive datant du paléozoïque, éteinte aujourd'hui, à carapace solide divisée en trois parties principales.

Tsunami
Vague énorme provoquée par un tremblement de terre sous marin causant des dégâts énormes dans les régions habitées. En Asie, le tsunami de 2005 a fait plus de 200 000 victimes.

Turbine
Moteur dont l'élément essentiel est une roue, mise en mouvement par l'air ou l'eau. Les moulins à vent et les moulins à eau en sont des exemples.

Ultraviolet
Portion du spectre électromagnétique invisible à l'œil humain. Les rayons ultraviolets sont absorbés par l'ozone de l'atmosphère terrestre. À forte dose, ils sont dangereux pour les êtres vivants.

Vapeur d'eau
Eau à l'état gazeux.

Véhicule propre
Véhicule qui n'émet pas de gaz polluants. Les voitures électriques sont des véhicules propres.

Mythes et croyances

Des faits étranges et des personnages hors du commun

Nick Gibbs

Introduction

Les mythes et les croyances, fruits de l'imaginaire et de l'invention humaine, mais s'appuyant aussi sur des vérités transmises au cours des siècles, répondent à l'attirance de l'homme pour l'étrange.

Les mythes prennent des formes variées, chaque culture ayant inventé des histoires pour expliquer la **création** du monde, de l'homme, et de sa destinée. Et le religieux et le spirituel ont toujours leur place dans la plupart des sociétés.

Les mythes et les **légendes** d'autrefois exercent aujourd'hui encore une grande fascination sur l'être humain. L'Iliade et l'Odyssée, attribués au grec Homère, nous passionnent et nous charment toujours. Nous racontons encore à nos enfants des variantes des classiques du folklore, depuis les aventures mystérieuses des Mille et une nuits, les contes des Frères Grimm, jusqu'aux versions modernes des histoires de fées et d'elfes. Qu'il s'agisse des ouvrages pour enfants d'Enid Blyton ou des œuvres pour adultes de Tolkien, nous apprécions toujours les histoires qui nous montrent comment serait le monde s'il était gouverné par la magie.

Bien entendu, la magie a toujours ses adeptes, et pas seulement dans les sociétés en voie de développement. Tandis que shaman et autres sorciers médecins sont toujours des membres très respectés de la société tribale, les habitants des pays développés consultent devins, diseurs de bonne aventure et autres astrologues. Et certains d'entre eux se déclarent eux-mêmes sorciers.

Les **phénomènes** et expériences qui auraient pu passer pour magiques aux yeux de nos ancêtres sont légion, dans notre monde moderne. Mais le contraire est également vrai. Les merveilles du monde ancien nous fascinent et nous enchantent. Les pyramides d'Égypte se dressent toujours devant nous pour témoigner du génie de leur concepteur, tandis que du Colosse de Rhodes, des Jardins suspendus de Babylone, ou de la statue colossale de Zeus ne restent que des légendes.

Aux contes venus de la nuit des temps viennent s'ajouter de nouvelles légendes, celles d'animaux fabuleux que nul n'a réussi à capturer, monstre du Loch Ness, Yéti, tandis que des lumières dans une nuit d'été évoquent les vaisseaux des **extra-terrestres.**

Et même en l'absence de toute évidence, nous continuons à inventer, tandis que des théories concernant d'étranges complots circulent sur Internet, nous donnant l'impression que nous sommes manipulés par des mains invisibles.

Nous aurons toujours besoin des mythes et des légendes. Nous continuerons à recréer les récits populaires traditionnels, et nous en inventerons de nouveaux. Comme si quelqu'un, quelque part, nous y invitait pour donner au monde sa part de rêve et de poésie...

Des temples anciens ressemblant à des apparitions magiques surgissent de la jungle, promesses de trésors cachés ou peut-être de mort pour les imprudents qui s'y hasardent. Qui les a abandonnés, et pourquoi ?

Les OVNI font partie de notre mythologie moderne. Les premières apparitions datent de la fin de la Deuxième Guerre mondiale, et se répètent régulièrement. S'agit-il de faits réels ou de pures créations de l'esprit ?

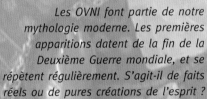

Le célèbre monstre du Loch Ness. Simple effet de lumière sur les eaux, ou monstre réel caché dans les profondeurs du plus vaste lac écossais ?

L'Atlantide

L'Atlantide a-t-elle existé ?

Tout le monde a entendu parler de l'Atlantide. S'agit-il seulement d'une légende ? L'île est mentionnée pour la première fois par le **philosophe** grec Platon, mais de nombreux érudits de la Grèce ancienne ont considéré ses récits comme pure fiction. Depuis, la légende s'est répandue et a donné lieu à de nombreux écrits, films, mettant en scène les Atlantes.

Où était située l'Atlantide ?

Platon situait l'Atlantide « au-delà des Colonnes d'Hercule », deux affleurements rocheux qui marquaient l'entrée de la Méditerranée (l'actuel Détroit de Gibraltar, entre l'Espagne et le Maroc). On suppose donc que cette île fabuleuse se trouvait quelque part dans l'océan Atlantique, à qui elle a donné son nom.

Qu'est-il arrivé à l'Atlantide ?

Selon la légende, l'Atlantide possédait une flotte puissante qui aurait conquis une grande partie de l'Europe de l'ouest et l'Afrique du nord. Selon Platon, l'île et ses habitants auraient été brutalement engloutis dans les flots « en un jour et une nuit ». L'événement serait survenu environ 9 000 ans avant notre ère, après l'échec de l'invasion d'Athènes.

L'Atlantide pourrait-elle se trouver sous l'Antarctique ?

L'Antarctique est recouvert par une couche de glace de plusieurs kilomètres d'épaisseur. Certains érudits pensent qu'il n'en a pas toujours été ainsi, et que l'Atlantide pourrait se situer sous la glace. Si l'Antarctique a connu un climat chaud et humide, c'était il y a 150 millions d'années, c'est-à-dire avant l'apparition de l'homme sur la Terre.

L'Antarctique constitue la région la plus inhospitalière du monde. Chaud et humide à l'époque des dinosaures, le continent était recouvert d'arbres et de fougères.

Qui étaient les Atlantes ?

À l'origine, les Atlantes étaient simplement une grande puissance militaire. Mais au cours du temps, on leur a prêté une technologie avancée et des conquêtes dans le monde entier. Certains assurent qu'ils ont aidé les Égyptiens à construire les pyramides et participé à la construction des monuments et des villes **aztèques.**

Le sais-tu ?

On trouve des pyramides en Égypte et dans de nombreux pays d'Amérique du Sud. Certains y voient la preuve qu'une **civilisation** avancée comme celle de l'Atlantide a aidé à leur construction.

Les Atlantes ont-ils construit les pyramides ?

Pour pouvoir construire les pyramides, monuments bien réels, il aurait fallu que les Atlantes existent vraiment. La légende des Atlantes constructeurs des pyramides est basée sur le fait qu'il était difficile de croire qu'un peuple de l'Antiquité ait pu élever des monuments que l'homme moderne lui-même semble incapable de faire. En fait, de nombreux **archéologues** reconnaissent maintenant que les Égyptiens savaient construire les pyramides.

Légende et création

Pourquoi des légendes sur la création ?

Le commencement du monde est un sujet qui préoccupe toutes les civilisations à un certain moment de leur évolution. Dépourvus de nos connaissances scientifiques pour comprendre le monde qui les entourait, les peuples anciens ont créé des histoires afin de tenter d'expliquer la naissance de l'univers. Ces histoires nous paraissent simplistes, mais les générations futures jugeront peut-être de la même façon notre exploration de l'univers.

Comment les anciens Égyptiens envisageaient-ils la création du monde ?

Le Nil tenait une place capitale dans la vie des anciens Égyptiens. Il régissait leur vie quotidienne et était le pilier de toute leur civilisation. L'eau et le Nil ont donc joué un grand rôle dans les mythes égyptiens de la création. Au commencement, **Atum** se créa lui-même à partir des eaux tourbillonnantes de l'océan, appelé Noun. Comme il n'avait aucun endroit où se tenir, il créa une colline qui devint le monde.

Le déluge a-t-il existé ?

De nombreuses légendes évoquent une terrible inondation qui aurait englouti le monde. L'histoire de **Noé** et de son arche est simplement la version chrétienne de ce mythe. Si les scientifiques reconnaissent qu'il n'y a pas eu une inondation unique qui aurait recouvert toute la Terre, pluies diluviennes et montées des eaux décimant hommes et bêtes ont pu survenir. Le déluge de Noé a peut-être été un événement historique résultant de la formation de la mer Méditerranée.

Qu'est-ce que le « temps du Rêve » ?

Le « temps du Rêve » constitue le mythe de la création du monde chez les Aborigènes d'Australie. Les dieux auraient créé le monde, et tout ce qui le constitue, de même que le temps lui-même, en le rêvant pour le faire exister. Le mythe du « temps du rêve » est en fait l'un des plus complexes concernant l'origine du monde. Aujourd'hui encore, il a une influence importante sur les différentes étapes de la vie des Aborigènes.

Qu'est-ce que Ragnarok ?

Ragnarok était le mythe nordique de la fin du monde. Les dieux scandinaves conduits par Odin devaient affronter les forces des géants, dirigés par Loki. Au cours du combat, la plupart des dieux, dont Thor, Odin et Loki, étaient tués. Le monde était détruit, et seuls deux êtres humains survivaient afin de le repeupler. La légende raconte que Ragnarok était annoncé par Fimbulwinter, soit trois hivers consécutifs.

Selon les Hindous, le monde aura-t-il une fin ?

Selon les Hindous, l'univers fait partie d'un cycle de création (srishti) et de destruction (pralaya) sans fin. Par certains aspects, cette idée rappelle celle de notre croyance moderne dans la théorie du **big bang.**

Le sais-tu ?

La science moderne peut expliquer la formation de l'univers dès les premiers millionièmes de secondes. En de ça, les théories scientifiques s'effondrent. Nous n'avons pas d'explications scientifiques concernant les origines de l'univers aussi lointaines.

Dieux et déesses

Pourquoi l'homme croit-il ?

L'homme a besoin de croire en différents dieux pour donner un sens à son existence. Les premiers dieux étaient associés aux événements tels la moisson, l'hiver, ou à des phénomènes naturels comme la lune et le soleil. Adorer ces dieux constituait une tentative pour s'assurer un avenir meilleur sous la forme d'une pluie bienfaisante ou d'une récolte abondante. Les religions modernes encouragent la communauté, l'amour et le pardon. Les gens croient en un dieu qui leur donne la force de vivre leur vie comme ils le souhaitent.

Quels ont été les premiers dieux ?

Quelle était la particularité des dieux grecs ?

Les premiers dieux ont certainement précédé le langage de la société. Les premiers hommes avaient probablement des dieux et des croyances simples. Les Aborigènes d'Australie ont aujourd'hui encore une culture remontant à 50 000 ans, aussi leur croyance dans le « temps du rêve » peut-elle être considérée comme le plus ancien système religieux du monde.

Représentation aborigène de Waugal, créateur des fleuves pendant le « temps du rêve ».

Les Grecs vénéraient de nombreux dieux. Mais, à la différence de nombreuses religions dont les dieux étaient distants, s'impliquant rarement dans les affaires du monde, les dieux Grecs intervenaient dans la vie quotidienne des gens, modelant leur **destinée** et la modifiant selon leurs **caprices.** Les dieux se disputaient entre eux, pouvaient avoir mauvais caractère, être mesquins et méchants, exactement comme les hommes.

Les anges existent-ils ?

Traditionnellement, les anges sont les messagers des dieux. Ils ont été récemment associés au rôle d'ange gardien, veillant sur une personne particulière afin de la protéger. Survivre à un accident de voiture ou autre événement dramatique peut se révéler très traumatisant, aussi les gens attribuent-ils souvent leur survie à une intervention divine.

Toutes les civilisations ont-elles des dieux ?

Adorer des dieux semble faire partie de chaque civilisation, depuis la plus ancienne jusqu'à notre civilisation moderne. Alors que, avant l'avènement de la science, les sociétés primitives utilisaient la religion pour donner un sens au monde, les croyances modernes cohabitaient avec les connaissances scientifiques. Le développement technique d'une société ne rend pas les individus moins aptes à croire en un ou plusieurs dieux.

Dans de nombreux pays, les églises jouent encore un rôle important dans la vie quotidienne.

Tous les dieux sont-ils masculins ?

Traditionnellement, les dieux sont de sexe masculin, même le dieu des Chrétiens. Ceci provient du fait que les sociétés anciennes étaient souvent dominées par le sexe masculin, mais il existe aussi des déesses, fréquemment dédiées à la fertilité et à la maternité. Dans de nombreuses religions, en particulier dans les religions **celtes,** elles sont plus puissantes que les dieux.

Le sais-tu ?

La croyance en un seul dieu s'appelle le monothéisme. Admettre l'existence de plusieurs dieux est le polythéisme. Ne croire en aucun dieu est l'athéisme.

9

Rois et guerriers

Le Roi Arthur était-il vraiment roi ?

Le Roi Arthur de Grande-Bretagne est célèbre pour ses **exploits,** mais il n'est pas sûr qu'il ait vraiment existé. En fait, de nombreux souverains et guerriers peuvent prétendre être Arthur. Ce qui est certain, c'est que les éléments les plus populaires de la légende sont purement fictifs. La plus grande partie de la légende a été créée par Geoffrey de Monmouth, vers 1 140, lorsqu'il écrivit son célèbre ouvrage « The History of the Kings of Briton ».

Qui était Gilgamesh ?

Gilgamesh était un roi légendaire de la cité-état sumérienne d'Uruk. Fils de la déesse Ninsun, il était à demi-humain. Gilgamesh connut de nombreuses aventures épiques : il tua le démon Humbaba, tenta de devenir **immortel**... Ces aventures constituent un poème intitulé « L'Épopée de Gilgamesh », considéré comme la plus ancienne œuvre littéraire du monde.

Le sais-tu ?

Le roi Canute d'Angleterre est célèbre pour avoir tenté de guider la marée dans le sens contraire. Il échoua, faisant piètre figure devant ses sujets.

Qui était le roi Shahryar ?

Shahryar était un roi imaginaire de Perse qui avait condamné à mort sa femme, la reine Schéhérazade. Pendant mille et une nuits, elle lui raconta une histoire, s'arrêtant à l'aube sur un « **suspense** » qui obligeait le roi à la maintenir en vie encore une journée pour qu'elle puisse terminer le conte la nuit suivante. Ces histoires sont rassemblées dans l'ouvrage intitulé « Le Livre des Mille et Une Nuits », traduit de l'arabe dans toutes les langues.

Qu'est-ce que le Jugement de Salomon ?

Le roi Salomon est un souverain légendaire et sage régnant sur Israël. L'épisode biblique du célèbre **jugement** évoque deux femmes affirmant être la mère du même enfant. Salomon ordonna qu'on le coupe en deux, pour en donner une moitié à chacune d'elles. La femme qui refusa ce partage était, bien entendu, la vraie mère, car aucune mère ne supporterait que son enfant soit tué.

Quel roi avait un bras en argent ?

Le roi Nuada gouvernait la tribu guerrière Tuatha Dé qu'il entraîna dans de nombreuses batailles, dont celle contre les Fir Bolg, qui devaient régner par la suite sur l'Irlande. Au cours du combat, il eut un bras coupé, infirmité incompatible avec l'exercice de la royauté. Son médecin lui fabriqua une prothèse en argent massif, et Nuada put remonter sur le trône.

Qui était Tomoe Gozen ?

Tomoe Gozen a été l'une des rares femmes **samouraï** (guerrier japonais). Réputée pour son habileté dans le maniement de l'épée, l'équitation, et le tir à l'arc, elle fut une héroïne de guerre reconnue. Selon la légende, lorsque son mari Yoshinaka fut battu au combat, elle lui coupa la tête avant de se jeter elle-même dans l'océan en emportant sa tête.

11

Héros et brigands

Qui était le prince Yamato ?

Le prince Yamato passe souvent pour être le premier ninja, célèbres guerriers japonais. Pourtant, il ne revêtit jamais leur traditionnel costume noir. Il est le héros de nombreuses aventures qui le dépeignent comme le maître de la dissimulation et de la tromperie. Le prince Yamato est considéré par les Japonais de la même façon que Robin des Bois, personnage mi-réel, mi-imaginaire.

*Les **ninjas** japonais étaient célèbres pour leur habileté à se mouvoir et frapper de façon insidieuse.*

Qui était Gesar Khan ?

Gesar Khan est un roi légendaire tibétain, souverain du royaume mythique de Ling, dans l'est du Tibet. Ses exploits sont rapportés dans un ancien **conte épique** intitulé les Contes de Ling, écrit vers l'an 800. Il aurait tué un tigre noir, combattu des démons, et voyagé jusqu'en enfer pour porter secours à sa mère.

Qu'a fait Pandore ?

Créée par Zeus pour punir l'espèce humaine, Pandore est la première femme. Lorsqu'elle ouvrit la jarre que Zeus lui avait confiée après y avoir enfermé tous les maux de l'humanité, guerre, chagrin, jalousie, cupidité, crime, ceux-ci se répandirent sur la Terre. Seule l'espérance resta au fond. Elle permit à l'espèce humaine de supporter ses peines dans l'attente d'un avenir meilleur.

Qui étaient Fenrir et Loki ?

Dans la mythologie nordique, le loup géant Fenrir devait aider à la destruction du monde lors de l'ultime bataille de Ragnarok. Fenrir fut condamné à tuer Odin, le chef des dieux. Mais il fut lui-même condamné à être tué par Vidar, le fils d'Odin. Fils de deux géants, Loki était le chef des forces des ténèbres. Passé maître dans l'art du mensonge et de la traîtrise, il sera tué dans le combat final par le dieu Heimdall.

Ces images gravées aux environs du XIe siècle sur la pierre de Ledberg évoquent des scènes de la bataille de Ragnarok.

Le sais-tu ?

La beauté d'Hélène de Troie est devenue si célèbre que des scientifiques ont proposé, en guise de plaisanterie, d'évaluer la beauté d'une femme en « Hélènes ». Une femme mesurant un « millihélène » serait donc assez belle pour mettre un navire à la mer !

Hélène de Troie était-elle très belle ?

Hélène passe pour être la plus belle femme ayant existé. Elle fut **enlevée** par Pâris, fils du roi de Troie, ce qui provoqua la guerre de Troie, bien que Hélène ne se soit jamais rendue dans la cité état. Pâris la cacha en Égypte, mais il fut tué au combat. Selon la légende, la beauté d'Hélène entraîna la levée d'une « flotte de plus de mille navires ».

Qui était Botoque ?

Botoque était un Indien d'Amérique du Sud qui découvrit le secret du feu. Une de ses aventures raconte comment il fut sauvé par un jaguar qui le ramena chez lui et le nourrit de viande cuite sur le feu. Botoque resta chez le jaguar jusqu'à ce que sa femme le chasse. Il partit en emportant le feu et, en signe de vengeance, le jaguar jura de dévorer tous les Indiens qu'il rencontrerait.

13

Merveilles perdues

Laquelle des Sept Merveilles du monde ancien subsiste encore ?

La seule des Sept Merveilles du monde ancien subsistant encore est la Pyramide de Cheops (ou Khufu). C'est aussi la plus ancienne de toutes les merveilles, probablement construite par le pharaon Khufu, vers 2 560 av. J.-C. Des trois pyramides du site, seul le tombeau de Khufu figure sur la liste des Merveilles. Sa construction a nécessité 20 années de travail.

Qui a élevé la statue de Zeus à Olympie ?

La statue du dieu grec Zeus est l'œuvre du sculpteur Phidias. À cet effet, il construisit une structure en bois sur laquelle il fixa des feuilles de métal. La statue a été érigée en 440 av. J.-C., mais n'a résisté que pendant 900 ans. Il n'en reste aucun vestige, aussi ne savons-nous rien sur son véritable aspect.

Qu'est-il arrivé au Colosse de Rhodes ?

L'énorme statue du dieu du soleil Hélios a été érigée à l'entrée du port de Rhodes vers 282 av. J.-C., au terme de 12 ans de travail. Elle fut renversée 56 ans plus tard par un terrible tremblement de terre. Les Égyptiens proposèrent de la reconstruire, mais un **oracle** l'interdit, et les pierres furent transportées hors de la Syrie à dos de plus de 900 chameaux.

Qu'était le Phare d'Alexandrie ?

La seule Merveille du monde construite à des fins spécifiques est le Phare, bâti sur l'île de Pharos, située actuellement dans la ville égyptienne d'Alexandrie. C'était l'édifice le plus haut du monde, et ses lumières étaient vues à 50 km du rivage. Construit vers 260 av. J.-C., le phare a résisté à plusieurs tremblements de terre, mais s'est effondré en 1 323. En 1 480, ses ruines ont été utilisées pour construire un fort, au même emplacement.

Les Jardins suspendus de Babylone ont-ils existé ?

Nabuchodonosor II, roi de Babylone de 604 à 562 av. J.-C. a aménagé des Jardins suspendus sur les rives de l'Euphrate, à environ 50 km de Bagdad, dans l'Irak actuel. Les archéologues sont divisés sur leur aspect, et s'interrogent sur les moyens utilisés pour hisser l'eau nécessaire à l'arrosage des nombreuses plantes installées sur les terrasses supérieures.

Le sais-tu ?

Il y a eu plusieurs tentatives pour créer une liste des sept merveilles du monde moderne. Cependant un accord a été trouvé récemment : y figurent, par exemple, le Colisée de Rome et le site de Petra, en Jordanie.

Qui a construit le Mausolée d'Halicarnasse ?

La sœur et épouse du roi Mausole de Carie lui fit élever en 350 av. J.-C un tombeau si célèbre qu'il donna son nom à tout monument funéraire grand et riche : le mausolée. Cette tombe prestigieuse perdura pendant plus de 1 600 ans. En 1 494, les croisés utilisèrent ses pierres pour construire une forteresse. Des fragments de statues et des fresques qui l'ornaient sont exposés au British Museum de Londres.

Une des statues de Lion du Mausolée exposée au British Museum de Londres.

Religion et cérémonies

Pourquoi les Aztèques faisaient-ils des sacrifices humains ?

Le meurtre rituel est une étape drastique, même pour les peuples anciens. Pourquoi certains peuples, et les Aztèques en particulier, l'ont-il pratiqué ? Des **sacrifices** aux dieux étaient faits régulièrement afin de s'assurer de bonnes récoltes ou des chasses fructueuses. Une récolte abondante étant essentielle à la survie de la population, cela valait bien la perte de quelques vies. Certains peuples considéraient même qu'être sacrifiés était un honneur.

Qu'était la Danse du Soleil ?

La Danse du Soleil était une **cérémonie** religieuse pratiquée par plusieurs nations indiennes d'Amérique du Nord. Elle comprenait la danse, le bruit du tambour, et autres activités destinées à mettre les participants en transes. La peau transpercée par une baguette de bois et d'autres rituels étaient destinés à prouver leur aptitude à supporter la douleur et à montrer leur courage.

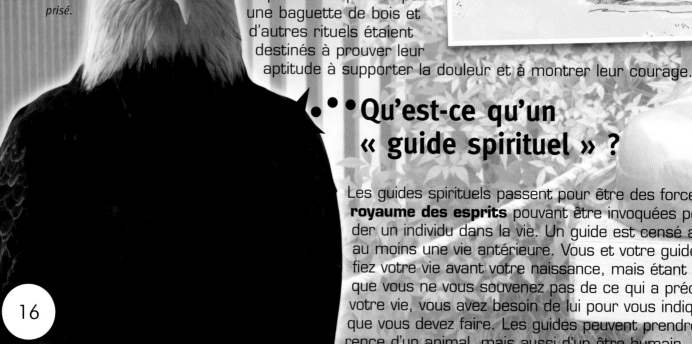

L'aigle pigargue est un guide spirituel très prisé.

Qu'est-ce qu'un « guide spirituel » ?

Les guides spirituels passent pour être des forces du **royaume des esprits** pouvant être invoquées pour guider un individu dans la vie. Un guide est censé avoir eu au moins une vie antérieure. Vous et votre guide planifiez votre vie avant votre naissance, mais étant donné que vous ne vous souvenez pas de ce qui a précédé votre vie, vous avez besoin de lui pour vous indiquer ce que vous devez faire. Les guides peuvent prendre l'apparence d'un animal, mais aussi d'un être humain.

Qu'arrivait-il aux guerriers vikings après leur mort ?

Les vikings étaient de courageux guerriers. Rien ne leur semblait plus honorable que de mourir au combat contre leurs ennemis. Dans la tradition nordique, après une bataille, des femmes appelées Walkyries, montées sur des chevaux ailés, venaient prendre les **âmes** des morts à la guerre pour les amener au Valhalla (paradis), où elles festoyaient la nuit. Le jour, elles s'entraînaient pour le combat final contre les géants, appelé Ragnarok.

Qu'est-ce que la réincarnation ?

La réincarnation est la croyance que l'âme d'un individu survit à la mort et renaît dans un autre corps. Cette croyance est complétée par l'idée que, plus vous vous êtes bien comporté dans la vie, et plus votre vie future sera meilleure. À la mort du Dalaï Lama, chef spirituel des bouddhistes, les moines se rendent dans le village le plus proche de son temple pour y chercher un nouveau-né qui est considéré comme la réincarnation du défunt. L'enfant sera éduqué de façon à devenir le prochain Dalaï Lama.

Moine tibétain

Le sais-tu ?

Tenzin Gyatso, l'actuel Dalaï Lama, est la 14ᵉ réincarnation. Le mot Dalaï Lama signifie « maître spirituel ».

Qu'était un oracle ?

Connaître ce que les dieux vous réservaient était une pratique très utile dans l'antiquité. Par chance, des gens prétendaient pouvoir parler à la place des dieux. Ils utilisaient souvent des os ou autres symboles pour traduire les vœux des divinités. Les Grecs consultaient des personnes autorisées, appelés oracles. Le plus célèbre se trouvait dans le temple d'Apollon, à Delphes. La population effectuait de longs voyages pour venir le consulter sur les aspects majeurs de son existence.

Villes perdues

Pourquoi certaines villes deviennent-elles « perdues » ?

Certaines villes se développent, déclinent, et sont abandonnées. Au fil des siècles, le site de ces villes est oublié, en particulier lorsqu'elles s'élevaient dans une région lointaine. La jungle d'Amérique Centrale renferme de nombreuses villes indiennes abandonnées. Les jungles denses de Birmanie et de Thaïlande cachent également des cités perdues.

Qu'est-ce que Angkor ?

Angkor est un vaste complexe de temples bouddhistes situés dans les profondeurs de la jungle cambodgienne. Construit entre 802 et 1 220, il compte une centaine de temples. Le plus célèbre est Angkor Watt, l'un des édifices les plus récents. Le complexe a connu le déclin au XIVe siècle et, sans avoir été complètement oublié, a été « redécouvert » en 1 860 par Henri Mouhot. Il est désormais une destination touristique prisée.

Mahabalipuram est-elle une ville perdue ?

Mahabalipuram est le site d'une ancienne ville indienne. Une ville moderne a été élevée à cet endroit, et de nombreux temples subsistent à proximité, si bien que Mahabalipuram n'a jamais été « perdue ». Mais en 2004, le **tsunami** a permis la découverte d'un ancien port et des ruines d'un temple dont on ignorait l'existence.

Le sais-tu ?

Le Machu Pichu est rapidement devenu une des destinations touristiques les plus populaires d'Amérique du Sud. En 2 003, cette « ville perdue » a reçu plus de 400 000 visiteurs.

Qui a redécouvert le Machu Pichu ?

Les **jungles** d'Amérique Centrale et du Sud renferment de nombreuses villes, mais le site montagneux du Machu Pichu est probablement le plus célèbre. Il a été dévoilé en 1 911 par l'archéologue américain Hiram Bingham, après avoir été abandonné par les Incas aux environs de 1 400. Le Machu Pichu était une ville sacrée et un observatoire incas.

Où se trouve la ville perdue de Lagash ?

Fondée vers 4 000 av. J.-C. dans une région de l'Irak actuel, Lagash est l'une des plus anciennes villes du monde. Ses vestiges ne sont constitués que d'un long alignement de petites buttes s'élevant dans le lit d'un fleuve asséché. Les ruines de Lagash ont été découvertes en 1 877 par Ernest de Sarzec, **diplomate** français.

Que savons-nous de Cahokia ?

Cahokia est le site d'une ancienne ville indienne d'Amérique du Nord. De tels sites sont rares aux États-Unis car les Indiens n'ont pas construit beaucoup de structures permanentes. Le site comprend une série de buttes, dont le Monks Mound, le plus gros ouvrage en terre d'Amérique du Nord. La ville a été abandonnée environ 100 ans avant l'arrivée des premiers colons européens, sans doute parce que la chasse et l'exploitation de la forêt obligeaient la population à se déplacer.

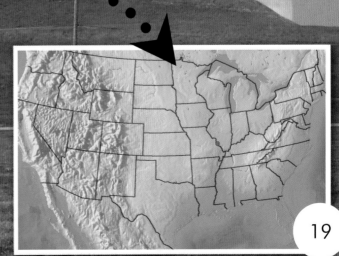

La magie

La magie existe-t-elle ?

Si la magie existait, notre monde serait très différent. Malheureusement, la magie est incompatible avec notre compréhension de la marche de l'univers. Les peuples de l'antiquité considéraient comme magique tout ce qu'ils ne comprenaient pas. Une personne vivant au moyen âge penserait que notre monde moderne est conduit par la magie. L'auteur de science-fiction Arthur C. Clarke a dit un jour que les technologies les plus avancées pouvaient se confondre avec la magie.

Existe-t-il de vrais sorciers ?

Nombreux sont les individus qui se disent sorciers. Ils organisent des réunions et suivent des rituels. Cependant la sorcellerie moderne est davantage une sorte de religion, d'élan spirituel empruntant des croyances antérieures à la religion chrétienne, apparentées au paganisme. Ces sorciers modernes considèrent qu'ils font le bien alors que beaucoup de gens de confession chrétienne y voient une entreprise du diable.

L'astrologie est-elle magique ?

L'astrologie est la croyance que l'avenir d'un individu peut être prédit grâce à la configuration des astres. Les astrologues considèrent ces **prédictions** comme une sorte de science très complexe. Cependant, il n'existe aucune preuve concernant leur véracité. Si cela était vrai, les astrologues seraient devenus très riches et puissants depuis longtemps. Un grand nombre de gens consultent leur horoscope dans leur quotidien, mais rares sont ceux qui croient vraiment à ce qu'il annonce.

Qu'est-ce qu'un chaman ?

Les sorciers médecins, ou chamans, sont les guérisseurs et les sages de la tribu. De nombreuses cultures africaines prônent le chamanisme et la médecine traditionnelle. En Afrique du Sud, cette médecine est appelée « muti », mélange de soins par les herbes et de psychologie. Le chaman fait le lien entre les êtres vivants et leurs ancêtres, essentiel pour le maintien des traditions tribales. Un grand nombre d'africains consultent encore le chaman pour des conseils.

Peut-on entrer en contact avec des morts ?

Traditionnellement, les chamans et les sorciers entrent en contact avec les ancêtres. Cependant, dans l'Angleterre victorienne, la mode des séances de spiritisme prétendit que l'on pouvait faire parler les morts. On utilisait plusieurs accessoires, dont la planche ouija, qui utilisait des lettres pour déchiffrer les messages de l'au-delà. Même si le spiritisme était considéré comme un délit, cela n'empêcha pas les gens de continuer à croire en cette pratique.

Les chamans, ou médecins sorciers, sont répandus dans les sociétés tribales du monde entier. Chaman d'une tribu indienne d'Amérique.

Le sais-tu ?

Le mot « Abracadabra » dérive de l'hébreux ancien « avra kehdabra » (je parle).

Qu'est ce qu'un démon familier ?

Un démon familier est une sorte d'assistant d'un magicien ou d'un sorcier. Les plus communs sont le chat noir ou le crapaud, pour les sorciers, et le corbeau, pour les magiciens. Ils seraient les gardiens de l'antre du sorcier, et aideraient à jeter les sorts. Ils agiraient aussi comme guides dans le monde des esprits.

Fées et contes de fées

Que sont les fées ?

La croyance dans les fées, lutins et autre « petit peuple » est répandue dans le monde entier. Les fées occupent une place importante. Décrites souvent comme des jeunes filles gracieuses, portant des ailes, on les imagine pleines de bonté et de bienveillance. Cependant cette image n'a vu le jour que vers 1 800. Auparavant, les fées passaient surtout pour des créatures cruelles et dangereuses qui volaient les enfants et dupaient les braves gens.

Image typique d'une fée, être d'une grande beauté aux ailes de papillon.

Qui a déjà vu une fée ?

Les gens prétendent avoir rencontré des fées, souvent dans des endroits reculés. Ils racontent comment la fée a essayé de les tromper ou de leur nuire, et comment ils ont résisté. Ces récits invitent ceux qui les entendent à s'écarter des lieux fréquentés par les fées. En 1917, des photographies de fées auraient été prises par deux cousins. À cette époque, la photo était à ses débuts, et un grand nombre de personnes, dont Sir Arthur Conan Doyle, le célèbre créateur de Sherlock Holmes, crurent en ce qui s'avéra bientôt une supercherie.

Les elfes sont-ils gentils ?

Les elfes sont associés à la nature dans un grand nombre de folklores, et particulièrement depuis que J.R.R. Tolkien a écrit « Le Seigneur des anneaux ». Dans cet ouvrage, il en fait des créatures sages et angéliques, douées de pouvoirs magiques, approchant l'immortalité. D'autres contes les dépeignent comme de petites créatures des bois vivant en harmonie avec la nature. Cependant, en Allemagne, les elfes adorent jouer des mauvais tours.

Les nains ont-ils existé ?

Ces petits êtres à barbe, veillant sur les mines d'or, sont purement imaginaires. Cependant, les contes nordiques concernant les nains remontent peut-être aux peuples de l'âge du bronze qui vivaient dans le sud de l'Europe. Habiles mineurs, ils étaient de taille infiniment plus petite que leurs homologues nordiques. Leur habilité à travailler les métaux a sans doute semblé magique aux habitants du nord, le plus souvent agriculteurs.

Qu'est-ce qu'un gnome ?

Les gnomes sont pratiquement uniques, parmi le « petit peuple », car ils ne veulent pas de mal aux humains. Ils représentent des créatures sages, respectant la nature. Vers la fin du XIXe siècle, la mode des petites statues de céramiques comme ornements de jardins a popularisé les gnomes, sans doute en raison de leur amour de la nature. L'utilisation de ces « nains de jardin » est encore répandue de nos jours.

Le sais-tu ?

Une irlandaise raconte que les Leprechauns, ou petit peuple, enterrent un pot de pièces d'or à l'extrémité de l'arc-en-ciel. Les Leprechauns passent pour être particulièrement malicieux.

Où les trolls vivent-ils ?

Les trolls détestent la lumière du soleil. Selon de nombreuses légendes, un troll frappé par les rayons du soleil est transformé en statue de pierre. Ces monstres au long nez préfèrent vivre loin des hommes, qui les effraient et les chassent, ce qui explique pourquoi ils passent l'essentiel de leur temps dans les cavernes profondes des montagnes. Selon un conte populaire, ils vivent sous les ponts, tandis que de nombreuses légendes en font les gardiens des gués.

Créatures légendaires

Les vampires pourraient-ils exister ?

Si les vampires existaient et pouvaient contaminer autrui, il y a longtemps que tous les habitants de la Terre seraient des vampires ! Bien que de nombreux pays aient des légendes mettant en scène des créatures ressemblant à un vampire, la plus connue est celle du Comte Dracula, personnage du roman « Dracula », écrit en 1897 par Bram Stoker. La croyance aux vampires est peut-être basée sur l'idée que quelqu'un atteint d'une maladie du sang peut recouvrer la santé en buvant le sang d'un autre.

Qu'est ce que le Golem ?

Le Golem appartient au folklore juif. Créature d'argile rendue vivante par un mot magique, elle n'a pas d'âme, et n'est donc pas un être humain. Un récit célèbre raconte comment un **rabbin** créa à Prague, au XVIe siècle, un golem dans le but de protéger la ville juive. Un golem obéit toujours aux ordres de son créateur. Dans la légende pragoise, le golem fut détruit lorsque son créateur lui ordonna de se tuer lui-même.

Qu'est-ce qu'un lycanthrope ?

Un lycanthrope, ou loup-garou, est un exemple de métamorphose humaine. Les nuits de pleine lune, des hommes se changent en loups géants sauvages. Seule une arme en argent peut les tuer. En fait, la pleine lune peut avoir une influence sur certaines personnes, ce qui expliquerait l'origine de cette légende.

Les zombies existent-ils ?

Les zombies sont considérés comme des morts qui reviendraient à la vie. Ils appartiennent aux cérémonies vaudou, un culte ancien encore pratiqué dans les Caraïbes. Un grand nombre d'habitants de cette partie du monde croit en leur existence. Des sorciers mettent les individus en transes et les convainquent qu'ils sont des zombies. Puis ils utilisent ces personnes **hypnotisées** pour obliger les autres à faire ce qu'ils veulent, sous l'effet de la peur.

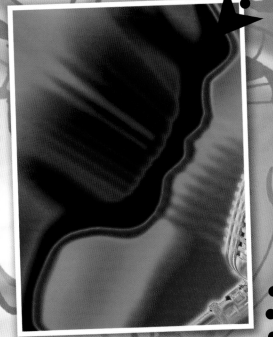

Qu'est-ce que l'aura ?

Certaines personnes croient que les êtres vivants ont un champ d'énergie invisible, ou aura, qui les entoure. D'autres prétendent être capables de voir cette aura et, d'après sa forme, sa couleur, son intensité, de deviner certaines caractéristiques d'un individu, comme sa santé ou son état d'esprit. Aucune preuve scientifique de l'existence de l'aura n'a été apportée, et il semblerait que seuls les médiums puissent la percevoir.

Les dragons ont-ils existé ?

Les légendes de dragons sont présentes dans le monde entier, mais cela ne signifie pas pour autant que ces créatures aient réellement existé. Des os de dinosaure ont pu être pris pour ceux d'un dragon, en raison de leur taille énorme. En réalité, l'existence d'un reptile géant capable de cracher du feu et de voler n'est pas concevable d'un point de vue biologique.

Créatures mystérieuses

Qu'est-ce que la cryptozoologie ?

La cryptozoologie est l'étude des animaux censés exister, mais dont nous n'avons aucune preuve de l'existence (cryptides). Certains, comme le monstre du Lock Ness, sont célèbres, d'autres, comme le Mokele-Mbembe du Congo, n'ont qu'une renommée locale. La cryptozoologie s'intéresse aussi aux espèces animales que l'on croit éteintes, et dont certains individus seraient occasionnellement aperçus, comme la thylacine ou tigre de Tasmanie.

Qu'est-ce que le « Bigfoot » ?

Appelé également « sasquatch » le Bigfoot (grand pied) serait une créature géante, mi homme, mi primate, qui hanterait les Montagnes Rocheuses d'Amérique du Nord. Des empreintes de pas géants découvertes par des chasseurs et un petit film prouveraient l'existence du Bigfoot, mais on n'en a trouvé aucun ossement ou autres restes. Selon les scientifiques, film et empreintes sont des **mystifications.**

Le monstre du Lock Ness pourrait-il exister ?

Un monstre pourrait-il vivre dans le lac d'une région très peuplée d'Europe ? Le Lock Ness est un grand lac, et des apparitions d'un monstre sont attestées depuis l'an 565, ce qui laisse supposer qu'il a dû y avoir de nombreux « Nessies », au cours des siècles. Il y aurait donc toute une population aquatique capable de se reproduire, ce qui paraît impensable avec les moyens de détection actuels.

Qu'est-ce que « La grande Faucheuse » ?

Avec son squelette, son manteau noir et sa **faux** « La grande Faucheuse » est la personnification de la Mort pour l'occident. La faux sert à séparer l'âme du corps des mourants, afin qu'elle puisse entreprendre son voyage dans l'au-delà. La Mort est aussi l'un des quatre cavaliers de l'**Apocalypse,** qui chevaucheront ensemble à la fin du monde, les trois autres étant la Famine, la Guerre et la Pestilence.

Scalp supposé d'un yéti, exposé dans un monastère tibétain.

Où le yéti vit-il ?

Étrange créature ressemblant à un grand singe, le Yéti vivrait au Tibet et au Népal. Appelé également « abominable homme des neiges », il hanterait l'**Himalaya**, laissant sur la neige l'empreinte de ses pattes. En 1997, l'alpiniste italien Reinhold Messner prétendit qu'il s'était trouvé face à face avec un Yéti et l'aurait tué. Il reconnut plus tard qu'il s'agissait d'un ours brun de l'Himalaya.

Qu'est-ce que la légende du Jackalope ?

Le Jackalope est un l'un des rares cryptides dont l'existence est considérée comme une bonne blague ! Mélange entre un lièvre et une antilope, le jackalope est une créature légendaire née dans les années 1930 dans l'ouest des États-Unis. La meilleure façon de le chasser consiste à abandonner une bouteille de whisky dehors, toute une nuit. Il boira tout le whisky, et sa capture sera facilitée. Chose étrange, les lapins sont parfois victimes d'une maladie qui provoque des excroissances sur les oreilles semblables à des cornes.

Le sais-tu ?

La thylacine, mammifère marsupial carnivore, a été déclarée espèce éteinte en 1936. Depuis, plus de 3 800 rapports attestent de son existence sans jamais apporter de témoignage probant.

Les mythes modernes

Qu'est-ce que la théorie de la conspiration ?

Certains croient que tout phénomène étrange survenant dans le monde a été préparé par des puissances secrètes. Chaque fois qu'il se passe quelque chose d'important, comme l'attaque du World Trade Center à New York, ils échafaudent des théories complexes pour l'expliquer. Ces théories mettent souvent en cause des organisations importantes comme le FBI, ou la CIA. Bien entendu, l'analyse des faits apporte un démenti formel.

Les astronautes d'Apollo ont-ils réellement marché sur la lune ?

Une certaine rumeur prétend que les astronautes d'Apollo seraient morts pendant leur voyage vers la Lune. La **NASA** aurait alors simulé l'atterrissage sur la Lune. Les **sceptiques** appuient leur thèse sur certaines photos prises sur la Lune. Or, les préparatifs pour envoyer ces trois hommes dans l'espace ont pris plus de 10 ans, et ont été exécutés par plusieurs milliers de personnes. Il n'est pas possible que tout ce monde soit d'accord pour accepter une simulation. De plus, les arguments avancés ont tous été reconnus comme faux.

Qu'est-ce que la Zone 51 ?

La Zone 51, dont une partie est en réalité une base de l'armée américaine, a l'étrange réputation d'être l'objet de visite de nombreux OVNI ou soucoupes volantes, et de présence d'extra-terrestres. Sur cette base, l'armée a réalisé les essais des prototypes d'avions secrets comme les chasseurs F.117 ou les bombardiers B2. Les formes étranges de ces nouveaux avions ont pu tromper les amateurs d'OVNI. Le supposé « crash » d'une soucoupe volante dans la région, à Rosweel, a renforcé la croyance de la présence d'extra-terrestres.

De gros félins errent-ils dans la campagne ?

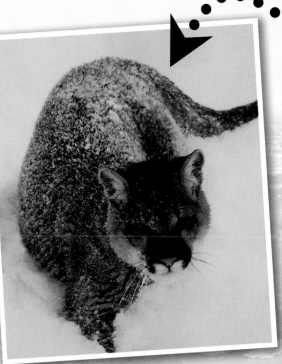

Cela semble invraisemblable, mais de nombreux reportages confirment que de gros félins comme des pumas errent dans la campagne. Les paysans signalent aussi la perte d'un mouton ou d'un cochon, tués par ces animaux mystérieux. On pense que ces félins sont des animaux de compagnie devenus trop encombrants dont leurs propriétaires ont choisi de se débarrasser dans la nature. Ces animaux meurent rapidement car ils sont incapables de survivre dans un environnement étranger. Mais ils peuvent parfois s'**adapter** et vivre quelques années en chassant la nuit, loin des habitations.

Qu'est-ce que la Conférence de Bilderberg ?

Chaque année, un groupe de personnalités des affaires et du monde **politique,** essentiellement d'Europe et d'Amérique, se réunit pour discuter de la marche du monde. Ces discussions sont tenues secrètes, ce qui a laissé croire aux gens qu'il s'agit d'une grande **conspiration** ou d'une sorte de gouvernement mondial. Ce groupe prétend que le secret permet à chacun de parler de tous les sujets sans que ces propos soient divulgués dans la presse.

Qui sont « les hommes en noir » ?

Les personnes qui prétendent avoir vu des OVNI assurent parfois qu'elles ont eu ensuite la visite d'étranges hommes en noir. Ces derniers se réclamaient du gouvernement et essayaient de leur faire modifier leur témoignage. Ils se déplaçaient dans de grandes voitures noires, et même dans des hélicoptères noirs. Ces mystérieux personnages ont fait l'objet d'un film à succès.

Le sais-tu ?

Dans les années 1970, l'armée américaine a enquêté sur les apparitions de soucoupes volantes. Ces investigations ont porté le nom de Projet Blue Book. Leur conclusion, c'est que ces phénomènes étaient de pures inventions.

29

Glossaire

Adapter
Modifier une apparence, un comportement ou une technologie en fonction de l'environnement dans le but d'être en harmonie avec les nouvelles conditions.

Âme
Élément d'une personne qui passe pour survivre après la mort, et symbolise son esprit.

Apocalypse
Dernier livre du Nouveau Testament décrivant la fin du monde et la mort des êtres vivants. Un événement apocalyptique a un caractère d'épouvante qui fait penser à la fin du monde.

Archéologue
Scientifique spécialisé dans la recherche et l'étude les vestiges des villes et civilisations anciennes. En ce qui concerne les civilisations antérieures à l'écriture, les seuls éléments portés à notre connaissance sont les témoignages des archéologues.

Atum
Dieu égyptien de la création, et chef des dieux. Il se serait créé lui-même à partir de rien. Souvent représenté portant une couronne.

Aztèques
Peuple qui formait à l'origine une tribu appartenant à un groupe d'Indiens des zones du Mexique précolombien. Ils se sont installés dans différentes régions de l'Amérique Centrale. Les Aztèques ont fondé un immense empire entre les XIXᵉ et le XVIᵉ siècles. Ils ont construit la Grande Pyramide, dans leur capitale Tenochtitlan, qui mesure 60 m de haut.

Big Bang
Théorie soutenue par de nombreux scientifiques prétendant que l'univers se serait formé à la suite d'une énorme explosion, voici environ 15 milliards d'années. Cette explosion aurait créé la matière et l'énergie que nous connaissons aujourd'hui. Depuis, l'univers est en expansion.

Caprice
Volonté soudaine et irréfléchie. Les Grecs anciens pensaient que les dieux pouvaient changer d'avis sans raison apparente, et s'efforçaient de ne pas leur déplaire.

Celtes
Peuples vivant en Irlande, Écosse, Pays de Galles, ainsi que dans certaines régions d'Angleterre et de France de 750 av. J.-C. jusqu'à l'an 43. C'étaient des guerriers et des marchands connus pour les décorations particulières de leurs bijoux.

Cérémonie
Rituel religieux se répétant de façon régulière, en utilisant des mots et des objets rituels. Se dit aussi d'un événement important, comme le couronnement d'un roi.

Civilisation
Ensemble des acquisitions des sociétés humaines.

Conspiration
Accord secret entre 2 ou plusieurs personnes en vue de renverser le pouvoir établi ou un système.

Conte épique
Qui évoque une action historique (l'Iliade, la Chanson de Roland, par exemple).

Création
Invention. Dans certaines religions, la création de l'univers est l'œuvre de Dieu.

Destin
Avenir pré - défini. Pour un grand nombre de cultures anciennes, le destin des individus était le choix des dieux : il est impossible de lui échapper.

Diplomate
Personne qui représente le gouvernement de son pays dans un autre état.

Enlever
Ravir, emmener quelqu'un de gré ou de force.

Exploit
Action d'éclat, prouesse souvent réalisée par un individu, en suivant un fil conducteur.

Extra-terrestre
Habitant d'une autre planète que la Terre.

Faux
Outil à mains agricole muni d'une lame courbée, servant à couper le blé avant l'utilisation des moissonneuses automatiques.

Himalaya
Chaîne montagneuse d'Asie s'étendant sur la frontière du Népal et du Tibet, et culminant à l'Everest (plus haut sommet du globe, à 8 880 m). Plus de cent sommets dépassent 7 000 m.

Hypnotiser
Utiliser une forme de suggestion pour influencer une personne et lui faire réaliser des actes contre sa volonté.

Immortel
Qui n'est pas sujet à la mort. L'immortalité est généralement associée aux dieux.

Jugement
Action de prendre position en faveur de l'un ou l'autre parti adverse.

Jungle
Région couverte de hautes herbes, de broussailles et d'arbres, où vivent des fauves.

Légende
Récit merveilleux de tradition populaire ayant pour sujet des événements ou des êtres imaginaires, mais donnés comme historiques. Le récit de Platon concernant l'Atlantide a inspiré de nombreuses légendes.

Mystification
Tromperie ou illusion collective.

Mystique
Relatif au mystère d'une religion. Terme souvent utilisé pour expliquer des événements inexplicables pour la science.

NASA
Organisme créé aux États-Unis pour coordonner les travaux de recherche et d'exploration aéronautiques et spatiales civiles.

Ninja
Guerrier-espion du Japon médiéval célèbre pour son habileté à se déplacer et à tuer sans se faire remarquer. Les ninjas étaient habillés de noir afin de passer inaperçus.

Noé
Patriarche biblique. Son nom est lié au célèbre épisode du Déluge. Sur l'ordre de Dieu, Noé construisit l'arche, où il réunit sa famille ainsi qu'un couple de tous les animaux, pour les préserver des eaux du Déluge qui dura 40 jours. Le Déluge était la punition de Dieu pour détruire un monde dominé par le péché.

Oracle
Personne capable de prédire l'avenir, consultée par les Grecs et les Romains avant un événement important. L'oracle était le porte-parole du dieu.

Phénomène
Événement qui se déroule dans la nature. Un grand nombre de dieux de l'antiquité avait pour base des phénomènes naturels comme le soleil ou la lune. Par exemple, le dieu du soleil égyptien Râ.

Philosophe
Personne qui réfléchit sur la nature et la raison de l'existence de la vie. Le philosophe grec Platon vécut de 428 à 347 av. J.-C.

Politique
Relatif à l'organisation et à l'exercice du pouvoir dans une société.

Prédiction
Déclaration de ce qui doit arriver, fondée sur le raisonnement ou la divination.

Rabbin
Chef spirituel d'une communauté juive. Le rabbin dirige le culte et les études dans une synagogue.

Royaume (des esprits)
Lieu où les esprits se retrouvent après la mort. Ce monde parallèle permettrait aux médiums d'entrer en contact avec les esprits et de leur parler.

Sacrifice
Offrande rituelle à la divinité allant jusqu'à la mort d'un être humain.

Samouraï
Dans le Japon féodal, classe de guerriers au service d'un seigneur local. Les samouraïs sont célèbres pour leur habileté dans les combats au sabre, et pour le tranchant de leurs lames.

Sceptique
Qui conteste la version officielle d'un événement. Certains sceptiques finissent par être convaincus par l'évidence d'un fait, d'autres persistent dans leur refus.

Suspense
Fin d'un chapitre ou d'une scène destinée à maintenir le lecteur ou l'auditoire en haleine.

Tsunami
Raz de marée créé par un tremblement de terre sous-marin. Lorsque le tsunami s'approche du rivage, l'eau forme une vague énorme qui envahit les terres, détruisant tout sur son passage.

Questions / Réponses

Le monde et ses mystères

Les superstitions et les légendes les plus étranges

Jane Mogford

Introduction

Le monde est rempli de mystères et d'interrogations. Il en a toujours été ainsi, et il en sera toujours ainsi. Le mystère provient parfois de notre connaissance imparfaite du monde et de notre place dans ce monde et dans l'univers, de notre curiosité naturelle, ou de notre amour des belles histoires.

Les civilisations anciennes ont inventé des légendes concernant le début et la fin du monde. Elles ont peuplé leur monde de dieux, de déesses, d'esprits et de démons, leur attribuant des pouvoirs sur les éléments et sur leur propre vie. Ces créatures imaginaires leur ont permis d'expliquer les éléments de leur environnement dont le sens leur échappait : le temps, les récoltes, les étoiles, le futur.

Même si la connaissance humaine s'est accrue, et si la science commence à apporter des réponses aux grandes questions concernant notre monde, l'homme conserve toujours dans sa vie une place pour le mystère. La science n'a pas empêché de continuer de croire aux fantômes, aux extra-terrestres et autres types de **superstition.** En effet, alors que la science dément catégoriquement une croyance, il arrive souvent que les gens continuent à y adhérer. Comme si l'homme avait besoin de croire en quelque chose qui le dépasse.

Chose surprenante, la science crée souvent des mythes autour d'elle-même. Un grand nombre de gens reconnaissent qu'ils croient dans des théories scientifiques non prouvées telles que le mouvement perpétuel et l'anti-gravité.

Au cours de l'histoire, des gens ont tiré profit de notre capacité de croire en ce que nous voulons croire. Certains en ont fait un spectacle, pratique qui a atteint son sommet avec les saltimbanques montrant des monstres, femmes à barbe, créatures mystérieuses et anomalies de la nature, à un public avide de nouvelles émotions. D'autres ont profité du manque d'instruction ou du chagrin d'autrui pour soutirer de l'argent en offrant des services spirituels douteux à ceux qui étaient dans la peine. Ces bonimenteurs abusent ainsi du besoin qu'ont les gens de rester en contact avec leurs défunts bien aimés.

L'homme a également besoin de savoir ce que le futur lui réserve. Les **horoscopes** sont aussi populaires aujourd'hui qu'autrefois, peut-être davantage encore, et les livres et les magazines regorgent de **spéculations** concernant les résultats de la technologie.

Sans doute aurons-nous toujours besoin de poser des questions et d'entretenir le mystère. C'est le propre de l'homme.

L'occultisme nous fascine tous. La numérologie, les tarots, la télépathie, les déclarations trompeuses et le manque de preuves scientifiques ne semblent rencontrer aucun obstacle dans notre capacité à croire.

La maîtrise du temps qu'il fait présenterait un grand intérêt. Les ravages causés par l'**ouragan** Katrina qui s'est abattu sur les États-Unis en 2005 ont été énormes, provoquant la mort de milliers de personnes et des milliards de dollars de dommages.

Démonter pierre par pierre un pont pour le reconstruire en Californie, sur le lac Havasu. Selon la légende, le nouveau propriétaire était déçu car il croyait avoir acheté le Tower Bridge de Londres.

3

Créatures mythiques

Les dragons crachaient-ils du feu ?

On représente toujours les dragons crachant du feu. Comment savoir si c'est possible ? Imaginons un être vivant dont les organes produiraient des liquides **inflammables.** Ces liquides pourraient jaillir de sa gueule à la façon dont certains insectes éjectent leur venin. Si ce liquide brûlait au contact de l'air, on pourrait avoir l'illusion que le dragon crache du feu.

Qu'est-ce qu'une chimère ?

Selon la mythologie grecque, une chimère est un monstre à tête de lion, corps de chèvre et queue de dragon. Les Grecs évoquaient souvent des animaux légendaires composés d'éléments d'autres animaux. D'où l'utilisation du mot chimère par les **généticiens** modernes pour désigner un animal possédant l'ADN de deux êtres distincts. Mais ces chimères modernes paraissent parfaitement normales car la quantité d'ADN étranger est infime.

Les licornes ont-elles existé ?

Le mythe de la licorne provient peut-être du fait que les marins rentrant d'un lointain voyage ramenaient des cornes de narval, grand **mammifère** marin dont le mâle porte une longue défense étroite. Le crâne de l'animal rappelant celui d'un cheval, ils ont imaginé un cheval au front orné d'une longue corne. Mais nul n'a jamais vu une vraie licorne, ni retrouvé ses restes.

Qu'est-ce que la fontaine de jouvence ?

La fontaine de jouvence était une fontaine légendaire dont les eaux passaient pour rendre la jeunesse. La plupart des légendes de ce type sont originaires de la mythologie grecque, mais la fontaine de jouvence se trouverait en Floride, aux États-Unis. L'explorateur espagnol Juan Ponce de Leon la mentionne pour la première fois en 1513, lors de son expédition dans la région. Il a probablement récupéré cette histoire dans quelque légende locale ancienne.

La Fontaine de Jouvence, peinte en 1546 par Lucas Cranach, peu après la première mention de la fontaine.

Comment le phénix naît-il ?

Le cycle de vie du phénix est très étrange. À la différence des autres animaux, il est le seul individu vivant, de son espèce, à un moment donné. À l'approche de ses 500 ans, l'oiseau construit un nid constitué de brindilles parfumées avec de la cannelle et l'incendie. L'oiseau s'immole et, 3 jours plus tard, un nouveau phénix apparaît d'entre les cendres. Selon certaines légendes, les restes de l'ancien phénix seraient contenus dans un œuf, que le nouveau phénix enterre.

La salamandre peut-elle vivre dans le feu ?

La salamandre est un **amphibien,** comme la grenouille ou le crapaud. Selon la légende, elle aurait six pattes et de nombreux yeux. Elle aurait aussi l'étrange pouvoir de vivre dans le feu. Cette croyance doit peut-être son origine au fait que les salamandres communes hibernaient dans les bûches de bois utilisées pour le chauffage des maisons. Réveillées brusquement par la chaleur de la cheminée, elles en jaillissaient, donnant l'impression de surgir du feu.

Le sais-tu ?

La chimère est le meilleur exemple de créature constituée d'éléments provenant d'autres êtres vivants. Mais les Grecs adoraient cette idée, et leurs légendes mentionnent des centaines de créatures mi-ceci, mi-cela.

Les fantômes existent-ils ?

De nombreuses personnes prétendent avoir vu des fantômes, mais la preuve de leur existence est loin d'être établie. Lorsque des scientifiques enquêtent dans une maison soi-disant hantée, les fantômes semblent être partis en vacances ! La croyance selon laquelle les morts reviendraient hanter le monde des vivants est si ancrée dans leur esprit que bon nombre de gens sont persuadés d'avoir des visions. Mythe, ou réalité ?

Peut-on vraiment prédire l'avenir ?

La capacité de connaître l'avenir serait certainement très rentable pour celui qui la détiendrait. Elle lui permettrait d'amasser beaucoup d'argent. Connaître l'avenir signifierait que le futur est quelque chose de déterminé, d'immuable, et que tous nos actes sont planifiés et définis à l'avance. Il est impossible de savoir ce qu'il en est, mais d'après la façon dont la science moderne voit le monde, cela paraît peu probable.

La télépathie existe-t-elle ?

La croyance en la capacité qu'ont certaines personnes de communiquer à distance par la pensée est si profonde que les gouvernements soviétiques et américains auraient employé des espions utilisant ce procédé pendant la **Guerre Froide.** Cependant, lorsqu'un scientifique fait passer les tests adéquats à quelqu'un, il constate que même les sujets les plus « télépathiques » obtiennent des résultats dus au **hasard** ou à l'intuition. Même en cas de tricherie avérée, la croyance en la télépathie persiste largement.

Le sais-tu ?

James Randi, grand démystificateur, a offert une récompense de 1 million de dollars à quiconque pourrait démontrer la réalité d'événements paranormaux, dans un environnement contrôlé de façon scientifique. Personne n'a relevé le défi.

Qu'est-ce que la sortie hors du corps ?

Les gens ayant frôlé la mort rapportent souvent d'étranges expériences. Certains évoquent des tunnels de lumière autour de leur corps, d'autres racontent que leur esprit semblait flotter au-dessus de leur corps ou visitait des parents ou des amis se trouvant loin d'eux. Il est difficile de prouver la véracité de tels phénomènes. Les substances chimiques libérées dans le cerveau d'un individu à l'approche de la mort pourraient être la cause de ces **hallucinations.**

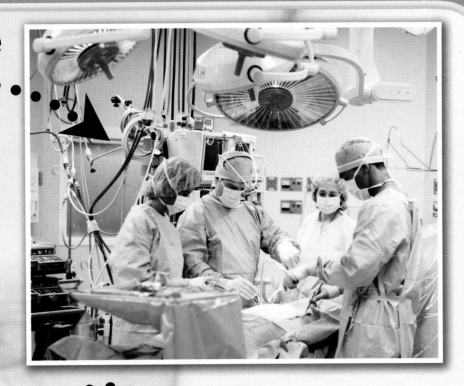

Qu'est-ce que l'ouija ?

L'image de l'ouija s'est popularisée grâce aux films d'épouvante. Une planche de bois sur laquelle sont gravées les lettres de l'alphabet, les chiffres, et les mots « oui » et « non » est censée permettre de communiquer avec le monde des esprits. Un instrument composé d'un petit triangle de bois est placé sous les mains de tous les participants regroupés autour d'une table. Ils posent leurs questions. L'esprit déplace le triangle de bois sur le plateau afin de répondre par oui ou par non. Étant donné que plusieurs personnes tiennent le plateau, chacune d'elle a l'impression que personne ne provoque le mouvement.

Les médiums parlent-ils vraiment aux morts ?

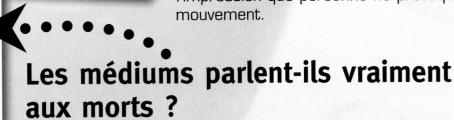

À l'époque victorienne, les médiums étaient très populaires : organiser des séances pour entrer en contact avec les disparus représentait une activité très répandue. Ces séances étaient souvent complétées par la visite de fantômes ou autre événement spectaculaire accompagné de bruits étranges. Même si les séances de ce type ont finalement été jugées illicites, les gens ont continué à fréquenter les médiums. Si certains médiums ne sont pas dangereux, d'autres exploitent les gens attristés par la perte d'un être cher afin de gagner de l'argent.

Mythes de la science

Qu'est-ce que le •••••• mouvement perpétuel ?

Le mouvement perpétuel a longtemps été un rêve de scientifique. Une machine qui fonctionnerait sans recevoir d'énergie du milieu extérieur, quelle aubaine, pour notre monde ! C'est malheureusement impossible en vertu des lois de la physique. Toutes les machines consomment plus d'énergie qu'elles n'en produisent, et génèrent également des déchets. La chaleur et le bruit produits par une voiture en sont un exemple.

Le berceau de Newton démontre comment l'énergie se perd, dans une machine. Lors de chaque mouvement pendulaire, les balles des extrémités se déplacent moins petit à petit car de l'énergie se perd sous forme de son, de friction ou autre.

Peut-on ouvrir une voiture avec un téléphone cellulaire ?

L'idée de pouvoir ouvrir sa voiture à distance en utilisant un téléphone cellulaire est un mythe populaire. En réalité, ce n'est pas possible. La télécommande d'ouverture ou de fermeture ne peut pas envoyer de signal à partir d'un téléphone mobile car il fonctionne sur des fréquences différentes. Ainsi, aucun signal n'atteint votre téléphone, même si vous êtes à proximité de votre voiture. De plus, le **détecteur** à distance de votre voiture n'a aucun moyen de recevoir le signal émis par votre téléphone. Certaines marques de voitures de luxe offrent un service de déverrouillage à distance, qui nécessite un appel téléphonique au constructeur. Mais le déverrouillage se fait grâce à un signal satellite envoyé à l'ordinateur de bord de la voiture.

Le moteur à eau, •• ça marche ?

Cela paraît impossible, et pourtant... De nombreux fabricants de voitures étudient cette possibilité. En réalité, le moteur ne fonctionnerait pas à l'eau, mais grâce à l'hydrogène extrait de l'eau. Le résultat final du processus serait de la vapeur résiduelle. Cette forme d'énergie extraite de l'eau est différente de l'énergie de la vapeur, qui utilise la pression de la vapeur créée à partir de l'eau pour faire fonctionner un moteur, mais l'énergie initiale provient du charbon ou du bois.

Qu'est-ce que l'alchimie ? •••••••

Le propos des alchimistes du Moyen Âge était de trouver le moyen de changer en or les métaux ordinaires comme le plomb. Ils cherchaient également la pierre philosophale, une substance qui prolongerait éternellement vie et jeunesse. De nos jours, alors que ces tentatives sont l'objet de railleries, les scientifiques savent fabriquer de l'or. Malheureusement, cela se limite à des expériences en laboratoire, et la quantité d'énergie nécessaire a un coût beaucoup plus élevé que la valeur de l'or produit. Cependant, les recherches se poursuivent, et le rêve des alchimistes deviendra peut-être réalité.

Qu'est-ce que l'expérience de Philadelphie ?

En 1943, une expérience secrète s'est déroulée à bord du navire de guerre de la Marine de l'Armée américaine le USS Eldridge. Il s'agissait de rendre le bateau invisible aux radars. L'opération réussit, mais certains membres de l'équipage disparurent ou devinrent fous, tandis que les corps des autres furent encastrés dans le métal du bateau, trouvant la mort au terme d'une lente combustion. Cruelle expérience ou gros canular ?

Qu'est-ce que la fusion à froid ?

L'énergie nucléaire est connue depuis une cinquantaine d'années. Cependant, le type d'énergie nucléaire utilisé actuellement, appelé fusion nucléaire, est compliqué à contrôler et produit beaucoup de déchets **radioactifs.** L'alternative, la fission nucléaire (procédé de combustion du soleil) ne fait pas de déchets, mais les spécialistes ne savent pas la contrôler pour l'utiliser en toute sécurité. La fusion nucléaire à froid aurait lieu à la température et à la pression ambiantes. Elle permettrait d'obtenir de l'énergie sans danger, bon marché et sans limite. Malheureusement, l'opinion scientifique est sceptique sur l'existence même de la fusion à froid.

Supercheries

Pourquoi les gens usent-ils de supercheries ?

Les gens utilisent les **supercheries** pour différentes raisons: l'appât du gain, dans le cas de faux en art, par exemple, ou pour la célébrité que peut apporter une découverte. Certaines supercheries sont le fait de scientifiques peu scrupuleux désireux de consolider leur réputation ou de jeter le discrédit sur leurs rivaux. Si le phénomène attire l'attention des médias, le mystificateur peut devenir riche et célèbre. Mais la découverte de la tricherie signifie la fin d'une carrière scientifique.

Qui a créé un faux géant ?

La silhouette d'un géant sculptée dans une colline de craie domine le village de Cerne Abbas, dans le Dorset, au Royaume-Uni. Le géant serait un ancien **monument** celtique. Même s'il semble avoir été créé assez récemment, la population locale pense qu'il s'agit d'un ancien monument restauré. En réalité, le géant de Cerne date des années 1740 : c'est une supercherie archéologique ! Au fil du temps, la mystification a été oubliée, et les gens ont été persuadés qu'il s'agissait d'un véritable monument ancien. À l'exception du Cheval blanc d'Uffington, l'Angleterre ne possède pas de silhouettes anciennes creusées dans la craie.

Qu'était le Turk ?

En 1770, un fabuleux automate **joueur** d'échec est présenté au monde. Cette étonnante machine bat les joueurs les plus chevronnés d'Europe et d'Amérique. Appelé le Turk, l'automate a été créé à une époque de grande fascination pour les mécanismes imitant les animaux vivants. Malheureusement, le Turk révéla son mystère. Il renfermait en réalité un champion d'échecs de petite taille qui faisait fonctionner le mécanisme.

Le sais-tu ?

De fausses informations circulent sur Internet. Tromper quelqu'un en lui donnant des détails faux sur le net s'appelle le phishing.

Hitler a-t-il vraiment tenu un journal ?

Il est possible qu'Hitler ait consigné ses pensées dans un journal. Cela constituerait une plongée stupéfiante dans l'esprit de l'un des hommes les plus infâmes de toute l'histoire. En 1979, lors de la découverte de 62 journaux intimes manuscrits, un journal allemand a payé plusieurs millions de marks pour leur publication. La supercherie fut démasquée : il s'agissait de l'œuvre d'un faussaire.

Existe-t-il de fausses œuvres de Shakespeare ?

L'intérêt pour les œuvres perdues de Shakespeare est toujours vif. Même durant la vie de l'auteur, les gens imitaient ses œuvres pour gagner de l'argent. Le phénomène s'amplifia après sa mort. Il se perpétue de nos jours. Certains faux Shakespeare échappent à la vigilance des experts à cause du style de l'écriture, et du vocabulaire. Jusqu'ici, malgré les tentatives des faussaires, aucun nouvel écrit n'a été ajouté aux œuvres de Shakespeare.

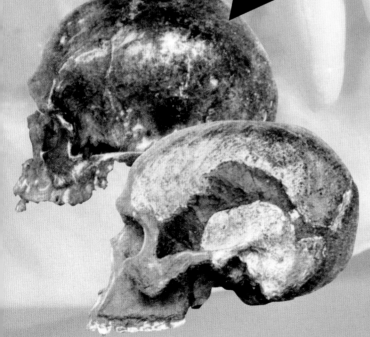

Qu'était l'homme de Piltdown ?

En 1912, des fragments d'ossements d'une forme inconnue d'homme primitif ont été découverts près du village de Piltdown, en Angleterre. Cette découverte devait révolutionner la théorie de l'évolution humaine durant 40 ans, jusqu'à ce l'on reconnaisse qu'il s'agissait d'ossements d'un orang-outang.

Le crâne de Piltdown n'était constitué que de quelques fragments. Les éléments manquants ont été reconstitués par les scientifiques afin de le comparer à d'autres crânes en leur possession.

Le monde naturel

Quelle est la forme d'une goutte de pluie ?

Nous admettons généralement qu'une goutte de pluie ressemble à une larme. En réalité, les gouttes de pluie peuvent avoir des formes et des tailles différentes. Les plus petites sont sphériques, les plus grosses ont la forme d'un petit pain à hamburger aplati. Tordues sous l'effet de la résistance de l'air, les grosses gouttes prennent des formes étranges avant de devenir sphériques.

En se vidant, l'eau de la baignoire tourne-t-elle dans un sens ?

Beaucoup de gens pensent que le tourbillon qui se forme en vidant une baignoire tourne dans l'autre sens dans l'hémisphère sud. En effet, les violentes tempêtes tropicales tournent dans la direction opposée en raison de **l'effet de Coriolis.** Mais cet effet ne fonctionne que pour les éléments importants, tels que les orages. Dans le cas de la baignoire, d'autres facteurs le neutralisent, et l'eau s'écoule comme dans l'hémisphère nord.

Une année de chien égale-t-elle 7 ans de vie humaine ?

Les chiens vivent environ 10 ans, soit 7 fois moins qu'un homme. D'où l'idée qu'une année de chien équivaut à 7 ans de vie humaine. Mais les gros chiens vivent moins longtemps que les petits. Et les jeunes chiots se développent plus rapidement que les bébés, mais cessent de grandir plus tôt. Les chiens sont plus aptes à atteindre un grand âge que les humains, et il est donc hasardeux d'**estimer** avec précision l'âge d'un chien en années humaines.

12

La tipule est-elle venimeuse ?

Également appelée « cousin », la tipule a une apparence étrange. Elle ressemble à un moustique géant au corps garni de longues pattes maigres et de grandes ailes qui la rendent repoussante. Mais cet insecte, absolument inoffensif, ne pique pas.

Peut-on agir sur le temps ?

Agir sur le temps qu'il fait nous permettrait d'empêcher que les ouragans endommagent nos villes, détruisent les récoltes, et d'assurer le déroulement des rencontres sportives dans de bonnes conditions. Malheureusement, pour le moment, il ne s'agit que d'une **utopie.** Les systèmes qui régissent le temps sont beaucoup trop **complexes** et puissants pour que nous puissions les contrôler. Les scientifiques ont tenté de faire pleuvoir en « ensemençant » les nuages avec de fins cristaux, mais cela ne fonctionne pas toujours.

Le sais-tu ?

L'éphémère reste 2 ou 3 ans à l'état de larve. L'insecte adulte vit seulement quelques jours et ne s'alimente pas.

Qu'est-ce que les agroglyphes ?

Les agriculteurs découvrent parfois d'étranges formes géométriques dans leurs champs de céréales, formées par des zones aplaties. Appelés aussi « cercles de récoltes », les agroglyphes passent pour avoir une origine extra-terrestre. Si certains scientifiques cherchent à déterminer s'ils ont une origine naturelle (vent...) d'autres y voient d'habiles impostures. D'ailleurs, leurs auteurs ont parfois été retrouvés.

Biologie

Peut-on stocker le contenu du cerveau humain ?

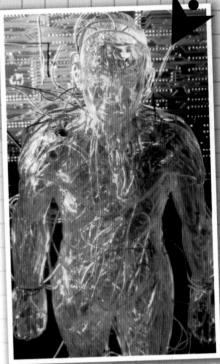

Transférer le cerveau humain dans une machine est une idée intéressante car elle offrirait un moyen de survivre après la mort. La quantité de mémoire nécessaire pour stocker toutes les informations contenues dans un cerveau s'élève à 1 million de **gigabytes,** le cerveau pouvant effectuer lui-même environ 100 trillions d'opérations à la seconde. Les ordinateurs atteindront cette capacité et cette vitesse en 2043. Mais le cerveau humain et les ordinateurs fonctionnent différemment, et la pensée humaine risque d'être impossible à recréer sous une forme électronique.

L'homme pourra-t-il devenir éternel ?

Même si l'homme était éternel, il ne serait pas à l'abri d'un accident mortel. La science fait d'immenses progrès dans le combat contre le vieillissement, et dans une vingtaine d'années, les médecins seront capables d'en ralentir le processus. En apparence, c'est une bonne idée, mais ses effets sur la société pourraient être **désastreux** : surpopulation, famine, réduction de la natalité. L'un des rêves les plus anciens de la science deviendrait un cauchemar.

Peut-on cloner un être humain ?

Le premier gros mammifère cloné est la brebis Dolly, en 1996. Depuis, des chevaux et des taureaux l'ont été. Étant donné qu'il n'y a pratiquement aucune différence génétique entre les hommes et les chevaux, cloner un être humain est désormais possible. Malheureusement, le procédé utilisé comporte des risques, et pour chaque **clone** correct produit, de nombreux sujets naissent avec des malformations ou autres problèmes de santé. Pour l'instant, il est donc très risqué de cloner des humains. Considéré comme contraire à l'éthique, le clonage humain est interdit dans de nombreux pays.

Les clones seraient génétiquement plus proches que des sœurs, même jumelles.

14

Peut-on apprendre à penser aux animaux ?

Les animaux pensent, mais pas de la même façon que nous. Les dauphins et autres animaux dotés d'**intelligence** peuvent être dressés de façon à imiter ce qui ressemble à des procédés de pensée humaine, mais en réalité, il s'agit de quelque chose de très différent. Cette différence dans la pensée signifie que si nous trouvions une vie intelligente sur d'autres planètes, nous ne serions pas capables de la reconnaître comme telle.

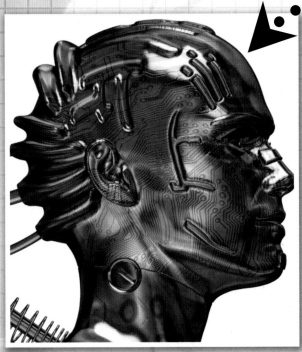

Comment les hommes vont-ils évoluer ?

Toutes les espèces évoluent constamment. Mais le processus est si lent que le changement n'est pas perceptible d'une **génération** à l'autre. La durée de vie moyenne d'une espèce est de 100 000 ans. Au-delà, elle s'éteint ou évolue en une nouvelle espèce. L'évolution de l'homme dépendra des conditions de vie qu'il devra affronter. Notre cerveau continuera peut-être à grossir, tandis que notre corps deviendra plus frêle, à moins que notre société moderne connaisse des échecs, nous réduisant à une existence dans laquelle primerait la force. Ce qui est sûr, c'est que nous deviendrons autres.

Qu'est-ce que la cryogénie ?

L'idée de congeler un corps au moment de la mort pour le ramener à la vie dans le futur est déjà ancienne, et de nombreux personnages riches et puissants l'ont mis en pratique, dans l'attente du jour où la **maladie** dont ils souffraient serait curable. Malheureusement, la science de la cryogénie n'en est qu'à ses balbutiements, et personne n'a été capable de réanimer un corps congelé. Les images de science fiction montrant des astronautes endormis pendant de longs voyages spatiaux ne sont pas à la portée de la science.

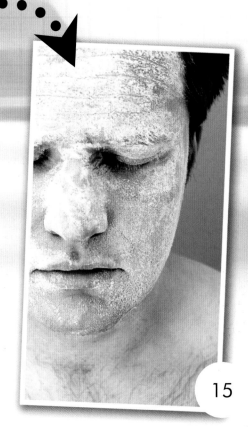

Le sais-tu ?

Selon la **rumeur,** Walt Disney aurait été congelé après sa mort. En réalité, il est enterré dans un cimetière de Californie.

Médecine extrême

Pourrons-nous guérir toutes les maladies ?

La science moderne semble vaincre une nouvelle maladie chaque jour : on peut donc espérer que tous les maux seront bientôt soignés. La réalité est légèrement différente car les **bactéries** qui provoquent les maladies peuvent développer des résistances, même aux antibiotiques les plus puissants. La compétition entre les médecins et la maladie ne sera sans doute jamais remportée par l'une ou l'autre des parties.

Peut-on transplanter un cerveau humain ?

Le cerveau est l'organe le plus complexe de l'organisme, non seulement parce qu'il est le siège de nos pensées, mais aussi parce qu'il contrôle toutes les fonctions de notre corps, à la fois conscientes et instinctives. Transplanter un cerveau vivant exige une chirurgie très pointue, des milliers de nerfs devant être correctement connectés. De plus, on ignore ce que serait pour un esprit humain le choc de se trouver dans un corps différent.

Peut-on se prémunir contre le rhume ?

Le rhume est une maladie simple qui affecte des millions d'individus chaque année. Les malades ne comprennent pas pourquoi la médecine ne cherche pas le moyen de l'éviter, allant jusqu'à supposer que les laboratoires pharmaceutiques préfèrent gagner de l'argent en vendant des remèdes contre les refroidissements. En réalité, le rhume est provoqué par des virus légèrement différents les uns des autres, en perpétuelle mutation. Ce qui signifie que lorsqu'un remède est trouvé contre une variante, une autre la remplace.

16

L'homme peut-il développer de nouveaux membres ?

Certains animaux comme les lézards et les amphibiens ont la capacité de développer de nouveaux membres lorsqu'ils en perdent un. Et nous ? Les gènes permettant au lézard de le faire sont sans doute présents chez l'homme, et les scientifiques sont capables de faire pousser de nouveaux membres à des grenouilles adultes. Réaliser cette prouesse chez l'homme est peut-être une question de temps. L'effet sur les victimes d'accident serait spectaculaire.

Actuellement, le développement de membres robotisés permet aux amputés de marcher.

Faut-il boire 8 verres d'eau pour être en bonne santé ?

Les sociétés qui vendent de l'eau en bouteille ont déterminé une quantité d'eau à boire, mais elles oublient de mentionner que presque toute cette eau est contenue dans les aliments que nous consommons chaque jour. Il ne faut boire qu'en cas de soif.

Qu'est-ce qu'un bébé sur mesure ?

Jusqu'à une époque récente, les gens avaient peu de pouvoir sur leur futur bébé : fille ou garçon, petit ou grand, tout cela était une affaire de chance ou de génétique. Mais certaines personnes veulent désormais pouvoir intervenir sur l'aspect physique de leur enfant, et même sur son intelligence. La génétique offrirait la possibilité de le faire grâce aux « bébés sur mesure », mais les lois éthiques interdisent d'intervenir sur le développement de l'enfant.

Le sais-tu ?

Les scientifiques envisagent la création de robots microscopiques appelés nanorobots qui iront dans nos artères pour soigner des blessures et assurer notre santé en détruisant les microbes et les virus.

Superscience

Peut-on voyager dans le temps ? •••••••••

L'une des plus étranges machines jamais imaginées est sans doute la Delorean, du film Retour vers le Futur.

Cela semble utopique. Pourtant, certains scientifiques jugent un tel voyage possible, mais fort difficile. Les théories sont très complexes et supposent une technologie qui dépasse les connaissances actuelles, impliquant les **trous noirs** et les **trous de vers** dans l'espace-temps. L'équation ne vaut que pour les voyages dans le passé. L'idée d'une machine dans laquelle vous allez vous asseoir pour voyager dans le temps est absolument impossible à réaliser.

Peut-on voyager plus vite que la lumière ? •••••••••

Avec une vitesse d'environ 300 000 km/seconde, la lumière est l'élément le plus rapide de l'univers. L'un des caractères de notre univers est que plus la vitesse d'un objet est importante, et plus cet objet gagne en masse. Un objet voyageant à la vitesse de la lumière deviendrait **infiniment** massif, et exigerait une immense quantité d'énergie pour se déplacer. Les photons qui composent la lumière n'ont pas de masse, aussi peuvent-ils se déplacer à 300 000 km/seconde. Aucun élément ayant une masse ne peut atteindre cette vitesse.

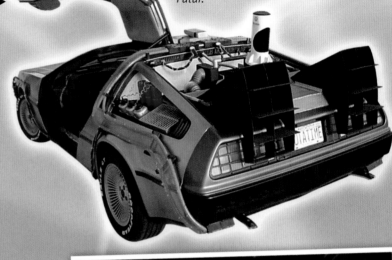

Peut-on fabriquer un transporteur de matière ?

Les transporteurs de matière comme celui du film Star Trek Voyager soulèvent une foule de problèmes. Afin de casser votre corps et le transporter à un autre endroit, la machine devrait mémoriser la position de chaque **atome** de votre organisme et les recréer ailleurs. À supposer qu'elle soit possible, la tâche serait tellement immense qu'il serait plus rapide de se rendre physiquement à l'endroit voulu. Au problème de recréer votre corps s'ajouterait celui de savoir ce qui arriverait à votre esprit. Le corps reconstitué serait-il en vie ?

Peut-on rendre quelque chose invisible ?

La transparence provient de la structure des atomes dans une substance. Le verre est transparent car ses atomes sont disposés de façon à laisser passer la lumière. Si vous pouviez disposer les atomes de votre corps de façon à laisser passer la lumière, le procédé entraînerait votre mort. Pour résoudre le problème, les scientifiques ont créé des capes d'invisibilité. Des appareils photo projettent une image de ce qui se trouve devant vous sur l'arrière de la cape, ce qui donne l'illusion de l'invisibilité.

Peut-on transmettre de l'énergie électrique sans fil ?

L'électricité parvient dans nos maisons grâce à des câbles, mais il est parfaitement possible de transmettre de l'énergie sans fil. La transmission de l'électricité de grande puissance risque d'être dangereuse pour tout individu ou une chose se trouvant dans le champ, mais de faibles puissances peuvent apporter suffisamment d'énergie en électricité pour une maison. Cette idée revient à Nicolas Tesla, scientifique vivant il y a plus de 100 ans, véritable pionnier dans le domaine de l'électricité.

Peut-on voyager au centre de la Terre ?

Le roman de Jules Verne Voyage au centre de la Terre évoque un monde souterrain rempli de vie, d'air et de lumière. En réalité, dès que l'on s'enfonce dans la croûte terrestre, la température et la pression s'élèvent rapidement. Les mines les plus profondes n'atteignent que 2 km de profondeur, mais connaissent une chaleur intense. À une profondeur de 160 km, la roche devient liquide sous l'effet de la chaleur et de la pression. Le noyau de la Terre se trouve à 6 370 km de la surface. Il serait composé de fer, donc peu accueillant !

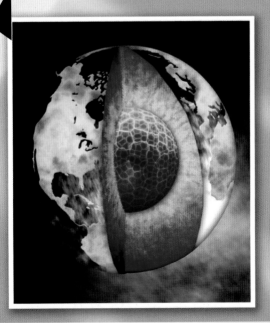

Le sais-tu ?

Les spécialistes sont à la recherche de ce qu'ils appellent une théorie de grande unification qui expliquerait le fonctionnement de l'univers, et permettrait d'expliquer avec exactitude son commencement et sa fin.

L'avenir de l'espace

Pourrons-nous quitter la Terre un jour ?

Vivre sur une planète signifie qu'un phénomène naturel comme **l'astéroïde** qui a entraîné l'extinction des dinosaures pourrait causer la fin de l'humanité. Une des façons d'échapper à un tel désastre consiste à aller **coloniser** d'autres mondes, de la même façon que, dans le passé, certains peuples ont envahi d'autres contrées. Le problèmes d'un voyage au-delà des étoiles sont immenses, mais l'enjeu, à long terme, est la sur de la race humaine.

L'ISS est actuellement la seule cité de l'espace.

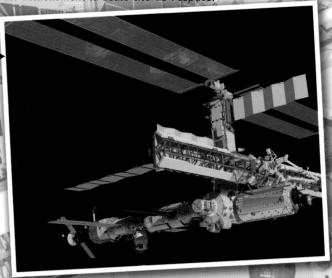

Peut-on construire des villes dans l'espace ?

Construire dans l'espace est extrêmement coûteux car tous les matériaux doivent être transportés depuis la Terre, ce qui exige beaucoup d'argent et d'énergie. Actuellement, la seule cité de l'espace est l'International Space Station (ISS), qui ne peut accueillir que 20 astronautes. En dépit des coûts très élevés, l'espace offre l'opportunité de réaliser certaines fabrications qui pourraient éventuellement être faites dans des usines construites en orbite, ce qui nécessiterait la construction de maisons pour héberger les gens qui y travailleraient.

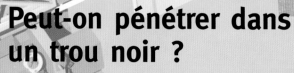

Peut-on pénétrer dans un trou noir ?

Un trou noir absorbe tout ce qui se trouve à sa porté : il n'y a donc pas le choix. Le problème serait de survivre à une telle expérience. En ce qui concerne un trou noir de la taille d'une étoile, les forces de gravitation précipiteraient toute personne ou vaisseau spatial dans un feu de radiations. Et dans le cas de trou noir de la taille d'une galaxie, les forces gravitationnelles seraient si dispersées qu'elles rendraient possible un voyage à travers **l'horizon des événements**.

Que sera la fin de l'univers ?

La question de la fin de l'univers fait **débat** chez les scientifiques. Si l'univers contient assez de matière, il s'effondrera sur lui-même sous l'effet de sa gravité : c'est le « big crunch ». Mais si cette quantité de matière est insuffisante, la gravité ne pourra renverser le mouvement d'expansion actuel, et l'univers poursuivra son expansion jusqu'à la dispersion totale de la matière. C'est ce que l'on appelle en anglais « the heat death » de l'Univers.

Qu'est-ce que la matière noire ?

L'univers est fait de matière visible. C'est elle qui constitue les étoiles, la Terre, les plantes et les gaz qui nous entourent. Le problème que rencontrent les scientifiques est qu'il n'y a pas assez de matière visible dans l'univers pour expliquer la façon dont il se comporte. Pour corriger cette constatation, les scientifiques ont établi une théorie selon laquelle au moins 90% de l'univers serait constitué de matière invisible, appelée matière noire, de nature inconnue jusqu'ici.

Qu'est-ce qu'un ascenseur spatial ?

Les fusées sont un moyen dangereux, très coûteux et peu efficace d'envoyer des hommes et des marchandises dans l'espace, mais c'est actuellement le seul moyen disponible. Les auteurs de **science-fiction** ont imaginé un ascenseur géant qui rejoindrait la Terre et l'espace. Les matériaux modernes permettraient de le faire mais ce projet monumental serait sans doute le plus osé et le plus onéreux qui ait jamais été tenté par l'homme. En revanche, une fois installé, cet ascenseur offrirait aux navettes spatiales le moyen d'atteindre l'espace plus facilement et à un moindre coût.

Dans l'image de cet amas de galaxie prise depuis le télescope Hubble, la matière visible est en rouge. Les franges bleues montrent comment de la matière noire additionnelle pourrait faire partie de cet amas.

Le sais-tu ?

La première planète ressemblant à la Terre vient d'être découverte. Appelée Gliese 581c, elle tourne en orbite autour de l'étoile Gliese 581, à 20 années-lumières de la Terre.

Encore des histoires ?

Il y aurait un jour du ménage international sur Internet.

Cette histoire a commencé en 1996, et elle ressurgit de temps en temps. Mais comme de plus en plus de monde pratique Internet, elle devient moins crédible. Un courrier électronique assure qu'une fois par an Internet est hors service pour permettre la suppression des anciennes informations, ce qui est entièrement faux, bien entendu.

L'Australie compte moins d'habitants que de moutons.

L'Australie est un pays très vaste, avec une population d'environ 20 millions d'habitants, dont 90% vivant dans les villes et agglomérations côtières. Dans le centre, la population peu importante est très dispersée, mais environ 100 millions de moutons y vivent, ce qui correspond sensiblement à 5 moutons par habitant.

Si les Chinois sautaient tous ensemble, cela provoquerait-il un tremblement de terre ?

L'origine de cette menace ressemble à celle de la Guerre Froide. L'énorme population de la Chine, après la défaite américaine de la guerre du Vietnam, a provoqué une sorte de peur. Cette idée farfelue symbolise à la fois le danger que présente pour l'Amérique une Chine forte, et le pouvoir du gouvernement communiste sur sa population. En fait, si tous les Chinois sautaient ensemble en même temps, personne ne s'en apercevrait.

22

Un collectionneur américain a acheté le faux Pont de Londres. ••••••••••

Aussi étrange que cela puisse paraître, un riche américain, Robert McCulloch, a acheté un vieux pont de Londres pour 2,5 millions de dollars en 1962. Le pont a été démonté pierre par pierre, transporté à Lake Havasu City, en Californie, et reconstruit. Il a été mis en service en 1972. Selon une rumeur, McCulloch pensait avoir acheté le célèbre Tower Bridge, beaucoup plus connu que ce pont construit sur la Tamise en 1820.

La population actuelle de la Terre dépasse en nombre celle des siècles passés. ••••••

Pour l'existence de 90% de la race humaine, le nombre total d'individus vivants sur la Terre pourrait être représenté par la foule de 2 ou 3 stades de football.

La population de la Terre est estimée à environ 6 milliards d'individus. Au cours de l'histoire, elle a été longtemps inférieure à 250 000 habitants. Cependant, au cours du temps, elle s'est accrue progressivement, et l'on estime actuellement que le nombre de personnes ayant vécu dans le monde serait de l'ordre de 38 milliards. La population actuelle est donc inférieure à la totalité des individus des siècles passés.

Les Indiens américains ont vendu la presqu'île de Manhattan pour 25 dollars?

Il y a bien eu une transaction entre les colons hollandais et les Indiens afin d'acheter l'île de Manhattan. Mais les Hollandais n'en ont pas fait l'acquisition à la bonne tribu. Les Indiens locaux, les Weckquaesgeeks, n'auraient jamais vendu leur terre, aussi les Hollandais l'achetèrent-ils à leurs voisins les Canarsies, heureux de la céder. En réalité, les Hollandais cherchaient simplement à obtenir quelque légitimité pour occuper une terre dont ils allaient s'emparer de toute façon. Ainsi, d'autres puissances européennes risqueraient moins d'essayer de leur prendre leurs nouveaux territoires.

Autres croyances

Qu'est-ce que l'astrologie ?

L'astrologie essaie de prédire l'avenir grâce à l'étude des signes du zodiaque, qui en compte 12. Les astrologues observent la position des planètes et des étoiles afin de créer le thème astral d'un individu et de lui révéler son avenir. L'horoscope publié par les quotidiens attire un grand nombre de lecteurs, mais ses recommandations sont très générales, si bien que peu de gens s'en inspirent pour prendre de véritables décisions.

Les sourciers trouvent-ils de l'eau ?

Les sourciers prétendent découvrir l'eau souterraine en utilisant des dons particuliers. Ils utilisent souvent une baguette de coudrier en forme de fourche ou une pierre précieuse pour détecter ou amplifier de prétendues vibrations. Bien que cette croyance soit très répandue, elle est dépourvue de tout fondement scientifique.

L'avenir se lit-il dans la main ?

La chiromancie consiste à deviner l'avenir d'une personne par l'étude des lignes de ses mains. La plus connue de ces lignes est la ligne de vie, qui contourne le muscle du pouce. Une longue ligne de vie n'annonce pas nécessairement une vie longue, car il faudrait tenir compte d'autres facteurs complexes. Les autres lignes de la main sont la ligne du destin, la ligne de cœur et la ligne de tête. La chiromancie est souvent pratiquée à l'occasion des fêtes foraines.

Le sais-tu ?

Les croyances qui n'ont aucun fondement scientifique mais prétendent avoir une logique interne sont appelées **pseudosciences**.

Qu'est-ce qu'un cercle de mégalithes ?

En 1921, l'archéologue amateur Alfred Watkins expose une théorie fantaisiste selon laquelle les cercles de mégalithes que l'on trouve dans certains pays définiraient des alignements de lignes de forces au pouvoir magique. Les anciens cercles de pierres, les monuments et même les églises seraient connectés par un réseau de ces lignes. Les spirites ont avancé plus tard que ces lignes émettraient une énergie psychique, et les ont reliées à une grande variété d'événements mystiques, dont les OVNI.

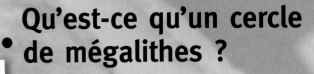

Qu'est ce qu'un envoûtement ?

L'envoûtement est basé sur l'idée qu'un objet particulier peut avoir une influence sur une personne, ce qui a donné naissance à la croyance que l'on peut influencer quelqu'un, même de loin. Un grand nombre de gens connaissent les poupées vaudou, et croient que la destruction d'une petite poupée représentant une personne sera maléfique à cette personne. Mais l'envoûtement est aussi à l'origine de nombreuses autres croyances comme celles des guérisons à distance ou de la divination.

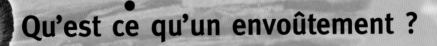

Qu'est-ce que le tarot ?

Le tarot comporte 78 cartes surtout utilisées pour prédire l'avenir d'une personne. Le premier jeu de tarot a été dessiné en Italie au XVe siècle. Depuis, le tarot est associé aux pratiques occultes et au vaudou. Les dessins représentés sur les cartes sont des **symboles**, et leur signification est souvent modifiée par la carte qui précède ou qui suit autant que par la position d'une carte.

Le tarot est très populaire dans les fêtes foraines. Un grand nombre de personnes y apprennent l'annonce de bonnes nouvelles. Ces prédictions se réaliseront-elles ?

Les mystères du passé

L'Arche de Noé a-t-elle vraiment existé ?

Il est impossible d'envisager la construction d'un vaisseau assez vaste pour embarquer un couple de chaque animal du monde. Il serait monumental ! Mais les archéologues admettent qu'un déluge ait pu se produire dans les temps anciens, sans doute lors de la formation de la mer Méditerranée. De nombreux érudits ont étudié les textes anciens et la Bible pour essayer de localiser l'Arche de Noé. On a suggéré le Mont Ararat, en Turquie, mais les recherches n'ont donné aucun résultat.

Néron jouait-il du violon pendant l'incendie de Rome ?

Le Grand incendie de Rome est bien une réalité, mais le violon ne sera inventé que 1 000 ans plus tard. À cette époque, l'empereur Néron était très impopulaire. La rumeur selon laquelle il jouait de la musique alors que la ville était en feu est sans doute due à son impopularité. Après l'incendie, Néron permit aux citoyens sans logis d'occuper ses palais, et entreprit la reconstruction de Rome en briques et en pierres, ce qui le réconcilia avec ses sujets.

Qui a assassiné Napoléon ?

Après avoir gouverné la majeure partie de l'Europe et avoir été vaincu à la bataille de Waterloo, Napoléon est mort en **exil** sur l'île de St Hélène, dans l'Atlantique Sud, le 5 mai 1821. Des examens effectués après sa mort ont révélé qu'il était mort d'un cancer de l'estomac. Des années plus tard, on commença à dire qu'il avait été empoisonné à l'**arsenic.** Mourir empoisonné était plus spectaculaire, pour un personnage de la stature de Napoléon. Mais des investigations récentes contredisent cette thèse. L'arsenic était un médicament utilisé couramment à cette époque, et les quantités retrouvées dans sa dépouille étaient trop faibles pour le tuer.

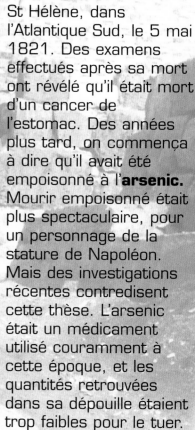

Qu'est-ce que la malédiction de Toutankhamon ?

La légende a pris naissance lors de la découverte de l'inscription portée sur la tombe de Toutankhamon, en Égypte : « Qui pénètrera dans ce lieu sacré sera immédiatement puni par les ailes de la mort ». Le grand archéologue Lord Carnarvon mourut sept semaines après être entré dans la tombe, et la rumeur de la malédiction se répandit. En réalité, Lord Carnarvon était déjà très malade à ce moment-là. Tous les membres de son expédition ont vécu longtemps et en excellente santé.

L'archéologue anglais Howard Carter (à gauche) est la première personne ayant pénétré dans le tombeau du pharaon Toutankhamon. Il a vécu jusqu'à 64 ans.

Qui a élevé les statues de l'Île de Pâques ?

On suppose que les imposantes et curieuses statues de l'Île de Pâques ont été élevées à la suite d'un étrange culte de la personnalité de la part de ses habitants. Ils ont fait un tel nombre de statues, appelées Moai, qu'ils ont détruit tous les arbres de l'île pour les ériger, ce qui a entraîné la famine et la disparition de la civilisation particulière de cette île.

Les voyages d'Ulysse ne sont-ils que des légendes ?

Les voyages d'Ulysse font partie du folklore commun. Ses aventures, participation à la Guerre de Troie, rencontre et combat contre les Cyclopes, voyages dans l'autre monde, ruse des Sirènes, et autres péripéties avant le retour à Ithaque, 20 ans plus tard, ont été relatées par Homère dans l'Iliade et l'Odyssée, deux ouvrages attribués au grand écrivain grec. Ces récits ont été maintes fois repris dans des ouvrages, des pièces de théâtre et des films.

Le sais-tu ?

Il arrive que des gens découvrent par hasard des objets insolites pour l'époque de leur fabrication. La pile électrique de Bagdad, datant de l'Antiquité, en est un exemple.

....→ Idées folles

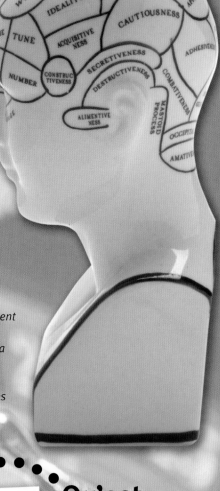

Qu'est-ce que la phrénologie ? • • • ►

Développée par le médecin allemand Franz Gall, et devenue populaire au XIXe siècle, la phrénologie prétend déduire les facultés intellectuelles et les caractères de l'étude des bosses et dépressions crâniennes d'un individu. Les élèves utilisaient des têtes en céramique pour montrer les zones correspondant à différents traits de caractère. Si la phrénologie est tombée en discrédit depuis longtemps, la science moderne a montré que certaines aires du cerveau exercent le contrôle de nos différents comportements.

Comme le montre le document ci-dessous, les hommes du Moyen Age pensaient que la Terre était plate. Des cartes (ci-dessous) offraient des représentations stylisées des régions du cerveau, essentiellement pour des raisons religieuses.

Qu'est-ce • • • que la numérologie ?

La numérologie est un système de croyance établissant des relations entre les nombres ou systèmes de nombres, et les êtres vivants. Les Chinois ont élaboré une numérologie complexe dans laquelle le chiffre 8 signifierait la prospérité. Des combinaisons de chiffres construites à partir de cette notion, comme 518, annonceraient une prospérité durable. D'autres systèmes de nombres sont plus communément associés à l'occultisme, comme le nombre 666.

Qu'est-ce que la « Flat Earth Society » ?

On pense généralement que les Anciens croyaient que la Terre était plate. En réalité, dès l'an 200 ans avant J.-C., les érudits et les marins savaient qu'elle était ronde. La croyance en une Terre plate fut de nouveau popularisée au XIXe siècle par Samuel Rowbotham, puis reprise par les religions fondamentalistes. Ces derniers affirment que la Terre est un disque plat dont le pôle Nord est le centre. Le soleil et la lune auraient 52 km de diamètre, et tourneraient autour de ce disque.

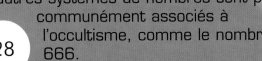

Les gens croient-ils aux enlèvements par des extraterrestres ?

Être enlevé par des extraterrestres, voilà qui est peu probable ! Cependant, malgré le manque total de preuves, des gens affirment que cela leur est arrivé. Cette croyance s'est répandue si largement que, selon une enquête, environ 3,7 millions d'Américains sont persuadés d'avoir été enlevés. Les psychologues pensent que ces « enlèvements » relèvent de maladies mentales ou de **psychoses.**

Qu'est-ce que le culte de l'avion-cargo ?

Après la Seconde guerre mondiale, les îles du Pacifique étaient jonchées de marchandises qui avaient été transportées par des avions cargo militaires. Les populations indigènes ont attribué ces « cargaisons » aux caprices des Dieux, et ont créé des rituels pour attirer le retour des Dieux et de leurs offrandes. Certaines tribus ont fabriqué de faux avions, et même des pistes d'atterrissage. Comme les Dieux ne revenaient pas, ces cultes ont été abandonnés. Le terme « culte de l'avion-cargo » désigna alors ce qui imite l'apparence de quelque chose sans en comprendre la vraie signification.

Peut-on « tenter sa chance » ?

Le fer à cheval est un porte-bonheur populaire. Cloué sur les portes des maisons, il empêcherait les mauvais esprits d'y pénétrer. Fixé à l'envers, il libèrerait les éléments bénéfiques du fer.

Dans le monde entier, des joueurs convaincus d'être chanceux et pleins d'espoirs dépensent beaucoup d'argent. Malheureusement, personne ne peut gagner à chaque fois, et dans les jeux de hasard, la chance est la même pour tout le monde. En réalité, il est très difficile de comprendre les règles du hasard, et de nombreux joueurs font le mauvais choix. Peu de gens jouent la suite de chiffres 1, 2, 3, 4, 5, 6 à la loterie, alors qu'elle a les mêmes chances qu'une autre.

Le sais-tu ?

Le nombre 13 est considéré comme particulièrement maléfique, et surtout le vendredi 13. La hantise du nombre 13 s'appelle la triskaidekaphobie.

29

Glossaire

Amphibiens
Classe d'animaux vivant à la fois dans l'eau et sur la terre (salamandres, grenouilles, tritons, crapauds). Les amphibiens sont des animaux à sang froid, et doivent regagner l'eau pour pondre leurs oeufs.

Arsenic
Substance de couleur gris clair qui est un poison violent.

Astéroïde
Corps céleste rocheux qui gravite autour du Soleil.

Atomes
Partie la plus infime d'un élément chimique, dont elle renferme toutes les caractéristiques physiques. Les atomes sont constitués d'électrons tournant autour d'un noyau fait de neutrons et de protons.

Bactérie
Être vivant formé d'une seule cellule, invisible à l'œil nu. Les bactéries sont l'une des formes de vie les plus simples. Certaines sont responsables des maladies affectant certains animaux, d'autres sont nécessaires à la santé.

Clone
Ensemble de cellules dérivant d'une seule cellule initiale, dont elles sont la copie exacte.

Coloniser
Envahir un pays étranger et s'y installer en soumettant la population existante par la force.

Complexe
Qui contient, réunit, plusieurs éléments différents. Se dit d'un objet physique (une machine), d'une créature vivante ou d'une idée.

Débattre
Discuter d'une idée ou d'un problème en utilisant une série d'arguments logiques dans le but de parvenir à un accord.

Désastreux
Résultat très mauvais. Destruction totale ou échec.

Détecteur
Appareil électronique qui collecte des informations sur l'environnement et les transmet à un service de surveillance ou à un ordinateur pour stockage et analyse.

Effet de Coriolis
Tendance des gros objets à se déplacer soit vers la gauche (dans l'hémisphère sud), soit vers la droite (hémisphère nord) causée par la rotation de la Terre autour de son axe.

Estimer
Évaluer approximativement un montant difficile, voire impossible à compter de façon précise.

Exil
Expulsion de quelqu'un hors de sa patrie, avec l'interdiction d'y retourner. La peur de la souffrance, ou même de la mort entraîne certaines personnes à s'exiler elles-mêmes.

Génération
Ensemble de personnes ou d'animaux qui descendent de quelqu'un à chaque degré de filiation. Tous les enfants de deux parents sont de la même génération.

Généticien
Scientifique spécialisé dans la recherche sur les gènes et leur manipulation.

Gigabyte
Unité informatique valant 1 milliard de bytes, soit une puissance énorme.

Guerre Froide
Période de tensions entre les États-Unis et l'URSS qui a commencé à la fin de la Seconde guerre mondiale et s'est terminée avec l'effondrement du communisme, en 1991. La Guerre Froide a souvent entraîné des conflits dans différentes parties du monde, les deux rivaux utilisant d'autres pays pour s'affronter.

Hallucination
Sensation créée par l'esprit et interprétée comme réelle, mais n'ayant en fait aucune existence

en dehors de l'esprit qui l'a créée. Les hallucinations sont souvent considérées comme visuelles, mais un grand nombre de personnes ont des expériences hallucinatoires auditives, tactiles et gustatives.

Hasard
Situation inattendue et inexplicable.

Horizon des événements
Frontière entre ce qui est encore dans l'espace que nous connaissons et ce qui fait partie du trou noir à proprement parler.

Horoscope
Informations basées sur les étoiles et les planètes qui sont censées donner des conseils personnels concernant le futur proche d'un individu. Les journaux publient tous les jours des horoscopes selon les douze signes du zodiaque.

Infiniment
Qui n'a pas de fin.

Inflammable
Qui peut prendre facilement feu et brûler rapidement.

Intelligent
Qui a la faculté de penser et de comprendre. Désigne le niveau de capacité intellectuelle d'un individu comparé à celui d'une population en général.

Joueur
Personne qui joue aux jeux de hasard dans le but de gagner de l'argent.

Maladie
Trouble de l'organisme qui cause mauvaise santé, souffrance et peut même entraîner la mort. Il existe des maladies infectieuses (transmises d'un sujet à un autre) ou non.

Mammifères
Groupe d'animaux à sang chaud dont les femelles allaitent leurs petits.

Monument
Ouvrage d'architecture ou de sculpture destiné à perpétuer le souvenir d'une personne ou d'un événement. Œuvre considérable par son importance et ses qualités.

Ouragan
Forte tempête caractérisée par un vent très violent.

Psychose
Maladie mentale qui empêche les patients de faire la différence entre le réel et l'imaginaire. Une altération de la personnalité s'accompagnant d'hallucinations perturbe la vie quotidienne du malade.

Radioactivité
Émission, par certains éléments, d'énergie sous forme de particules (rayons alpha, bêta), ou de rayons (gamma), résultant de réactions nucléaires.

Rumeur
Bruit, nouvelle qui court dans le public et qui n'a pas de bases solides.

Science-fiction
Genre romanesque qui cherche à décrire une réalité à venir ou d'autres mondes, d'après les données scientifiques du présent ou en extrapolant à partir de celles-ci. Contient souvent des éléments fantastiques.

Spéculation
Recherche purement théorique.

Sphérique
Qui a la forme d'une balle. Surface fermée dont tous les points sont équidistants du centre.

Supercherie
Tromperie consistant généralement à faire passer le faux pour le vrai.

Superstition
Fait de croire que certains actes entraînent des conséquences bonnes, ou mauvaises.

Symbole
Représentation figurée, imagée, et concrète d'une notion abstraite. Par exemple, une couronne symbolise la royauté.

Trous de vers
En théorie, sortes de « tunnels » qui relieraient deux points de l'espace-temps. Ils permettraient d'aboutir à une autre époque, passée ou future. Les trous de ver existent peut-être en théorie, mais personne n'en a jamais vu.

Trou noir
Astre dont le champ de gravité est si intense qu'aucun rayonnement ne peut s'en échapper.

Utopie
Idéal qui ne tient pas compte de la réalité.

Victorien
Qui a rapport à la reine Victoria, à son règne. Cette reine a été à la tête de la monarchie britannique de 1863 à 1901.

Questions / Réponses

Les explorateurs

Navigateurs, aventuriers, pionniers...
Ils ont conquis le monde.

Michele Gerlack

Introduction

Celui qui se trouve au pied d'une colline veut savoir ce qu'il y a de l'autre côté... Et celui qui est devant une haute montagne n'a qu'une envie, la gravir. L'homme se distingue des autres créatures par une exceptionnelle curiosité qui le pousse à explorer le monde qui l'entoure.

L'enfant lui-même est un explorateur né : cet instinct qui l'incite à la découverte se manifeste dans tous ses jeux. Devenu adulte, et mû par le désir de connaître ce qui se trouve au-delà de l'horizon, il partira peut-être à la recherche de nouveaux territoires, jusqu'aux confins du monde.

C'est cette soif de découverte qui a conduit les premiers hommes à quitter l'Afrique pour se disperser sur toute la surface de la planète. Avec la formation des différents pays et l'expansion de l'humanité, l'exploration de nouvelles contrées est devenue un gage de prospérité en termes de richesses et de pouvoir pour ceux qui ouvraient de nouvelles voies commerciales.

Le monde étant alors peu ou mal connu, son exploration constituait une activité dangereuse, marins intrépides et courageux aventuriers s'élançant vers l'inconnu, à la rencontre de leur destin. L'Histoire n'a retenu que ceux qui ont réussi, qui ont découvert de nouveaux continents, ou sont revenus couverts de richesses.

Au fil du temps s'est ainsi constituée la carte du monde. L'Afrique et les autres continents ont été complètement explorés, les pôles nord et sud ont livré leurs secrets. Les satellites ont commencé à tourner autour de la Terre pour en donner des photographies détaillées, si bien que chaque centimètre carré de la surface de la planète semble désormais connu.

Mais cette connaissance ne signifie nullement la fin du désir d'exploration. L'homme continue à se mesurer à la nature en allant à la découverte de destinations lointaines, souvent à pied, seul avec lui-même.

La nature n'a pas fini de nous offrir des défis à relever. Car si la surface de la Terre est cartographiée avec précision, les profondeurs de l'océan nous sont encore quasiment inconnues. Ne prétend-on pas que nous connaissons mieux la surface de la Lune que les profondeurs océaniques ? Treize hommes ont entrepris le plus long voyage de toute l'humanité pour parcourir les 385 000 kilomètres qui nous séparent de la Lune...

Désormais, si l'homme veut explorer davantage l'espace, vont se présenter des problèmes de coût élevé, et de danger des opérations. L'espace est sans doute l'ultime frontière du long voyage de l'exploration.

Les voyages de Marco Polo en Asie étaient très connus à son époque. Son ouvrage, Le Livre des Merveilles du Monde, remporte toujours un grand succès. Marco Polo est l'un des plus grands explorateurs de tous les temps.

L'esclavage est l'une des pires conséquences de l'exploration et du commerce. Des centaines de milliers d'Africains ont été déportés en Europe et en Amérique, entassés dans les cales des navires comme du bétail.

La Statue de la Liberté a été réalisée par le sculpteur français Bartholdi, sa structure interne étant l'œuvre de Gustave Eiffel, constructeur de la célèbre Tour Eiffel, à Paris. Elle a été offerte aux États-Unis par la France, en signe d'amitié entre les deux nations. Se dressant sur l'île de Liberty Island, face à l'océan Atlantique, la Statue de la Liberté a constitué la première vision des États-Unis pour des milliers d'**immigrants**. Elle est devenue le symbole de l'Amérique comme « Terre de la Liberté ».

Quitter l'Afrique

Quelle est l'origine de l'humanité ?

Les premiers hommes (*Homo habilis*) vivaient dans la Rift Valley, région qui forme l'actuel Kenya, il y a environ 2 millions d'années. Les plus anciens ossements d'un homme moderne (*Homo sapiens*) datent d'environ 130 000 ans.

Qui est Ève ?

Ève est le nom donné par les chercheurs (en 1987) à une femme considérée comme l'ancêtre commune, par lignée maternelle, de toute l'humanité. L'ADN de tous les humains vivants est issu du sien. Ceci ne signifie pas qu'Ève est la première femme, mais qu'elle représente la lignée ininterrompue du genre féminin ayant survécu chez les humains jusqu'à notre époque moderne. On suppose qu'elle a vécu il y a quelque 130 000 ans. Adam, son équivalent mâle, vivait il y a de 60 à 90 000 ans.

Peut-on retrouver les descendants des explorateurs ?

Les scientifiques dépistent l'ascendance humaine grâce à l'ADN. Une sorte d'**ADN** particulier, appelé ADN mitochondrial, ne se transmet que de mère en fille. Il se modifie lentement au cours du temps et sert à évaluer l'âge de chaque population humaine et la parenté des différents groupes. Le test ADN du crâne de l'homme de Cheddar, vieux de 7 500 ans, et découvert à Cheddar Gorge, en Angleterre, a démontré que trois personnes vivant dans le village descendent directement de cet homme.

Combien de gens ont quitté l'Afrique, à l'origine ?

La question n'est pas résolue, mais les recherches **génétiques** tendent à prouver que toute la population mondiale est apparentée aux quelques centaines d'ancêtres qui ont quitté l'Afrique en même temps. Cependant, certains spécialistes assurent que les hommes sont sortis d'Afrique en vagues successives, au cours de dizaines de milliers d'années.

*Les Bochimans du désert de Kalahari vivent pratiquement comme les premiers hommes qui ont **colonisé** l'Afrique.*

Combien de temps la colonisation de l'Afrique a-t-elle duré ?

Les premières communautés avaient besoin de terre pour survivre. Ceci signifie que les premiers hommes se sont rapidement répandus sur tout le continent africain, ce qui a exigé quelque 70 000 ans. La migration la plus rapide s'est déroulée le long de la côte, et les premiers hommes ont atteint l'Afrique du Sud voici 100 000 ans.

Quels outils ces premiers explorateurs utilisaient-ils ?

Les premiers hommes ayant quitté l'Afrique n'avaient à leur disposition que des outils en pierre. Au cours de leur **migration,** ils ont dû utiliser ces outils primitifs pour chasser, fabriquer des vêtements et construire un abri avec des peaux de bêtes. Compte tenu des variations climatiques, leur faculté d'adaptation à de nouvelles conditions leur a permis de survivre et de créer des outils **adéquats.**

Le sais-tu ?

Selon les scientifiques, la population humaine, dans un très lointain passé, se réduisait à quelques centaines d'individus. Ce qui explique que tous les êtres humains actuels sont identiques du point de vue génétique. Il en est de même chez les guépards.

Pourquoi les hommes ont-ils •••••• migré en Asie ?

Lorsque les premiers hommes ont quitté l'Afrique, le niveau de la mer était beaucoup plus bas qu'aujourd'hui. Ces premiers explorateurs avaient donc une route facile à leur disposition, à partir du golfe Arabique, vers les îles de Java. L'abondance de l'espace explique que les premiers hommes aient choisi cette voie plutôt que celle, plus difficile, qui menait à l'Europe.

Comment les hommes se sont-ils adaptés • à l'Europe ?

Le climat de l'Europe était nettement plus froid que celui de l'Afrique. La rigueur du climat a fait que les Européens ont développé des peaux plus claires que celles des Africains. En général, plus les hommes ont migré vers le nord, et plus leur peau et leurs cheveux sont devenus clairs. Ces différences d'apparence sont strictement **esthétiques,** tous les hommes restant apparentés génétiquement.

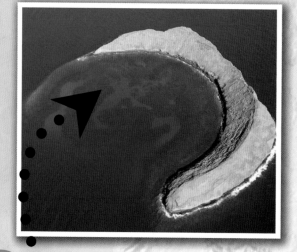

Le sais-tu ?

Selon certains scientifiques, les premiers hommes arrivés en Europe ont provoqué la disparition de l'homme de Neandertal. D'autres pensent qu'il y a eu croisement entre eux. Cependant, aucune trace d'ADN d'homme de Neandertal n'a été trouvée chez l'homme moderne.

Où les premiers Asiatiques ont-ils émigré ?

Lorsque les premiers hommes ont atteint l'est de l'Asie, ils se sont retrouvés face à l'immensité de l'océan Pacifique, ce qui a stoppé leur expansion vers l'est jusqu'à une époque récente, il y a 3 000 ans. Des groupes d'explorateurs se sont alors déplacés d'île en île à bord de canoës à double coque, à travers le Pacifique, jusqu'aux îles Fiji, Tonga, Tahiti, puis Hawaii et la Nouvelle-Zélande.

Quand les premiers hommes sont-ils •••• arrivés en Europe ?

On suppose que la colonisation de l'Europe par l'homme a commencé voici environ 80 000 ans, et a été bien établie il y a 40 000 ans. Ils y ont trouvé un environnement beaucoup plus hostile que celui de l'Afrique. Les hivers étant plus froids et plus longs, les premiers européens ont commencé à construire des abris en pierre.

Y avait-il déjà des hommes en Europe ?

Les premiers hommes n'étaient pas seuls en Europe. Une espèce appelée « homme de Neandertal » avait colonisé le continent environ 350 000 ans plus tôt. Petits, trapus, les « hommes de Neandertal » étaient déjà adaptés au climat rigoureux. Mais au fil du temps, ils n'ont pas été de taille à lutter contre l'intelligence des premiers hommes, et se sont éteints il y a quelque 24 000 ans.

Pourquoi les Asiatiques et les Européens sont-ils différents ?

Peu après les migrations vers l'Asie et l'Europe, ces deux groupes de populations ont été **isolés** l'un de l'autre par la variation du niveau de la mer. Chacun d'eux a donc évolué séparément. L'absence de contact entre les deux groupes a fait que cette évolution s'est poursuivie, si bien qu'ils ont fini par être différents. Cette différence a cessé de croître lorsque les contacts ont été renoués.

Quand les hommes ont-ils atteint l'Amérique ?

L'Amérique a été colonisée par l'homme à une époque relativement récente. Les premiers envahisseurs ont traversé par un pont de terre entre l'Alaska et la Russie il y a entre 12 000 et 60 000 ans. La montée du niveau de la mer a détruit ce passage voici quelque 4 000 ans. La population humaine s'est accrue et s'est répandue au sud, finissant par atteindre l'Amérique du Sud.

Quand les hommes ont-ils atteint l'Australie ?

Les Aborigènes perpétuent le mode de vie et les structures sociales de leurs ancêtres. Les premiers hommes à fouler le sol australien sont arrivés il y a environ 40 000 ans, l'île-continent étant alors reliée à la Nouvelle-Guinée par une bande de terre.

Comment les hommes ont-ils occupé le Pacifique ?

Le Pacifique est un vaste océan, mais les premiers hommes ont réussi à s'installer sur les îles qui le jalonnent. Le plus souvent, ils allaient de l'une à l'autre. Déroutés par les intempéries, les pêcheurs accostaient de nouvelles îles sur lesquelles ils s'installaient. Les scientifiques ont pu déterminer la façon dont les îles du Pacifique ont été peuplées en étudiant l'ADN des différentes races de cochons de la région.

Les habitants des îles du Pacifique utilisent encore des pirogues à balancier dont la forme est identique à celle des embarcations des premiers marins.

Qu'est-ce que la culture Clovis ?

En 1932, un archéologue a découvert, près de Clovis, dans l'état du Nouveau-Mexique, des lances ayant des pointes en pierre taillée. Des découvertes remontant à différentes époques ont également été faites en plusieurs endroits d'Amérique du Nord et du Sud. Les archéologues les utilisent pour étudier l'expansion des populations sur le continent. Il semblerait que les hommes se soient répandus jusqu'à la pointe de l'Amérique du Sud il y a 11 000 ans, ce qui, pour une migration aussi importante, est relativement récent à l'échelle du temps.

Qu'est-ce que la Piste de l'Oregon ?

La piste de l'Oregon était la principale route des **pionniers** à travers l'Amérique du XIXᵉ siècle. Longue de 3 492 kilomètres, elle traversait six états. Le voyage étant trop éprouvant pour les chariots normaux, un chariot spécial, appelé Prairie Schooner, a été conçu pour surmonter les difficultés. La mise en place de la liaison ferroviaire **transcontinentale** a marqué la fin des chariots comme principal moyen de transport vers l'ouest.

Qui est allé le plus loin ?

Si les hommes sont présents sur toute la planète, treize personnes représentent les premiers êtres humains ayant exploré un autre monde, l'espace. Il s'agit des treize astronautes Apollo, qui se sont posés sur la Lune. Ils risquent de détenir ce record pendant une vingtaine d'années au moins, jusqu'à ce qu'une **expédition** vers la planète Mars soit organisée.

Anciens explorateurs

Quelle fut la première exploration par bateau ?

À la fin du XIVe siècle av. J.-C., la reine d'Égypte Hatshepsout organisa une expédition sur le Nil. Elle descendit la Mer Rouge, jusqu'à une région appelée pays de Punt. C'est la première exploration par bateau connue. La situation du Pays de Punt s'est perdue au fil du temps, mais on sait que les Égyptiens en ont rapporté des arbres, des huiles et des épices.

Cette réplique d'une péniche égyptienne montre que les anciens Égyptiens voguaient à la fois sur des radeaux et de gros vaisseaux.

Qui fut le plus grand explorateur de l'Antiquité ?

Alors que les premières civilisations exploraient les terres voisines de leur territoire, seul Alexandre le Grand partit à la découverte et à la conquête du monde. Grand conquérant et véritable explorateur, il parcourut d'énormes distances qui le conduisirent en Égypte et en Inde. Cet homme de culture aimait s'approprier les attributs des sociétés conquises.

Qu'a exploré Pythéas ?

La plupart des Grecs de l'Antiquité ont exploré la Méditerranée et l'Afrique du Nord. Né à Marseille, le navigateur Pythéas a effectué un voyage maritime qui l'a conduit jusqu'aux Îles Britanniques. Son périple lui fit aborder les confins de l'**empire** romain. Pythéas fut le premier à évoquer l'existence des **aurores boréales,** du soleil de minuit, et de la **banquise.**

Qui était Éric le Rouge ?

Éric le Rouge était un navigateur **viking.** Banni de Norvège puis d'Islande, il fut contraint de prendre la mer en direction de l'ouest, jusqu'au Groenland. De retour en Islande, il fit un tel éloge du Groenland que de nombreux Vikings allèrent s'y établir. Éric le Rouge créa deux colonies qui sont devenues des villes actuelles.

Le sais-tu ?

On prétend souvent que le casque des vikings était orné d'ailes. En réalité, c'est totalement faux.

Quel est l'exploit de Leiv Ericson ?

Leiv Ericson était le fils d'Éric le Rouge. Il vogua encore plus vers l'ouest que son père. Les **légendes** vikings évoquent une terre située dans l'extrême ouest, que Leiv entreprit de rechercher à bord de son **drakkar** et de ses 15 marins. Il accosta l'actuel Newfoundland, au Canada. C'est le premier européen ayant posé le pied sur le sol nord-américain.

Les jonques de Zheng He étaient beaucoup plus grosses que les navires européens de son époque.

Qui était Zheng He ?

Zheng He (1371-1433) était un amiral chinois. Alors que les explorateurs européens naviguaient sur des petits bateaux d'environ 17 m de long, il parcourut les mers avec ses 28 000 hommes à bord de 317 navires. Ses plus gros bateaux étaient des jonques de 126 m de long, munies de 9 mâts. Il explora l'Inde orientale et l'ouest de l'Afrique mais, à son retour en Chine, l'empereur décréta que ces voyages n'étaient pas rentables économiquement. Zheng He mourut pendant une septième expédition marine, et son corps fut jeté à la mer.

Un long voyage

• Pourquoi les populations se déplacent-elles ?

Plusieurs raisons entraînent le déplacement des populations, les plus courantes étant une catastrophe naturelle ou un manque de ressources. Aux XVIIIe et XIXe siècles, les populations se sont établies dans toute l'Amérique, de l'est vers l'ouest. De nouveaux émigrants sont arrivés à New York, certains s'y sont installés, tandis que d'autres sont partis vers l'ouest afin de faire fortune. Ils fuyaient la pauvreté qui régnait en Europe. De nos jours, les gens des pays pauvres émigrent toujours vers les pays riches.

Pourquoi les Africains ont-ils émigré aux Antilles ?

En général, les populations migrent lentement vers différents pays. En revanche, les populations africaines sont arrivées en masse aux Antilles à cause du commerce des esclaves. Les navigateurs faisaient des rafles sur les côtes africaines, et les prisonniers devenaient esclaves dans les nouvelles colonies. Un grand nombre d'entre eux mouraient au cours du voyage à cause des mauvaises conditions de vie à bord. L'esclavage a été aboli au début du XIXe siècle. Environ 65 millions d'individus ont été réduits à l'esclavage.

Qui étaient les missionnaires ?

Les missionnaires étaient des religieux qui se rendaient dans des régions reculées du monde afin de propager l'Évangile. Ils considéraient souvent les cultures qu'ils découvraient comme primitives, et imposaient parfois la parole de Dieu par la force. Les membres des tribus impies étaient souvent traités durement, et leur culture, anéantie. De nos jours, les missionnaires font surtout une œuvre **humanitaire,** dans le respect des cultures et des croyances locales.

Pourquoi les Européens ont-ils exploré le monde ?

Entre les XIVe et XIXe siècles, l'exploration était une affaire presque entièrement européenne. Au besoin de connaissance s'ajoutait surtout le désir de gagner des territoires pour les empires européens en formation, et de rassembler des richesses grâce à l'ouverture de nouvelles voies de communications permettant l'**exploitation** des ressources naturelles locales. Des explorateurs comme Magellan, Colomb, Drake et Cortes ont contribué à la découverte de la planète. Leurs expéditions étaient financées par les souverains de leur pays d'origine. Ainsi, la Grande-Bretagne, l'Espagne et le Portugal ont-ils bientôt possédé des colonies dans le monde entier.

Comment les explorateurs se repéraient-ils ?

De nos jours, le système GPS indique notre position à quelques centimètres près. Les anciens explorateurs faisaient appel à des méthodes moins précises. Depuis les premières **navigations,** l'homme a appris à s'orienter d'après le soleil et les étoiles, ce qui ne lui indiquait que sa position par rapport au nord ou au sud. L'invention d'une horloge spéciale, le chronomètre de marine, a permis aux navigateurs de préciser la position de leur bateau par rapport à l'est et à l'ouest. Outre les étoiles, les anciens explorateurs utilisaient des compas **magnétiques** pour se guider.

Le sais-tu ?

Les navigateurs utilisent l'étoile polaire afin de repérer le nord. Avec le temps, la rotation de la Terre entraîne le changement de la position de l'étoile polaire. Dans 12 000 ans, l'étoile polaire sera une étoile appelée Véga.

Qui était Thor Heyerdahl ?

Sextant utilisé pour naviguer en se guidant sur les étoiles.

Explorateur et scientifique norvégien, Thor Heyerdahl avait la conviction que les civilisations anciennes pouvaient faire des prodiges en matière de voyage. Pour le prouver, il construisit un radeau, le Kon-Tiki, d'après un procédé ancestral, et rallia le Pérou aux îles polynésiennes du Pacifique sud. Plus tard, une expédition à bord d'un radeau a prouvé que les habitants de l'Irak ancien avaient fait du commerce avec le Pakistan et la Corne d'Afrique. Thor Heyerdahl est décédé en 2002, à l'âge de 87 ans.

Migrations actuelles

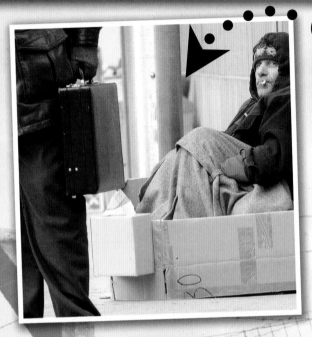

Qu'est-ce qui provoque les migrations, aujourd'hui ?

Les hommes migrent pour les mêmes raisons qu'autrefois : avoir une vie meilleure, qu'il s'agisse de trouver du travail, ou juste de survivre. Ils fuient également la guerre, la famine et les persécutions. En 2006, lorsque la Pologne est entrée dans l'Union Européenne, plus de 600 000 polonais ont émigré au Royaume Uni pour y trouver du travail.

Qu'est-ce que la traite des êtres humains ?

Désespérés, les hommes sont souvent prêts à risquer leur vie pour fuir leur pays natal. La traite des êtres humains est le fait de faire sortir des populations clandestinement. Des **passeurs** exigent beaucoup d'argent pour conduire quelqu'un, en fraude, vers un autre pays. L'entreprise est dangereuse : un grand nombre de gens meurent noyés à cause d'embarcations peu sûres, ou enfermés dans des containers. À leur arrivée, les survivants doivent travailler dur pour payer leurs dettes aux passeurs indélicats.

Combien de gens ont émigré aux États-Unis ?

Le socle de la Statue de la Liberté porte cette inscription : « Donne-moi tes pauvres, tes exténués, qui en rangs pressés aspirent à vivre libres… ». Excepté un nombre restreint d'Indiens d'Amérique, les 300 millions de gens vivant en États-Unis y ont émigré depuis 1790. Entre 1850 et 1930, 5 millions d'Allemands, 3,5 millions d'Anglais et 4 millions d'Irlandais ont émigré vers l'Amérique.

Pourquoi certains pays freinent-ils l'immigration ?

Il arrive que la population locale rejette les émigrés sous prétexte qu'ils occupent des emplois et utilisent des ressources qui lui sont réservées. Si le nombre d'immigrés est trop élevé, ils se retrouvent au chômage. Pour enrayer ce phénomène, la plupart des pays établissent des quotas annuels de gens pouvant entrer. Cependant, de nombreuses études ont démontré qu'un certain niveau d'immigration augmente la force de travail d'un pays et sa diversité culturelle.

Qu'est-ce qu'un réfugié ?

Tout le monde ne quitte pas son pays de façon volontaire. Les réfugiés y sont forcés pour fuir un danger (invasion, guerre, etc.). Le gouvernement de certains pays opprime les populations. D'où l'obligation, pour les opposants, de fuir afin d'éviter la mort. On les appelle des réfugiés politiques.

Le sais-tu ?

Un passeport est exigé pour se rendre dans certains pays. Le cachet apposé sur un passeport, valant autorisation de séjour, est un visa.

Qu'est-ce que les « Snowbirds » ?

Le nombre de retraités américains aisés et en excellente santé s'est considérablement accru ces dix dernières années. Certains d'entre eux ont pris la route, voyageant dans les régions chaudes des États-Unis dans de gros camping-cars. Ils s'appellent eux-mêmes les « Snowbirds » (Oiseaux des Neiges) à cause de leurs cheveux blancs et de leurs migrations saisonnières.

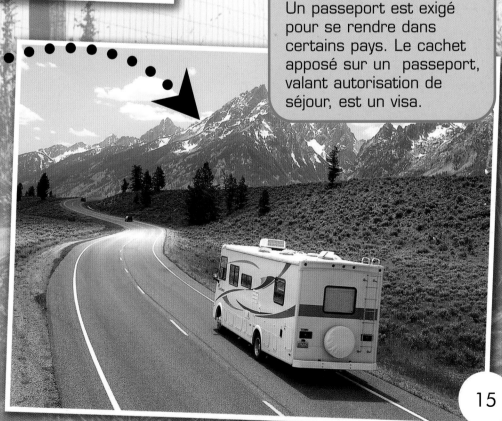

À quoi les cartes servent-elles ?

Les plus anciennes cartes du monde datent de Babylone, au IIIe millénaire av. J.-C. Tracées sur des tablettes d'argile cuite, elles indiquent les routes, les villes, les cités, et même les limites des champs. La plupart des cartes anciennes sont d'abord l'oeuvre des scribes ou des prêtres, puis des moines. Elles fournissent autant d'informations d'ordre géographique que religieux. Le développement des voyages en mer et du commerce entre les pays a entraîné l'apparition de la **cartographie,** véritable technique d'établissement des cartes d'après les données des recherches géographiques. Aujourd'hui, les cartes sont réalisées à la fois à la main et à l'ordinateur, grâce à des systèmes GPS et des données reçues par satellite.

Qu'est-ce que la Projection de Peters ?

Étant donné que le monde est une sphère, et que les cartes sont plates, une certaine déformation survient lorsqu'il s'agit de tracer une carte. La majorité des cartes standard utilisent un système appelé Projection Mercator, qui conserve la forme des différents pays mais augmente progressivement les surfaces de l'équateur vers les pôles. La Projection de Peters conserve à chaque pays sa taille correcte, mais déforme les contours. Certains la préfèrent car elle révèle combien les pays de l'ouest sont plus petits que ceux des anciennes colonies d'Afrique et d'Asie.

Que sont les Mappa Mundi ?

Les Mappa Mundi sont des cartes du monde dessinées dans l'Europe **médiévale.** Environ un millier de ces cartes subsistent dans différents musées du monde, les plus célèbres étant les grandes cartes complexes qui montrent comment les érudits interprétaient le monde. Ces cartes ne sont pas des représentations exactes pouvant être utilisées pour voyager, mais le témoin des connaissances de l'époque.

Qu'est-ce que le GPS ?

GPS est le sigle de Global Positioning System (Système de positionnement mondial). Des satellites en orbite autour de la Terre émettent des signaux vers un petit appareil manuel qui les capte et détermine ainsi sa position. Le GPS civil moderne a une faible précision, tandis que le GPS militaire est précis à 30 cm près. La popularité de ce système tend à le substituer aux cartes pour se repérer lors des déplacements en voiture.

Le sais-tu ?

La NASA a établi les cartes en 3 dimensions les plus précises du monde grâce à un trillion de mesures radar prises en 11 jours à partir d'une navette spatiale en orbite.

Pourquoi était-il important de mesurer la longitude ?

Lorsque les marins naviguaient hors de vue de la Terre, ils pouvaient déterminer la position du bateau par rapport au nord et au sud d'après le soleil et les étoiles. Il faudra attendre l'invention d'instruments plus précis pour connaître sa position par rapport à l'est ou à l'ouest. Les voyages en mer sont alors devenus plus sûrs.

Qu'était le Bureau trigonométrique et géodésique d'Inde ?

Le Bureau trigonométrique et géodésique d'Inde était destiné au quadrillage de tout le pays. Créé par William Lambton et George Everest en 1802, il établit les premières cartes détaillées du subcontinent indien. Il termina ses travaux 50 ans plus tard. Jusqu'à l'établissement des cartes par satellite, il est resté le procédé le plus précis pour cartographier l'Inde.

George Everest. La célèbre montagne porte son nom en son honneur.

Explorer l'Asie

Les explorateurs du Moyen-Âge connaissaient-ils l'Asie ?

Les explorateurs européens du Moyen-Âge connaissaient l'existence de l'Asie grâce aux voyageurs arabes et aux cartes. Ces dernières montraient que l'Asie s'étendait loin à l'est, jusqu'aux côtes du Pacifique. Mais les Européens et les Arabes ignoraient l'existence des vastes étendues glacées du nord, qui constituent la Chine et la Sibérie d'aujourd'hui. Ils ne savaient donc pas combien l'Amérique du Nord et l'Asie étaient proches.

Pourquoi chercher une route maritime vers l'Asie ?

L'importance des échanges commerciaux avec l'Asie a conduit les marchands à chercher le moyen de faire transiter les denrées en grandes quantités, et plus rapidement. Les voyages terrestres devenant dangereux, trouver une voie d'accès sûre s'est révélé urgent. En 1492, Christophe Colomb, persuadé de pouvoir atteindre la Chine et l'Inde par l'occident, traversa l'Atlantique. Il découvrit ainsi l'Amérique.

Qu'a découvert Vasco de Gama ?

En 1498, le navigateur portugais Vasco de Gama découvrit une route maritime vers l'Asie au terme d'un voyage de 300 jours, accompli avec 4 caravelles et 170 hommes. Parti de Lisbonne, il longea les côtes de l'Afrique, doubla le Cap de Bonne Espérance, et traversa l'océan Indien. L'équipage connut de dures épreuves, souffrant du **scorbut** et des mauvaises conditions de **navigation** au cours de ce voyage de plus d'une année.

Qu'était la Route de la soie ? ●●●●●●●

La Route de la soie ne désignait pas une route unique mais un ensemble de voies commerciales qui réunissaient la Chine (productrice de soie) et l'Occident, passant notamment par l'Inde et la Méditerranée, et couvrant une distance de 8 000 km. La chute des grands empires de la région rendit la Route de la soie dangereuse, et elle sombra dans l'oubli. Le commerce commença à se faire par bateau.

Le sais-tu ?

Le mot « orient » vient d'un mot latin signifiant « soleil levant », soit l'est. Son opposé est le mot « occident », d'un mot latin signifiant « soleil tombant », soit l'ouest. L'Empire du Soleil Levant désigne le Japon.

Qui était Marco Polo ?

Fils d'un riche négociant, Marco Polo fut l'un des plus grands explorateurs de son époque. Il fut l'un des premiers Européens empruntant la Route de la soie pour se rendre à Pékin. Il rencontra Kubla Kahn, petit-fils de Genghis Kahn, dont il devint ami, et qui lui confia d'importantes missions officielles. Marco Polo fut ainsi **gouverneur** de la ville de Hangzhou. Il regagna enfin Venise et dicta le récit de ses voyages. Ce fut le *Livre des Merveilles du Monde*, qui révéla à l'occident la vie du merveilleux orient.

Quel était le rôle des caravanes ? ●●●●●

Les marchands orientaux parcouraient de grandes distances à travers le désert afin de trouver des partenaires. À cet effet, ils utilisaient de longues caravanes de chameaux qui transportaient les marchandises, mais aussi la nourriture et l'eau indispensables au périple. En se déplaçant en groupes, les voyageurs étaient mieux armés contre les voleurs et les bandits des grands chemins.

Technologie et exploration

Comment étaient gréés les premiers voiliers ?

Les premiers voiliers étaient équipés de voiles carrées. Si elles permettaient aux navires de naviguer facilement par vent arrière, il n'en était pas de même lorsque le vent soufflait dans une autre direction. Pour aller contre le vent, il fallait utiliser des rames, ce qui rendait les longs voyages difficiles. L'adoption de voiles latines a permis aux bateaux à voile de naviguer presque directement dans le vent.

Qu'est-ce qu'un scaphandre autonome ?

Autrefois, les plongeurs restaient peu de temps sous l'eau en bloquant leur respiration, ou utilisaient des scaphandres encombrants, dans lesquels l'air était pompé pour eux. En 1943, Jacques-Yves Cousteau invente le scaphandre autonome permettant de respirer sous l'eau l'air comprimé emmagasiné dans une bouteille que le plongeur porte sur le dos. L'exploration du monde sous-marin est ainsi facilitée.

Comment les marins savaient où était le nord ?

Par les nuits étoilées, les marins utilisaient la position des étoiles pour situer leur position. Au XIᵉ siècle, les Chinois ont inventé la boussole, dont l'aiguille magnétique marque toujours la direction du nord, les autres points cardinaux étant indiqués à partir de là. Avant l'invention de la boussole, certains navigateurs utilisaient une pierre d'iode (une roche magnétique) pour trouver la direction du nord.

Qui a inventé le télescope ?

La possibilité de pouvoir observer des objets éloignés ou des astres préoccupait particulièrement les premiers explorateurs. L'invention du télescope a résolu le problème. Elle est attribuée à l'astronome italien Galilée. En 1609, il construisit sa première lunette, perfectionnant un engin déjà existant, utilisé dès le XIe siècle. Cet instrument a fait progresser l'astronomie.

Comment les explorateurs modernes gardent-ils le contact ?

Dans notre monde moderne, nous pouvons rester en contact avec les autres, à partir de n'importe quel endroit de la planète. Les explorateurs partant pour de lointaines destinations utilisent des téléphones satellitaires qui envoient un signal vers des satellites de communication situés tout autour de la Terre. La technologie des ordinateurs permet aux expéditions d'envoyer des rapports et des images par Internet à partir de presque toutes les régions du monde, afin de faire partager leurs aventures.

Les nouveaux textiles facilitent-ils les explorations ?

Dans des conditions extrêmes, il est capital de rester au chaud et au sec. Les vêtements des explorateurs modernes sont des merveilles de technologie. Des textiles spéciaux légers et solides conservent la chaleur, évacuent la transpiration, et maintiennent le corps au sec. Les fibres naturelles utilisées autrefois perdaient leur efficacité quand elles étaient mouillées.

Le sais-tu ?

Les explorateurs des régions polaires utilisent des bottes chauffantes ! La semelle interne est chauffée par une pile capable de garder les pieds au chaud pendant plus de 18 heures ! Ingénieux, non ?

21

····> Partir à la découverte

Qu'a exploré Sir Walter Raleigh ?

Sir Walter Raleigh, corsaire et aventurier, fonda en 1584 la première colonie britannique en Amérique. Il explora également l'Amérique Centrale et l'Amérique du Sud, à la recherche de trésors à ramener en Angleterre, mais il n'en rapporta que des plants de tabac. Ce sont les Espagnols, et non Raleigh, qui ont introduit la pomme de terre en Europe.

NEW

NEW YORK

M

RI CONN

PENNSYLVANIA

NEW JE

DELAWA WASHINGTON MARYLA

WEST VIRGINIA

VIRGINIA

Qu'ont fait Mason et Dixon entre 1763 et 1767 ?

Mason et Dixon ont été chargés de définir la ligne de démarcation délimitant les frontières entre les états de Pennsylvanie, Virginie Occidentale, Delaware et Maryland. Si leur expédition historique a réussi à régler les longs conflits frontaliers, elle est surtout connue pour avoir créée une division culturelle entre les états nordistes et sudistes, surtout entre les états libres du nord, et les états esclavagistes du sud, lors de la guerre de Sécession.

Quels sont les voyages d'Ibn Battuta ?

Né à Tanger, en Afrique du Nord, et **contemporain** de Marco Polo, Ibn Battuta a traversé tout le monde islamique de l'époque : Pakistan, Inde, l'Ouest africain, Sri Lanka, découvrant des régions pratiquement inconnues. Son long périple a été émaillé d'aventures qu'il raconte dans un livre souvent très fantaisiste intitulé « Le Voyage ». Mais cet ouvrage fournit de précieux témoignages sur la vie dans les pays islamiques du XIVe siècle.

Qui était le Capitaine Cook ?

Cook est l'un des plus grands explorateurs de tous les temps. Expert en navigation, cartographie et astronomie, il avait aussi un sens du commandement et un courage qui lui ont permis d'entreprendre les expéditions les plus audacieuses. Il fit trois voyages dans le Pacifique (1768, 1772 et 1776), découvrit et cartographia une grande partie des côtes de Nouvelle-Zélande et d'Australie. Aucun de ses marins ne mourut du scorbut car il emportait dans les cales de son navire d'importantes provisions de citrons destinés à l'alimentation de l'équipage. Cook est mort en 1779, tué à Hawaï par des indigènes à cause d'une chaloupe volée. Triste fin, pour un grand explorateur...

Qui était Daniel Boone ?

Daniel Boone est l'archétype du **frontierman,** défricheur des étendues sauvages. Il explora et colonisa le Kentucky, vaste étendue déserte, traça la Wilderness Road, qu'empruntèrent plus de 200 000 colons. En dépit de ses aventures et de sa célébrité, Boone perdit toute sa fortune en **spéculant** sur les terres et mourut dans le Missouri en 1820.

Qui était William J Wills ?

En 1859, les deux explorateurs anglais Wills et Burke ont réalisé la première **traversée** de l'Australie du sud au nord . Mais leur expédition était insuffisamment préparée et mal équipée. Elle se termina tragiquement : tous moururent de faim sur le chemin du retour, avant d'avoir pu rejoindre la base où était leur réserve de vivres.

Les as de l'aviation

Qui réalisa le premier vol autour de la Terre ?

Ce premier vol historique n'a été accompli ni par une seule personne, ni par un seul avion. En 1924, 4 avions et 8 pilotes de l'armée américaine ont entrepris de faire le **tour du monde.** Les avions de la « Douglas World Cruisers » portaient les noms de Boston, Chicago, New Orléans et Seattle. Seuls Chicago et New Orléans ont parcouru les 44 000 kilomètres, mais les honneurs ont été rendus à toute l'équipe.

Qui était Amelia Earhart ?

À ses débuts, un grand nombre de femmes se sont intéressées à l'aviation. Amelia Earhart est l'une des plus célèbres. Elle est la première femme ayant traversé l'Atlantique seule à bord. Sa réputation a servi à défendre la cause des femmes. En 1937, elle disparut au-dessus du Pacifique lors d'un vol autour du monde à bord d'un Lookeed Electra. L'appareil n'a jamais été retrouvé.

Qu'a fait Charles Lindberg en 1927 ?

En mai 1927, Lindberg décida de survoler l'Atlantique seul à bord de son monomoteur baptisé *Spirit of St Louis*. Il accomplit la première traversée de l'Amérique au continent européen sans escale, et remporta les 25 000 $ du prix Orteig. Le vol de New York à Paris avait duré 33 heures et 30 minutes. Le record actuel du vol **transatlantique** est détenu par un avion Lookeed SR-71, en 1heure 54 minutes.

Spirit of St Louis est actuellement conservé à la Smithsonian Institution de Washington.

Combien a duré le premier voyage en avion d'Angleterre en Australie ?

Avec un empire qui s'étendait sur toute la planète, la Grande-Bretagne voyait dans les liaisons aériennes le moyen de se rapprocher de ses colonies. En 1919, un bombardier Vickers Vimy piloté par deux frères, avec deux mécaniciens à bord, a décollé de Londres pour gagner l'Australie. Le vol passait par Lyon, Rome, Le Caire, Damas, Bassorah, Karachi, Delhi, Calcutta, Akyab, le circuit de Rangoon, Singora, Singapour, Batna et Surabaya, pour se terminer à Darwin, 135 heures et 55 minutes plus tard. Nos avions modernes font ce voyage en 20 heures sans escale.

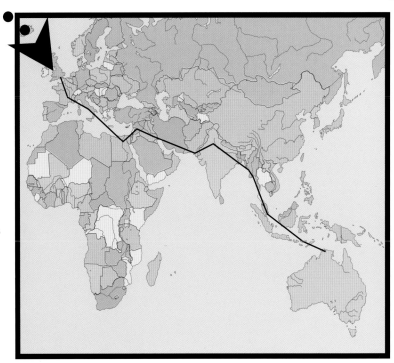

Qu'était *Le Norge* ?

Avant que les avions ne deviennent des moyens de transport fiables, les **ballons dirigeables** étaient utilisés pour les voyages aériens. Le *Norge*, un dirigeable italien piloté l'explorateur norvégien Roald Amundsen, survola le pôle Nord le 12 mai 1926 et largua les drapeaux norvégien, italien et américain. Le 13 mai, il se posa en Alaska. Lorsque les avions ont été plus sûrs, ils ont remplacé les dirigeables.

Quel exploit Richard Byrd réalisa-t-il en 1929 ?

En 1926, Richard Byrd tenta d'atteindre le pôle Nord. Mais en 1929 fort de son expérience précédente, il survola le pôle Sud après un vol périlleux de 18 heures et 41 minutes qui l'obligea à se délester du matériel et à économiser le carburant afin de gagner de l'altitude pour passer au-dessus des montagnes. Après ce succès, il regagna sa base construite sur la Grande Barrière de Ross. Commandant de la marine américaine, Byrd fut promu au rang d'amiral. Deux navires ont porté son nom.

Battre des records

Quel est le record de vitesse à la voile ?

Ce record est détenu par le maxi **catamaran** Orange 2. Bruno Peyron et ses 13 marins ont bouclé le tour du monde en 50 jours et 16 heures, à la vitesse moyenne de 22 nœuds. Les navires conventionnels devraient se ravitailler en carburant pour faire le voyage à cette vitesse. En revanche, le porte-avion nucléaire Nimitz de l'U.S. Navy peut naviguer à plus de 30 nœuds, et pendant plusieurs années, sans se ravitailler en combustible. Malheureusement, il ne s'agit pas, pour lui, de battre des records...

Qui a fait le premier tour du monde en ballon sans escale ?

Le 21 mars 1999, le Breitling Orbiter 3, piloté par Brian Jones et Bertrand Piccard, a accompli le premier tour du monde en ballon sans escale, couvrant 46 759 km en 19 jours, 21 heures et 55 minutes. Les pilotes ont utilisé des vents de très haute altitude appelés Jet Stream pour voler en un temps record.

Quels sont les exploits de Ranulph Fiennes ?

L'aventurier britannique Ranulph Fiennes détient de nombreux records d'**endurance.** Son exploit le plus célèbre est un tour du monde à pied de 83 500 km en passant par les pôles. Il a également fait l'ascension de l'Eiger par la face nord, découvert la cité perdue d'Ubar dans le pays d'Oman, et couru 7 marathons sur 7 continents, 7 jours consécutifs.

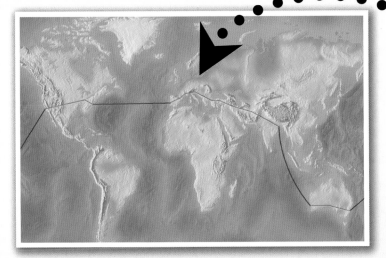

La route empruntée par Dave Kunst traversait l'Afghanistan, l'Irak et la Syrie. Les conflits actuels rendraient cette expédition impossible.

Le tour du monde à la marche a-t-il été réalisé ?

Marcher sur 38 600 km, c'est relativement difficile, même sur terrain plat. Mais si on ajoute les difficultés rencontrées, montagnes, déserts, fleuves à traverser, cela devient impossible. Pourtant, Dave Kunst a réalisé l'impossible de 1970 à 1974, faisant 23 200 km à pied (il a traversé les océans en avion). Il était accompagné de ses frères - l'un deux est mort en route - et de deux chiens, Drifter et Drifter 2. Il a usé 21 paires de chaussures de randonnée pendant son périple.

Qu'a remporté Brian Binne en 2004 ?

Très coûteux et très dangereux, les voyages dans l'espace sont gérés par les gouvernements. Cependant, en 2004, Brian Binne a été le premier astronaute **civil,** pilotant le vaisseau SpaceShipOne sur une orbite terrestre, deux fois en 14 jours. Cet exploit lui a valu le prix Ansari, doté de 10 millions de dollars. Il a donné l'idée à l'homme d'affaire anglais Richard Branson de créer la première compagnie de voyage dans l'espace utilisant des vaisseaux spatiaux sur le modèle du SpaceShipOne.

image © Scaled Composites llc

A-t-on volé autour du monde, d'un pôle à l'autre ?

Il a fallu attendre l'année 2007 pour qu'un engin volant réussisse cet exploit. En mars 2007, après 175 jours de vol, les pilotes anglais Jennifer Murray et Colin Bodill ont réalisé un tour du monde à bord de leur hélicoptère Bell en passant par les pôles, survolant l'Amérique du Nord et l'Amérique du Sud.

Le sais-tu ?

L'explorateur Ranulph Fiennes s'est coupé lui-même les extrémités de ses doigts gelés, dans son abri de jardin, car il souffrait trop. Aïe !

27

····➤ Explorer les pôles

Qui a atteint le pôle Nord •••••••••• le premier ?

En 1909, l'explorateur américain Robert Peary assura qu'il avait atteint le pôle Nord. Cette revendication souleva des doutes car il avait parcouru la distance en trois fois moins de temps qu'il semblait nécessaire. Il fallut attendre 1952 pour que deux pilotes de l'U.S. Air Force, Fletcher et Benedict, atterrissent au pôle Nord. En 1968, Ralph Plaisted a été le premier à atteindre le pôle par le sol en utilisant une **motoneige.**

Qui a atteint le pôle Sud le premier ?

L'explorateur norvégien Roald Amundsen a atteint le pôle Sud en 1911, devançant d'un mois l'expédition du britannique Robert Scott. Amundsen utilisa des chiens de traîneaux, un équipement moderne, et revint sain et sauf. Scott, dont les hommes tiraient leurs propres traîneaux, périt durant son retour.

En 2005, le sous-marin américain Charlotte a fait surface au pôle Nord.

Qui a navigué sous le pôle Nord ? ••••••••••➤

Contrairement à l'Antarctique, le pôle Nord n'est pas un continent mais seulement une couche de glace qui flotte. En 1958, le sous-marin nucléaire américain Nautilus a navigué sous la calotte glaciaire. La même année, un autre sous-marin américain, le Skate, a émergé au pôle en cassant la glace. En 1977, le brise-glace atomique soviétique Arktika a fait la conquête du pôle Nord.

Qu'est-ce que le pôle magnétique ?

La Terre est un aimant géant et peu puissant. Les pôles magnétiques sont les points d'émission du champ magnétique de la planète. Alors que les pôles géographiques sont des points fixes à la surface de la Terre, les pôles magnétiques se déplacent tout autour en suivant les variations du champ magnétique terrestre. Le nord magnétique se trouve dans la direction de l'aiguille d'une boussole.

Le pôle magnétique n'est pas un point fixe. Il se déplace d'année en année en fonction des variations du champ magnétique terrestre.

Combien des gens vivent en Antarctique ?

L'Antarctique est la dernière étendue sauvage. Bien qu'il soit divisé en plusieurs territoires administrés par différents pays, il n'appartient à personne. Il n'y pas de résident permanent, mais seulement un millier de personnes vivant dans différentes bases de recherche scientifique. En hiver, on compte seulement 300 personnes.

Où se trouve le pôle d'Inaccessibilité ?

Le point le plus reculé, sur le continent le plus reculé, porte le nom de pôle d'Inaccessibilité. Il se situe à 463 km du pôle Sud, et a été atteint en 1958 par des Soviétiques qui y ont laissé une petite cabane et un **buste** de **Lénine.** L'expédition anglaise qui s'est rendue là-bas en janvier 2007 a trouvé le buste toujours à sa place.

Le sais-tu ?

Né en janvier 1978, Emilio Palma est le seul être humain ayant vu le jour sur le continent Antarctique (dans le secteur argentin).

Glossaire

Adéquat
Exactement ajusté à son but.

ADN
Sigle de la molécule de l'acide désoxyribonucléique, protéine présente chez tous les êtres vivants. L'ADN constitue la partie principale des chromosomes.

Aurore boréale
Arc lumineux apparaissant dans les régions polaires de l'atmosphère.

Ballon dirigeable
Aéronef formé par un ballon rempli de gaz plus léger que l'air comme l'hydrogène ou l'hélium, et propulsé par un ou deux moteurs à hélice. Les grands dirigeables possédaient une structure rigide qui maintenait la forme de l'enveloppe enfermant le gaz.

Banquise
Amas de glaces flottantes formé par la congélation des eaux marines au large des côtes polaires.

Brevet
Titre par lequel le gouvernement confère à l'auteur d'une invention un droit exclusif d'exploitation.

Buste
Sculpture représentant la tête et la partie supérieure du corps humain.

Cartographie
Technique d'établissement des cartes et des plans d'après les données relevées par les géographes.

Catamaran
Embarcation faite de deux coques étroites accouplées. Ces bateaux sont plus rapides que les monocoques. Le même type de bateau à trois coques est appelé trimaran.

Civil
Qui n'est pas militaire.

Coloniser
Action de quitter son pays pour s'établir dans une autre contrée. Envahir un territoire pour en faire une colonie.

Contemporain
Personne vivant à la même époque qu'une autre. Se dit aussi de la musique ou de l'art moderne, par exemple.

Descendant
Personne issue directement d'un ancêtre.

Drakkar
Ancien navire à voile carrée et à rames des Vikings.

Empire
Ensemble de territoires colonisés par une puissance, gouvernés par un chef d'état qui porte le nom d'empereur.

Endurance
Aptitude à résister à la fatigue, à la souffrance, pendant une longue durée. L'endurance s'acquiert grâce à un entraînement régulier ou l'adaptation progressive à des conditions extrêmes comme le froid ou l'altitude.

Esclavage
État de ceux qui sont soumis à une autorité tyrannique.

Esthétique
Relatif à l'apparence physique.

Expédition
Voyage d'exploration dans un pays difficilement accessible. Personnes et matériel nécessaires à ce voyage.

Exploitation
Action de tirer un profit du travail d'autres personnes, ou de s'emparer des ressources naturelles d'un pays sans les payer à leur juste valeur.

Extinction
Disparition d'un groupe d'êtres humains, d'animaux ou de plantes.

Frontierman
Colon et aventurier de l'époque de la Conquête de l'Ouest.

Génétique
Relatif aux gènes. Qui transmet un caractère héréditaire.

Gouverneur
Personne qui est à la tête d'une région militaire ou administrative.

Humanitaire
Qui œuvre pour le bien de l'humanité sans rechercher des profits.

Immigrant
Personne qui entre dans un pays autre que le sien pour s'y établir.

Isolé
Sans contact ou communication avec autrui.

Légende
Récit fabuleux, souvent d'origine populaire.

Lénine (Vladimir)
Révolutionnaire russe, fondateur de l'État soviétique. Il a été l'un des chefs de la Révolution bolchevique de 1917, qui a renversé le régime du tsar. Frappé d'hémiplégie en mai 1922, il cessa ses activités en 1923 et mourut l'année suivante.

Magnétique
Qui a les propriétés d'un aimant. Ces propriétés peuvent être acquises par contact direct avec une substance magnétique ou l'application d'un courant électrique.

Médiéval
Qui date du Moyen Âge, soit entre les Ve et XVe siècles.

Migration
Déplacement de populations qui passent d'un pays à un autre pour s'y établir. Déplacement périodique qu'accomplissent certaines espèces animales (oiseaux, poissons…)

Motoneige
Véhicule muni de chenilles à l'arrière et d'un ou deux skis à l'avant qui permet de se déplacer sur la neige.

Navigation
Piloter un navire en s'aidant de cartes, de compas ou d'autres instruments.

Passeur
Personne qui fait passer clandestinement une frontière à quelqu'un ou à quelque chose (capitaux, objets de valeur…)

Pionnier
Personne qui est la première à se lancer dans une entreprise. Colon qui s'installe sur des terres inhabitées pour les défricher.

Scorbut
Maladie provoquée par l'absence ou l'insuffisance des vitamines C dans l'alimentation. Consommer des agrumes durant les longs voyages en bateau protégeait du scorbut.

Spéculer
Investir dans des minéraux ou des terres dans l'espoir de faire de gros bénéfices à la revente.

Tour du Monde
Circuit complet effectué tout autour de la Terre.

Transatlantique
Qui traverse l'océan Atlantique.

Transcontinental
Qui traverse un ou plusieurs continents.

Traversée
Action de parcourir un espace de part en part.

Viking
Nom donné aux Scandinaves qui ont envahi les pays d'Europe entre les VIIIe et XIe siècles.

Fossiles,
roches & minéraux

Un monde de phénomènes et de faits fascinants !

Andrew Stephens

Introduction

Les roches et les minéraux ne constituent pas un domaine auquel nous nous intéressons souvent. Pourtant, ils jouent un rôle essentiel dans notre vie quotidienne, et cela de façon très surprenante. En partant du fait que la Terre elle-même, la planète sur laquelle nous vivons, est entièrement composée de roches et de minéraux, nous pouvons imaginer combien le sujet est d'importance.

L'utilisation de la pierre dans le bâtiment passe souvent pour démodée. Place au verre et à l'acier ! En réalité, les roches et les minéraux jouent toujours un rôle important dans la construction des édifices. Observe ta ville, et tu constateras qu'un grand nombre d'immeubles sont réalisés en pierre et en briques ! Le trottoir sur lequel tu marches est en pierre. Quant à la route sur laquelle roule la voiture de tes parents, elle est constituée de pierres concassées et d'un revêtement obtenu à partir de matières minérales.

Une grande partie de l'activité humaine est consacrée à l'exploitation des roches et des minéraux. L'économie de la plupart des pays repose sur les mines : extraction des pierres ou des richesses minérales, qu'il s'agisse de pétrole, de diamants, de houille et même d'argile. Ces richesses sont parfois très bénéfiques aux habitants du pays concerné, leur apportant une grande prospérité. Malheureusement, la valeur de certains minéraux comme le pétrole, les diamants et l'argent conduit aussi à l'**exploitation** des gens, à la violence, et même à la guerre.

L'homme a été attiré par la beauté de certains minéraux depuis l'aube de la **civilisation**. La richesse et le pouvoir ont été évalués en fonction de l'or ou autres joyaux amassés. De nos jours, les gens célèbres et très riches arborent des bijoux de prix. Les états ont une telle considération pour l'or qu'ils conservent leurs lingots dans des réserves hautement surveillées.

Au fil du temps, tous les tissus vivants retournent à l'état de roches, dont ils proviennent. Ce matériau transformé devient un fossile, nous renseignant sur l'aspect de notre planète il y a des millions, voire des milliards, d'années. Ces fossiles comprennent de minuscules restes de bactéries microscopiques mais aussi d'énormes squelettes de puissants dinosaures.

Les spécialistes des roches et des fossiles, géologues, paléontologues et autres scientifiques, se tournent vers le passé pour chercher à comprendre l'histoire de notre planète. Et, chose surprenante, cette méthode se révèle utile pour tenter de résoudre un grand nombre de problèmes actuels. Les scientifiques qui étudient les roches et les minéraux les plus anciens travaillent avec des climatologues sur des problèmes tels que le réchauffement climatique. Il est étrange de penser que la clé de la compréhension et de la solution des problèmes scientifiques actuels réside dans les plus anciennes structures de la Terre, les roches et les minéraux qui nous entourent.

Les fossiles contenus dans les roches sont les restes d'êtres vivants disparus. Ils ressemblent parfois à de l'os, présentant une foule de détails, mais toutes les parties putrescibles ont été remplacées par de la roche au cours de millions d'années. Ce dinosaure majestueux a été littéralement changé en pierre.

Les stalactites et les stalagmites comptent parmi les merveilles du monde souterrain. Concrétions créées pendant des dizaines de milliers d'années par l'action de l'eau abandonnant une partie des minéraux dissous, elles peuplent les grottes de statues étranges. Les stalactites tombent, les stalagmites montent.

Les volcans constituent les rares exemples de phénomènes géologiques survenant rapidement. La lave qui jaillit du cratère et qui se déverse en surface est composée de minéraux venus des profondeurs de la Terre.

La formation de la terre

La Terre change-t-elle ?

Les roches qui constituent la Terre changent également avec le temps. Les continents actuels sont le résultat de ce mouvement constant, appelé dérive des continents. Certaines régions du globe pourraient s'emboîter comme les pièces d'un puzzle. Au cours des millénaires, elles se sont séparées. De nouvelles roches se forment aujourd'hui encore sous les océans, comblant les vides laissés par les déplacements des continents. Les roches anciennes écrasées sous la bordure des continents sont redevenues du **magma** en fusion.

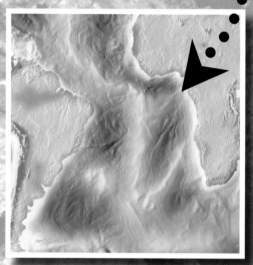

La façon dont les continents paraissent pouvoir s'emboîter renseigne les scientifiques sur la formation de la Terre.

De quoi la Terre est-elle constituée ?

La Terre est constituée d'éléments solides et lourds. Contrairement à Jupiter et Saturne, appelées planètes gazeuses géantes, la Terre est une planète rocheuse. Son noyau central est essentiellement composé de fer et de nickel. La température y est très élevée. Tout autour, le manteau renferme surtout du silicium. Enfin, la couche supérieure fine, appelée croûte, est constituée des roches et des minéraux que tu vois autour de toi.

Comment les séismes modifient-ils la Terre ?

Les séismes, ou tremblements de terre, surviennent lorsque deux plaques constituant la croûte terrestre entrent en collision. La bordure de l'une glisse lentement sous l'autre. Les roches qui se trouvent normalement à la surface basculent, fondent, et sont recyclées en nouvelles roches. Le processus entraîne une modification de la surface de la planète. Les cartes indiquant la position des continents voici des millions d'années témoignent de ces changements.

Quel est l'âge des roches et des minéraux ?

Si la Terre s'est formée il y a 4, 5 milliards d'années, sa surface est restée en fusion pendant des dizaines de millions d'années. Les roches n'ont pu se former que lorsqu'elle a commencé à se refroidir. Trouvée en Australie, la plus ancienne roche terrestre date de 3, 8 milliards d'années. Elle est parvenue jusqu'à nous car l'Australie est peu active en matière de géologie. Les roches des autres parties du monde sont **recyclées** par les **plaques tectoniques.**

Qu'est-ce que l'érosion ?

L'érosion est la force naturelle qui transforme notre monde. Elle est causée par le frottement de minuscules **particules** contenues dans la mer, la pluie et le vent contre les roches. La mer provoque l'érosion continuelle des côtes, donnant naissance à de nouvelles baies et falaises. La pluie renferme des substances chimiques capables de dissoudre la roche. Quant aux torrents, ils entraînent des matériaux qui rongent la roche sur laquelle ils ruissellent.

Qu'est-ce que l'érosion atmosphérique ?

L'érosion atmosphérique concerne la dégradation des roches sous l'action de la chaleur, de la glace, et de la pression atmosphérique. Elle s'étend sur des millions d'années, pour détruire complètement même les montagnes les plus élevées. Les roches sont entraînées vers la mer où elles formeront des **sédiments** océaniques.

L'érosion est responsable des étranges formations rocheuses présentes dans de nombreux déserts. Le vent projette violemment les grains de sable contre la roche, ce qui entraîne son usure rapide.

Le sais-tu ?

L'érosion se déroule généralement sur des dizaines de milliers d'années. Cependant, en 1990, la London Arch, en Australie, s'est effondrée, laissant deux touristes prisonniers sur une sorte d'îlot.

Les minéraux

Qu'est-ce que la minéralogie ?

La minéralogie est l'étude des minéraux, substances naturelles qui se sont formées selon des processus **géologiques.** Les minéraux peuvent être composés d'éléments purs et de sels simples, mais aussi de silicates complexes, aux milliers de formes connues.

Combien de minéraux existe-t-il ?

Il existe une grande **diversité** de minéraux : ils comprennent tout ce qui est ni animal, ni végétal, métaux précieux comme l'or et l'argent, cristaux comme le sel et le quartz, ou éléments non solides comme l'eau et les gaz.

Qu'est-ce que la pyrite ?

Il s'agit d'un minéral de couleur jaune, présent dans les roches censées renfermer de l'or, si bien que son apparence et sa couleur ont trompé bon nombre de chercheurs d'or. Le mot « pyrite » vient d'un mot grec signifiant « pierre de feu » : frotté à de l'acier, ce minéral provoque des étincelles. Autrefois, il était utilisé pour les **armes à feu.**

L'aspect brillant de la pyrite est peut-être à l'origine de la maxime « Tout ce qui brille n'est pas d'or ».

Le talc doit son caractère onctueux au toucher à ses cristaux minuscules. Réduit en poudre, il est notamment utilisé pour les soins de la peau, chez les bébés, afin de garder leurs fesses au sec.

Qu'est-ce que le talc ?

Tu connais certainement le talc, minéral d'une grande onctuosité. Ne formant pas de gros cristaux, il peut être broyé facilement. Très résistant à la chaleur, à l'électricité et à l'acide, il est utilisé pour le revêtement des plans de travail des laboratoires. On l'extrait aux États-Unis, en Afrique du Sud et en Europe.

Quel est le minéral le plus répandu sur la Terre ?

Le minéral le plus répandu sur la Terre constitue plus de la moitié de la croûte terrestre. Il s'agit d'un cristal transparent ou rose clair, appelé feldspath. Le feldspath entre dans la composition des **céramiques,** des vernis et des produits d'entretien.

Quel est le minéral le plus dur ?

La dureté des minéraux se mesure au moyen de l'échelle de Mohs, graduée de 1 à 10. Le minéral le moins dur est le talc (1), tandis que le diamant atteint le degré 10. Chaque nombre, sur l'échelle de Mohs, représente une dureté deux fois plus importante : ainsi, le diamant (10) est deux fois plus dur que le rubis (9).

Le sais-tu ?

L'eau minérale est de l'eau qui a été filtrée par les roches du sous-sol dont elle provient. Elle renferme de nombreuses substances dissoutes, à l'état de traces. Des milliers d'années s'écoulent entre sa formation et sa mise en bouteille pour la consommation.

Les roches

Qu'est-ce qu'une roche ?

Une roche est constituée de minéraux. On la rencontre sous forme de petites particules comme la terre ou la poussière, ou de gros éléments solides tels les montagnes, les plateaux et même le noyau de la planète ! On distingue trois grandes classes de roches, en fonction de leurs caractéristiques. La géologie est la science qui a pour but l'étude des roches, de la structure, et de l'évolution de l'écorce terrestre.

Quels sont les types de roches ?

On distingue 3 grands types de roches : les roches sédimentaires, les roches éruptives, et les roches métamorphiques. Disposées en couches, les roches sédimentaires ont durci par **compression** des sédiments. Les roches éruptives sont dues à l'activité volcanique : le magma s'est refroidi et solidifié. Les roches métamorphiques sont des roches éruptives ou sédimentaires qui ont été transformées par la chaleur ou par la pression.

Qu'est-ce que le cycle de la roche ?

Les roches évoluent avec le temps, mais de façon si lente qu'elles donnent souvent l'impression d'être éternelles. Les processus géologiques créent, détruisent ou transforment les principaux types de roches. Ce phénomène, qui s'étend sur des millions d'années, est appelé cycle de la roche. Il est causé par l'eau, les plaques tectoniques et l'activité volcanique.

Le sais-tu ?

Grâce à ses trous remplis d'air, la pierre ponce est l'une des roches les plus légères. Elle flotte sur l'eau !

À quoi servent les roches ?

Les roches constituent les matériaux des édifices qui nous entourent : pierres, briques, ardoises et autres matériaux sont employés dans le bâtiment. On les utilise également pour les routes et autoroutes. Autrefois, les pierres servaient à la fabrication d'armes et d'outils, pointes de lances et haches. Sans les roches, nous habiterions des maisons en bois, les routes seraient boueuses, notre civilisation serait encore au paléolithique inférieur !

Qu'est-ce qu'une géode ?

Les géodes sont des boules de pierre présentant une **cavité** tapissée de cristaux, généralement du quartz, que les collectionneurs teintent parfois pour les rendre plus décoratives. On les trouve dans les roches sédimentaires et volcaniques. Les géodes dont la cavité est entièrement remplie de cristaux sont appelées nodules. La plus grosse géode a été découverte à Put-In-Bay, dans l'Ohio (États-Unis) : elle avait la taille d'une voiture.

Selon certains spécialistes, les astéroïdes seraient les déchets de la nébuleuse qui a donné naissance au système solaire. Leur examen devrait permettre à la NASA d'en savoir plus sur la formation de notre système solaire.

Recevons-nous des roches de l'espace ?

Oui ! En effet, des roches ou des fragments de roches qui croisent l'orbite de la Terre entrent parfois en collision avec notre planète. La plupart de ces masses rocheuses traversent l'atmosphère en se consumant, laissant une traînée lumineuse derrière elles : ce sont des météores. D'autres, les météorites, atteignent la surface de la Terre et forment des cratères. De plus, une légère « poussière de l'espace » tombe en continu sur la Terre.

Utilisation des roches

À quoi sert le granit ?

Le granit est une roche volcanique dure, présente en **formations** importantes. Il est donc communément utilisé dans le bâtiment, en particulier pour la construction d'immeubles de grande taille. Sa solidité en fait un matériau de choix pour les banques, de même que pour les édifices **publics,** mairies et écoles. Construite essentiellement en granit, la ville d'Aberdeen, en Écosse, porte le surnom de Granite City.

Le château d'Edimbourg, en Écosse, est construit au sommet d'une colline de granit mise à jour lorsque les roches tendres qui l'entouraient ont été emportées.

Pourquoi la craie est-elle très friable ?

La craie est un calcaire tendre résultant de la transformation des coquilles et des squelettes de minuscules animaux marins. Elle est poreuse : elle laisse passer l'eau. Sa structure relativement peu compressée la rend friable et légèrement collante. Elle est idéale pour écrire sur le tableau noir. Aujourd'hui, la craie utilisée dans les écoles est en fait du gypse.

Pourquoi le marbre est-il très utilisé ?

Le marbre est la forme métamorphique du calcaire. Plus le calcaire d'origine est pur, et plus le marbre est blanc. Des **impuretés** dans la roche originale donnent un marbre veiné, aux colorations variées, ce qui ajoute au matériau un caractère décoratif très prisé. Le marbre blanc est réservé à la sculpture des statues.

10

Pourquoi l'homme a-t-il utilisé le silex ?

Le silex est une roche sédimentaire. Taillé, il forme des éclats très coupants. Au paléolithique, les hommes ont utilisé le silex pour fabriquer les premiers outils, couteaux et têtes de haches. Ils fabriquaient également des flèches et des pointes de lances en silex utiles pour la chasse. Ils ont découvert par la suite que, frotté contre une roche riche en fer, il produit des étincelles, ce qui leur a permis de faire du feu. Plus tard, le silex a été également utilisé pour produire l'étincelle destinée à la mise à feu de la poudre à canon.

Frotté contre du fer, le silex produit des étincelles.

Quelle est l'utilisation du grès ?

Le grès est une roche sédimentaire formée de quartz et de feldspath. Plus il contient de feldspath, et plus il est résistant aux intempéries. Le grès est facile à travailler car il ne casse pas lorsqu'il est ciselé, d'où son utilisation pour les frontons décoratifs des bâtiments, tels les cathédrales. Il peut être attaqué par les produits chimiques, ce qui explique que de nombreuses églises sont abîmées par la pollution.

Le sais-tu ?

La fabrication du papier de cet ouvrage a exigé l'utilisation de kaolin. Plus la quantité de kaolin est importante, et plus le papier est brillant.

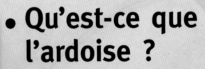

Qu'est-ce que l'ardoise ?

L'ardoise est une roche métamorphique dont la structure feuilletée permet le découpage en plaques fines généralement utilisées pour la couverture des maisons depuis des centaines d'années. Sa résistance fait qu'elle sert aussi de pierre à aiguiser les couteaux. L'ardoise est une roche d'une grande **inertie,** souvent utilisée pour la réalisation de vastes surfaces planes, plans de travail, tableaux noirs et bien entendu, tables de billard.

11

Roches et paysages

Comment se forme une falaise ?

Les falaises sont généralement constituées de couches de calcaire et de roches variées, plus tendres, comme l'argile. Dans les régions côtières, l'action des vagues érode l'argile, mettant à découvert le calcaire, plus dur. Les falaises les plus célèbres sont les White Cliffs de Douvres, en Angleterre.

Comment les roches modifient-elles les glaciers ?

Les glaciers roulent de grandes quantités de roches emprisonnées dans la glace sur le fond et les côtés de leur lit. Ces débris se déplacent peu à peu vers le centre de la glace, qui descend plus rapidement, et sont enfin déposés à l'avant du glacier. En se retirant, le glacier les abandonne en formations plus ou moins importantes, les moraines.

Comment se forment les *mesas* ?

Les *mesas* (tables) se rencontrent souvent dans les paysages arides, tels les déserts. La roche, soulevée en raison de l'activité volcanique, s'érode. Lorsqu'une couche de roches dures recouvre une couche de roches tendres, la protégeant contre l'érosion des cours d'eau et des vents, il se forme une mesa, structure plate aux corniches escarpées. La Grande Mesa du Colorado (États-Unis) est la plus vaste du monde.

Le sais-tu ?

Mousses et lichens donnent souvent une teinte verte aux White Cliffs de Douvres.

Que nous enseignent les roches sur le passé ?

Les roches sont la mémoire de la Terre. Les scientifiques les étudient pour connaître le climat, la végétation et même la vie animale du passé. L'Égypte est aujourd'hui un désert, mais ses roches présentent des traces d'érosion formées par le ruissellement de l'eau. Ce qui signifie qu'il y a environ 6 000 ans, l'Égypte était un pays verdoyant. Les spécialistes utilisent les mêmes techniques pour étudier les formations rocheuses de la planète Mars, qui présentent également des traces de ruissellement.

Les scientifiques de la NASA ont utilisé leurs connaissances concernant les anciens paysages de la Terre pour découvrir que certains éléments de la planète Mars ont pu être causés par de l'eau de ruissellement.

Pourquoi le Grand Canyon est-il aussi vaste ?

Le Grand Canyon du Colorado est un exemple de la puissance de l'érosion. Sur une période de 1, 2 millions d'années, le fleuve a creusé son lit dans les calcaires relativement tendres de la région. En même temps, une éruption volcanique a soulevé la roche de façon importante, le long du **canyon.** Les roches ont 230 millions d'années au sommet des falaises, et plus de 2 milliards au fond du Inner Gorge.

Comment les volcans modifient-ils le paysage ?

Les volcans sont très puissants. Ils déversent de grandes quantités de lave à la surface de la Terre. La lave est de la roche en fusion qui, en se refroidissant, produit d'étranges formations. De nombreuses îles, comme celles de l'archipel d'Hawaï, sont les sommets immergés de volcans sous-marins entrés en éruption. Un volcan peut balayer toute trace du paysage initial d'une région. La nouvelle roche est rapidement envahie par la végétation.

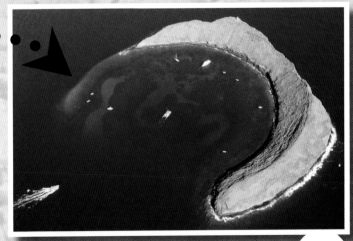

Les atolls, îles coralliennes en forme d'anneau, marquent souvent l'emplacement d'îles volcaniques immergées.

Roches et minéraux
sur la terre

Qu'est-ce qu'un réacteur naturel ?

L'homme sait utiliser l'énergie nucléaire depuis une soixantaine d'années seulement. En 1972, des savants français ont découvert la preuve de l'existence de 15 réacteurs naturels à Oklo, au Gabon. Là, les conditions naturelles de dépôt d'uranium dans la roche ont conduit à une réaction nucléaire de fission. Ces réactions se sont poursuivies pendant 150 millions d'années, créant environ 1,5 tonne de plutonium, élément fortement **radioactif.**

Combien de tonnes de roches la construction des pyramides a-t-elle nécessité ?

Les pyramides de Gizeh ont environ 4 000 ans. La plus importante, la Grande Pyramide ou Pyramide du roi Chéops, est le seul ouvrage subsistant des Sept Merveilles du Monde. Elle mesure environ 230 m2 et atteignait, à l'origine, 418 m de haut. On **estime** que sa construction a nécessité plus de 2 millions de blocs de pierre pesant chacun de 1,5 à 4 tonnes, soit un total approximatif de 5,9 millions de tonnes. La structure est faite de blocs de calcaire, de granit et de basalte revêtus d'une couche de calcaire blanc.

Les boules de cristal sont-elles vraiment en cristal ?

Les diseuses de bonne aventure utilisent de mystérieuses boules de cristal pour prédire l'avenir. Cet usage remonte à l'époque des Celtes : les druides prédisaient alors l'avenir grâce à des cristaux. À l'origine, les boules de cristal étaient faites en quartz, minéral transparent assez répandu. Puis on a utilisé le cristal de roche, encore plus limpide. De nos jours, elles sont en verre ancien uni.

14

Le sel provient-il des mines ?

Certaines régions du monde présentent d'immenses dépôts de sel naturel, résultant de **l'évaporation** de l'eau voici des millions d'années. Le sel est un minéral relativement précieux car indispensable, si bien que certains pays comme la Pologne et la Russie ont creusé d'énormes mines afin de l'extraire. Très pénible, cette tâche a souvent été exécutée par des prisonniers. En Russie, sous le **communisme,** les condamnés étaient souvent envoyés dans les mines de sel, même pour de petits délits.

Qu'est-ce que le Crystal Skull of Doom ?

Ce crâne de taille normale, d'un incroyable réalisme, a été trouvé en 1923 par l'explorateur Mitchell-Hedges au sommet des ruines d'un temple de l'ancienne cité de Lubaantun, en Belize. Il est constitué d'un bloc de cristal de quartz, et ne présente aucune trace d'instrument métallique ayant servi à le sculpter. Sa température **constante** serait de 21°C quelle que soit la température de l'air. Mais, malgré son nom plutôt pompeux - le Crâne du Destin - il ne s'agit que d'une simple sculpture en cristal de roche.

Comment le Mont Rushmore a-t-il été sculpté ?

Les visages immenses de quatre présidents des États-Unis ont été sculptés à même la paroi de la montagne. Le choix du lieu était important car il fallait trouver une roche résistante : ici, du granit au grain très fin, qui ne s'érode que d'1 cm en 10 000 ans. Les ingénieurs ont d'abord ébauché les formes avec des charges de dynamite, puis les ont affinées au marteau **hydraulique.**

15

Les cristaux

...➤

Le sais-tu ?

Chaque cristal a sa propre structure singulière. Les scientifiques utilisent une technique appelée cristallographie aux rayons X pour étudier la position des atomes à l'intérieur de chaque type de cristal.

Qu'est-ce qu'un cristal ? •••••

Les cristaux sont des solides dont les atomes sont rassemblés en motifs réguliers et répétitifs, dans les trois dimensions. Les cristaux présentent souvent des formes **géométriques** caractéristiques qui permettent de les classer par famille. Le diamant, les flocons de neige et le sel sont autant d'exemples de structures de cristaux.

Un cristal est fabriqué en changeant l'état de ses éléments.

•• Comment les cristaux se forment-t-ils ?

Les cristaux se forment selon un processus appelé solidification. Les éléments composant chaque cristal se trouvent normalement dans une solution (ou sous forme liquide). Lorsque le liquide s'évapore, les éléments se **combinent** pour constituer des cristaux. Leur forme dépend du type de liaisons que les atomes du cristal ont entre eux.

Les lasers ont été découverts en laboratoire. On les trouve dans de nombreux objets ménagers, lecteurs de CD et spots lumineux.

Pourquoi les lasers sont-ils rouges, bleus ou verts ? ••••••••

À la différence de la lumière blanche normale, constituée de toutes les couleurs du spectre, la lumière laser ne comporte que celle d'une **longueur d'onde** ou couleur. La couleur d'un laser dépend du cristal utilisé pour générer l'impulsion lumineuse. Les lasers à rubis sont de couleur rouge car ils **absorbent** toutes les couleurs, excepté le rouge. Les autres lasers émettent de la lumière bleue ou jaune, ou même des rayons X, invisibles.

À quoi sert le quartz de ta montre ?

Tu as remarqué que ta montre porte la mention « quartz ». En effet, le cœur de la plupart des montres actuelles est un minuscule cristal de quartz. Lorsque le faible courant électrique produit par une pile le traverse, ce cristal **vibre** selon une fréquence définie. Cette vibration est utilisée pour produire une série d'impulsions électriques mesurant le temps de façon extrêmement précise. Les montres à affichage numérique reçoivent directement les impulsions nécessaires à l'affichage de l'heure. Pour les montres à affichage analogique (aiguilles), les impulsions entraînent le mécanisme.

Quelle taille les cristaux peuvent-ils atteindre ?

Les cristaux de différents matériaux existent en tailles différentes. La plupart des cristaux courants sont petits, mais certains peuvent atteindre une taille très importante. Le plus gros cristal jamais découvert est un cristal de béryl trouvé à Malakialina, en République malgache, mesurant 18 m de long et 3, 5 m de diamètre. Son volume est estimé à 143 m3, et son poids, à 380 000 kg.

Les flocons de neige sont-ils différents les uns des autres ?

Les scientifiques répondent par l'affirmative. Chaque flocon est un cristal de glace **singulier.** Sa taille et sa forme dépendent de nombreux facteurs comme la température ambiante, la pression, et l'humidité, si bien que des flocons qui se forment les uns à proximité des autres pourraient avoir des formes similaires. Mais l'énorme variété de formes possibles, et les différences concernant les conditions de formation font que chaque flocon est légèrement différent de son voisin.

Ce cristal de béryl est plus petit que celui de Malakialina !

Les pierres précieuses

Qu'est-ce qu'une pierre précieuse ?

Les pierres précieuses sont des roches ou des minéraux suffisamment rares ou de qualité pour être polis et utilisés en joaillerie. Si les diamants, les émeraudes ou les rubis sont très **onéreux,** en revanche les lapis, les améthystes et les jaspes, pierres semi-précieuses et plus abordables, permettent la réalisation de jolis bijoux.

Toutes les pierres précieuses ne sont pas hors de prix. Certaines, peu onéreuses, sont juste jolies.

Les pierres précieuses sont-elles toutes des pierres ?

Le mot « pierre » fait penser que ces joyaux sont tous en pierre. C'est exact, à deux exceptions près. En effet, l'ambre et le jais sont des pierres précieuses, mais la première est de la résine fossilisée, et la seconde, une sorte de charbon résultant des restes d'arbres fossilisés. L'ambre renferme parfois les restes d'insectes **préhistoriques** emprisonnés dans la résine fraîche. De couleur noire, le jais était autrefois à la mode pour les bijoux de deuil.

Quelle est la pierre précieuse la plus colorée ?

La plupart des pierres précieuses ont une couleur particulière. Vert vif pour le jade, différents tons de rouge pour le rubis. Certaines pierres existent en une variété de couleurs : les diamants peuvent être bleus ou jaunes, les saphirs, bleus, orange, jaunes, ou verts. La tourmaline se présente dans presque toutes les couleurs, et certaines peuvent même être multicolores.

Tourmaline bicolore. Il est rare qu'un cristal ait plusieurs couleurs.

Qu'est-ce que le lapis ?

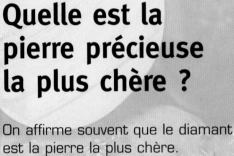

Le lapis, ou lapis-lazuli, est une pierre d'un bleu intense. Apprécié par les pharaons, le lapis-lazuli était autrefois utilisé comme base du **pigment** bleu dont se servaient les moines pour illustrer les manuscrits des Livres Saints. Cet usage en faisait donc une marchandise onéreuse. Mais son utilisation comme colorant a décliné au fil des siècles : le lapis a été remplacé par l'outremer et des teintures synthétiques.

Le sais-tu ?

Le lapis-lazuli apprécié des pharaons provenait de mines situées en Afghanistan qui sont toujours en activité. Elles détiennent le record de longévité des mines du monde.

Qu'est-ce ••••• qu'une pierre de naissance ?

Astrologues et créateurs de bijoux associent traditionnellement les différentes pierres précieuses à un mois particulier de l'année. Les caractères de chacune d'entre elles sont censés refléter ceux des natifs de ce mois : Janvier : grenat.
Février : améthyste.
Mars : aigue-marine.
Avril : diamant.
Mai : émeraude.
Juin : perle.
Juillet : rubis.
Août : péridot.
Septembre : saphir.
Octobre : opale.
Novembre : topaze.
Décembre : turquoise.

Quelle est la pierre précieuse la plus chère ?

On affirme souvent que le diamant est la pierre la plus chère. Cependant, à poids égal, il n'est pas aussi cher que l'émeraude et le rubis. Cette réputation de pierre la plus cotée tient au fait qu'il existe davantage de gros diamants que de gros rubis ou émeraude. Le Mogok Ruby détient le record du monde du rubis le plus cher. Il a été vendu le 18 octobre 1988 chez Sotheby's, à New York, pour 3 630 000 $, soit 227 301 $ le carat.

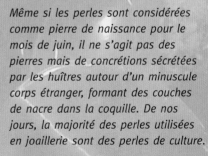

Même si les perles sont considérées comme pierre de naissance pour le mois de juin, il ne s'agit pas des pierres mais de concrétions sécrétées par les huîtres autour d'un minuscule corps étranger, formant des couches de nacre dans la coquille. De nos jours, la majorité des perles utilisées en joaillerie sont des perles de culture.

Les diamants

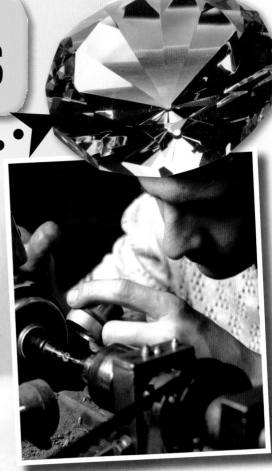

Qu'est-ce qu'un diamant ?

Le diamant, c'est du carbone, comme le graphite d'une mine de crayon et le charbon, à la différence près qu'ils n'ont pas cristallisé de la même façon. À l'origine, un diamant était un bloc de carbone noir qui a été soumis à des températures et des pressions très élevées sous l'écorce terrestre. Ces éléments ont **transformé** le carbone pour lui donner sa forme cristalline, le diamant. Les **impuretés** présentes dans le carbone d'origine donnent sa teinte particulière à chaque diamant.

Comment tailler le diamant ?

Le diamant est la substance naturelle la plus dure. Seul un autre diamant peut le rayer. Les diamantaires examinent chaque diamant, traquant les impuretés du cristal. Ces défauts déterminent la façon dont il sera taillé. La taille requiert une grande dextérité car la moindre erreur risque de briser le diamant en fragments dont la valeur est beaucoup plus faible que celle d'un gros diamant.

Où trouve-t-on des diamants ?

Les diamants se trouvent à l'intérieur de roches, généralement dans une roche appelée kimberlite, bien connue des géologues. Des millions de tonnes de roches sont broyées dans d'immenses mines à ciel ouvert, pour en extraire les diamants. L'Argyle Diamond Mine, en Australie occidentale, est le premier fournisseur du monde. Autrefois, certaines personnes ont eu la chance de trouver des diamants à même la surface du sol. C'est encore le cas en Namibie.

L'Argyle Diamond Mine, en Australie.

Les diamants sont-ils tous •••••• blancs argentés ?

Le mot « diamant » évoque pour toi une pierre d'un blanc argenté, transparente et brillante. Mais la plupart des diamants sont légèrement colorés de bleu, de jaune, et même de noir ! Ces colorations sont dues à d'infimes impuretés. Un diamant pur est parfaitement incolore.

Quels conflits les diamants génèrent-ils ?

Du fait de la grande valeur des diamants, les personnes qui vivent dans les régions du monde où règnent guerres et conflits peuvent utiliser l'exploitation minière et la vente de diamants pour financer leurs efforts de guerre. Souvent les populations locales sont **enrôlées** pour travailler dans les exploitations minières. Quand les habitants des pays occidentaux achètent des bijoux faits à partir de diamants provenant de ces pays, l'argent sert aux dictateurs et seigneurs de guerre. Aussi est-il important de connaître l'origine des diamants.

Quel est le diamant •••••• le plus célèbre ?

On compte de nombreux diamants célèbres. Certains, comme le Blue Hope, sont relativement petits (45 **carats**) mais passent pour être **maudits,** tandis que d'autres, tel le Taylord-Burton de 35 carats, sont connus à cause du nom de leur propriétaire. Le diamant le plus célèbre est sans doute le Great Star of Africa (ou Culligan), de 530 carats, taillé dans le plus gros cristal découvert dans le monde. Il fait partie des joyaux de la couronne d'Angleterre.

Le Blue Hope Diamant.

Les fossiles

Qu'est-ce qu'un fossile ?

Les fossiles sont les restes de plantes ou d'animaux qui vivaient il y a très longtemps. On les trouve dans les roches sédimentaires. Toutes les parties d'un animal ne deviennent pas des fossiles. Les **tissus** mous et putrescibles disparaissent, ce qui explique que nous retrouvions seulement les éléments durs, comme les os et les coquilles. De plus, la plupart de ces restes sont broyés et détruits. Seuls quelques uns d'entre eux deviennent des fossiles.

Qu'est que le bois pétrifié ?

La fossilisation survient aussi bien chez les restes de plantes que d'animaux. Parfois, un arbre entier a été **conservé.** Les matières organiques du bois et de l'écorce ont été remplacées par des minéraux. Le niveau de détail est si fin que le fossile est presque semblable à l'arbre d'origine. Ces fossiles sont appelés des bois pétrifiés. Dans le nord de l'Arizona, aux États-Unis, une forêt entière a été conservée ainsi, couvrant plus de 800 km2.

Comment se forme un fossile ?

Les matières **organiques** qui constituaient la plante ou l'animal sont peu à peu détruites. Les espaces vides, à l'intérieur de l'animal ou de la plante, se remplissent de minéraux qui se solidifient. Finalement, les matières organiques disparaissent complètement, ne laissant que le dépôt minéral. Le processus est appelé fossilisation.

Où trouve-t-on des fossiles ?

On trouve des fossiles uniquement dans les roches formées par dépôt de sédiments (roches sédimentaires). Les couches de sable et de boue qui se sont déposées ont emprisonné les restes de l'animal ou de la plante et les ont conservés. En détruisant lentement les roches sédimentaires, l'érosion a mis à jour les fossiles qu'elles renfermaient.

Le Horseshoe Canyon, au Canada, est très riche en fossiles.

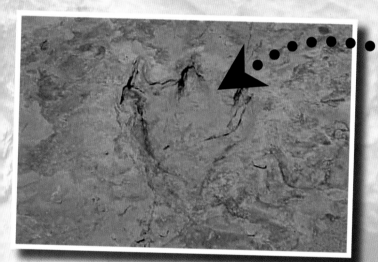

Qu'est ce qu'une trace fossile ?

Il est arrivé qu'un dinosaure ou un troupeau de dinosaures traversent un terrain sablonneux ou boueux. Au cours du temps, les empreintes de leurs pas sont devenues des fossiles. Les spécialistes qui retrouvent ces précieuses traces fossilisées peuvent déterminer de quel dinosaure il s'agissait.

Peut-on récréer un dinosaure à partir de fossiles ?

Pour recréer un dinosaure les spécialistes auraient besoin d'énormes quantités d'ADN. Malheureusement l'ADN est une molécule très fragile, qui ne résiste pas à la fossilisation. Des savants ont trouvé de minuscules fragments d'ADN à l'intérieur d'insectes conservés dans de l'ambre, mais en quantité insuffisante pour recréer l'animal original. Et quand bien même les scientifiques disposeraient de suffisamment d'ADN, il faudrait une femelle dinosaure pour avoir un bébé !

Le sais-tu ?

Les fossiles nous renseignent sur l'âge de la Terre. Autrefois, on croyait que la Terre avait quelques milliers d'années, mais de nos jours, les scientifiques savent qu'elle a plus de 4,5 milliards d'années.

Chasseurs de fossiles

Qui a trouvé le premier fossile ?

Le premier dinosaure, un iguanodon, a été découvert en 1825 par Gideon Mantell. De nombreux fossiles avaient été trouvés auparavant, mais ils passaient pour être les restes de dragons ou de géants. Il a fallu attendre la fin du 19e siècle pour qu'ils soient considérés comme appartenant à des animaux disparus depuis longtemps. Les scientifiques de l'époque **victorienne** appelèrent ces animaux dinosaures (« terribles lézards »). La chasse aux fossiles pouvait commencer.

Que nous apprennent les fossiles ?

Les fossiles nous renseignent sur les plantes et les animaux disparus. Les différents éléments retrouvés permettent de reconstituer les êtres vivants, de savoir comment les animaux se déplaçaient. L'étude des dents fossilisées sert à connaître le régime alimentaire d'un animal. Les paléontologues peuvent ainsi imaginer sa façon de vivre. Mais s'il est possible de reconstituer la silhouette et même le type de peau d'un animal, nous n'en connaîtrons jamais la couleur.

Comment extraire les fossiles des roches ?

Même s'ils sont eux-mêmes constitués de roches, les fossiles sont fragiles. Pour les exhumer, les paléontologistes opèrent avec délicatesse. Ils creusent d'abord une **tranchée** autour du fossile afin de retirer terre et roche. Puis ils le dégagent à l'aide de petits burins et de brosses. Les gros fossiles sont recouverts de papier de soie sur lequel on étend des bandes de toiles trempées dans du plâtre liquide. Ils sont ensuite transportés au laboratoire du muséum pour y être examinés.

Comment trouver des fossiles ?

Les gros fossiles sont rares. Autrefois, les chasseurs de fossiles montaient une expédition sur une surface potentielle de recherche qui pouvait durer plusieurs années. Certaines régions, comme la Formation Morrison, aux États-Unis, étaient de véritables gisements de fossiles. N'importe quelle roche sédimentaire renferme des fossiles. Les meilleurs endroits pour les découvrir sont les flancs des falaises : l'érosion met les fossiles à jour. Les gros orages peuvent causer des éboulements, ce qui permet de découvrir plus facilement les fossiles.

Le sais-tu ?

Les fossiles sont rares. Bien que l'on trouve des milliers d'ossements, les scientifiques pensent qu'un grand nombre d'espèces d'animaux préhistoriques restent à découvrir, ou n'ont laissé aucun reste fossile.

Les fossiles sont-ils onéreux ?

La majorité des fossiles que tu peux trouver n'ont aucune valeur marchande. Ils n'ont d'intérêt que pour les **collectionneurs.** Cependant, tel n'est pas le cas pour les gros fossiles, comme ceux d'un *Tyrannosaurus Rex* complet. Les petits fossiles, comme des œufs renfermant encore le bébé animal, ont un intérêt scientifique évident, et peuvent être très onéreux. En 1990, le squelette d'un T-Rex a été vendu 8,3 millions de dollars au Field Museum of Natural History de Chicago.

Crâne de Deinonychus aux dents redoutables.

Qui est Mary Anning ?

Mary Anning est l'une des premières chercheuses de fossiles. Elle vivait au Royaume-Uni, dans la région côtière de Lyme Régis, et subvenait aux besoins de sa famille en cherchant des fossiles pour les savants célèbres de l'époque victorienne. Sa condition de femme, à cette époque, ne lui a valu aucune reconnaissance pour son travail, même si elle a découvert plusieurs espèces de dinosaures, dont le premier **plésiosaure.**

Fossiles extraordinaires

Quel est le plus gros fossile trouvé ?

Les plus gros fossiles proviennent des animaux les plus gros. Les dinosaures les plus grands, les **sauropodes,** pouvaient atteindre une taille gigantesque. Le plus gros était l'*Argentinosaurus*. Les fossiles de ce véritable monstre mesurent 45 m de long.

Qui a sculpté des dinosaures ?

Statue de Megalosaurus, *dans le parc de Crystal Palace.*

Fossiles et dinosaures étaient à la mode dans l'Angleterre victorienne. En 1850, le sculpteur Benjamin Waterhouse Hawkins a entamé la sculpture de 33 espèces de dinosaures grandeur nature dans le Parc de Crystal Palace, au sud de Londres. Certains dinosaures y sont encore visibles, dont un iguanodon si grand qu'un dîner a été organisé à l'intérieur de la structure lors de sa construction.

Comment les fossiles sont-ils assemblés dans les musées ?

Les fossiles sont comme les éléments d'un puzzle géant. Les scientifiques assemblent les ossements découverts en faisant appel à leurs **connaissances** des animaux actuels et des dinosaures déjà répertoriés. Mais certains os font parfois défaut, et les spécialistes doivent imaginer comment ils étaient, d'où un risque d'erreur.

Les fossiles nous renseignent-ils sur le cri des dinosaures ?

Oui ! Même si c'est étonnant ! En effet, les scientifiques étudient la forme et la taille des crânes fossiles adultes. À partir de là, ils peuvent imaginer le cri des dinosaures. Ainsi, la tête des hadrosaures était garnie de crêtes creuses qui leur permettaient d'émettre des sons très puissants. Ces cris ont pu être reconstitués à l'aide d'ordinateurs, mais il ne s'agit que de suppositions : on ne saura jamais ce qu'ils étaient en réalité !

Peut-on trouver des œufs fossilisés ?

Les œufs fossilisés de dinosaure sont très rares. Renfermant un embryon, ils sont très précieux pour les scientifiques qu'ils renseignent sur le développement de l'animal. L'étude des nids découverts révèle comment les dinosaures s'occupaient de leurs petits. Selon les spécialistes, la plupart d'entre eux prenaient soin de leurs œufs à la manière des oiseaux, ne les laissant pas livrés à eux-mêmes comme le font les reptiles actuels.

Les fossiles d'un dinosaure nous renseignent-ils sur sa mort ?

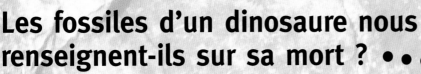

Les fossiles fournissent une foule de renseignements sur la vie... et la mort des dinosaures. De nombreux fossiles portent des marques de dents de prédateurs, ce qui laisse penser qu'ils étaient souvent confrontés au danger. Des cicatrices prouvent que le dinosaure a survécu à des lésions, alors que des traces de blessures non cicatrisées font supposer qu'il en est mort. Les ossements des prédateurs présentent souvent des traces de **fractures.** Ces blessures ont fini par gêner leurs déplacements, les empêchant de chasser pour se nourrir.

Minéraux mythiques

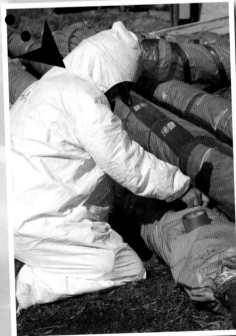

Pot catalytique

L'or est-il le métal le plus précieux ?

L'or est traditionnellement considéré comme le plus précieux des métaux. Son prix varie selon l'offre et la demande. Mais, malgré son prix élevé, il ne détient que la deuxième place, derrière le platine. Utilisé à la fois en joaillerie et dans l'industrie, le platine a un coût sensiblement deux fois plus élevé que celui l'or. Actuellement, la majorité des voitures possèdent un **pot catalytique** contenant du platine qui atténue la toxicité des gaz d'échappement.

Les cristaux ont-ils le pouvoir de guérir ?

Certaines personnes attribuent au cristal un mystérieux pouvoir de guérison d'un grand nombre de maladies. Mais il n'existe aucune preuve scientifique de ce prétendu pouvoir. Il s'agit peut-être d'un effet placebo, les malades croyant si fort à l'action de la substance qu'ils se sentent soulagés. Alors, véritable ou prétendu pouvoir de guérison ?

Qu'elle est le minéral le plus dangereux ?

Un grand nombre de minéraux sont toxiques pour l'homme. Cependant, l'une des substances les plus dangereuses est la crocidolite, appelée également silicate d'amiante. Même présentes en faible quantité, ces fibres peuvent entraîner des maladies pulmonaires et des cancers. L'amiante était autrefois utilisée dans la construction. Actuellement, les bâtiments contenant de l'amiante doivent être désamiantés.

Certains minéraux brillent-ils dans la nuit ?

La fluorescence (émission de lumière dans l'obscurité) n'est pas commune chez les minéraux. Si la plupart des matériaux fluorescents absorbent suffisamment d'énergie de la lumière ordinaire pour briller dans le noir, les minéraux doivent être exposés à de forts rayons ultraviolets. La calcite, la scapolite et la fluorine sont des exemples de minéraux fluorescents.

Le verre est-il un minéral ?

Le verre est une substance étrange, car peu de composés solides sont transparents. Le verre est principalement composé d'un minéral, la silice. Sa fabrication résulte de la fusion de la silice, à haute température. Pendant les essais des bombes nucléaires dans le désert de Nouveau Mexique en 1945, le sable (qui est fait de silice) s'est transformé en verre sous la chaleur de l'**explosion atomique.** Le verre, qui semble solide, est en réalité un liquide très rigide. Les vitres anciennes sont plus épaisses vers le bas, là où le verre a coulé.

Avons-nous besoin de minéraux pour vivre ?

Cela peut sembler étrange, mais notre corps à besoin de minéraux pour vivre. Il est capable de fabriquer un grand nombre de molécules nécessaires au maintien d'une bonne santé, mais pas de toutes. Certaines substances minérales lui sont nécessaires, souvent seulement à l'état de traces, mais elles se révèlent vitales. Nous tirons ces minéraux de nos aliments. Le calcium sert à la construction de nos os et de nos dents, surtout pendant l'enfance. Il est contenu dans le lait.

Glossaire

absorber
Laisser pénétrer et retenir un liquide ou un gaz dans une substance.

arme à feu
Fusil, pistolet, revolver.

astrologue
Personne censée prévoir le destin des hommes par l'étude de l'influence supposée des astres.

canyon
Gorge profonde au fond de laquelle coule une rivière.

carat
Unité de poids qui sert dans le commerce des pierres précieuses (1 carat = 200 mg).

cavité
Espace vide à l'intérieur d'un corps solide, tel une roche.

céramiques
Pots ou autres récipients réalisés en terre cuite.

civilisation
Ensemble des caractères communs (moraux, esthétiques, scientifiques...) des sociétés humaines évoluées.

collectionneur
Personne qui réunit des objets semblables, souvent comme passe-temps.

combiner
Réunir des éléments pour former un nouveau composé aux caractères différents.

communisme
Système politique et social fondé sur la notion de propriété collective selon la théorie de Karl Marx.

compresser
Exercer une pression sur quelque chose et en diminuer le volume.

connaissances
Ce que l'on sait, pour l'avoir appris ou lu.

constant
Rester identique, inchangé, au cours du temps.

conserver
préserver de la destruction.

diversité
Présenter une grande variété parmi un ensemble d'objets ou d'animaux.

enrôler
Obliger quelqu'un à faire quelque chose contre son gré.

estimer
Calculer approximativement une valeur en se basant sur des connaissances partielles ou représentatives.

évaporation
Passage d'un état liquide à l'état de gaz.

exploitation
Action de faire valoir une chose ou de tirer un profit abusif d'une situation ou d'une personne.

explosion atomique
Explosion créée par la libération de l'énergie contenue dans les atomes et plutôt que par une réaction chimique.

formations
Grande surface rocheuse présentant des caractéristiques d'origines géologiques ou historiques communes.

fracture
Rupture d'un os.

géologique
En rapport avec la formation ou la structure physique des roches et minéraux.

géométrique
Caractérisé par des lignes et des formes régulières créées selon les règles mathématiques.

hydraulique
Action réalisée par compression d'eau ou d'huile.

impuretés
Infime quantité d'une substance présente dans une autre substance, et pouvant modifier les propriétés de cette dernière.

inertie
En chimie, les substances inertes ne réagissant pas entre elles lorsqu'elles sont mélangées.

longueur d'onde
Distance entre les crêtes de deux ondes consécutives. Concernent généralement le son, la radio, la lumière, les couleurs, etc.

magma
Mélange pâteux de matières minérales en fusion provenant des zones profondes de la Terre, appelé lave lorsqu'il se répand à la surface.

maudit
Victime d'une malédiction.

onéreux
Cher à l'achat.

organique
Qui concerne la matière vivante ou ses dérivés. Chimie du carbone.

particules
Minuscules éléments d'une substance, souvent trop petits pour être vus à l'œil nu.

pigment
Substance minérale ou organique qui donne sa couleur à une autre. Le pigment qui donne sa couleur verte à l'herbe est la chlorophylle.

plaques tectoniques
Théorie selon laquelle la croûte terrestre est formée de plusieurs plaques se déplaçant sur le manteau, couche située entre la croûte et le noyau.

plésiosaure
Reptile carnivore marin au long cou et à la queue imposante vivant au jurassique et au crétacé.

pot catalytique
Système destiné à rendre les gaz d'échappement moins toxiques. Il contient un catalyseur au platine.

préhistorique
Période de la vie de l'humanité qui s'étend depuis l'apparition d'Homo sapiens jusqu'à l'apparition du travail des métaux.

public
Acessible à tous.

radioactif
Propriété de certains éléments de libérer de l'énergie sous forme de rayonnements. Les substances radioactives sont dangereuses car leurs radiations détruisent les cellules vivantes.

recycler
Action de récupérer des déchets et de les réintroduire dans le cycle de production, ce qui est bon pour l'environnement.

sauropode
Dinosaure herbivore géant caractérisé par un long cou et une longue queue, et quatre pattes puissantes.

sédiments
Particules de substances partiellement dissoutes et en suspension dans un liquide. La boue est un sédiment des eaux de pluie.

singulier
Unique, individuel.

tissu
Ensemble des cellules de l'organisme possédant la même organisation et assurant la même fonction (ex : les tissus osseux, musculaires)

tranchée
Excavation pratiquée en longueur dans le sol.

transformation
Action de changer de forme.

vibrer
Se mouvoir périodiquement d'arrière en avant sur une courte distance.

victorien
Relatif au règne de la reine Victoria, en Grande-Bretagne, soit de 1837 à 1901.

Questions / Réponses

Le monde infiniment petit

Un monde d'images et de faits fascinants !

Nick Gibbs

Introduction

L'œil humain est une merveille de miniaturisation, capable de distinguer plusieurs millions de couleurs différentes, d'accommoder à des distances variées et cela, de façon automatique. Il a cependant ses limites. De nombreux animaux possèdent une meilleure vision nocturne que l'homme, et les insectes peuvent percevoir une gamme de **fréquences** plus étendue.

L'œil humain peut voir des objets de la taille d'un grain de poussière, mais rien de plus petit. D'où les théories scientifiques anciennes sur la construction du monde découlant du visible. Mais certains philosophes avançaient que l'on ne peut tout savoir du monde par la seule observation des objets visibles.

Un objet qui est trop petit pour être vu à l'œil nu est dit microscopique (du mot microscope). L'invention de cet instrument à permis aux savants d'avoir accès à un monde qu'ils ne pouvaient imaginer. La puissance des lentilles a peu à peu permis de distinguer des éléments de plus en plus petits.

Cette approche s'est heurtée à cette sorte de barrière naturelle qu'est la **longueur d'onde** de la lumière. Les objets plus petits que cette longueur d'onde ne peuvent être vus au microscope optique, aussi les scientifiques ont-il mis au point le microscope à balayage électronique. Il permet d'observer en détail des objets relativement importants comme des bactéries et des virus, mais aussi des atomes. À cette échelle de l'infiniment petit, notre compréhension de la matière commence à s'altérer.

Les images formées deviennent des représentations des atomes plutôt que des images réelles. Ces atomes découverts par les savants sont différents de la traditionnelle bille entourée de billes de taille inférieure tournant autour. À ce niveau, à **l'échelle quantique**, la réalité que nous connaissons commence à devenir incertaine, et les objets peuvent devenir virtuels.

Les Grecs pensaient que l'univers était constitué de quatre éléments : le feu, l'eau, l'air et la terre. Au début du XXe siècle, on se basait sur le modèle d'un univers constitué d'innombrables atomes minuscules rebondissant de toutes parts. De nos jours les scientifiques imaginent un univers qui saute du réel au virtuel dans le monde quantique. Mais les probabilités assurent que le monde « macro » dans lequel nous vivons, existe.

Le pouvoir grossissant du microscope nous révèle les secrets d'un monde prodigieux.

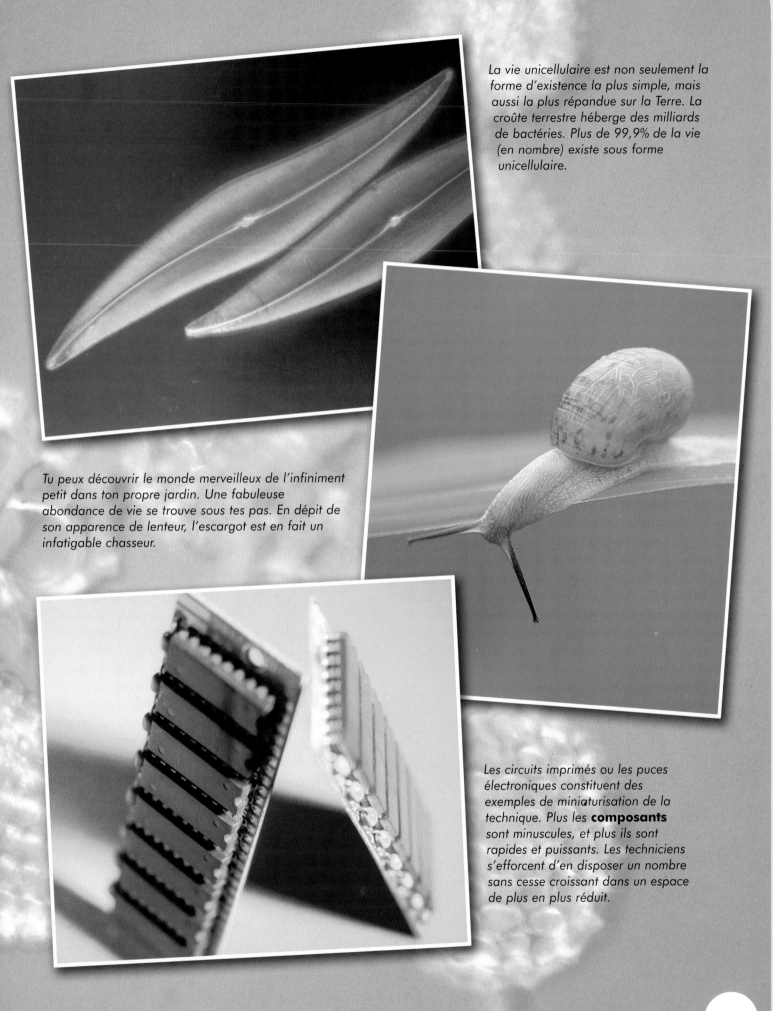

La vie unicellulaire est non seulement la forme d'existence la plus simple, mais aussi la plus répandue sur la Terre. La croûte terrestre héberge des milliards de bactéries. Plus de 99,9% de la vie (en nombre) existe sous forme unicellulaire.

Tu peux découvrir le monde merveilleux de l'infiniment petit dans ton propre jardin. Une fabuleuse abondance de vie se trouve sous tes pas. En dépit de son apparence de lenteur, l'escargot est en fait un infatigable chasseur.

Les circuits imprimés ou les puces électroniques constituent des exemples de miniaturisation de la technique. Plus les **composants** sont minuscules, et plus ils sont rapides et puissants. Les techniciens s'efforcent d'en disposer un nombre sans cesse croissant dans un espace de plus en plus réduit.

3

La vie unicellulaire

Qu'est-ce qu'un organisme unicellulaire ?

Les hommes et les animaux sont des organismes pluricellulaires, ce qui signifie qu'ils sont constitués de nombreuses cellules. Cependant, il existe des organismes formés d'une seule cellule. En réalité, ce type d'organisme est la forme de vie la plus répandue sur la Terre. Les unicellulaires sont classés en différentes catégories. Les bactéries, minuscules, représentent le groupe le plus important. Les **protistes** sont plus gros, mais la plupart d'entre eux sont microscopiques, c'est-à-dire invisibles à l'œil nu. Les protistes se divisent en **protozoaires**, animaux unicellulaires, et **algues**, végétaux unicellulaires.

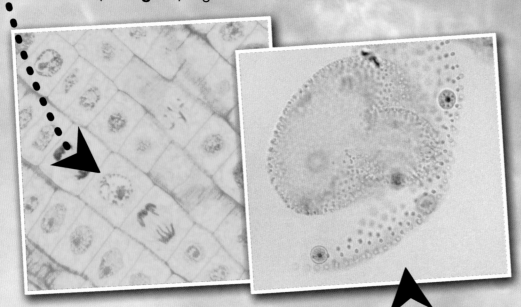

Quelle est la structure d'un organisme unicellulaire ?

La **membrane** de la cellule d'un organisme unicellulaire n'est pas rigide. Elle peut changer de forme. Elle renferme un noyau, ou plusieurs, dans le cas de certains protistes. Comme dans un organisme multicellulaire, le noyau contient l'**information génétique**. Un grand nombre de protistes possèdent également une vacuole, dans laquelle la nourriture est digérée, et les déchets, évacués. Certains organismes unicellulaires ont une coquille ou un squelette pour protéger leur corps mou et les aider à flotter. Les bactéries et certaines algues n'ont pas de noyaux bien distincts : en fait, elles ne possèdent qu'un brin d'**ADN** renfermant les informations génétiques.

De quoi se nourrissent les organismes unicellulaires ?

Les organismes unicellulaires ressemblant à des plantes sont capables d'utiliser l'énergie solaire pour fabriquer leur propre nourriture. Les protozoaires n'ont pas cette capacité, et doivent donc se procurer leur nourriture. Ceux qui vivent dans l'eau attendent que les nutriments passent à proximité. D'autres chassent leurs semblables pour se nourrir. Le didinium lance une arme contre sa proie afin de la paralyser avant de la dévorer entière. L'amibe se déforme de façon à entourer sa nourriture. Elle n'a pas de bouche, aussi les **nutriments** sont-ils absorbés et digérés par la cellule.

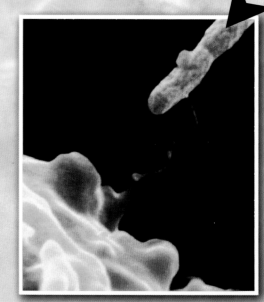

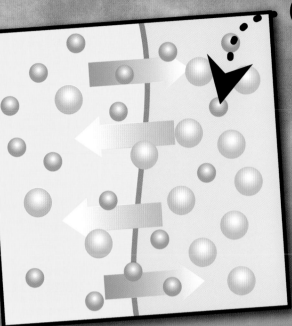

Comment un organisme unicellulaire respire-t-il ?

Les hommes possèdent un appareil respiratoire dans lequel l'oxygène et le **dioxyde de carbone** sont échangés dans le sang grâce aux poumons. Les organismes unicellulaires, en revanche, en sont dépourvus. L'oxygène se diffuse (s'infiltre) à travers la membrane de la cellule, et le dioxyde de carbone s'en extrait de même. Ce mode respiratoire est l'une des causes de la petite taille des organismes unicellulaires. S'ils étaient plus gros, la cellule aurait plus de difficulté pour capter suffisamment d'oxygène. Certaines bactéries survivent cependant dans des milieux dépourvus d'oxygène.

Comment certains organismes unicellulaires peuvent-ils se déplacer ?

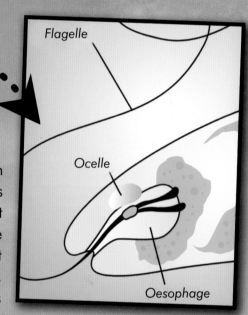

Flagelle

Ocelle

Oesophage

Quelques uns possèdent un **flagelle**, organe filiforme ressemblant à un petit fouet, qui assure leur locomotion. Pour se mouvoir, ils battent très rapidement le flagelle d'un côté à l'autre. D'autres unicellulaires sont pourvus de milliers de petits poils appelés cils, qu'ils font onduler pour se mouvoir dans l'eau, à la façon de rames. Certains changent de forme, et s'étalent comme un liquide. L'amibe émet des saillies, sorte de faux pieds, qui lui permettent de se déplacer. Toutes les bactéries ne sont pas capables de se mouvoir.

Où les organismes unicellulaires vivent-ils ?

La plupart vivent dans l'eau ou dans le sol. Si tu observes une goutte d'eau douce ou d'eau de mer au microscope, tu les distingueras clairement. Certains vivent dans l'organisme des animaux, et font en quelque sorte équipe avec eux. Par exemple, les termites mangent le bois, mais sans les **protistes** Trichonympha, elles ne seraient pas capables de le digérer. Ces protistes vivent dans l'intestin des termites, détruisant le bois jusqu'à ce qu'il puisse devenir un **nutriment** pour les termites. Les bactéries se trouvent partout : dans le corps et la peau des hommes et des animaux, dans l'air, les eaux, le sol, la nourriture, la boisson, etc.

LE SAIS-TU ?

En 1999, les scientifiques ont découvert la plus grande bactérie du monde, la Thiomargarista namibiensis. Mesurant 0,75 mm de long, elle est visible à l'œil nu.

Virus et bactéries

Qu'est-ce qu'un virus ?

Il est très difficile de classer les virus parmi les organismes vivants ou non. Un virus n'est vraiment vivant que lorsqu'il a envahi une cellule vivante. À l'extérieur de la cellule, il ne manifeste aucun signe de vie. Les virus peuvent attaquer tous les types de cellules, qu'il s'agisse de plantes et d'animaux, ainsi que les bactéries. Ils possèdent une structure très simplifiée, et ne sont pas constitué de cellules, mais d'une seule **molécule** d'ADN, qu'enveloppe une coque formée essentiellement de protéines. Les virus sont beaucoup plus petits que les bactéries, certains pouvant mesurer moins de 0,000017 mm. On compte différents types de virus : certains sont inoffensifs, d'autres causent des maladies mortelles.

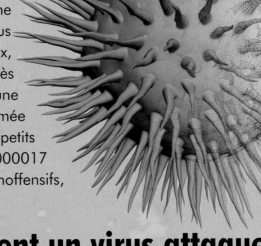

Comment un virus attaque-t-il une cellule ?

Les virus bactériophages attaquent les bactéries. Quand un bactériophage se trouve au contact d'une bactérie, il crée une ouverture dans la membrane de la cellule et injecte sa molécule d'ADN à l'intérieur. La cellule cesse ses activités normales pour se mettre à suivre les instructions du matériel génétique du virus. Elle fait de nouvelles copies du virus, et lorsqu'elle en est remplie, ces nouveaux virus brisent la cellule et infectent les autres cellules. Les virus ont d'autres moyens de se propager : en s'introduisant dans les plantes, ou en étant transmis par des insectes. Ainsi, les moustiques, qui se nourrissent de sang, peuvent infecter les humains avec des virus par piqûre.

Qu'est-ce qu'une bactérie ?

Une bactérie est un être vivant unicellulaire dépourvu de noyau. On compte des millions de types de bactéries différentes. Certaines peuvent nous rendre malade, d'autres sont inoffensives, et quelques unes sont très utiles. Il s'agit d'organismes simples qui, comme tout être vivant, ont besoin de conditions particulières pour survivre : chaleur, nourriture, eau et oxygène. Il existe des exceptions, certaines bactéries étant capables de vivre sans oxygène ou dans des conditions de température extrêmes (chaleur ou froid).

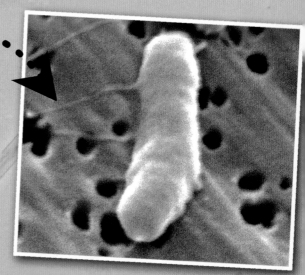

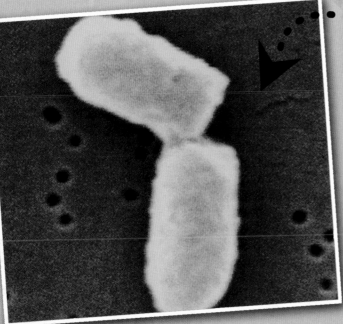

Comment une bactérie se reproduit-elle ?

Les bactéries ne se **reproduisent** pas par accouplement mais par division en deux parties. Avant de se diviser, la bactérie duplique son ADN, de sorte que chaque nouvelle cellule ait le sien. Ainsi, chaque nouvelle cellule est la copie exacte de la précédente. Pouvant continuer ainsi à se diviser, les bactéries se reproduisent rapidement, dans des conditions favorables. Elles peuvent se diviser toutes les 20 minutes. En théorie, une seule bactérie parvient à créer 4000 millions de millions de millions de copies d'elle-même en un seul jour. Mais cette duplication se limite d'elle-même par manque de nourriture.

Toutes les bactéries sont-elles nuisibles ?

Certaines bactéries peuvent nous rendre malade, voire entraîner la mort, mais un grand nombre d'entre elles sont très utiles à l'homme. Celles qui se trouvent dans l'intestin entament la transformation de la nourriture, jouant un grand rôle dans la digestion. Les bactéries sont aussi utilisées pour la fabrication des produits laitiers (fromages, yaourts…). Dans la nature, elles participent à l'élimination des déchets en détruisant les plantes et animaux morts, et en recyclant les éléments chimiques de ces matériaux, nécessaires à la croissance des plantes.

Comment lutter contre les virus ?

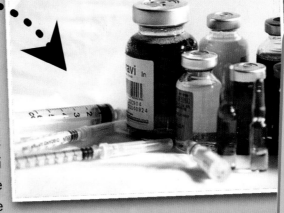

Il existe peu de médicaments pouvant être utilisés pour combattre les virus, car les virus prennent la place des cellules, et les traitements médicaux sont aussi dangereux pour les cellules que pour les virus. De plus, il existe de nombreux types de virus différents. Un simple rhume peut être causé par plus de 200 virus différents. Les antibiotiques, utilisés contre les affections bactériennes, ne conviennent pas pour traiter les affections virales. Les laboratoires pharmaceutiques font des recherches afin de parvenir à soigner différentes infections virales comme le SIDA, maladie provoquée par le virus d'immunodéficience humaine (VIH)

LE SAIS-TU ?

N'ayant pas accès aux **antibiotiques** récents, les Russes ont développé l'utilisation de bactéries appelées phages pour le traitement de certaines maladies. Les phages nettoient les blessures et détruisent les bactéries nuisibles.

Les atomes

Qu'est-ce qu'un atome ?

Un atome est la plus petite quantité d'un corps simple qui puisse entrer dans une combinaison. Toutes les substances, solides, liquides ou gazeuses, sont constituées d'atomes. Un atome est formé de 3 particules différentes : les protons, les neutrons et les électrons. Protons et neutrons constituent le centre de l'atome, appelé noyau. Les électrons sont en mouvement autour de ce noyau. Ils décrivent des orbites à des distances différentes du noyau, en fonction de leur énergie. Les protons possèdent une **charge électrique** positive, les électrons, une charge négative. Les neutrons en sont dépourvus. Les électrons sont les plus petits éléments de ces trois parties d'un atome.

Qu'est ce qu'un élément chimique ?

Un élément chimique est une substance constituée d'un seul type d'atome. Ainsi, l'oxygène est un élément uniquement constitué d'atomes d'oxygène. Le noyau de chaque atome d'un élément possède le même nombre de protons. Le nombre de protons d'un atome définit le nombre atomique d'un élément, et l'identifie par rapport aux autres éléments. Le numéro atomique de l'oxygène est 8, ce qui veut signifie que chaque atome d'oxygène possède 8 protons. On a identifié plus de 100 éléments chimiques différents dans l'univers.

Comment un atome peut-il être divisé ?

L'énergie fournie par les stations de **production d'électricité nucléaire**, de même que par les explosions de bombes nucléaires, provient de l'éclatement d'un atome. Ce phénomène est connu sous le nom de **fission**. Les atomes d'uranium 235 sont utilisés pour créer cette énergie, car le **noyau** de ce type d'atome est instable et peut être brisé. Des neutrons sont précipités sur des atomes d'uranium 235, et les font éclater en deux atomes plus petits. La fission s'accompagne d'une libération énorme d'énergie, et de neutrons qui vont provoquer la fission d'autres atomes d'uranium voisins. On observe alors une réaction en chaîne. Si cette réaction n'est pas contrôlée, une énorme énergie est libérée, provoquant

une explosion nucléaire. C'est le principe de la bombe atomique.

LE SAIS-TU ?

L'atome a été représenté d'une multitude de façons. On pensait autrefois qu'il était solide, ressemblant à une boule de billard.

Que renferme la classification périodique des éléments ?

La classification périodique est une méthode pour classer les **éléments**. Ils sont listés en rangs et colonnes, par numéro atomique croissant. Chaque colonne rassemble des éléments d'un groupe possédant des propriétés chimiques voisines. Les métaux du groupe 1 ont tous les propriétés des **métaux alcalins**. Tous les éléments d'un même groupe ont le même nombre d'électrons sur leur couche externe. Chaque petit carré du tableau indique le numéro atomique, le symbole chimique, ainsi que la masse atomique relative de chaque élément chimique.

IA				La classification périodique des éléments a été créée en 1869 par le chimiste russe Dimitri Mendeleïev. Elle ne comptait alors que 63 éléments.														O
1 H	IIA											IIIA	IVA	VA	VIA	VIIA		2 He
3 Li	4 Be											5 B	6 C	7 N	8 O	9 F		10 Ne
11 Na	12 Mg	IIIB	IVB	VB	VIB	VIIB		VII		IB	IB	13 Al	14 Si	15 P	16 S	17 Cl		18 Ar
19 K	20 Ca	21 Sc	22 Ti	23 V	24 Cr	25 Mn	26 Fe	27 Co	28 Ni	29 Cu	30 Zn	31 Ga	32 Ge	33 As	34 Se	35 Br		36 Kr
37 Rb	38 Sr	39 Y	40 Zr	41 Nb	42 Mo	43 Tc	44 Ru	45 Rh	46 Pd	47 Ag	48 Cd	49 In	50 Sn	51 Sb	52 Te	53 I		54 Xe
55 Cs	56 Ba	57 *La	72 Hf	73 Ta	74 W	75 Re	76 Os	77 Ir	78 Pt	79 Au	80 Hg	81 Tl	82 Pb	83 Bi	84 Po	85 At		86 Rn
87 Fr	88 Ra	89 +Ac	104 Rf	105 Ha	106 Sg	107 Ns	108 Hs	109 Mt	110	111	112	113						

Lanthanides	58 Ce	59 Pr	60 Nd	61 Pm	62 Sm	63 Eu	64 Gd	65 Tb	66 Dy	67 Ho	68 Er	69 Tm	70 Yb	71 Lu
Actinides	90 Th	91 Pa	92 U	93 Np	94 Pu	95 Am	96 Cm	97 Bk	98 Cf	99 Es	100 Fm	101 Md	102 No	

Quelle est la taille d'un atome ?

Les atomes sont infiniment petits. Pour avoir une idée de leur taille, songe qu'il en faudrait deux milliards pour représenter un point de ponctuation, et en aligner 10 millions pour obtenir un millimètre. Malgré sa taille microscopique, un atome est un espace vide car le noyau et les électrons sont très éloignés. Imaginons un noyau de la taille d'un petit pois : l'atome entier occupera l'espace d'un terrain de football. Les atomes des différents éléments ont des tailles différentes : un atome de chlore est une fois et demi plus gros qu'un atome d'oxygène.

Combien pèse un atome ?

On peut connaître le poids d'un **atome** grâce à sa masse atomique. Elle correspond à la somme du nombre de protons et de neutrons de l'atome. Une unité atomique s'appelle une mole. Le poids d'une mole d'un atome a la valeur de son nombre atomique, exprimée en grammes. La masse atomique de l'hydrogène est 1, celle de l'oxygène 16. Une mole d'hydrogène pèse 1 gramme, tandis qu'une mole d'oxygène pèse 16 grammes, alors qu'elles possèdent toutes deux le même nombre d'atomes. La masse atomique relative de chaque atome se trouve dans la classification périodique des éléments, qui indique combien pèse (en grammes) une mole de cet atome.

Les molécules

Qu'est-ce qu'une molécule ?

Une molécule est formée par deux ou plusieurs atomes qui se regroupent. Elle peut être constituée d'atomes de mêmes éléments, ou d'éléments différents. Une molécule d'hydrogène est formée de deux atomes d'hydrogène (H2) ; elle contient un seul type d'élément. Une molécule d'eau est formée de deux atomes d'hydrogène et d'un atome d'oxygène (H2O) : elle renferme deux types d'éléments. De même que les atomes, les molécules individuelles sont très petites, et invisibles à l'œil nu. Mais tout ce qui nous entoure est constitué de molécules, et nous voyons les objets qu'elles forment : un diamant, des arbres, un ballon de football, etc.

Quels sont les deux types de la polymérisation ?

Les polymères sont de très grosses molécules regroupant des molécules simples appelées monomères. Un polymère est composé de longues chaînes de milliers de monomères reliés entre eux. Il existe des polymères naturels, comme nos cheveux et la gomme de certains arbres. Les polymères synthétiques comprennent les plastiques produits par l'industrie chimique. Les sacs plastiques et les bouteilles sont souvent en polyéthylène, polymère obtenu à partir de quantités d'éthylène monomère liées ensemble. Certains polymères, comme le polytéréphtalate d'éthylène, peuvent être recyclés, mais les autres sont trop difficiles à récupérer.

Comment les atomes sont-ils reliés dans une molécule ?

Dans une molécule, les atomes sont reliés par des liaisons chimiques. Ces liaisons sont réalisées par des échanges et des mises en commun d'électrons entre deux atomes. Lorsque des électrons sont communs à plusieurs atomes, on parle de liaison covalente. Lorsque deux atomes se rapprochent l'un de l'autre, chaque noyau (de charge positive) attire les électrons (de charge négative) de l'autre. L'attraction nucléaire sur les électrons maintient la cohésion d'une molécule. Lorsque des électrons sont échangés, il se forme une liaison ionique. Dans ce cas, un atome qui perd un ou plusieurs électrons devient un ion positif, alors que celui qui les capte devient un ion négatif.

Les molécules de synthèse dans la vie.

Sans la possibilité de produire des molécules de synthèse, notre environnement et nos conditions de vie seraient différents. La plupart de nos vêtements sont faits de matières synthétiques, comme le **Nylon** et le **polyester**. De nombreux types de matière plastique sont utilisés pour des objets aussi différents qu'un sachet ou la carrosserie automobile. Des médicaments sont créés avec de nouvelles molécules de synthèse, mises au point par les laboratoires pharmaceutiques. La synthèse chimique permet de fabriquer des molécules de forme et de propriétés spécifiques, destinées à une multitude d'usages.

LE SAIS-TU ?

Durant la dernière guerre, alors que le Nylon destiné à la fabrication des bas vint à manquer, les femmes dessinaient un fin trait noir à l'arrière de leurs jambes afin de simuler la couture d'un bas.

La formule chimique de l'eau est H2O, soit une molécule de deux atomes d'hydrogène, et un atome d'oxygène. Le nom chimique de l'eau est oxyde d'hydrogène.

Qu'est-ce qu'une formule chimique ?

Chaque élément possède son propre symbole chimique, formé de son nom en abrégé. Le symbole chimique de l'oxygène est O, celui de l'hélium He. Les symboles des éléments constituant une molécule sont regroupés de façon à constituer la **formule chimique** de la molécule. Une molécule de dioxyde de carbone comprenant un atome de carbone et de deux atomes d'oxygène, sa formule chimique s'écrira : CO2. Le petit nombre après le symbole chimique de l'élément définit le nombre d'atomes de l'élément contenu dans la molécule. L'absence de nombre signifie qu'il n'y a qu'un seul atome.

Quelle est la forme d'une molécule ?

Les molécules peuvent prendre différentes formes en fonction des liaisons des atomes entre eux. Les atomes du dioxyde de carbone sont alignés, tandis que ceux de la molécule d'**ammoniac** occupent les sommets d'une pyramide. En ce qui concerne la molécule d'eau, les atomes sont situés aux trois sommets d'un triangle. Des molécules complexes forment des anneaux ou des chaînes. La molécule d'ADN (Acide désoxyribonucléique), qui contient les informations génétiques des êtres vivants, a une forme très complexe appelée double hélice.

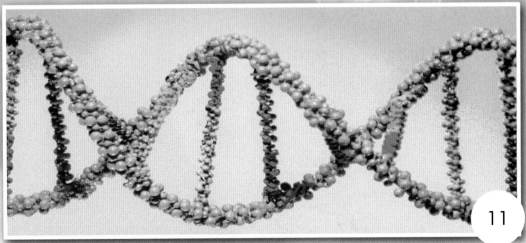

Chaîne de la molécule d'ADN.

La nanotechnologie

Qu'est-ce que la nanotechnologie ?

Le mot nanotechnologie désigne le travail de la matière effectué à très petite échelle. N'oublie pas qu'un nanomètre n'est qu'un milliardième de mètre, ou un millionième de millimètre ! L'épaisseur d'un cheveu humain est de l'ordre de 80 000 nanomètres. Les nanotechnologies nécessitent l'utilisation d'atomes et de molécules individuelles pour créer des structures complètement inédites. Cette technologie n'en est qu'à ses débuts, mais elle s'annonce très bénéfique dans de nombreux domaines : médecine, informatique, ingénierie, etc.

La nanotechnologie peut-elle améliorer notre vie ?

En médecine, la nanotechnologie peut apporter de nouveaux moyens dans le traitement des maladies. Une structure peut être créée dans le but de devenir, à l'intérieur du corps, le tueur d'une **tumeur**. Des médicaments seront alors libérés uniquement à certains endroits, afin d'éviter des effets secondaires non désirés. En informatique, la miniaturisation permet d'augmenter la puissance et la rapidité du matériel, et d'en diminuer le coût. Dans le domaine de la production, des produits de haute qualité peuvent être réalisés à bas prix et avec une pollution réduite, bénéfique pour l'environnement : réduction de la consommation d'énergie, des matières premières, et des déchets.

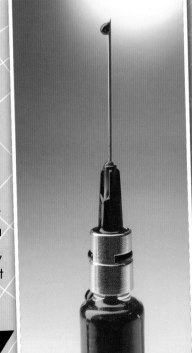

Quels sont les dangers de la nanotechnologie ?

Certaines personnes sont préoccupées par la notion d'éthique, en matière de nanotechnologie. Essentiellement par les problèmes concernant l'association machines/êtres vivants, et la création de nouveaux types de vie, rendant les frontières de l'humain moins évidentes. Il existe aussi un problème de sécurité. Le corps humain peut faire un rejet de ces éléments artificiels, ce qui affecte le système immunitaire. La liberté individuelle se trouverait atteinte si certaines nano-structures, destinées à suivre un individu à la trace, étaient disposées dans son organisme.

Peut-on créer de minuscules robots ?

La réflexion sur la nanotechnologie fait surgir les problèmes liés à la fabrication de minuscules robots créés par l'homme. Il a même été suggéré que ceux-ci pourraient se répliquer eux-mêmes (faire des copies d'eux-mêmes), échappant ainsi de tout contrôle et allant jusqu'à détruire la Terre. En fait, ce genre de scénario relève uniquement de la science fiction ou des films d'anticipation. Il est très peu probable que ce type de nano-robot puisse exister un jour. Les nano-structures seront vraisemblablement plus développées en chimie qu'en mécanique. Elles ne détruiront pas le monde, et n'auront jamais la conscience d'un être vivant.

Qu'appelle-t-on « Top down » et « Botton up » ?

Ces termes anglais désignent deux approches différentes de la nanotechnologie. Le « Top down » correspond à la réalisation de minuscules objets par des moyens mécanique et par des gravures de nano-structures sur des matériaux plus importants. C'est ainsi que sont réalisés les microprocesseurs des ordinateurs. Le « Botton up » est une technologie moléculaire permettant de construire des structures en manipulant des atomes et des molécules, un par un. Certaines nano-structures sont capables de se réaliser elles-mêmes, c'est l'auto-assemblage, processus existant déjà dans la nature. Les principales nanotechnologies actuelles concernent le « Top down », mais les laboratoires de recherches s'intéressent de plus en plus au « Botton up »

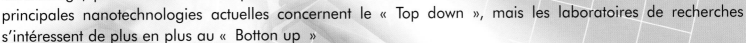

Comment travailler sur des objets aussi minuscules ?

Pour voir à cette échelle, les scientifiques utilisent la puissance d'un microscope à balayage électronique : cet appareil est muni d'une sonde très fine qui se déplace sur la surface à examiner et donne une image en trois dimensions. Le microscope à balayage électronique permet non seulement de voir à l'échelle atomes et molécules, mais aussi d'intervenir à cette échelle pour créer des nano-stuctures. Mais cette technologie, qui consiste à faire une molécule à la fois, exige du temps ; elle est beaucoup plus onéreuse que les méthodes traditionnelles.

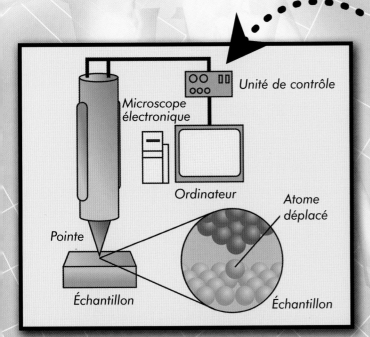

Unité de contrôle

Microscope électronique

Ordinateur

Atome déplacé

Pointe

Échantillon

Échantillon

La miniaturisation

Qu'est-ce que la miniaturisation ?

La miniaturisation consiste à rendre les objets de plus en plus petits pour une fonction identique. Le développement des nouvelles technologies permet de réaliser des objets courants de plus en plus petits, essentiellement dans le domaine du matériel électrique. Il y a quelques années, les téléphones mobiles étaient lourds et encombrants : aujourd'hui, ils tiennent dans la paume de la main. Les ordinateurs étaient si volumineux qu'ils occupaient une pièce entière. De nos jours, les petits ordinateurs portables sont beaucoup plus puissants que leurs ancêtres. Grâce à la miniaturisation, presque tous les foyers possèdent un ordinateur. L'expansion de l'électronique est le fruit de la miniaturisation des circuits intégrés sur des microprocesseurs ou des puces.

Qu'est-ce qu'un microprocesseur ?

Un microprocesseur est l'ensemble des circuits intégrés électroniques suffisamment petits pour tenir sur le minuscule disque d'une fine couche de **silicium.** Ce circuit comporte des centaines de milliers de composants microscopiques, par exemple, des **transistors** (éléments qui contrôlent le passage du courant électrique). Les composants et les connexions ont été disposés sur un modèle complexe où chaque ligne réalise une fonction particulière. Comme il y a de nombreuses lignes, les fonctions sont multiples et les actions très rapides. Les microprocesseurs travaillent presque à la vitesse de la lumière, pouvant effectuer des millions d'actions par seconde.

Robert Noyce

Jack Kilby

Qui a inventé le microprocesseur ?

Les Américains Jack Kilby et Robert Noyce ont mis au point le microprocesseur, en 1950. Sans avoir connaissance de leurs travaux respectifs, ces ingénieurs travaillent tous deux au développement des circuits intégrés. Le problème, à l'époque, est de réaliser des ordinateurs plus performants, avec une plus grande quantité de composants. Mais ils étaient alors trop volumineux. Kilby et Noyce ont eu l'idée du circuit imprimé monolithique (fait d'un simple cristal). Tous les composants étaient placés sur un mince substrat semi-conducteur (dont la conductivité de l'électricité varie en fonction de certains facteurs).

Qu'est-ce que la loi de Moore ?

Gordon Moore est l'un des fondateurs de la société Intel, qui fabrique des microprocesseurs. En 1965, il remarque que le nombre de transistors incorporés dans un microprocesseur a doublé toutes les années, depuis l'invention des circuits intégrés. Il décrète que, dorénavant, le nombre de composants d'un circuit ne doublerait que tous les deux ans : c'est la « loi de Moore ». Il prévoyait la miniaturisation constante du matériel électronique grâce aux progrès technologiques. Cette loi a été relativement suivie puisque, de nos jours, le nombre de composants double environ tous les 18 mois.

Comment la miniaturisation a-t-elle modifié les ordinateurs ?

Au début, les unités centrales des ordinateurs étaient si volumineuses qu'elles remplissaient des pièces entières. Le premier ordinateur digital a été utilisé durant la Seconde Guerre mondiale. Lourdes, énormes, ces machines exigeaient beaucoup de puissance électrique, ainsi que de nombreux opérateurs. Dès 1950, leur taille a été réduite, mais il a fallu attendre les débuts de la miniaturisation de l'électronique, dans les années 70-80, pour qu'un ordinateur puisse être posé sur un bureau et soit suffisamment bon marché pour un usage domestique. La technologie étant en perpétuelle évolution, les nouveaux ordinateurs deviennent de plus en plus petits, plus performants, et d'une utilisation très simple.

Qu'a fait Clive Sinclair ?

Sir Clive Sinclair est l'inventeur de la calculette électronique de poche, légère et moderne, en 1972. Il a fortement contribué à la miniaturisation du matériel électronique. Souhaitant mettre au point un ordinateur familial, il fonde, en 1980, la société Sinclair Computers : elle fabrique le ZX80 qui fut, à cette époque, le plus petit et le meilleur marché des ordinateurs individuels. La société commercialise ensuite le ZX81 et le ZX Spectrum, tous deux destinés à un usage familial.

LE SAIS-TU ?

Sir Clive Sinclair ne s'est pas borné au domaine de l'électronique : il a proposé un petit véhicule électrique, le C5. Il pensait qu'il pourrait constituer le véhicule urbain du futur, mais ce fut un échec.

15

Les insectes

Les insectes sont-ils utiles ?

Certains insectes, en particulier les guêpes et les coccinelles, se nourrissent de pucerons et de chenilles, nuisibles pour les cultures. Guêpes et abeilles favorisent la **pollinisation** des fleurs, ce qui augmente la production de fruits et de légumes. Les scarabées et les mouches sont utiles car ils se nourrissent de plantes et d'animaux morts. Ils débarrassent le sol des organismes en décomposition, recyclant ainsi les substances nutritives. Dans certaines régions du monde, les gens mangent vers, fourmis et chenilles.

Comment les petits insectes se protègent-ils des prédateurs ?

Pour se protéger, certains insectes de petite taille prennent l'apparence d'un insecte venimeux, ce qui incite les prédateurs à s'en détourner : c'est le **mimétisme**. Ainsi, les bombyles sont inoffensifs, mais ils ressemblent à des bourdons : les prédateurs s'en éloignent de peur d'être piqués. D'autres insectes ont des couleurs vives et des rayures pour effrayer leurs ennemis. Certaines chenilles sont très colorées pour prévenir qu'elles possèdent des piquants toxiques. Parmi les insectes bien armés pour se défendre, la fourmi légionnaire, qui utilise ses grandes mandibules pour repousser ses assaillants.

Quels sont les insectes qui vivent en colonie ?

De nombreux insectes – termites, fourmis, abeilles- vivent en groupes importants appelés colonies. Chaque membre du groupe a une tâche bien précise pour la survie de ses congénères. Dans une ruche, seule la reine pond des œufs. Les faux bourdon, abeilles mâles, s'accouplent avec la reine. La majorité de la colonie est constituée de femelles : les ouvrières. Elles collectent le nectar, prennent soin des œufs, fabriquent le miel et construisent les alvéoles. Les termites bâtissent un monticule de taille impressionnante qui peut héberger plus de 7 millions d'individus. Certaines fourmis creusent un réseau de galeries souterraines.

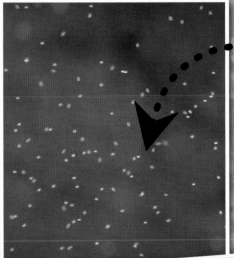

Quels sont les plus petits insectes ?

Il en existe une multitude ! Difficile d'affirmer lequel détient le record de la miniaturisation ! Certaines guêpes ne mesurent pas plus de 0,21 mm, et les mymaridés sont longs de 0,17 mm, donc plus petits que certains organismes unicellulaires. Ces guêpes sont des parasites : elles pondent leurs œufs dans ceux des autres insectes. L'ornéode d'Amérique du Nord est également très petit, avec 0,25 mm de long. Il vole ou se laisse porter par le vent.

Comment les fourmis transportent-elles des charges plus grosses qu'elles ?

Certaines fourmis peuvent transporter des charges représentant plus de 30 fois leur poids. Les fourmis coupeuses de feuilles sont particulièrement robustes : elles coupent des fragments de feuilles et rentrent au nid chargées d'un énorme fardeau. C'est à cause de leur petite taille qu'elles peuvent posséder une telle force musculaire. N'ayant pas une importante masse corporelle à porter comme les êtres humains, leurs muscles leur permettent de lever de lourdes charges. Plus la masse corporelle est importante, plus les muscles sont mis à contribution ; c'est pourquoi, contrairement aux fourmis, les hommes parviennent à peine à soulever des charges plus importantes que leur propre poids.

Les insectes sont-ils dangereux pour l'homme ?

Des insectes de taille infime peuvent être très nocifs. Les moustiques transmettent la malaria, maladie qui fait plus de 3 millions de victimes par an. Lorsque le moustique enfonce sa trompe dans la chair de sa victime pour sucer le sang, il injecte un peu de **salive** contenant des germes de la maladie. D'autres insectes propagent des maladies : les puces transmettent la peste. Il est imprudent de rester près d'un essaim de guêpes car leur piqûre peut être mortelle. Il faut également considérer les dégâts que peuvent produire certains insectes comme les termites, dévorant le bois des poutres. Enfin, certaines espèces de poux affectionnent livres et papiers.

LE SAIS-TU ?

Les fourmis comptent parmi les insectes les plus nombreux de la planète. Il y a plus de 2 millions de fourmis pour un être humain.

Certains insectes ont une morsure si puissante que les Indiens d'Amazonie les utilisent pour fermer leurs blessures.

17

Les insectes (suite)

D'où vient le nom des cerfs-volants ?

Le lucane cerf-volant mâle possède de grandes mandibules qui rappellent les bois des cerfs. Les mâles les utilisent comme des cornes pour s'affronter à l'époque de la reproduction ou défendre leur territoire, saisissant l'ennemi par le milieu du corps pour le soulever. Le vainqueur le précipite sur le sol, et s'il se retrouve sur le dos, il doit s'efforcer de quitter au plus vite cette position afin de ne pas être dévorés par les fourmis. Les cerfs-volants sont souvent blessés lors de ces combats.

Quel est le plus gros insecte ?

C'est le goliath géant peut peser jusqu'à 100g, soit le poids d'une tasse de sucre ou d'une pomme. Il vit en Afrique, dans les arbres, où il se nourrit de fruits. Il a la taille d'une main. L'insecte le plus long est un phasme d'Indonésie, pouvant atteindre 50 cm de long. Le plus gros papillon est l'hercule de Nouvelle-Guinée, dont l'envergure est proche de 30 cm, soit le diamètre d'une assiette.

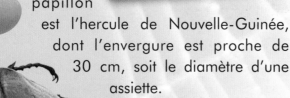

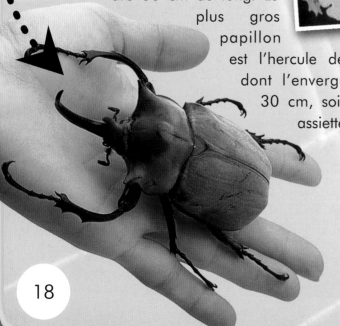

Quelles sont les différentes phases de la vie d'un papillon ?

Pour devenir adulte, un papillon passe par une série de métamorphoses, ce qui signifie qu'à l'éclosion de l'œuf, le futur papillon est complètement différent d'un papillon adulte. Il va changer complètement d'apparence au cours de sa croissance. Une petite chenille appelée larve émerge de la coquille lorsque l'œuf éclot. Elle grossit rapidement et rejette sa peau, distendue par la croissance. Quand elle est suffisamment grosse, elle s'enferme dans une sorte d'enveloppe dure appelée chrysalide. La chenille devient une nymphe ; ses organes se développent, et un papillon adulte quitte bientôt la chrysalide.

Comment certains insectes se camouflent-ils ?

Pour les phasmes et les phyllies, le camouflage est un moyen d'échapper à leurs prédateurs. Avec ses petites ailes antérieures verdâtres nervurées, le corps des phyllies à l'aspect d'une feuille morte. Les phasmes ont un corps et des pattes en forme de brindille, de couleur brune ou verte. Quand ils se déplacent, ils usent d'un artifice pour ne pas se faire remarquer : ils font légèrement osciller leur corps d'un côté à l'autre pour simuler une brindille se laissant bercer par la brise.

À quoi les longues pattes des sauterelles servent-elles ?

Les sauterelles utilisent leurs puissantes pattes postérieures pour sauter, mais aussi pour produire des sons. Le mâle « chante » pour attirer les femelles en frottant ses pattes contre ses ailes. La puissance de leurs pattes postérieures fait des sauterelles d'excellentes sauteuses. Leurs muscles sont 1000 fois plus puissants que ceux des humains, à poids égal. Les sauterelles peuvent faire des bonds supérieurs à 20 fois la longueur de leur corps. Quand elles sont en l'air, elles modifient l'aspect de leur corps afin qu'il offre une moindre résistance à l'air, en repliant leurs pattes antérieures sous elles. Si une sauterelle perd une patte au cours de l'attaque d'un prédateur, une autre patte repoussera ultérieurement.

LE SAIS-TU ?

Les libellules ne sont pas les insectes les plus rapides : le papillon sphinx peut se déplacer à une vitesse de 54 km/heure.

Pourquoi les libellules sont-elles si douées pour le vol ?

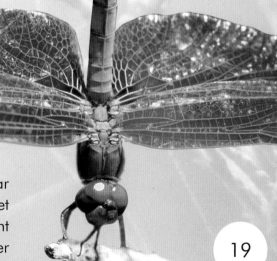

Les libellules sont les meilleurs insectes volants car leur corps et leurs ailes sont parfaitement adaptés au vol. Elles possèdent deux paires d'ailes, l'une pour s'élever dans les airs, l'autre, pour descendre, ce qui leur permet d'effectuer des vols stationnaires, comme un hélicoptère. Les ailes sont parcourues par un grand nombre de minuscules nervures qui les rendent soupes et solides. Certaines libellules peuvent voler à 47 km/h. Leurs muscles sont puissants. Elles sont capables de voler en arrière, et même de s'arrêter brusquement.

Tueurs et chasseurs
minuscules

Comment un scorpion tue-t-il sa proie ?

Les scorpions se servent de leurs pinces et de l'aiguillon situé à l'extrémité de leur queue pour tuer leur proie. La puissance de leurs pinces leur permet de saisir et de broyer leur victime. L'aiguillon sert à paralyser la victime, mais sa fonction

principale est la défensive. Leur appareil venimeux est constitué d'une vésicule et d'un aiguillon. Le venin du scorpion est l'un des plus meurtriers. Si elle est rarement mortelle pour l'homme, sa piqûre est très douloureuse. Les scorpions se nourrissent de nombreux insectes et d'araignées, voire de petits lézards et de serpents, pour les plus gros d'entre eux.

À quoi sert la toile de l'araignée ?

Les araignées tissent une toile dans le but de capturer leurs proies. Quand un insecte heurte la toile, les fils émettent des vibrations ou se tendent : les organes sensitifs de l'araignée lui donnent l'alerte. Un insecte pris dans la toile ne peut s'en échapper car les fils sont visqueux. L'araignée fond sur sa proie et lui injecte son venin. Ensuite, elle l'entoure d'un fil de soie pour le conserver ou le dévore immédiatement.

Comment les punaises appelées réduves se comportent-elles ?

Les réduves tendent un piège à leur victime en faisant le guet, dans l'attente de l'arrivée d'un insecte, blatte ou sauterelle, puis fondent sur lui. Rapides comme l'éclair, ils le broient et le découpent avec leur rostre. Puis ils lui injectent leur salive toxique, afin de dissoudre ses organes. Il ne leur reste plus qu'à aspirer le sang et les humeurs de la victime, qui ne sera bientôt qu'une sorte de coquille vide.

D'où vient le nom de la mante religieuse ?

Le nom commun de la mante religieuse vient de sa façon de joindre ses pattes antérieures comme si elle était en prière. Ce chasseur furtif fait le guet dans le feuillage, pattes antérieures jointes, et attend sa proie. Le moment venu, il bondit sur elle et la capture avec ses pattes antérieures garnies d'épines. L'insecte peut alors commencer son repas.

LE SAIS-TU ?

La soie de l'araignée est très solide : un fil d'acier de même section est moins résistant.

Pourquoi les mâles de certaines araignées se méfient-ils des femelles ?

L'accouplement peut être dangereux pour les mâles car, ensuite, les femelles les attaquent. Les femelles portent les œufs, et sont généralement plus grosses que les mâles. Ceux-ci s'en approchent avec précaution, au risque d'être blessés ou tués. Après l'accouplement, la femelle veuve noire dévore parfois le mâle, de taille inférieure. Il peut même être mangé avant, aussi doit-il présenter un signal fort afin que la femelle ne l'attaque pas. Certains mâles tirent sur le fil de la toile, tandis que d'autres lui apportent des insectes morts en cadeau.

Que font certaines guêpes de leur victime ?

La femelle du pompile se met en quête de nourriture pour ses petits avant leur naissance. Lorsqu'elle capture une proie (une araignée, par exemple), elle la pique avec son dard pour lui injecter un venin permettant de la paralyser. Puis elle la ramène au nid situé dans une fissure, pond dessus un œuf unique, et ferme l'orifice. À son éclosion, la larve aura ainsi de la nourriture à sa disposition. Ces guêpes sont très délicates dans le choix de leurs proies – certaines ne choisissent que les araignées, d'autres, mouches ou chenilles.

21

Petits animaux
en tous genres

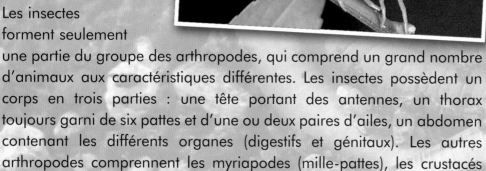

Existe-t-il d'autres animaux minuscules ?

Les insectes forment seulement une partie du groupe des arthropodes, qui comprend un grand nombre d'animaux aux caractéristiques différentes. Les insectes possèdent un corps en trois parties : une tête portant des antennes, un thorax toujours garni de six pattes et d'une ou deux paires d'ailes, un abdomen contenant les différents organes (digestifs et génitaux). Les autres arthropodes comprennent les myriapodes (mille-pattes), les crustacés (crabes), les arachnides (araignées) etc.

Comment les escargots se déplacent-ils ?

Dépourvus de pattes, les escargots se déplacent sur un « pied » plat. Une série de contractions musculaires traverse la base du pied, d'avant en arrière, propulsant l'escargot en avant. Pour faciliter la progression, les glandes du pied sécrètent un mucus visqueux qui laisse une trace argentée. Elle permet à l'escargot de franchir les surfaces rugueuses et protège son pied. Un escargot est capable de se déplacer sur des pointes ou des lames de rasoir sans se blesser.

Comment les vers respirent-ils ?

Les vers n'ont ni poumons ni nez. Toutefois, ils absorbent de l'oxygène et rejettent du dioxyde de carbone. Ils respirent à travers leur peau, mais cette peau doit absolument rester humide pour assurer cette fonction. L'oxygène pénètre dans la circulation sanguine à travers la peau. Un vers possède cinq cœurs qui pompent le sang rempli d'oxygène dans la région de la tête. Les mouvements de son corps repoussent le sang vers l'arrière de son organisme. Le dioxyde de carbone est rejeté à travers la peau.

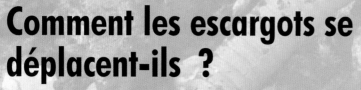

Combien les mille-pattes ont-ils de pattes ?

Parmi les mille-pattes ou myriapodes, on trouve une classe carnivore, les chilopodes, et une classe végétarienne, les diplopodes. Ces insectes ont de nombreux segments portant une ou deux paires de pattes. Les chilopodes n'ont qu'une paire de pattes par segment, mais ils se déplacent relativement vite. Ils tuent leurs proies avec leurs griffes venimeuses. Bien qu'ils possèdent jusqu'à 750 pattes, les diplopodes sont plus lents. Ils utilisent leurs mandibules dentées pour grignoter feuilles et matières organiques en décomposition.

Comment une araignée tisse-t-elle sa toile ?

Les araignées possèdent un organe sur leur abdomen (filière) qui produit un fil de soie. Elles éjectent la soie sous la forme d'un liquide qui se durcit au contact de l'air. Pour réaliser une toile circulaire, l'araignée commence par former un cadre sur lequel la toile sera fixée, puis elle lance un fil en Y. Depuis le centre de l'Y, elle tend des rayons comme ceux d'une roue de bicyclette, puis établit une spirale de soie visqueuse servant de piège, du centre vers les bords.

LE SAIS-TU ?

Si un ver est coupé en deux, la partie antérieure, comprenant la bouche, survit, et l'autre partie va repousser.

ETONNANT !

Où le crabe terrestre dépose-t-il ses oeufs ?

Le crabe terrestre vit sur terre, mais la femelle pond ses œufs dans la mer. N'étant pas capable de nager ni de respirer sous l'eau, elle doit profiter des marées basses. Des colonies de crabes descendent ainsi vers la mer pour y déposer des centaines de milliers d'œufs. Mais une grande quantité de larves ne survivront pas. Elles deviendront une source de nourriture pour les poissons ou autres animaux marins.

Voir l'infiniment petit

Comment les yeux peuvent-il distinguer des petits éléments ?

Les objets suffisamment importants pour être vus à l'œil nu sont dits macroscopiques. Les éléments de taille inférieure, comme les molécules ou les organismes unicellulaires, sont microscopiques et ne peuvent être vus qu'à travers un microscope. On compte des exceptions – certaines molécules d'ADN peuvent être macroscopiques, de même que quelques bactéries et protozoaires. Le plus petit élément visible par un œil humain mesure environ 0,1 mm, soit l'épaisseur d'un cheveu.

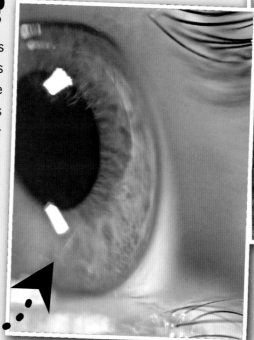

Qu'est-ce qu'un microscope électronique ?

Le microscope courant, ou microscope optique, permet d'agrandir jusqu'à 2000 fois. Le microscope électronique peut, lui, agrandir des millions de fois, et permettre aux scientifiques d'étudier les molécules. Il n'utilise pas la lumière mais un faisceau mobile d'électrons qui balaie l'objet à observer. Des lentilles magnétiques dévient les électrons.

Le faisceau d'électrons passe au travers de l'objet et forme une image sur un écran. Lors d'une exploration au microscope électronique, le faisceau d'électrons peut donner une image à trois dimensions.

Qui a inventé le microscope ?

En fait, l'invention du microscope est le fruit de nombreuses recherches. Il a été mis au point en Hollande à la fin du XVIème siècle par l'opticien Hans Janssen, qu'assistait son fils Zacharias. Il s'agissait d'un système optique à lentilles de verre qui donnait de l'objet observé une image plus grande qu'avec une simple loupe. Le Hollandais Anton van Leeuwenhoek (1632-1723) travaille le verre pour réaliser des lentilles et construire un microscope primitif. En 1665, Robert Hooke crée le premier microscope utilisant la lumière réfléchie par un miroir.

Quel est le plus petit élément visible ?

Le microscope optique permet de voir les cellules du sang et les bactéries. Grâce au microscope électronique, il est possible de distinguer des sections de cellules ou de tissus, et d'accéder à l'infiniment petit, comme les atomes qui constituent la matière.

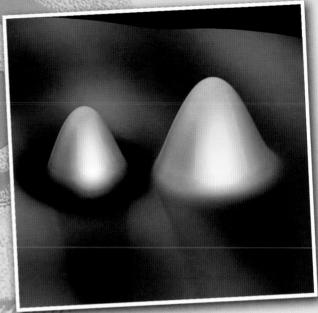

Deux atomes d'or agrandis par un microscope électronique à effet tunnel, dans les laboratoires de recherche d'IBM. Ces images sont différentes des images optiques ; elles révèlent les niveaux de charge électronique entre les substances.

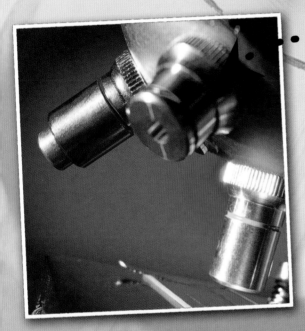

Comment mesurer le grossissement ?

Pour connaître le grossissement d'un objet, il faut connaître la puissance de deux lentilles : celle de l'objectif, et celle de l'oculaire. La première est la plus proche de l'objet, l'autre, de l'œil. Pour évaluer le grossissement, on multiplie la puissance des deux lentilles. Si l'oculaire a une puissance de 10x et celle de l'objectif 4x, le grossissement total sera de 40x. Un objet apparaîtra 40 fois plus gros que si vous le regardez à une distance de 25 cm.

À quoi servent les lentilles ?

Une lentille en verre courbe les rayons lumineux qui passent de l'air dans le verre : c'est la réfraction. La forme de la lentille détermine le déplacement de la lumière à travers elle. Les lentilles **concaves** sont plus fines au centre que sur les bords ; ce type de lentille élargit le rayon lumineux qui la traverse. Les lentilles **convexes** sont plus épaisses au centre, ce qui a pour effet de concentrer la lumière qui passe au travers en un point focal. Dans un microscope, l'objectif agrandit la lumière venant de l'objet, ce qui le fait apparaître plus grand dans l'oculaire.

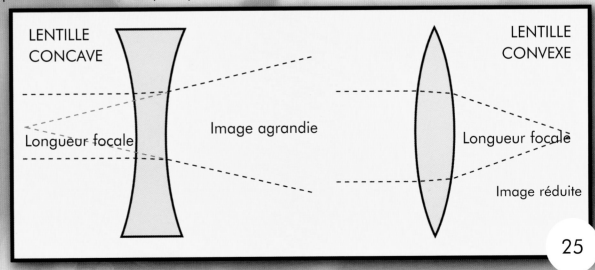

LENTILLE CONCAVE — Longueur focale — Image agrandie — LENTILLE CONVEXE — Longueur focale — Image réduite

LE SAIS-TU ?

80% des poussières de la maison proviennent de déchets de peau humaine.
Ils constituent la nourriture des minuscules acariens et autres petits insectes qui sont représentés dans la plupart des habitats.

Qu'est-ce qu'une punaise ? ···

Les punaises sont des insectes suceurs de sang dépourvus d'ailes mesurant environ 5 mm de long. Leur corps plat leur permet de se glisser dans les moindres interstices, investissant draps et matelas. Elles apprécient la chaleur des chambres, se cachent dans les lits et les meubles pendant le jour, et sortent la nuit pour se nourrir. Alors, elles percent la peau du dormeur avec leur bec acéré et sucent son sang. Les punaises se gorgent également du sang de certains animaux comme les lapins ou les chauve-souris.

Les araignées peuvent-elles vivre dans le siphon d'un évier ?

On voit parfois une araignée surgir de la bonde d'un évier ou d'une baignoire, mais ils ne constituent pas son habitat. Vraisemblablement, l'araignée est tombée dedans de façon involontaire. Désormais, elle aura du mal à s'en extraire : les parois sont trop raides, glissantes, pour que l'insecte puisse les gravir.

Qu'est-ce qui vit dans le sol ?

Le sous-sol abrite de nombreux êtres vivants, à l'abri des prédateurs. Les vers de terre creusent des galeries et progressent sous terre à l'aide de leurs muscles, s'agrippant avec les soies qui dépassent de la surface externe de leur corps. Les larves des taupins passent plus de quatre ans dans le sol, se nourrissant de racines. Certains insectes sont **adaptés** à la vie souterraine. Les courtilières, insectes de la famille des grillons, ont de minuscules ailes resserrées et de courtes pattes dentelées, adaptées au fouissement. Outre une grande variété de petits animaux, le sous-sol héberge également des créatures microscopiques, bactéries et champignons.

Les vers de terre sont utiles : ils aèrent le sol et facilitent la pénétration de l'eau.

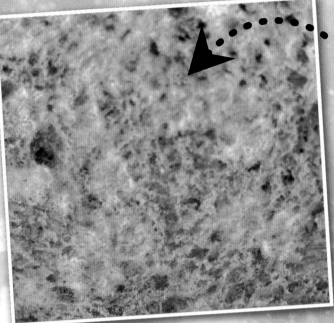

Pourquoi le pain moisit-il ?

De minuscules champignons sont à l'origine des moisissures. Chaleur, humidité et oxygène constituent les conditions nécessaires à la formation de moisissures. La majorité des champignons vivent sur des restes en décomposition : le pain vieux est une source importante d'amidon. Différents types de moisissures attaquent le pain. Des spores, présents dans l'air, tombent sur le pain, et le mycélium se développe en se nourrissant d'amidon. Il forme des sporanges ressemblant à de fines aiguilles, qui développent des spores. Les sporanges gonflent et éclatent : les spores sont dispersées par le vent.

Qu'est-ce qui vit dans la goutte d'eau d'une mare ?

La goutte d'eau d'une mare fourmille de vie, visible seulement au microscope. On y trouve des animaux microscopiques, les protozoaires, qui ne possèdent qu'une cellule et se nourrissent d'autres protozoaires ou d'algues. Les algues sont des plantes microscopiques qui donnent leur couleur verdâtre aux mares. Une goutte d'eau contient également des bactéries, source de nourriture pour les protozoaires. Les bactéries détruisent plantes et animaux morts, et recyclent ainsi les matières nutritives. Parmi ces micro-organismes figurent aussi des larves d'insectes.

Avec qui partagez-vous votre corps ?

Outre des millions de bactéries et de virus, notre organisme héberge une quantité d'autres créatures vivantes. Aussi désagréable que cela puisse être, des acariens vivent parfois dans la racine des cils de certaines personnes. Mesurant moins de 0,2 mm, ils se nourrissent de peau morte et des sécrétions de la peau. Les poux déposent leurs œufs à la base des cheveux. Ils se servent de leurs pièces buccales pour percer la peau et sucer le sang. Heureusement, il existe de nombreux moyens de s'en débarrasser.

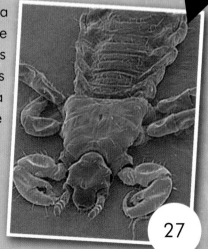

27

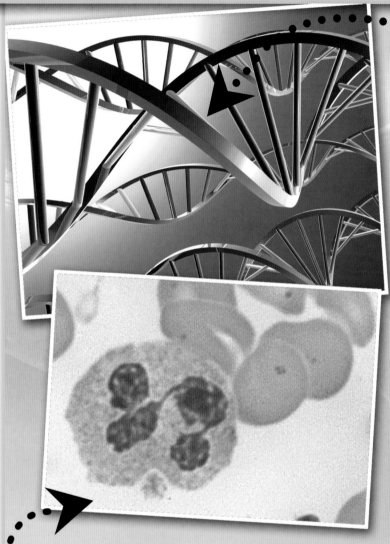

Qu'est-ce que l'ADN ?

Le noyau de chaque cellule d'un organisme vivant comporte une longue molécule d'ADN (acide désoxyribonucléique) qui a la forme d'une double hélice. L'ADN est le support chimique du code génétique : il permet la transmission des caractères héréditaires d'une personne. L'ADN est enroulé par paires dans des structures appelées **chromosomes**. Il y a une infinité de molécules d'ADN dans notre corps, mais elles tiennent peu de place car elles sont finement enroulées. Quand une cellule se divise, l'ADN se duplique de telle sorte que chaque cellule nouvelle possède sa molécule d'ADN.

Comment circule l'air dans nos poumons ?

D'infimes parties de nos poumons contribuent à la fonction de la respiration. L'air inspiré passe dans la trachée-artère, puis dans deux tubes, les bronches, et enfin dans des tubes de plus en plus fins, appelés bronchioles, qui se ramifient.
À l'extrémité de chaque bronchiole sont regroupées des alvéoles, minuscules sacs à air, où s'effectuent les échanges entre les gaz et le sang. Un réseau de **capillaires** recouvre les alvéoles. Chaque poumon en contient plus de 350 millions.

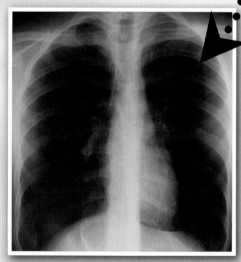

Qu'est-ce qu'une cellule ?

Tous les êtres vivants sont constitués de cellules microscopiques dont la taille est habituellement de l'ordre du centième de millimètre. Notre organisme en compte entre 50 et 100 milliards. Chacune d'entre elle fonctionne comme une petite usine qui travaille sans répit. Elles ont une fonction spécialisée : par exemple, transformer la nourriture en énergie, ou combattre les maladies. Il existe différents types de cellule, selon la tâche qu'elles doivent effectuer. Les cellules de même type sont regroupées pour former des tissus. Les différents tissus constituent des organes, comme le cœur ou les poumons.

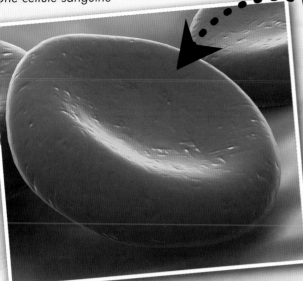

Une cellule sanguine

Quelle est la constitution du sang ?

Le sang est indispensable à la vie. Il est composé de milliards de petites cellules, les globules rouges étant les plus petites (environ 0,007 mm). Le nombre de globules rouges, chez un adulte, est de l'ordre de 5 millions par mm3 de sang. Leur rôle est de transporter l'oxygène aux autres cellules, et d'évacuer les déchets gazeux. Les globules blancs nettoient le sang et combattent les infections. La partie la plus importante du sang est constituée d'un liquide clair appelé plasma. Ce liquide véhicule les globules et les plaquettes sanguines, petites cellules aplaties destinées à assurer la coagulation, en cas de coupure, par exemple.

Quel type d'organismes unicellulaires participe à la digestion ?

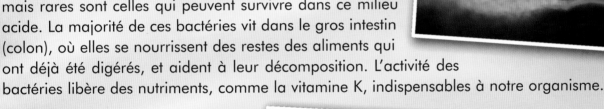

Dans l'intestin vivent des milliards de bactéries ; elles jouent un rôle important dans la digestion des aliments. Il s'agit de « bonnes bactéries », par opposition à celles qui nous rendent malades. Quelques unes vivent dans l'estomac, mais rares sont celles qui peuvent survivre dans ce milieu acide. La majorité de ces bactéries vit dans le gros intestin (colon), où elles se nourrissent des restes des aliments qui ont déjà été digérés, et aident à leur décomposition. L'activité des bactéries libère des nutriments, comme la vitamine K, indispensables à notre organisme.

Qu'est-ce que la peau ?

La peau recouvre le corps et le protège contre les agressions : froid, infections... Elle est constituée de trois couches de tissus. La première, l'épiderme, est une couche superficielle. La couche suivante, le derme, renferme des éléments microscopiques : vaisseaux sanguins, terminaisons nerveuses, certaines étant sensibles au chaud, d'autres, au froid, d'autres encore, à la douleur. Elle renferme également les glandes sudoripares produisant la sueur, et les follicules pileux (poils et cheveux). Enfin, sous le derme se trouve une couche de tissu appelé hypoderme.

LE SAIS-TU ?

Chaque cellule de notre organisme contient des petits organismes appelés **mitochondries.** Ce sont des restes des bactéries primitives qui ont évoluées pendant des millions d'années. Ces mitochondries ont même leur propre ADN !

Glossaire

Adapter
Changer ou se modifier afin de survivre dans un environnement naturel.

ADN
Acide désoxyribonucléique. Cette molécule porte l'information génétique de la cellule, ainsi que les caractéristiques dont chaque nouvelle cellule hérite de ses parents. L'ADN se trouve dans toutes les cellules, à l'exception des globules rouges.

Aérer
Faire entrer de l'air dans un lieu clos.

Algue
Plante aquatique à chlorophylle, n'ayant ni feuilles ni racines.

Ammoniac
Gaz incolore, à forte odeur, souvent utilisé comme engrais. Toxique, il provoque des brûlures sur la peau.

Antenne
Appendice situé à l'avant de la tête de certains êtres vivants. Les antennes sont essentiellement utilisées comme organes du toucher.

Antibiotiques
Médicaments destinés à combattre les infections microbiennes. Les antibiotiques sont actifs contre les bactéries, mais non contre les virus. Les bactéries développent parfois une immunité, rendant les antibiotiques inefficaces.

Atome
La plus petite partie d'un élément, possédant toutes les caractéristiques de cet élément. Les atomes sont composés d'un noyau de protons et de neutrons. Autour de ce noyau, des électrons sont en mouvement.

Capillaires
Vaisseaux sanguins les plus fins. Ils transportent l'oxygène vers les cellules des tissus de l'organisme.

Champignons
Végétaux n'ayant pas recours à la photosynthèse (utilisation de la lumière solaire) pour convertir le dioxyde de carbone en nutriments.

Charge électrique
Quantité d'électricité portée par un corps, par une particule. Elle peut être soit positive, soit négative.

Chromosome
Élément de la cellule vivante, constituée d'ADN, et situé dans le noyau. Les chromosomes renferment l'information génétique. Les êtres humains possèdent 46 chromosomes, dont 4 déterminant le sexe.

Composant
Partie de ce qui fait le tout.

Concave
Qui présente une surface courbe en creux.

Convexe
Opposé de concave. Surface bombée, courbée en dehors.

Digital
Conversion d'une information en une suite de zéros et de uns, ce qui rend plus facile le transfert, le stockage et la copie des informations entre les ordinateurs. Une copie digitale est toujours identique à l'original, alors qu'une copie analogique peut se dégrader à chaque opération.

Dioxyde de carbone
Gaz incolore et inodore résultant de la respiration des animaux et des plantes.

Élément
Corps chimique simple.

Énergie nucléaire
Énergie dégagée par une réaction nucléaire.

Éthique
Ensemble des conceptions morales d'un individu.

Flagelle
Organe filiforme qui assure la locomotion de divers organismes unicellulaires.

Fission nucléaire
Réaction nucléaire dans laquelle un noyau atomique lourd est scindé en noyaux plus légers, en libérant une énorme énergie. La fusion nucléaire est le phénomène inverse (réunions d'atomes légers en un atome plus lourd). Elle est utilisée par les étoiles pour brûler leur combustible.

Follicule
Petit sac membraneux situé dans l'épaisseur de la peau, contenant la racine d'un cheveu ou d'un poil.

Formule chimique
Expression concise, utilisant des symboles et des nombres, utilisée pour définir un composé à partir de ses éléments.

Fréquence
Nombre de cycles (espace entre deux sommets voisins d'une onde) à la seconde.
Les différentes énergies vibrent à des fréquences différentes.

Information génétique
Information venant des parents, et qui détermine le développement des cellules.

Larve
Forme embryonnaire des insectes, caractérisée par une vie libre menée hors de l'œuf (ver).

La métamorphose transformera ensuite la larve en un insecte adulte.

Longueur d'onde
Distance parcourue par une vibration au cours d'une période. L'énergie et la lumière étant des ondes, on peut mesurer la longueur d'onde. Plus la longueur d'onde est courte, et plus l'onde renferme d'énergie. Nous voyons des couleurs différentes selon la longueur d'onde de la lumière, le rouge ayant une courte longueur d'onde, le bleu, une longueur d'onde plus grande.

Membrane
Structure complexe enveloppant la cellule. Elle permet le passage de certaines substances et en retient d'autres.

Métamorphose
Ensemble des transformations successives que subissent les larves de certains animaux (amphibiens, insectes, etc.) Par exemple, lorsque la chenille devient un papillon.

Métaux alcalins
Groupe d'éléments métalliques, dont le sodium et le potassium.

Microprocesseur
Petite plaque de silicium gravée de circuits intégrés et de transistors, permettant de réaliser des programmes de calcul sous un très faible encombrement.

Mimétisme
Aptitude de certaines espèces animales à prendre l'aspect d'un élément de leur milieu de vie afin d'assurer leur protection.

Mitochondrie
Microstructure présente dans les cellules, présentant une architecture et des fonctions propres, et qui joue un rôle essentiel dans la transformation de la nourriture en énergie.
Une cellule peut avoir une ou de multiples mitochondries, selon son activité. Chaque mitochondrie possède son propre ADN. Elles ont pour origine les bactéries primitives vieilles de millions d'années.

Molécule
Ensemble d'atomes liés les uns aux autres d'une façon particulière pour former une substance plus complexe.
Certaines molécules, comme l'ADN, sont très longues. Les molécules de carbone sont indispensables à la vie sur terre.

Noyau
Part centrale d'un atome composé de protons et de neutrons. Désigne également le centre des cellules renfermant l'ADN.

Nutriment
Substance nutritive apportant de l'énergie pour la croissance.

Nylon
Fil synthétique utilisé pour les vêtements, les draps, et différents tissus.

Paralysie
Perte des mouvements volontaires d'une région du corps due parfois à un produit toxique qui endommage une liaison entre les nerfs et cette partie de l'organisme.

Pollinisation
Fécondation du pistil des fleurs par le pollen (généralement d'autres fleurs). Le pollen transporté de fleur en fleur par les insectes, dont les abeilles.

Polyester
Composé polymère synthétique utilisé pour la confection de vêtements ou d'objet divers, comme les coques de bateau. C'est un produit de l'industrie pétrochimique.

Protiste
Organisme unicellulaire vivant en groupes ou colonies, comme les algues et les bactéries.

Protozoaire
Animal unicellulaire.

Quantique (échelle)
Plus petite quantité d'une grandeur physique susceptible d'être échangée. La théorie quantique a bouleversé la science du monde microscopique en introduisant la notion de probabilité.

Reproduction
Processus par lequel un être vivant produit d'autres êtres de la même espèce.

Salive
Liquide secrété par les glandes salivaires, destiné à humidifier la bouche. Ces sécrétions sont stimulées par la présence de nourriture dans la bouche.

Silicium
Élément de la croûte terrestre présent dans les argiles, granites, quartz, sables. Il est utilisé comme semi-conducteur pour la réalisation de circuits électroniques.

Tumeur
Amas de cellules qui se forme par multiplication anarchique. Elle peut être bénigne, ou maligne, c'est-à-dire dangereuse pour la santé.

Venin
Substance toxique sécrétée par certains animaux, qu'ils injectent par piqûre ou par morsure.

Vibration
Mouvements rapides et courts.

Transistor
Petit composant électronique utilisé pour contrôler le débit électrique.

Les progrès de la Science

Observations fascinantes à propos de notre monde

Caroline Daniels

Introduction

Nous vivons une époque passionnante. Le monde moderne évolue rapidement comme jamais, et chaque jour apporte son lot de nouvelles inventions. Notre mode de vie est très différent de celui de nos grands-parents et même de nos parents. La **technologie** nous offre ses bienfaits, nous permettant de nous déplacer de ville en ville et de pays en pays plus facilement que jamais. Et nous souhaitons aller plus vite encore…

Internet et le réseau de téléphones mobiles nous mettent instantanément en contact avec autrui vingt-quatre heures sur vingt-quatre. Les transactions commerciales sont facilitées, et nous pouvons communiquer avec nos amis et collègues de travail depuis la plage ou le sommet enneigé **le plus éloigné**.

Notre monde moderne est un monde « à la demande ». Nous pouvons disposer de produits alimentaires originaires du monde entier pendant toute l'année, et à tout moment du jour ou de la nuit. Nous avons la possibilité d'acquérir un grand nombre d'articles sur Internet, livrables dès le lendemain. Nous attendons également des miracles de la part de nos médecins. La médecine actuelle se base largement sur la technologie. La découverte de nouveaux médicaments, de nouvelles techniques opératoires, et la fabrication d'organes ou de membres **artificiels** augmentent notre espérance de vie.

Cette technologie a cependant un revers. Le monde moderne a **tendance** à s'éloigner des régions les moins développées de la planète. Les ressources naturelles sont utilisées à un rythme effrayant, d'où l'apparition de problèmes d'environnement.

Un grand nombre de services que nous considérons comme acquis dans le monde moderne sont basés sur l'exploitation de personnes et de ressources de pays moins développés, ce qui pose également bon nombre de questions.

Nous commençons à réaliser que nous devons trouver un équilibre entre nos besoins et les ressources de la planète. Notre survie est à ce prix. Même si la technologie permet de résoudre de nombreux problèmes, nous devrons nous interroger sur le partage de nos ressources de manière plus équitable, et la fin de l'exploitation des autres pays.

Si nous respectons notre planète, la vie continuera pendant de très longues années encore. C'est notre plus grand défi. Quelle sorte de monde allons-nous créer ? Offrira-t-il une place à chacun d'entre nous ?

L'ingénierie génétique aura un impact important sur notre avenir car elle offre aux scientifiques la capacité de modifier et d'améliorer l'ADN des êtres vivants. On le constate déjà avec les cultures génétiquement modifiées (OGM). Aura-t-on le droit de créer des organismes humains génétiquement modifiés ?

L'information est l'une des pierres de voûte du monde moderne. Nous communiquons constamment les uns avec les autres, mais la plupart de ces communications sont-elles des discussions sans contenu, ou enrichissent-elles nos connaissances ?

La recherche en matière de médecine produit des remèdes quasiment miraculeux, mais ces traitements ont un prix. Avec une médecine de plus en plus onéreuse, les soins seront-ils réservés aux personnes fortunées ?

Ordinateurs et Internet

Comment Internet a-t-il modifié notre vie ?

Internet nous a offert l'accès à une infinité d'informations, nous permettant de travailler, de communiquer et de nous distraire pratiquement dans toutes régions du monde. Actuellement, 605 millions de personnes sont en mesure de se connecter à Internet, mais cette technologie n'est pas à la portée de tous, et le fossé entre les individus qui disposent ou non d'Internet se creuse de jour en jour, ceux qui en sont exclus étant fortement désavantagés.

Comment les ordinateurs ont changé notre mode de vie ?

Pendant de nombreuses années, les ordinateurs étaient uniquement des outils de travail. La diffusion croissante d'Internet a étendu leur utilisation à tous les domaines de la vie courante. Les réseaux de communication rapides permettent maintenant le travail à domicile, ce qui limite les déplacements. L'ordinateur occupe désormais la pièce centrale de la maison. Il sert de télévision, de magnétoscope ou de téléphone. Par ailleurs, l'augmentation de la capacité informatique a donné aux gouvernements la capacité d'utiliser les réseaux pour **surveiller** les gens et les véhicules.

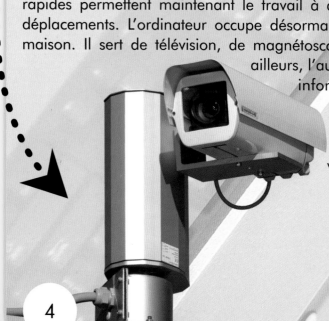

Qu'est-ce qu'un spam ?

Un spam est composé de messages publicitaires sauvages diffusés à un grand nombre d'internautes. Il est impossible d'éviter de recevoir des spams, mais l'installation de programmes informatiques spécifiques permet de filtrer ces courriels indésirables.

Les spams représentent environ la moitié des courriels envoyés sur la toile.

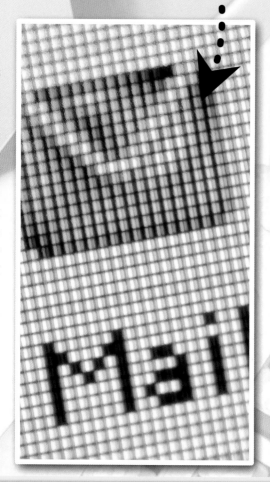

Comment Internet va-t-il évoluer ?

Internet est en perpétuelle évolution. À l'avenir, il sera beaucoup plus rapide qu'aujourd'hui. Actuellement, les connexions les plus rapides tournent à 8 **Mo**/sec., mais ce chiffre devrait passer à 20, voire 50 Mo/sec. les prochaines années. Ceci permettra le transfert d'énormes fichiers, tels que des films, en un temps record.

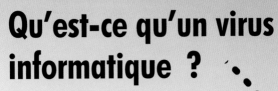

Qu'est-ce qu'un virus informatique ?

Un virus informatique est un **logiciel** parasite créé dans l'intention de nuire, qui infecte les programmes ou les fichiers afin d'en perturber le fonction-nement, à l'image d'un virus infectant le corps humain. Un virus peut être plus ou moins grave. En 2004, un virus appelé Mydoom a infecté plus de 250.000 ordinateurs en moins d'une journée. Les programmes **antivirus** sont capables de repérer les virus, ce qui protège les ordinateurs.

Le sais-tu ?

En utilisant un ordinateur, une personne cligne des yeux 7 fois par minute !

Qu'est-ce que le cyberespace ?

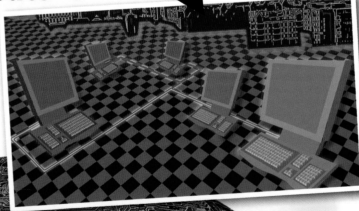

Le cyberespace est un terme souvent utilisé pour faire référence à tout ce qui se trouve sur la toile. Avec le temps, on l'a assimilé à Internet, mais en réalité il s'agit simplement d'une manière pratique d'imaginer le monde on-line comme un espace réel. Il s'agit d'une **métaphore** nous aidant à formuler des idées complexes en les rendant familières.

Les boutiques on-line sont des «magasins» qui n'existent pas en réalité, mais uniquement dans le cyberespace !

Communication

Comment expliquer le succès des téléphones mobiles ?

Les téléphones mobiles sont devenus un **gadget** obligatoire dans la vie d'un grand nombre de gens. Aux Etats-Unis, on compte environ trois fois plus de téléphones mobiles que d'ordinateurs. Les téléphones cellulaires deviennent de plus en plus «intelligents» et sont utilisés pour d'autres tâches que de simples appels téléphoniques. Les derniers modèles permettent d'envoyer des messages textuels et des e-mails, de prendre des photos et de surfer sur Internet. Mais la technologie a également permis à des **pirates** d'accéder aux informations figurant sur les téléphones d'autrui, d'où le vol de répertoires, d'agendas, et autre information.

Les radios DAB sont disponibles dans une large gamme de design.

Qu'est-ce que la radio DAB ?

Le Digital Audio Broadcasting (Diffusion audio numérique) est un nouveau mode de **transmission** des signaux radio. Le DAB convertit la parole ou la musique en code numérique ou binaire. Ce système utilise un codage par des 0 et des 1, qui donne une meilleure qualité sonore. Il permet à l'utilisateur d'écouter des centaines de stations. Ce type de radio offre également un message textuel à propos de la chanson et du chanteur écoutés.

Comment la musique est-elle enregistrée sur un CD ?

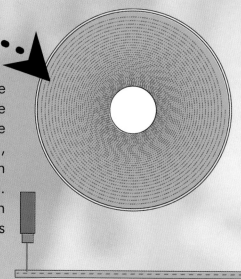

Un CD, ou disque compact, est composé d'un disque de résine. Lors de sa fabrication, on imprime une piste en spirale composée de plats et de creux **microscopiques** sur un moule. Cette piste, très étroite - à peine 0,5 micron de large (1 micron = 1 millionième de mètre ou 0,001 mm), est très longue, ce qui permet de stocker beaucoup d'informations, en allant du centre vers l'extérieur. Tendue, elle mesurerait 5 km de long.

Dans le lecteur CD, un moteur entraîne le disque, tandis qu'un rayon-laser suit la piste, « lisant » ainsi les informations contenues dans les plats et les creux.

Les journaux ont-ils encore du succès ?

Les journaux et les magazines permettent l'échange d'idées et de connaissances dans le monde entier et reflètent l'époque dans laquelle nous vivons. Les premiers journaux imprimés étaient des pamphlets ; ils ont été publiés en Allemagne au début du XVe siècle. Les premiers magazines datent du XVIIIe siècle. Les journaux modernes sont imprimés chaque jour, parfois deux fois par jour, afin que chaque **édition** comporte les dernières nouvelles. Malgré l'information disponible à la télévision et sur Internet, environ un milliard de personnes lisent encore un journal chaque jour.

Comment les satellites sont-ils utilisés en communication ?

Un satellite est un objet qui se déplace autour d'un autre objet. Des milliers de satellites de fabrication humaine tournent autour de la Terre. Des signaux contenant des images, de sons et d'autres informations sont envoyés vers les satellites via des ondes radio depuis une station terrestre. Les satellites renvoient alors les informations à d'autres stations terrestres qui sont à la portée du signal. La zone sur terre dans laquelle un satellite est capable d'émettre est connue sous le nom de «l'empreinte» du satellite. Les satellites sont utilisés pour **transmettre** des appels téléphoniques internationaux, un signal télévisé ou de l'Internet, pour la navigation et la prévision du temps et pour des recherches scientifiques.

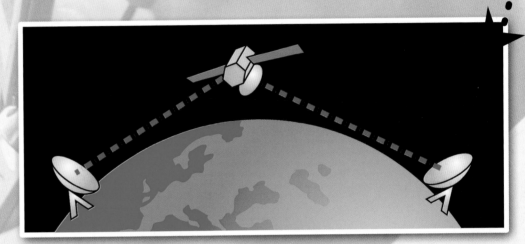

Comment fonctionne un fax ?

« Fax » est une abréviation de « facsimile », ce qui signifie en latin « faire une copie ». Un fax copie un document et l'envoie vers un récepteur par l'intermédiaire d'une ligne téléphonique. Un ordinateur, dans la machine, analyse le document ou le photographie et lit les points constituant les mots ou les images. La machine les convertit alors en signaux ou en 0 et en 1, ce qui permet de les envoyer par une ligne de téléphone. Ces signaux sont ensuite retransformés en image originale imprimée par la machine qui reçoit le fax. Les fax modernes peuvent envoyer des documents en couleur.

Le sais-tu?

Plus de 500 milliards de messages textuels sont envoyés chaque année à travers le monde. Ce chiffre augmente toutes les années.

Médecine

Qu'est-ce que la médecine préventive ?

Il s'agit d'une branche de la médecine chargée de prévenir les maladies par des mesures de santé publique : installation d'eau potable courante, éducation sanitaire, conseils diététiques, vaccinations, mises en garde contre les méfaits du tabac et de l'alcool, importance du sport, etc. La médecine préventive, qui préconise un style de vie sain, a sans doute une action sur l'apparition des maladies graves, telles le cancer.

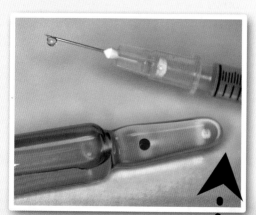

Fumer est légal, mais pourtant excessivement dangereux. Une grande part de la médecine préventive consiste à convaincre les gens à dire non à la cigarette.

Pourquoi la vaccination est-elle importante ?

Les vaccins ont été inventés en Angleterre par le Dr. Edward Jenner, en 1796. La **vaccination** systématique des jeunes enfants dans la plupart des pays du monde a permis de sauver des millions de vies, et d'éradiquer certaines maladies, comme la variole. Les vaccins ont sauvé plus de vies que n'importe quelle autre invention en matière de médecine. Dans un groupe de personnes, la vaccination réduit le nombre de sujets susceptibles d'attraper une maladie infectieuse spécifique. Si bien que la maladie finit par disparaître de la communauté par manque d'individus pouvant l'attraper ou la transmettre.

Y a-t-il encore une place pour la médecine traditionnelle dans le monde moderne ?

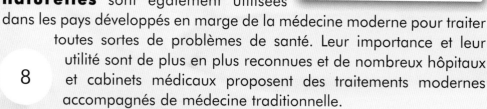

Les habitants de nombreux pays pauvres ou en développement n'ont pas toujours accès à la médecine moderne : les médecines traditionnelles y jouent donc un grand rôle. De nombreuses médecines traditionnelles telles que l'**homéopathie,** **l'acupuncture** et les **médecines naturelles** sont également utilisées dans les pays développés en marge de la médecine moderne pour traiter toutes sortes de problèmes de santé. Leur importance et leur utilité sont de plus en plus reconnues et de nombreux hôpitaux et cabinets médicaux proposent des traitements modernes accompagnés de médecine traditionnelle.

Qu'est-ce que la thérapie génique ?

Le gène est l'élément de base de l'hérédité. Il donne à chaque être vivant ses caractéristiques spécifiques et dirige le développement et le fonctionnement de notre organisme. La thérapie génique consiste à introduire des gènes sains dans les cellules d'un patient pour traiter des maladies telles que le cancer ou le SIDA, en remplacement des gènes altérés, afin d'augmenter son **immunité**.
Actuellement, la plupart des thérapies géniques en sont au stade expérimental.

*La thérapie génique est un sujet controversé. Personne ne connaît l'impact du remplacement de **gènes** sur la santé, à long terme.*

Qu'est-ce qu'un membre bionique ?

Les individus ayant perdu un bras ou une jambe peuvent désormais avoir recours à des membres artificiels ou « bioniques » qui fonctionnent grâce à l'électromécanique. Un **capteur** collecte les signaux nerveux du cerveau et les envoie vers le membre, lui indiquant le geste à accomplir. L'utilisation des propres signaux nerveux du patient donne un certain naturel au geste. Les scientifiques cherchent à rendre aux membres artificiels un aspect et un toucher aussi proche que possible de la réalité.

Qu'est-ce qu'une cellule souche ?

Les cellules souches sont des cellules particulières de l'organisme ayant la capacité de se développer en différents types de cellules. On les utilise pour produire de nouvelles cellules et de nouveaux tissus, pour remplacer des organes endommagés ou malades, ou pour traiter des maladies telles que les lésions à la moelle épinière, la **leucémie** et autres affections du sang. Elles servent également à la culture de la peau destinée aux brûlés, et de nouvelles cornées pour les mal-voyants. A ce jour, les cellules souches sont prélevées dans la **moelle osseuse,** le sang des adultes ou le **cordon ombilical** des nouveaux-nés. Dans ce dernier cas, on remarque moins de rejets chez le receveur.

Qu'est-ce que l'assombrissement global ?

Sous l'effet de la pollution de l'air, les nuages renvoient une partie des rayons du Soleil vers l'espace. Étant donné que les minuscules particules de poussière, de suie et de cendre attirent davantage de gouttelettes d'eau que l'air non pollué, il y a formation de gros nuages qui réfléchissent une plus grande quantité de rayons du Soleil vers l'espace. Les avions volant à haute altitude produisent des traces de **vapeur d'eau** qui contribuent également à l'assombrissement global. Même si ce phénomène nous protège peut-être du réchauffement global, il est la cause de nombreuses catastrophes climatiques à répétition, comme la sécheresse et la famine.

La couche d'ozone est-elle en danger ?

L'ozone est un gaz qui se trouve très haut dans **l'atmosphère.** Il forme une couche de 20 km d'épaisseur qui absorbe les rayons **ultraviolets** nocifs. L'ozone nous protège ainsi des cancers de la peau et des lésions des yeux. Des produits chimiques de synthèse, particulièrement ceux qui renferment du chlore comme les CFC, sont les principaux responsables de la destruction de l'ozone. On les trouve dans les aérosols, les réfrigérateurs, les climatiseurs et les **solvants.** D'autres produits chimiques tels les halons, utilisés dans la protection incendie, ont le même effet dévastateur sur la couche d'ozone.

Pourquoi de nombreuses espèces sont-elles menacées d'extinction ou sont éteintes ?

Le nombre d'habitants de la planète a considérablement augmenté ces dernières années, ce qui a entraîné des modifications de l'environnement. Incapables de s'adapter à ce nouveau milieu, de nombreuses espèces ont disparu. La pollution, la chasse intensive et la **déforestation** ont également entraîné l'extinction d'espèces animales ou végétales. Les produits chimiques, dont les pesticides, ne tuent pas uniquement les insectes, mais affectent également d'autres espèces insectivores, d'où une réaction en chaîne. Les phénomènes naturels – éruptions volcaniques, changements climatiques – menacent aussi certaines espèces.

Le sais-tu?

La totalité de l'eau douce emmagasinée dans les glaces de la planète représente environ 75% des réserves d'eau douce de la Terre.

Comment le réchauffement climatique global affecte-t-il l'environnement ?

Le réchauffement global est provoqué par des gaz, tels le dioxyde de carbone, produits par la combustion de carburants fossiles (gaz, pétrole et charbon). Ces gaz provoquent un effet de serre dans l'atmosphère, donc la température augmente. Le réchauffement global provoque des changements climatiques qui affectent les réserves de nourriture et d'eau et perturbent la migration de la faune. La fonte des **glaciers** entraînera à terme une montée du niveau des océans et l'inondation des zones côtières, provoquant des catastrophes.

En quoi consiste la croissance urbaine ?

Désormais, les villes se développent à la périphérie, principalement dans les **banlieues** qui attirent de nombreux habitants. Les nouvelles constructions causent des problèmes environnementaux, détruisant souvent l'habitat de la faune et de la flore. L'augmentation du nombre de voitures nécessaires pour se déplacer jusqu'aux lieux de travail, souvent éloignés, entraîne davantage de pollution, et participe au réchauffement global. Des spécialistes tentent de trouver des solutions à ces problèmes en développant des zones où les gens peuvent à la fois vivre et travailler. L'environnement est ainsi mieux respecté : petites maisons, pistes cyclables, routes secondaires, parcs et aires de jeu.

L'énergie nucléaire est-elle une alternative valable aux carburants fossiles ?

L'énergie nucléaire est une énergie produite par les **atomes,** minuscules particules qui composent chacun des éléments de l'univers. L'énergie nucléaire est due à la fission du noyau de l'atome, ce qui libère de l'énergie. L'uranium est le combustible nucléaire le plus répandu. Il s'agit d'un métal se trouvant dans la nature. Les centrales nucléaires produisent moins de déchets volatiles que les centrales au charbon, mais les déchets radioactifs restent toxiques pendant des milliers d'années. Nous ne disposons pas encore d'un mode de stockage sécurisé de ces déchets.

Un accident, dans une centrale nucléaire, peut entraîner l'exposition de nombreuses personnes à des taux très élevés de radiation. En 1986, la catastrophe de Tchernobyl a fait environ 300.000 victimes et entraîné l'apparition de nombreux cas de cancers.

Miracles du
monde moderne

Est-il possible de fabriquer un cœur artificiel ?

Le premier cœur artificiel **implantable** a été mis au point en 1982 par Robert Jarvik. Le premier patient à recevoir ce cœur, le Jarvik 7, a vécu 112 jours. Le Jarvik 7 était constitué de plastique, d'aluminium et de polyester. Il était destiné à maintenir le malade en vie jusqu'à ce que le cœur d'un **donneur** soit disponible. Un dispositif le reliait à une machine qui en assurait les battements. Plus récemment, le cœur de substitution AbioCor, totalement implanté dans le corps du patient, ne nécessite aucune machine externe pour fonctionner.

Comment Internet a-t-il vu le jour ?

Internet est probablement la découverte la plus importante de ces vingt dernières années. Depuis ses débuts modestes en 1968 pour relier des ordinateurs **militaires** afin de sécuriser les transmissions de données en cas de guerre nucléaire, Internet a évolué pour devenir le réseau mondial actuel reliant plus de 15.000.000 ordinateurs.

Internet a changé notre mode de vie : le courrier électronique supplante le courrier **conventionnel** et l'avènement du commerce électronique concurrence le commerce traditionnel.

Le scientifique Britannique Tim Berners-Lee a créé le langage HTML qui est à la base de la toile mondiale, facilitant ainsi l'expansion d'Internet.

Qu'est-ce que le télescope spatial Hubble ?

Le télescope Hubble dénommé HST (Hubble Space Tel.) est le plus grand des télescopes actuellement en orbite. Même s'il possède un miroir beaucoup moins important que celui des télescopes terrestres, il est en mesure de voir plus loin car il n'est pas gêné par l'atmosphère. Malgré quelques problèmes au niveau de son miroir, qui ont été réparés en orbite par des astronautes en 1993, le HST a permis aux astronomes de découvrir les secrets du début de l'univers. Hubble restera en service jusqu'en 2010 environ, puis se consumera dans l'atmosphère terrestre.

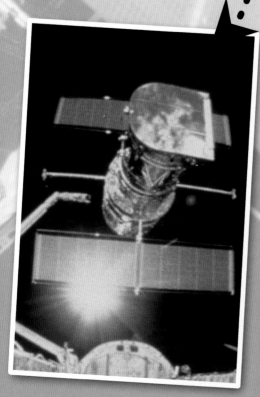

Quel a été l'avion commercial le plus rapide jamais construit ?

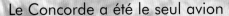

Le Concorde a été le seul avion **supersonique** pour passagers. Capable de voler à environ deux fois la vitesse du son pendant plusieurs heures, il a diminué de moitié le temps nécessaire pour rejoindre Londres à New York.
Les avions de chasse militaires les plus rapides volent plus vite que le Concorde, mais sur de courtes distances. L'avion supersonique a volé pour la première fois en 1969 et est resté en service jusqu'en 2004. Son exploitation s'est arrêtée après l'accident survenu à Paris.

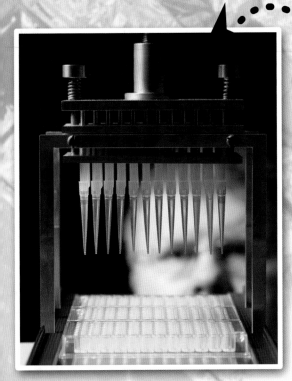

Quelles ont été les différentes étapes de la découverte du génome humain ?

La structure de l'**ADN** a été identifiée pour la première fois en 1953 par Francis Crick et Rosalind Franklin. Cette découverte marque le début des recherches en vue de décoder l'immense quantité de données figurant sur chaque brin d'ADN afin de décrypter les secrets du génome humain. Plusieurs sociétés privées ont participé à ces recherches. Le **Consortium** HGP (un organisme public mondial) a annoncé en 2003 l'achèvement du Projet de Génome humain.

Qui a pensé le premier à un tunnel sous la Manche ?

L'idée de relier la Grande-Bretagne et la France par un tunnel a été avancée par Napoléon en 1802. Toutefois, il a fallu attendre le XXe siècle pour que la technologie permette de réaliser ce rêve. Les travaux ont commencé en 1987, pour s'achever en 1994. L'ouvrage comporte trois tunnels, deux pour la circulation, et un troisième, plus étroit, destiné à l'entretien, entre ces deux premiers. Le tunnel mesure 51 km de long et se situe, en moyenne à 40 m sous le niveau de la mer.

Guerres et conflits

Qu'est-ce qu'une guerre nucléaire ?

Il s'agit d'une guerre qui utilise des armes nucléaires, beaucoup plus destructrices que les armes conventionnelles. Ces armes n'ont été utilisées qu'à deux reprises au cours de l'histoire : par les Etats-Unis, contre le Japon, pendant la Deuxième Guerre mondiale.

Les bombes atomiques ont été lancées sur les villes de Hiroshima et Nagasaki, faisant 120.000 victimes. Elles ont marqué la fin de la guerre. L'arme nucléaire est surtout une arme de dissuasion.

Qu'est-ce que la guerre de l'information ?

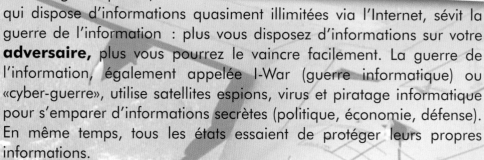

À notre époque de technologie de pointe, qui dispose d'informations quasiment illimitées via l'Internet, sévit la guerre de l'information : plus vous disposez d'informations sur votre **adversaire,** plus vous pourrez le vaincre facilement. La guerre de l'information, également appelée I-War (guerre informatique) ou «cyber-guerre», utilise satellites espions, virus et piratage informatique pour s'emparer d'informations secrètes (politique, économie, défense). En même temps, tous les états essaient de protéger leurs propres informations.

Qu'est-ce que le terrorisme ?

Le terrorisme consiste en l'emploi systématique de la violence pour atteindre un but politique, sans avoir nécessairement le soutien des populations. Il fait d'innocentes victimes, tandis que règne un climat d'insécurité. Le terrorisme est difficile à combattre car ses adeptes agissent sans tenir compte des frontières.

Dans la lutte contre le terrorisme, les états doivent à la fois éviter les attentats et ménager la liberté et le mode de vie de la population.

La guerre **conventionnelle** est généralement inefficace contre les terroristes.

La voiture piégée est l'arme privilégiée des terroristes car elle peut non seulement tuer, mais aussi décourager les gens de s'aventurer dans les centre villes.

Qu'appelle-t-on des « armes intelligentes » ?

Les bombes et les missiles traditionnels, dirigés sur une cible, ratent parfois leur mission. Les bombes dites « intelligentes » se propulsent jusqu'à la cible grâce à un GPS (système de positionnement global), un guidage laser ou des cartes informatisées internes. La première arme de ce type est le missile de croisière, suivi par des bombes de taille réduite. Ces armes sont beaucoup plus **précises,** mais elles peuvent toutefois manquer leur cible.

Un missile de croisière de l'US Air Force en vol.

Le sais-tu ?

Les porte-avions modernes peuvent transporter plus de 80 avions !

Les guerres modernes sont-elles différentes des guerres d'autrefois ?

Les grandes armées s'affrontant en batailles rangées faisant des milliers de morts ont définitivement disparu. Les armes modernes permettent aux ennemis de faire la guerre **à distance** grâce à la technologie. Les pays dotés d'une technologie avancée ont donc un avantage **décisif** sur les autres. Mais cela n'empêche pas les populations civiles d'être touchées par les conflits.

Cet engin volant ultraléger sans pilote (UAV) de l'US Air Force est guidé à distance depuis sa base ou depuis un avion. Il vole jusqu'à sa cible, et ensuite prend des photos ou lâche de petites bombes avant de retourner à la base.

Qu'est-ce qu'une guérilla ?

Les individus qui mènent une guérilla agissent en petits groupes, attaquant leurs ennemis par surprise dans des **embuscades,** puis se cachent au milieu de la population locale. Les guérillas se déroulent souvent dans des zones **inhospitalières**, montagnes ou jungles, que les moyens militaires traditionnels peuvent difficilement atteindre.

Les guérilleros utilisent leur connaissance des lieux pour contrer les opérations de leurs ennemis. Ils causent souvent la mort de nombreux innocents en posant des bombes dans des zones habitées.

Protection de l'environnement

En quoi consiste la protection de l'environnement ?

Il s'agit de préserver notre environnement et les ressources naturelles (énergies fossiles, eau, air, sol, flore et faune) indispensables à la survie de l'homme. Les organismes chargés de la protection de l'environnement doivent résister aux pressions du développement industriel. Certains ouvrages, tels que la construction d'un barrage, provoquent de graves dommages à l'environnement, aussi faut-il tenter de sauver le plus grand nombre d'espèces animales et végétales possible. L'éducation des populations joue un rôle important dans les zones menacées. Il est nécessaire d'informer les habitants des forêts tropicales sur l'importance de la protection de l'environnement, sa destruction n'apportant qu'un bénéfice éphémère.

Pourquoi devrions-nous utiliser des énergies renouvelables ?

Actuellement, nous tirons de l'énergie essentiellement de carburants fossiles tels que le charbon, le gaz et le

pétrole. Ces carburants vont s'épuiser rapidement, et leur reconstitution exigera plusieurs millions d'années. Les énergies renouvelables telles que le vent utilisé par les éoliennes, les chutes d'eau des centrales hydroélectriques, l'énergie solaire, l'énergie marémotrice, ou l'utilisation de la biomasse (matériau animal ou végétal brûlé pour produire de la chaleur) sont inépuisables.

Ces énergies sont moins nocives pour l'environnement. La demande croissante en énergie par les pays en voie de développement rend l'utilisation des énergies renouvelables indispensable.

Les sources d'énergie renouvelables, comme l'énergie solaire, ne seront jamais épuisées.

Comment la pollution agit-elle de façon néfaste ?

Environmental Services, City of Portland

La pollution nuit à notre environnement et à notre santé. Les toxines présentes dans l'atmosphère sont absorbées par notre organisme, provoquant cancers et autres maladies. Les plantes et les animaux absorbent également les toxines contenues dans l'eau ou dans le sol, qui nous sont transmises par notre alimentation. D'où problèmes de santé, en particulier chez les enfants. Certains produits chimiques très dangereux sont désormais interdits, mais d'autres sont toujours présents dans notre environnement.

16

Pourquoi les forêts tropicales sont-elles importantes ?

Les forêts tropicales représentent moins de 2% de la surface du globe, mais elles **hébergent** la moitié des espèces végétales et animales de la Terre. La déforestation à outrance supprime l'habitat des plantes et des animaux. Les plantes des forêts tropicales fournissent une part importante de notre oxygène, maintiennent la stabilité du climat, évitent la sécheresse et l'érosion du sol, et entrent dans la composition d'aliments et de médicaments.

De nombreuses forêts sont détruites pour l'exploitation du bois et la construction de routes et de fermes.

Comment protéger les espèces en voie d'extinction ?

Les lois pour la protection des espèces en voie de disparition, les sociétés de protection telles que Greenpeace et le WWF, et les efforts pour sauver les habitats naturels constituent autant de pistes pour les gouvernements et les organismes.

Chacun peut contribuer à sa manière à la protection de la planète en utilisant des énergies renouvelables et en réduisant sa propre consommation. Planter des végétaux pour fixer le sol, prendre part au comptage des animaux tels que des oiseaux ou des papillons permet d'évaluer la réduction de leur nombre, afin de prendre les mesures nécessaires pour inverser la **tendance**.

La Terre peut-elle nourrir sa population ?

Une grande partie du monde souffre de la faim et de la famine, non pas par manque de nourriture, mais parce que la nourriture n'est pas toujours produite de façon judicieuse. De nombreux pays en voie de développement utilisent de grandes étendues de terres pour cultiver des produits destinés à l'exportation vers les supermarchés du monde développé. Mais ils font aussi appel à l'aide alimentaire des pays riches pour nourrir leurs propres populations.

La famine est quasiment toujours provoquée par des problèmes politiques plutôt que par la sécheresse. Si le monde pouvait éradiquer ces problèmes, la solution serait d'organiser la production alimentaire de manière plus équitable.

Art et
Architecture

Construisons-nous encore des cathédrales ?

Les cathédrales sont généralement associées au Moyen-âge, période à laquelle toute l'Europe en a bâti. Cependant, on en construit encore quelques-unes de nos jours.

Les cathédrales modernes ont souvent une architecture originale, qui reflète le caractère particulier de l'édifice. La plupart des cathédrales modernes sont construites hors de l'Europe, dans des pays où l'Eglise catholique connaît encore une certaine expansion.

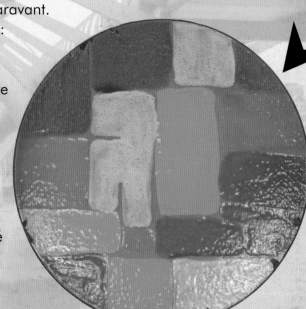

Qu'est-ce que l'OP art ?

L'Op Art (abréviation de *Optical Art*) a été lancé dans les années 60. Son style était **abstrait** et utilisait des formes simples telles que des cercles et des carrés, afin de créer des illusions optiques. Les artistes « Op » ont également utilisé les lignes, les boucles et les cercles pour créer une impression d'image en **3D**. Parmi les artistes Op célèbres figurent Victor Vasarely et Bridget Riley.

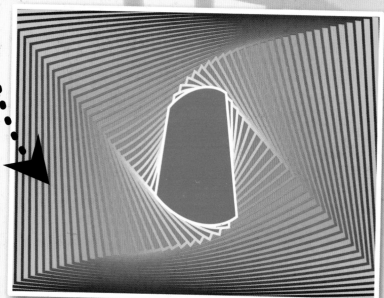

Qu'est-ce que l'art moderne ?

L'art moderne est un terme recouvrant toutes les formes d'art produites depuis la fin du XIXe siècle jusque dans les années 70. Ensuite, on parle d'art contemporain. Avec l'art moderne, la représentation littérale d'un sujet est moins importante qu'auparavant.
On note divers mouvements : expressionnisme, fauvisme, futurisme et, évidement, le cubisme, créé par le célèbre artiste espagnol Pablo Picasso.

L'art moderne concerne également d'autres disciplines, par exemple la sculpture. De nombreux artistes modernes ont travaillé sur des supports différents.

18

La cathédrale de Brasilia en Brésil

Qu'est-ce que le minimalisme ?

Le minimalisme est un concept utilisé dans de nombreuses formes d'art, dont la peinture, l'architecture, le design et la musique. On utilise le moins d'images ou de sons possibles pour transcrire le message. Chaque élément est important, étant donné que seules les parties les plus simples et les plus concrètes sont utilisées. L'architecture minimaliste vise à créer des environnements à la fois apaisants et dépouillés.

Les ordinateurs peuvent-ils créer des œuvres artistiques ?

Aujourd'hui, les ordinateurs sont parfois utilisés pour produire des œuvres artistiques. Sont-ils pour autant capables de création ? Le type d'art produit par les ordinateurs est un art mathématique. La puissance des ordinateurs modernes leur permet de traiter et de représenter les mathématiques cachées, sous des formes visuelles. Les premiers exemples sont les dessins produits au moyen d'équations fractales. Ils reproduisent les formes présentes dans la nature. Mais, contrairement à l'homme, les ordinateurs ne peuvent apprécier la beauté de ces images.

Comment les architectes conçoivent-ils les gratte-ciel ?

Les immeubles très élevés sont extrêmement lourds ; ils exercent une très forte pression sur le sol. De solides **piliers** en béton enfoncés profondément dans le sol, sur une couche de roche solide, assurent la stabilité de l'édifice.

Les gratte-ciel doivent également être capables de résister à la force du vent. Des colonnes en acier et des poutres croisées sont assemblées de façon à former une structure très résistante. Sous l'effet de la chaleur et du froid, l'édifice se dilate et se contracte. Les architectes utilisent donc des joints à roulements qui permettent à la structure de changer de forme sans exercer de force sur les autres parties du bâtiment. De nombreuses villes situées en zones sismiques possèdent des gratte-ciel aux murs de béton armé.

Les formes fractales se répètent à l'infini et imitent les formes présentes dans la nature, comme les branches des arbres et les montagnes.

Culture

Qu'est-ce qu'une civilisation « technologique » ?

Il s'agit d'une civilisation qui octroie une place majeure à la technologie. Même si la technologie était déjà présente dans les civilisations antiques, depuis les Egyptiens qui l'utilisaient pour construire les pyramides jusqu'à la Révolution Industrielle du XVIIIe siècle, notre univers en dépend sans cesse davantage. Des ordinateurs à l'électricité, en passant par la livraison de marchandises dans nos magasins, la technologie nous facilite la vie. Un nombre infime de civilisations ne s'appuie pas, de nos jours, sur la technologie moderne.

Qu'est-ce que la culture informatique ?

Les ordinateurs et Internet ont modifié le mode de fonctionnement de notre société. Les gens peuvent communiquer facilement, qu'ils soient voisins ou vivent de l'autre côté de la planète. Ils forment des communautés on-line basées sur des intérêts communs. Nombreux sont ceux qui entrent ainsi en relation. Pour certains, cela entraîne un isolement devant son ordinateur. Peut-être vaudrait-il mieux rencontrer les gens en chair et en os plutôt que de rester connecté à Internet.

Que signifie multiculturel ?

Dans notre monde moderne, des gens de cultures différentes sont souvent amenés à vivre ensemble. Ce phénomène est parfois dû aux liens historiques de certains pays (ceux qui constituaient les anciens empires d'Europe, par exemple), ou à la suite d'importantes migrations vers un autre pays, à la recherche de travail. Ces personnes conservent des éléments de leur culture d'origine, leur langue et leur religion, et les transplantent dans leur nouveau pays. Il peut y avoir conflit entre ces cultures. En général, les sociétés multiculturelles sont plus fortes et plus dynamiques que les autres.

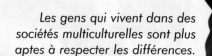

Les gens qui vivent dans des sociétés multiculturelles sont plus aptes à respecter les différences.

Pourquoi de nombreuses cultures traditionnelles disparaissent-elles ?

De nombreuses cultures millénaires risquent de disparaître totalement à cause de facteurs économiques, sociaux et politiques. La race humaine deviendra uniforme, perdant ainsi la richesse et la **diversité** qui rendent la vie intéressante.

Certains pays luttent contre ce phénomène en adoptant des lois qui obligent les gens à utiliser leur propre langue dans les films et les chansons. Toutefois, il est difficile d'échapper à la mondialisation.

Qu'est-ce que la « culture de la jeunesse » ?

Il s'agit d'une culture destinée à des adolescents ou de jeunes adultes. Dans la société moderne, les jeunes ont plus d'**indépendance** et davantage d'argent que dans les cultures traditionnelles. Leur vie est très différente de celle des adultes, et leur culture, fortement orientée vers la musique, le groupe et le divertissement. Des sous cultures sont basées sur des styles musicaux tels que la musique « urbaine », le rave, et le hip-hop. Les jeunes sont attirés vers de nouvelles expériences, et leur culture évolue très rapidement.

Que disent nos vêtements sur notre personnalité ?

Les styles vestimentaires et les tissus varient en fonction de la culture, de l'âge, de la météo, de la disponibilité des produits et de la technologie. Les vêtements peuvent être fabriqués en matières naturelles telles que le coton, la laine, la soie ou la fourrure, ou en produits synthétiques (nylon, plastique, caoutchouc ou même papier). La plupart des gens portent désormais des vêtements de style occidental, et réservent leurs tenues traditionnelles pour des occasions particulières. Les uniformes sont destinés à une fonction spécifique (pompiers et officiers de police) qu'ils permettent d'identifier.

Sport

Qu'appelle-t-on des sports extrêmes ?

Les sports extrêmes sont des sports excitants et dangereux à la fois. Les participants recherchent le frisson et l'exaltation, qu'ils trouvent dans la vitesse et le risque. Tandis que certains sports extrêmes comme le saut à l'élastique ou le rafting en rivière se sont popularisés, d'autres restent marginaux. Les sports extrêmes consistent souvent en la combinaison d'une ou plusieurs activités, comme le sport bizarre appelé « extreme ironing ».

Quelle est l'influence de la science et de la technologie sur les sports modernes ?

La science et la technologie permettent aux athlètes d'atteindre le maximum de leurs possibilités. Les chercheurs en matière de sport étudient la chimie, la **physiologie,** la **psychologie,** la **biomécanique,** la **nutrition** et la médecine afin d'améliorer les performances des athlètes.

L'équipement et la technologie utilisés varient d'un sport à l'autre. Ainsi, une tenue spéciale appelée « windsuit », un casque aérodynamique, et la position selon laquelle le cycliste s'assied sur son vélo pendant la course permettent de réduire la friction face au vent.

Toutefois, c'est la Formule 1 qui utilise la technologie la plus avancée. Les voitures sont truffées d'électronique et de matériaux nouveaux visant à remporter la victoire.

Le parc olympique d'Atlanta, en Géorgie, site des Jeux Olympiques de 1996.

De quand datent les Jeux Olympiques ?

Les premiers Jeux Olympiques ont été organisés à Olympie, dans la Grèce antique, en 776 Av J.-C. en l'honneur du dieu Zeus. Ils se sont poursuivis jusqu'en 394 Av. J.-C., date à laquelle ils ont été bannis par l'empereur Théodose 1er pour des raisons religieuses. En 1892, un français, le Baron de Coubertin, les a relancés afin d'encourager la paix et l'amitié entre les nations. Les premiers Jeux Olympiques modernes se sont tenus à Athènes (Grèce) en 1896. Depuis, ils ont eu lieu tous les quatre ans, excepté pendant les deux guerres mondiales.

Quel est l'événement sportif le plus regardé à la télévision ?

Les jeux et sports pratiqués sur toute la planète attirent un grand nombre de spectateurs. Un sport universel tel que le football attire plus de spectateurs qu'un événement comme le Superbowl, sport le plus regardé aux Etats-Unis. En 2002, 1,3 milliard de personnes ont regardé la finale de la Coupe du Monde. A titre de comparaison, la finale de la Coupe d'Europe de 2004 n'a concerné que 153 millions de téléspectateurs, tandis que le Superbowl était, la même année, suivi par 95 millions de téléspectateurs.

Que sont les sports d'endurance ?

Les sports d'**endurance,** tels le triathlon et le marathon, connaissent un succès croissant. Le triathlon comporte trois épreuves : natation, cyclisme et course. Ces épreuves se succèdent et constituent le test de fitness par excellence. Le nombre de personnes prenant part à ces épreuves augmente sans cesse car les gens ont davantage de temps libre et se soucient de plus en plus de leur condition physique.

Comment le sport évolue-t-il ?

Pendant de nombreuses années, le sport n'était qu'un passe-temps. Tous les sportifs, hommes et femmes, étaient des **amateurs** qui s'affrontaient pour le plaisir et le **prestige** de la victoire. Aujourd'hui, il en est autrement. L'introduction de salaires et les profits du commerce des marques ont entraîné l'apparition de sportifs professionnels. Ils s'entraînent à temps plein pour atteindre des performances de haut niveau. En retour, ils s'attendent à gagner des sommes d'argent considérables.

Le sais-tu ?

Un ballon de Football est constitué de 32 panneaux de cuir cousus entre-eux.

Voyages et transports

Image fournie gracieusement par Scales Composites LLC

Qu'est-ce que Space Ship One ?

Space Ship One est entré dans l'histoire le 21 juin 2004, en devenant le premier appareil privé volant dans l'espace. Il peut transporter jusqu'à trois passagers, mais est incapable de se **propulser** tout seul. Il doit donc être fixé sous un avion transporteur, baptisé White Knight, qui l'entraîne dans la haute atmosphère. Une fois largué, Space Ship One utilise son moteur de fusée pour se mettre en orbite. Ses ailes peuvent changer de forme, s'agrandir pour augmenter le **frottement** de l'air et ralentir le vaisseau lorsqu'il rentre dans l'atmosphère terrestre, ou s'aplatir durant le vol et à l'atterrissage afin d'augmenter la portance.

Qu'est-ce qu'un train Maglev ?

Il s'agit d'un train à grande vitesse **propulsé** par des électro-aimants. « Maglev » est une abréviation de Magnetic Levitation (lévitation magnétique). En effet, le train flotte à 1 cm au-dessus de la voie et est mis en mouvement par le changement de champs magnétique. L'avantage de ce train réside dans le fait qu'il n'y a pas de **frottement** sur la voie, qu'il est plus silencieux vu qu'il n'a pas de roues et qu'aucune pièce mobile ne s'use, ce qui réduit l'entretien. Toutefois, le train Maglev ne peut emprunter une voie normale, il a besoin de voies spéciales, ce qui augmente son coût d'exploitation.

Qu'est-ce qu'un passeport électronique ?

Le passeport électronique contient de minuscules puces intégrées dans la jaquette. Elles renferment des informations sur son propriétaire : empreintes digitales, scanner de l'iris ou photographie biométrique (qui indique des mesures du visage comme la distance entre les yeux et la longueur du nez). Des systèmes de reconnaissance faciale comparent ces données à la personne qui présente le passeport. On espère ainsi réduire le nombre de **faux** passeports et le temps de passage aux guichets de l'**immigration**.

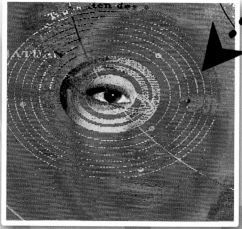

Risquons-nous des embouteillages monstres ?

Le nombre sans cesse croissant de voitures sur nos routes risque d'entraîner la formation d'embouteillages qui paralysent complètement la circulation sur une vaste zone. Si la paralysie s'aggrave, les zones voisines sont également touchées, et tout est bloqué. Avec des densités de trafic très élevées, il suffit parfois d'un simple petit accident pour provoquer une paralysie, entraînant des heures d'attente pour des milliers d'automobilistes.

Qu'est-ce que le GPS ?

Le Système de Positionnement Global permet de vous situer à un point précis, n'importe où dans le monde. Les satellites GPS, en orbite autour de la Terre, suivent l'utilisateur dans tous ses déplacements, mesurent la vitesse à laquelle il se déplace, et indiquent l'heure en tous points de la planète.

Le GPS a initialement été conçu à des fins militaires, mais il est désormais au service de tous : automobilistes, marins ou randonneurs désireux de connaître leur position exacte.

Qu'est-ce qu'un navire furtif ?

Plusieurs pays conçoivent actuellement de nouveaux navires moins visibles sur les écrans radars que les bateaux traditionnels.

Appelés navires furtifs, ces vaisseaux sont fabriqués en fibre de verre (la matière qui compose les voitures de course) plutôt qu'en acier, ce qui les rend plus légers et plus faciles à manœuvrer. Ils sont également conçus avec des angles particuliers, de façon qu'ils soient moins visibles sur les radars des appareils ennemis.

25

Société

Qu'est-ce que la globalisation ?

La globalisation est la tendance moderne à négocier et échanger des devises et des marchandises entre tous les pays du monde. En théorie, cela peut paraître positif : il s'agit d'aider les pays pauvres à faire du commerce avec les pays riches. Mais en pratique, la globalisation permet aux pays riches de devenir plus riches, aux dépens des pays moins favorisés. Ce phénomène est dû, en partie, au fait que les règles et les législations qui régissent la globalisation ont été conçues en faveur des pays riches et des grandes sociétés.

Certains commerces exploitent souvent les paysans des pays en voie de développement pour offrir des produits bon marché.

Comment notre mode de vie moderne influence-t-il notre vie de famille ?

La médecine moderne, l'eau potable et l'hygiène ont joué un rôle dans l'amélioration du niveau général de la santé publique et de la durée moyenne de la vie. En revanche, nous consommons trop souvent des préparations industrielles, des boissons sucrées entraînant obésité et problèmes de santé. Divorce, drogue et alcool ont également un effet négatif sur la vie de famille. Le nombre de familles monoparentales va sans cesse croissant.

Qu'est-ce qu'un réfugié ?

Il s'agit d'un individu obligé de quitter son propre pays pour un autre parce qu'il craint pour sa liberté ou sa vie. De nombreuses personnes fuient leur maison à cause des **guerres civiles.** On compte plus de 15 millions de réfugiés dans le monde. En 1994, une guerre civile a éclaté au Rwanda (Afrique) entre deux groupes, les Tutsis et les Hutus. Cette guerre a fait environ 1 million de victimes en 100 jours et a forcé 2 millions de personnes à trouver refuge dans les pays voisins.

Pourquoi les gens migrent-ils ?

Les migrations ont différentes causes : besoin de sécurité, recherche d'un emploi, salaires plus motivants, liberté de pratiquer la religion de son choix, conviction politique. Les gens peuvent également migrer suite à des catastrophes naturelles, inondations, tremblements de terre, sécheresse et tenter de vivre dans des régions peu exposées à ce type de phénomène. Les facteurs qui forcent les gens à quitter leurs maisons sont appelés facteurs de pression, tandis que ceux qui entraînent les gens à se déplacer vers une zone spécifique sont appelés facteurs d'attraction.

L'ouragan Katrina, qui a touché la Nouvelle Orléans en 2005, a obligé des centaines de milliers de gens à quitter leurs maisons, à la recherche d'une nouvelle vie.

En quoi le vieillissement de la population affecte-t-il notre société ?

L'amélioration des soins et l'**hygiène,** de même que l'augmentation du niveau de vie, font que les gens vivent plus longtemps. Ce phénomène a des conséquences sur la société contemporaine. Les personnes âgées étant généralement en meilleure santé, elles peuvent prendre leur retraite plus tard et profiter de la vie plus longtemps. De nombreuses personnes âgées ont ainsi l'occasion de travailler comme **bénévoles** pour des œuvres caritatives, d'aider à garder des enfants ou d'autres personnes âgées. Cependant, une population âgée grandissante signifie également qu'il y a moins de jeunes en activité, ce qui est un facteur inquiétant pour de nombreux pays.

Pourquoi y a-t-il autant de pauvres ?

Environ un tiers des gens qui vivent dans les pays en voie de développement connaît une extrême pauvreté. Leurs rares ressources leur permettent difficilement de vivre. De plus, les pressions économiques du monde développé ne leur donnent pas la possibilité d'améliorer leur niveau de vie. On compte également beaucoup de gens pauvres vivant dans les pays développés. Ces personnes souffrent d'un manque d'instruction et vivent dans un état précaire.

Technologie

En quoi la technologie moderne affecte-t-elle notre vie ?

La plupart d'entre nous ont la chance d'avoir accès à certains appareils conçus grâce à la technologie pour nous faciliter la vie, nous faire gagner du temps et nous divertir. La majorité des gens aime voyager en voiture, en bus ou en train, possède des téléphones mobiles et des ordinateurs personnels, un réfrigérateur, une machine à laver et un aspirateur. Ces appareils nous facilitent certainement la vie, mais nous rendent-ils plus heureux ? La technologie moderne peut nous donner le sentiment d'être seul. Au lieu d'aller jouer avec leurs camarades, les enfants préfèrent souvent rester à la maison devant leurs consoles de jeu ou regarder une vidéo. Ce qui engendre parfois prise de poids et problèmes de santé par manque d'exercice.

Qu'est-ce que la biotechnologie ?

La biotechnologie est l'utilisation d'éléments vivants tels que les plantes, les animaux ou des micro-organismes afin de créer des produits, y compris des médicaments et des pesticides. La biotechnologie est utilisée pour produire de la nourriture pour l'homme et l'animal, pour fabriquer les produits industriels, des vaccins, des antibiotiques. Elle joue également un rôle dans la thérapie génique. Et, elle présente de nombreux avantages tels que la prévention et le traitement de maladies graves et l'augmentation de la production d'aliments. Mais elle peut également porter atteinte à l'environnement si elle n'est pas strictement contrôlée.

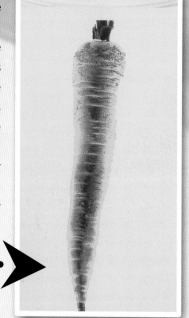

La technologie nous rend-elle plus intelligents ?

L'intelligence humaine est évaluée grâce à un test appelé test de QI ou quotient intellectuel. Le QI moyen d'une personne est de 100, les personnes très intelligentes ayant un QI de 130. Au siècle dernier, le QI des individus a augmenté de 3 points tous les 10 ans. Certains estiment que cette hausse de l'intelligence est due à l'accès à la technologie par les enfants. Les jeunes sont en mesure d'apprendre plus facilement que les adultes, et le fait d'être capables d'utiliser et de comprendre la technologie à un âge précoce profite à leur intelligence.

Qu'est-ce que l'Intelligence Artificielle ?

L'Intelligence Artificielle (I.A.) devrait permettre à un ordinateur d'être capable de penser par lui-même. La tâche s'avère très complexe, car les mécanismes de l'intelligence ne sont pas tous connus. Certains scientifiques pensent que l'intelligence provient de la complexité de notre cerveau, beaucoup plus élaboré qu'un ordinateur. Il faudra donc encore beaucoup de temps avant de pouvoir construire de véritables machines pensantes. Selon le scientifique Alan Turing, si un ordinateur était capable de tenir une conversation avec une personne pendant dix minutes sans que celle-ci ne s'en aperçoive, la machine pourrait être appelée intelligente. Nous en sommes loin...

Qu'est-ce qu'un robot intelligent ?

Il s'agit d'un robot capable de prendre ses propres décisions et d'agir en fonction de certaines circonstances. Les scientifiques travaillent à la production d'ordinateurs qui se comporteraient comme des humains, et seraient également en mesure de résoudre des problèmes. C'est ce que l'on appelle l'Intelligence Artificielle. Le robot intelligent le plus évolué est ASIMO (Advanced Step in Innovative Mobility), le premier robot conçu pour marcher, monter les escaliers et reconnaître le visage et la voix des gens. Il a été construit par la firme Honda, au Japon.

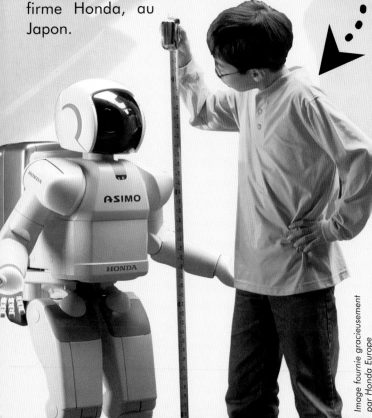

Image fournie gracieusement par Honda Europe

Qu'est-ce que la technologie pourrait nous apporter à l'avenir ?

La technologie nous fournit de nombreux **avantages.** Même si elle est responsable d'une grande partie des dégâts faits à l'environnement de notre planète, elle offrira de nombreuses solutions à nos problèmes.

La technologie changera nos existences de différentes façons: elle allongera notre durée de vie, nous permettra de faire des voyages inter-planétaires, par exemple. Elle nous apportera également des avantages tels que le divertisse-ment holographique, des bois-sons et des aliments nouveaux. Pourquoi pas des tomates mauves au goût de pomme ?

Le sais-tu ?

Un homme adulte mesure environ 2 millions de nanomètres !

29

Glossaire

3D Tridimensionnel. Une image à plat qui semble avoir une certaine largeur, hauteur, et profondeur.

A distance Depuis un endroit éloigné. Un appareil qui est utilisé pour contrôler une machine depuis un point éloigné est appelé commande à distance. Ces appareils utilisent généralement des ondes radio ou des signaux infrarouges.

Abstrait Quelque chose qui n'est pas réel, mais qui existe uniquement dans notre esprit ; une idée plutôt qu'un objet concret.

Acupuncture Ancienne pratique chinoise consistant à piquer de très fines aiguilles à des endroits précis du corps. Cette technique semble guérir certaines maladies et alléger la douleur.

ADN Acide Désoxyribose Nucléique. Présent dans toutes les cellules de l'organisme et porteur d'informations génétiques, comme la couleur des yeux et les cheveux lisses ou bouclés.

Adversaire Ennemi. Celui qui vous contredit ou vous affronte.

Amateur Quelqu'un qui exerce une activité pour le plaisir, et non en tant que profession.

Antivirus Logiciel qui détecte et supprime les virus informatiques.

Artificiel Créé par l'homme.

Atmosphère Fine couche de gaz qui entoure notre planète (et d'autres) et permet à la Terre d'héberger la vie.

Atomes Minuscules particules qui composent toute chose. Les atomes sont constitués de différents types de particules (sub-atomiques) encore plus petites (électrons, neutrons et protons).

Avantage Ce qui nous est utile, profitable.

Banlieue Ensemble des agglomérations qui entourent une grande ville.

Bénévole Personne qui accomplit une tâche sans obligation et gratuitement.

Biomécanique Etude du mouvement et du fonctionnement chez les êtres vivants.

Capteur Appareil qui perçoit un signal tel que de la chaleur, la lumière, la pression, le son ou le mouvement et est capable d'y répondre.

Consortium Groupe de personnes ou de sociétés qui assemblent leurs forces dans un projet commun.

Conventionnel Traditionnel.

Cordon ombilical Qui relie le fœtus au placenta pour fournir nourriture et oxygène au futur bébé.

Décisif Définitif, sans aucun doute.

Déforestation Action d'abattre des vastes zones de forêts afin de libérer de la place pour des fermes ou de l'espace vital.

Diversité Variété, différence. La diversité des êtres vivants est connue sous le nom de biodiversité.

Donneur Personne qui fait don d'un organe (cœur ou rein), donne son sang ou des tissus pour soigner un malade.

Edition Ensemble des livres, journaux ou magazines publiés en une seule fois.

Embuscade Manœuvre qui consiste à se cacher pour surprendre l'ennemi.

Endurance Capacité de résister à la fatigue pendant une longue durée. Elle exige de la force et une bonne condition physique.

Faux
Copie illégale. Contrefaçon frauduleuse d'actes, de signatures, etc.

Frottement Contact entre deux surfaces dont l'une d'elles, au moins, se déplace.

Gadget Objet ingénieux, utile ou non, amusant par sa nouveauté.

Gène Partie de l'ADN qui donne ses caractéristiques particulières à un organisme.

Génome Ensemble du matériel génétique d'un organisme.

Glacier Vaste masse de glace formée en montagne ou dans les régions polaires. En montagne, les glaciers glissent lentement vers le bas du fait de leur propre poids.

Guerre civile Guerre entre citoyens d'un même pays.

Héberger
Recevoir, abriter.
Accueillir sur son sol.

Homéopathie Méthode thérapeutique qui consiste à traiter les maladies par des doses infinitésimales d'une substance naturelle. L'homéopathie traite le mal par le mal : à fortes doses, ce produit déterminerait des symptômes identiques aux troubles que l'on veut supprimer.

Hygiène Ensemble des principes et des pratiques tendant à préserver et à améliorer la santé : adduction d'eau potable, réseau des eaux usées, etc...

Imitation Action de reproduire ou de copier.

Immigration Entrée, établissement temporaire ou définitif dans un pays étranger.

Immunité Propriété d'un organisme à résister à une cause de maladie.